C0-AJV-151

THEOLOGISCHE WISSENSCHAFT

Sammelwerk für Studium und Beruf

Herausgegeben von

Carl Andresen, Werner Jetter,

Wilfried Joest, Otto Kaiser,

Eduard Lohse

Band 3

WALTHER ZIMMERLI

Grundriß der alttestamentlichen Theologie

Zweite, durchgesehene und erweiterte Auflage

VERLAG W. KOHLHAMMER
STUTTGART BERLIN KÖLN MAINZ

Der Universität Straßburg,
die mich durch die Verleihung der Würde eines
Docteur de l'Université de Strasbourg h. c.
mit sich verbunden hat,
dankbar gewidmet

Zweite, durchgesehene und erweiterte Auflage 1975

Stuttgart Berlin Köln Mainz
Verlagsort: Stuttgart
Umschlag: hace
Gesamtherstellung: W. Kohlhammer GmbH
Grafischer Großbetrieb Stuttgart
Printed in Germany
ISBN 3–17–002325–x

Inhalt

Vorwort zur 1. Auflage

Ein »Grundriß der alttestamentlichen Theologie« muß ein Doppeltes leisten: Er soll die wichtigsten alttestamentlichen Aussagenkomplexe ansprechen. Zugleich soll er Anstöße zum Zusammendenken der weitgefächerten alttestamentlichen Aussagen über Gott, der ja nicht vielerlei Gott, sondern der eine Jahwe sein will, vermitteln. Die limitierte Seitenzahl eines »Grundrisses« legt sich beiden Anliegen als eine unangenehme Beschwer in den Weg. Es gilt auszuwählen. Keine Auswahl wird dabei die Billigung aller finden. Es gilt Akzente zu setzen, wo man meint das Wesentliche gesagt zu finden. Diese Akzentsetzung setzt unweigerlich ein bestimmtes Gesamtverständnis des Alten Testamentes voraus, das nicht jeder andere teilt. Der vorliegende »Grundriß«, dem der Verfasser gerne noch einmal eine voller ausholende Gesamtdarstellung der alttestamentlichen Theologie nachfolgen lassen möchte, geht davon aus, daß in der alttestamentlichen Prophetie die Konfrontation Jahwes mit seinem Volke Israel ihre radikale Tiefe erreicht, die entscheidend enthüllt, was es ist um den Gott Israels, von dem das Alte Testament auch da zeugt, wo die explizite Nennung »Gott Israels« zurückzutreten scheint, und was es ist um den Menschen vor diesem Gott.

Der vorliegende »Grundriß« möchte nicht »über« das Alte Testament reden, sondern dessen eigenes Reden zu Gehör bringen. So ist es für den Benutzer des Buches dringend nötig, das aufgeschlagene Alte Testament daneben zu halten, die angesprochenen Texte selber zu lesen, die (sparsam zitierten) Umwelttexte zu vergleichen und auch das hebräische Lexikon nach Möglichkeit daneben zu benutzen. Um auch den des Hebräischen nicht Kundigen an die hebräische Begrifflichkeit in ihrem hebräischen Wortlaut heranzuführen, ist das (unvokalisiert) hebräisch Zitierte in Umschrift zugesetzt worden, wobei die einfache, auch im »Theologischen Handwörterbuch zum Alten Testament« vorliegende Transkription verwendet wird. Nicht-dageschiertes p wird dabei mit f umschrieben. Verbalstämme sind in der Regel nur in ihrem Konsonantenbestand angeführt. Eigennamen werden in der Umschreibung der Zürcherbibel geboten.

Ein Problem stellten die Literaturangaben dar, bei denen Vollständigkeit auch nicht von ferne zu erreichen war. Ich habe mich entschieden, Literaturangaben unter folgenden 4 Gesichtspunkten zu bieten: 1) Gewisse klassische monographische Äußerungen, von denen jeder um das Verständnis alttestamentlicher Aussagen Beflissene Kenntnis nehmen sollte (etwa Gunkel, Mowinckel, Alt, Noth, von Rad u.a.). 2) Artikel und Monographien, in denen vollere Literaturangaben den Weg zu vollerer Information bahnen. Dabei konnten der 1. Band des »Theologischen Handwörterbuchs zum Alten Testament« (THAT) und die vier ersten Lieferungen des »Theologischen Wörterbuchs zum Alten Testament« (ThWAT Band 1, Sp. 1–512) noch vor Abschluß des Manuskriptes verwendet werden. 3) Speziellere Artikel oder Monographien, die im Text berührt werden.

4) Eigene Artikel und Monographien, in denen sich voller begründet findet, was bei dem begrenzten Umfang des »Grundrisses« ohne ausführliche Auseinandersetzung mit anderen Meinungen oft nur thetisch hingestellt werden konnte.
Die Aufreihung der am Schluß jedes Paragraphen gebotenen Literaturangaben hält die Abfolge der Erwähnungen im Text ein. Aus Raumgründen wurde auf die jeweilige ausdrückliche Nennung der neueren Darstellungen der Theologie des Alten Testamentes ganz ebenso wie auf die Anführung der Kommentare bewußt verzichtet. Der informierte Leser wird wohl entdecken, wie viel der vorliegende »Grundriß« ihnen verdankt und wie sehr er vor allem in Zustimmung und Ablehnung im stetigen Gespräch mit der »Theologie des Alten Testaments« von GERHARD VON RAD entstanden ist und von ihr dankbar gelernt hat.
Die Kenntnis der Probleme der »Einleitung« und »Geschichte Israels« ist vorausgesetzt, da diese Disziplinen in besonderen Darstellungen der vorliegenden Lehrbuchreihe behandelt werden.
Abkürzungen folgen dem Abkürzungsverzeichnis, das in jedem Band der 3. Auflage der »Religion in Geschichte und Gegenwart« zu finden ist. Über jenen Bestand überschießende Abkürzungen sind am Ende dieses Buches aufgeführt.
Die dornige Unterscheidung von Dtn/dtn (im Buche Dtn zu finden), dtr. (im deuteronomistischen Geschichtswerk zu finden) und dem allgemeineren dt. (dem weiteren Kreis der deuteronomischen Literatur und Geistigkeit zugehörig) ist nach bester Einsicht, wenn auch keineswegs zu voller Befriedigung des Verfassers geübt worden.
Der knappe Grundriß möchte der Universität Straßburg, deren Alttestamentler Edmond Jacob uns das Geschenk einer voller ausgeführten Darstellung der »Thèmes essentiels d'une Théologie de l'Ancien Testament« gemacht hat, und die mir die durch meine Mutter mit Straßburg bestehende Beziehung in ihrer besonderen akademischen Weise verlebendigt hat, in Dankbarkeit gewidmet sein.
Zu danken habe ich Herrn DR. CHRISTIAN JEREMIAS für seine Mithilfe beim Korrekturlesen und Herrn SIEGMUND BÖHMER für die Anfertigung des Stellenregisters.

Göttingen, Ende Juli 1972 W. ZIMMERLI

Vorwort zur 2. Auflage

Der Text der 1. Auflage ist nochmals durchgesehen, da und dort abgeändert und das Literaturverzeichnis gelegentlich ergänzt worden. Das ThWAT lag jetzt bis Band 2, Sp. 1–384 vor. Neu zugefügt wurde abgesehen von kleineren Erweiterungen ein Passus über die Theologie des Chronisten (S. 159–161). Das Kapitel über die alttestamentliche Apokalyptik (§ 22) ist fast völlig neu gefaßt worden. Herrn Christoph Levin danke ich für seine Hilfe beim Korrektur lesen.

Göttingen, anfangs März 1975 W. ZIMMERLI

Ziel und Grundlage

Eine »alttestamentliche Theologie« hat die Aufgabe, das at. Reden von Gott in seinem inneren Zusammenhange darzustellen.
Die Sammlung der Schriften des ATs ist nicht als die zufällige literarische Hinterlassenschaft des alten Israel tradiert worden. Sie ist als Kanon (Richtschnur) zusammengestellt worden. Die im NT gelegentlich zu findende Bezeichnung des ATs schlechthin als »Gesetz« geht auf das hebr. Wort Tora (תורה *tōrāh*), das am besten mit »Weisung« übersetzt wird, zurück. Der hebr. Kanon ist in drei Wachstumsringen entstanden. Deren innerster, die Tora im engeren Sinne (Gen bis Dtn), hat in der synagogalen Lesung die größte Ehre erfahren. Der zweite, »die Propheten« (die Erzählbücher Jos bis 2Kön, die schriftprophetischen Bücher Jes, Jer, Ez und das Dodekapropheton), ist als geschichtliche Auslegung zur Tora verstanden worden. Im dritten, mit dem farblosen Titel »Schriften« bezeichneten Teil ist schließlich noch sehr verschiedenartiges Gut zusammengestellt worden (Ps, Spr, Hi, die fünf »Festrollen«, das apokalyptische Buch Dan und das späte doppelte Erzählwerk des Chronisten: Esr-Neh; Chron).
Das griechischsprechende Judentum Ägyptens hat sich in etwas früheren Zeiten in seiner griech. Bibel, der sogenannten Septuaginta (LXX), eine über den hebr. Kanon hinausgreifende Sammlung zusammengestellt. Diese weitere Schriftensammlung ist in der Folge in die Vulg. eingegangen und 1546 durch den Beschluß des Tridentinums als die in der kath. Kirche gültige Form des ATs sanktioniert worden. Die Reformationskirchen haben unter dem Einfluß des Humanismus, aber auch aufgrund inhaltlicher Erwägungen auf den hebr. Kanon zurückgegriffen. Einige der darüber hinausgehenden »apokryphen« Schriften hat Luther als »Bücher, so nicht der hl. Schrift gleichgehalten und doch nützlich und gut zu lesen sind«, seiner Bibelübersetzung als Anhang beigegeben.
Die hier folgende Darstellung der at. Theologie hat den hebr.-aram. Kanon zur Grundlage.

Zum Weg der Darstellung

Das AT vereinigt in sich ein Schrifttum, das in einem Zeitraum von fast 1000 Jahren entstanden ist. Israel, aus dessen Bereich die im AT zusammengebrachten Schriften stammen, hat in dieser Zeit einen weiten Weg durchmessen. Von nomadischen Anfängen geht es in die Seßhaftigkeit in Kanaan hinüber. Viehzüchter werden Ackerbauern, wachsen auch in ältere Stadtkulturen hinein. Aus loser vorstaatlicher Verbindung der Israelgruppen kommt es zur Staatsgründung in einem, dann zwei Königtümern. Diese zerbrechen unter den Schlägen der ass. und dann der neubab. Großmacht. Das Volk verliert seine Staatlichkeit, lebt in seinen geistig lebendigen Schichten z. T. in der Exilsferne des Zweistromlandes. Dann konsolidiert sich um Jerusalem herum ein neues kirchenstaatähnliches Gebilde unter pers., dann makedonisch-griech. Oberherrschaft.
Darüber hinaus hat die neuere Forschung sichtbar gemacht, wie all diese geschichtliche Bewegung, der Wandel der soziologischen Strukturen, der damit verbundene Wandel des gottesdienstlichen Lebens, das von der Vielzahl der Heiligtümer schließlich auf Jerusalem hin konzentriert wird – neben dem dann die Exilswirklichkeit auch noch landferne Orte der Anbetung erzwingt –, auch ihre glaubensmäßige Innenseite hat. Fromme Traditionen erfahren in neuen Situationen ihre Neuinterpretation. Nach dem Gesetz von Challenge and Response erzwingt neue geschichtliche Herausforderung auch neuartige Formulierung der Antwort.
Eine Darstellung der at. Theologie wird an all dieser Bewegung nicht vorbeisehen können, zumal sich gerade im Bereich des at. Glaubens zeigt, daß dieser Glaube nicht in einer welt- und geschichtsabgekehrten Innerlichkeit lebt und dort sein arcanum hütet, sondern immer wieder ganz weltbezogen, geschehnisnah bleibt und sich mit all dem, was ihm geschichtlich begegnet, auseinandersetzen muß.
Auf der anderen Seite erhebt sich aber die Frage, ob der innere »Zusammenhang des at. Redens von Gott«, den eine at. Theologie darzustellen hat, nur in der geschichtlichen Kontinuität, d. h. im strömenden Fluß geschichtlicher Abfolgen liegt.
Das AT selber behauptet etwas anderes: Es hält fest an dem Glauben an die Selbigkeit des Gottes, den es unter dem Namen Jahwe kennt. Es hält durch allen Wandel hindurch fest, daß dieser Gott Jahwe es mit seinem Volke Israel zu tun haben will. Auch in aller Anfechtung und allem Schmerz, »daß so ganz anders geworden das Walten des Höchsten« (Ps 77, 11), flieht der Fromme zu diesem Bekenntnis hin und »gedenkt« der früheren Werke Jahwes (77, 12). Hier, in Jahwe

selber, der sich in seinem vorzeiten geschehenen Tun bekannt gemacht hat, glaubt er die eigentlich gültige Kontinuität, an die er sich halten kann, zu finden.
So wird es sich empfehlen, zunächst dieser Mitte, in der allein die innere, von Israel geglaubte Kontinuität liegt, die Aufmerksamkeit zu schenken. Dazu muß allerdings sofort ein Weiteres gefügt werden. At. Glaube weiß, daß Jahwe nicht von Anbeginn der Welt an Israels Gott gewesen ist. Israel erscheint in der Anfangsgeschichte der Welt auch da noch nicht, wo in Gen 10 die große Völkertafel entfaltet wird. Erst in der mit Gen 12 anhebenden Geschichte Abrahams und in den von ihm herkommenden »Vätern« beginnt sich die Geschichte Israels von ferne her in der Verheißung anzukündigen. Mit dem Einsatz des Buches Exodus ist dann Israel, dessen Name nach Gen 32, 29 (35, 10) zunächst am Patriarchen Jakob hängt, als Volk da.
Mit diesem auffallenden Phänomen paart sich ein Zweites. Zwar redet die älteste Quellenschrift J unbefangen schon von Gen 2, 4b ab, d.h. im Zusammenhang der Anfangsgeschichte der Welt, vom Schöpfer unter dem Namen Jahwe. Die beiden anderen Erzählungsstränge des E und P dagegen wissen davon, daß der Jahwename erst dem Mose geoffenbart wird, wie dieser den Auftrag erhält, Israel aus Ägypten zu führen. Darin hat sich offensichtlich die richtige Erinnerung erhalten, daß von dem Jahwe des ATs erst da geredet werden kann, wo er sich als Gott Israels offenbart und die Befreiung Israels aus Ägypten vollzieht.
Auch von hier aus empfiehlt es sich, den Ausgang der Darstellung bei jener Mitte zu nehmen, in welcher at. Glaube einhellig den Gott Israels unter dem Namen Jahwe bekennt. Es wird sich dabei deutlich zeigen, daß es bei dieser »Mitte« nicht um ein statisch zu erfassendes »Gottesbild« geht. Der im Namen Jahwe Angerufene ist immer wieder der Freie, der alle »Gottesbilder«, in die die Menschen ihn bannen wollen, zerschlägt. Das geschieht nicht nur in Ex 3,14, wo von der Offenbarung des Gottesnamens an Mose berichtet wird, sondern ganz ebenso in der großen Prophetie, oder im Raum der Weisheit beim Prediger und Hiob.

W. Zimmerli, Alttestamentliche Traditionsgeschichte und Theologie, Festschr. G. von Rad 1971, 632–647 (= Studien zur at. Theologie und Prophetie, ThB 51, 1974, 9–26). – *R. Smend*, Die Mitte des Alten Testaments, ThSt (B) 101, 1970. – *G. F. Hasel*, The Problem of the Center in the Old Testament Theology Debate, ZAW 86, 1974, 65–82. – *W. Zimmerli*, Zum Problem der »Mitte des Alten Testamentes«, EvTh 35, 1975, 97–118.

I. Grundlegung

»Ich bin Jahwe, dein Gott, der ich dich aus Ägyptenland, dem Knechtshause, herausgeführt habe. Du sollst keine anderen Götter neben mir haben« (*Ex 20, 2f.; Dtn 5, 6f.*).

Im Eingang der großen Gottesoffenbarung vor Israel am Gottesberg Sinai steht die Proklamation des Dekalogs, der durch den oben zitierten Satz mit vollem Gewicht eingeleitet ist. Der hier im Wetter erscheinende Gott macht sich darin in seinem Namen kund, indem er zugleich zurückweist auf die Tat der Befreiung Israels aus der Fronknechtschaft, von der her sein Volk ihn kennen darf und soll.

Die Erinnerung an diese Befreiung und die darauf folgende Hinführung nach Kanaan, die in späteren Summarien und credoartigen Sätzen ihren Widerhall findet, hat auch das Kernelement des heute ungefüg ausgeweiteten ersten Kanonteils, des Pentateuchs, gebildet. So empfiehlt es sich, in den grundlegenden Ausführungen des Eingangsteils von Jahwe (§ 1), dem Gott Israels von Ägypten her (§ 2), auszugehen, dann die dem Kernelement vorausgeschickte Rede vom Gott der Väter (§ 3) und dem in der Urgeschichte verkündeten Schöpfer der Welt (§ 4) zu bedenken und daran die Erwägung der Theologumena von Erwählung (§ 5) und Bund (§ 6), welche die Verbundenheit Jahwes mit Israel näher beschreiben, zu schließen.

§ 1 Der offenbare Name

At. Glaube kennt seinen Gott unter dem Eigennamen Jahwe. Diese Aussprache des Tetragramms (יהוה *jahwǣh*), die in der masoretischen Vokalisation nicht mehr zu finden ist, kann durch Angaben bei den Kirchenvätern zu hoher Wahrscheinlichkeit erhoben werden.

Die Stellen, an denen der Jahwename bewußt vermieden wird, lassen sich in der Regel von bestimmten Überlegungen her verstehen. Daß E und P den Jahwenamen vor der Mosezeit vermeiden, erklärt sich aus einer spezifischen Sicht der Offenbarungsgeschichte, von der gleich zu reden sein wird. Das Zurücktreten des Jahwenamens im sog. elohistischen Psalter (Ps 42–83) ist Folge einer Bearbeitung, hinter welcher die Scheu vor dem Aussprechen des hl. Gottesnamens stehen dürfte, die dann im Judentum zur vollen Meidung der Aussprache des Tetragramms geführt hat. Diese Tendenz scheint auch im Buche Est wirksam zu sein. Im Buche Hi wird der Jahwename in den Redestücken von Kap. 3–37 gemieden und durch das allgemeinere אלוה *ʾaelōah* oder שדי *šaddaj* ersetzt, weil hier Nichtisraeliten miteinander reden. Die Einleitungen der Gottesreden und die Rahmenerzählung Kap. 1f. und 42 verwenden unbefangen den Jahwenamen. Auch anderswo, etwa in der Josephgeschichte, wird der Jahwename im Munde von

Nichtisraeliten vermieden. Beim Pred hängt die Meidung des Jahwenamens wohl mit der ganzen Distanziertheit dieses Weisen gegenüber Gott zusammen (s. u. S. 141–143). Auch im Buche Dan machen die letzten Kapitel deutlich, daß unter dem »Himmelsgott« oder dem »höchsten Gott« oder dem einfach als »Gott« bezeichneten Herrn keinesfalls ein anderer gemeint ist, als der im Eigennamen Jahwe Angerufene. Das Gebet in Dan 9 gebraucht unbefangen den Jahwenamen.

»Name« ist für den at. Menschen mehr als eine auswechselbare Etikette. Im Namen ist der Benannte betroffen und anrufbar. Zwei Fragen drängen sich in diesem Zusammenhange auf:

1. Woher kennt at. Glaube den Namen seines Gottes? Hier sind im AT verschiedene Antworten zu hören:

a) J braucht den Jahwenamen unbefangen schon in der Ur- und Väter-Geschichte.

Im Kontext von J fällt die Bemerkung von Gen 4, 26 auf, wonach man in den Tagen des Enos, des Vertreters der dritten Menschengeneration, angefangen habe, den Namen Jahwes anzurufen. Da Enos wie Adam auch einfach »Mensch« bedeutet, läßt sich dahinter eine Version ahnen, nach welcher Jahwe schon in der Generation des Urmenschen angerufen worden ist. Der heutige Text läßt sich nach Horst von der aus der Religionsgeschichte bekannten Unterscheidung des Hochgottes vom Anfang (d. h. des Schöpfers) und des im Kult der geschichtlichen Gegenwart angerufenen Gottes her verstehen. Das spezifisch At. besteht dann darin, daß Urheber und gottesdienstlich Angerufener derselbe Jahwe sind.

b) Anders E und P. Sie vertreten beide, je in verschiedener Weise, eine bestimmte Sicht der Offenbarung des Jahwenamens. Nach beiden geschieht diese in der Zeit Moses, jener Anfangszeit der Israelgeschichte, die schon zu erwähnen war. Nach E erfährt Mose am Gottesberg den Anruf Gottes, der in seinen früheren Erzählungen immer mit dem auch für nichtisraelitische Gottheiten gebrauchten Gattungsnamen אלהים *'aelōhīm* »Gott« bezeichnet worden war. Auf das Geheiß, sein geknechtetes Volk aus Ägypten zu führen, fragt er nach dem Namen des Gottes, unter dem dieses geschehen soll, und empfängt in verhüllter Weise, die gleich noch näher zu bedenken sein wird, die Mitteilung des Namens Jahwe (Ex 3, 1. 4b. 6. 9–15).

c) P, über dessen besondere Periodisierung der Geschichte Gottes mit Israel später voller zu reden sein wird (s. u. S. 45–47), zeigt einen dreigestuften Vorgang der Offenbarung des Gottesnamens. Wie E redet auch er zunächst unter der allgemeinen Bezeichnung אלהים *'aelōhīm* von den göttlichen Taten der Urzeit. Abraham, dem ältesten der Väter Israels, jedoch enthüllt Gott sich nach Gen 17, 1 unter dem Namen אל שדי *'ēl šaddaj* (s. u. S. 33). Ganz ebenso spontan tritt er dann nach Ex 6, 2ff. Mose gegenüber, indem er sich unter ausdrücklicher Rückbeziehung auf Gen 17 in einer freien, neuen Selbstvorstellung nun unter seinem Namen Jahwe kundtut: »Ich bin Jahwe. Dem Abraham, Isaak und Jakob bin ich unter dem Namen אל שדי *'ēl šaddaj* erschienen, aber in meinem Namen Jahwe bin ich ihnen nicht bekannt geworden«. Mit großem Nachdruck ist hier Spontaneität und Neuheit der Offenbarung des Namens Jahwe zum Ausdruck gebracht. Der Name, unter dem Israel seinen Gott anrufen darf, ist Menschen nicht einfach zuhanden. Er ist hier anders als in E auch nicht durch eine Frage des Menschen herausgefragt, sondern die freie Gabe des Gottes, der seinem Volke den Befreier sendet und sich darin mit diesem Volke verbindet (Ex 6, 7).

2. Läßt der in Israel angerufene Jahwename etwas von Art und Wesen dieses Gottes erkennen?

In der Beantwortung dieser zweiten Frage ist eine doppelte Fragerichtung zu unterscheiden. Es kann a) ganz unabhängig von den Selbstaussagen der at. Texte gefragt werden, ob die philologische Nachfrage eine Antwort über die ursprüngliche Meinung des Jahwenamens zu geben vermag. Die Antwort, die hier allenfalls gefunden wird, braucht aber keineswegs schon für den at. Glauben Relevanz zu haben. Der Name könnte ja seine Prägung in einem ganz anderen Kontext gefunden haben. Das gilt nicht in gleicher Weise, wenn b) gefragt wird, ob der at. Kontext selber etwas über die Bedeutung des Namens aussagt. Mit solcher Aussage wird man sich, wie immer es sich mit der ursprünglichen philologischen Richtigkeit der Aussage verhalten mag, auf jeden Fall im Bereich der at. Eigenaussage befinden, die für eine at. Theologie Bedeutung hat.

a) An Vermutungen über die ursprüngliche Bedeutung des Jahwenamens fehlt es nicht.

Der sprachlichen Untersuchung stellt sich dabei die Vorfrage, ob man von der Langform Jahwe, einem verkürzten Jahu, wie es in manchen Namenbildungen (ישעיהו *j^{e}ša'jāhū*, ירמיהו *jirm^{e}jāhū*, יהויקים *j^{e}hōjāqīm* u. a.) vorliegt, oder der einsilbigen Form Jah, die etwa im Lobruf Halleluja (הללו יה *hal^{e}lū jāh*) vorliegt, auszugehen habe. So meinte Driver die Kurzform Jah als Ruf ekstatischer Erregung deuten zu können, der dann zum Gottesnamen und im Zusammenhang mit der Befreiung aus Ägypten zur Langform in der Bedeutung »der Seiende« oder »der ins Dasein Rufende« geworden sei. Auf eine zweisilbige Form kommt Eerdmans, der darin ursprünglich eine onomatopoetische Nachahmung des Donners hören möchte. Die Langform, für deren Ursprünglichkeit gute Gründe sprechen, wird als imperf. Bildung von einem Verb הוה *hwh* anzusprechen sein. Bedeutet dieses aber nach dem Arab. »wehen«, was dann auf den Namen eines Sturmgottes, oder »fallen«, was auf einen Gott von Blitz und Hagel deuten könnte? Oder ist an ein הוה *hwh* = היה *hjh* zu denken und dieses als »er ist« bzw. »er erweist sich als wirksam« oder »er ruft ins Dasein« zu verstehen? Und ist dann mit Cross an eine abgekürzte Form des vollständigeren יהוה צבאות *jahwäēh ṣ^{e}bā'ōt* »der die (himmlischen) Heerscharen ins Dasein ruft« (s. u. S. 63) zu denken? Wenig wahrscheinlich ist eine Substantivbildung in der Bedeutung »Wesen«.

b) Die Eigenaussage des ATs. Auf die Frage nach dem Namen des ihn zu Israel sendenden Gottes erhält Mose nach Ex 3, 14 die Antwort אהיה אשר אהיה *'aehjāēh '^{a}šaer 'aehjāēh* (»Ich bin, der ich bin ... so sollst du den Israeliten sagen: ›Ich bin‹ (אהיה *'aehjāēh*) hat mich zu euch gesandt«). Hier ist der Name Jahwe unzweideutig vom Verb היה *hjh* (= הוה *hwh*) her durchhellt.

So ist denn vor allem von hier aus die Deutung des Namens als die dem at. Glauben gemäße Deutung versucht worden. LXX mit ihrer Übersetzung ἐγώ εἰμι ὁ ὤν »Ich bin der Seiende« ist hier vorangegangen und hat die verbale Formulierung in das nominale Part. umgesetzt und nach griechischem Vorbild einen ontologischen Seinsbegriff aus Ex 3, 14 herausgehört. Man hat dessen Ungemäßheit im Bereich at. Denkens aber wohl empfunden und darum weitergefragt, ob היה *hjh* nicht richtiger als »wirksam sein« (Ratschow), als »da sein, gegenwärtig sein« (Vriezen), »mit jemandem sein« (Preuß) zu verstehen sei.

Der Name Jahwe will hier aber nicht vom isolierten Verb היה *hjh*, sondern von der Redefigur: »Ich bin, der ich bin« her gedeutet sein. Diese ist mit dem herrischen: »Wem ich gnädig bin, dem bin ich gnädig und wes ich mich erbarme, des erbarme ich mich« von Ex 33, 19 zu vergleichen. In dieser Redefigur schwingt die souveräne Freiheit Jahwes mit, der sich gerade auch da, wo er sich in seinem Namen enthüllt, doch nicht einfach greifen läßt und dem Menschen zuhanden

ist. Auch die Zurückweisung der Frage nach dem Gottesnamen von Gen 32, 30: »Was fragst du mich nach meinem Namen?« will beachtet sein. Jahwe bleibt nach der Aussage von Ex 3, 14 gerade da, wo er sich in seinem eigentlichen Namen nennbar macht und den Namen dem Menschen offenbart, der Freie, der nur in der Freiheit seines Sich-selbst-Vorstellens richtig verstanden ist.
Dieses Wissen, das auch der freien Selbstvorstellung von Ex 6, 2 P, die durch keine menschliche Frage provoziert ist, zugrunde liegt, ist denn gerade in gewissen priesterlichen Redeweisen noch in charakteristischer Weise zum Ausdruck gebracht worden. Bei den Gesetzen des H in Lev 18ff. fällt auf, daß sie in gehäufter Fülle durch ein nachgestelltes »Ich bin Jahwe« oder »Ich bin Jahwe, dein Gott« unterstrichen werden. Diese formelhaft gebrauchte Selbstvorstellungsformel hält hier im Rahmen der Rechtsproklamation die Majestät des Gebietenden, der dem Menschen als sein Herr entgegentritt, fest. Die Frage kann aufgeworfen, wenn auch nicht mit Sicherheit beantwortet werden, ob Israel nicht in seinem gottesdienstlichen Leben Stellen kannte, an denen ihm diese freie Selbstvorstellung Jahwes in seinem Namen (in priesterlichem Munde?) begegnete. Auch die Dekalogpräambel mit ihrem אנכי יהוה אלהיך *'ānōkī jahwāēh 'aelōhāēkā* möchte dafür sprechen.

In anderer Weise ist dieses Element in die prophetische Formulierung des sogenannten Erweiswortes eingegangen, die im Buche Ez in gehäufter Fülle anzutreffen ist, aber schon in der älteren Vor-Schriftprophetie und ihren Gottesbescheiden im Jahwe-Krieg (1Kön 20, 13. 28) entstanden zu sein scheint. Hier kann auf eine (durch Begründung erweiterte oder ganz begründungslos ausgesprochene) Ansage eines kommenden Handelns Jahwes mit seinem Volke die Abschlußformel: »Und ihr werdet (du wirst, er wird, sie werden) erkennen, daß ich Jahwe bin«, folgen. Darin wird das angesagte Tun Jahwes zum Orte erklärt, an welchem der Mensch Jahwe in seiner Selbstvorstellung erkennen – und anerkennen – soll. In seinem Handeln sagt Jahwe sich selber aus. Auch bei Dtjes (49, 22f. 24–26) und Joel ist diese Redeform zu finden. Vgl. auch S. 183f. 204.
Diese Freiheit Jahwes, der auch in seinem Namen nie einfach »Objekt« ist – eine Freiheit, welche das dritte Dekaloggebot in bestimmter Richtung gegen »religiösen« Mißbrauch zu schützen sucht—, will in allen weiteren Aussagen über den at. Glauben beachtet sein. An der einzigen Stelle, an welcher das AT selber eine Erklärung des Jahwenamens zu geben versucht, verweigert es die »Erklärung« des Namens, die diesen in den Käfig einer Definition einsperren würde. Es bringt zum Ausdruck, daß von Jahwe nur in hinhörender Anerkenntnis dessen, wie er sich (in seinem Handeln und in seinem Gebot) erweist, zu reden ist.

F. Baumgärtel, Elohim außerhalb des Pentateuch, BWAT 19, 1914. – *F. Horst*, Die Notiz vom Anfang des Jahwekultes in Gen 4, 26, Festschr. F. Delekat 1957, 68–74. – *R. Mayer*, Der Gottesnahme Jahwe im Lichte der neuesten Forschung, BZ 2, 1958, 26—53. — *O. Eißfeldt*, Jahwe, RGG³ III 515f. (Lit. bis 1959). – *E. Jenni*, Jahwe, THAT I, 1971, 701–707 (Lit. bis 1971). – *C. H. Ratschow*, Werden und Wirken, BZAW 70, 1941. – *H. D. Preuß*, ». . . ich will mit dir sein«, ZAW 80, 1968, 139–173. – *F. M. Cross*, Jahweh and the God of Partriarchs, HThR 55, 1962, 225–259. – *W. Zimmerli*, Ich bin Jahwe. Gottes Offenbarung, ThB 19, 1969², 11–40. – *ders.*, Erkenntnis Gottes nach dem Buche Ezechiel, ebda. 41–119. – *ders.*, Das Wort des göttlichen Selbsterweises (Erweiswort), eine prophetische Gattung, ebda. 120–132. – *K. Elliger*, Ich bin der Herr – euer Gott, Kleine Schriften zum AT, ThB 32, 1966, 211–231.

§ 2 Jahwe, der Gott Israels von Ägypten her

In Hos 13, 4 ist es zu hören: »Ich, Jahwe, bin dein Gott vom Lande Ägypten her. Einen Gott außer mir kennst du nicht und keinen Helfer außer mir«. Dieser Satz, der inhaltlich dem Dekaloganfang Ex 20, 2f. entspricht, besagt wie jener ein Doppeltes. Er sagt: Wo Jahwe sich dem at. Glauben vorstellt, da stellt er sich diesem als der Gott Israels vor, der keinen Zweiten neben sich duldet. Und noch deutlicher als jene andere Stelle unterstreicht er, daß dieses »Gott Israels« nicht eine urzeitliche Gegebenheit ist, so wie etwa der bab. Gott Schamasch per definitionem der Sonnengott gewesen ist. Jahwe ist der Gott Israels von geschichtlichen Begebnissen her, die mit dem Namen Ägypten (die Dekalogpräambel setzt dazu: »dem Knechtshause«) verbunden sind.

Darin wird auf das Geschehen gewiesen, das im Buche Ex, in welchem das Volk Israel erstmals in Erscheinung tritt, berichtet wird. Aus der Fronknechtschaft, in der seine Vorväter, wie Ex 1, 11 in guter geschichtlicher Erinnerung festhält, zur Fronarbeit beim Bau der Vorratsstädte Pithom und Ramses (Ramses II. 1290–1224) gezwungen worden sind, hat sie Mose, der Mann mit dem ägypt. Namen, auf Geheiß Jahwes herausgeführt. Am Schilfmeer sind sie den verfolgenden Ägyptern, deren König sie nicht ziehen lassen wollte, in wunderbarer Weise entkommen. Über diesem Geschehen bricht der älteste vom AT überlieferte Hymnus, das Mirjamlied, auf: »Singet Jahwe, denn hoch erhaben ist er, Roß und Reiter warf er ins Meer« (Ex 15, 21). Was Israel erfahren hat, ist kein neutral zu berichtender Glückszufall. Israel hat darin Jahwe erkannt und bekannt, der allein gepriesen sein will. Das Rühmen dieser Anfangserfahrung des Exodus ist auch darin zu erkennen, daß in der ganzen Geschichte Israels kein Geschehen so von der Fülle wunderhafter Eingriffe Jahwes umlagert ist wie das Geschehen der Erlösung aus Ägypten. Immer wieder ist darum auch in der Beschreibung des Auszugs von den »Wundern und Zeichen« die Rede, die Jahwe »mit starker Hand und ausgerecktem Arm« für sein Volk getan hat. Dann führt der Weg in die Wüste hinaus, dem Land entgegen, das Israel gegeben werden soll. Immer wieder wird im AT credoartig (von Rad) auf dieses Geschehen rekurriert, in ausführlicheren Summarien der Geschichte Jahwes mit Israel wie in knappen Formeln in der Art der Dekalogpräambel. Es redet der Bauer, der seine Gabe ans Heiligtum bringt, in seinem agendarischen Gebet von diesem Tun Jahwes an seinen Vätern (Dtn 26, 5–10). Der Vater, der seinem Sohn die Gebote sinnhaft zu machen versucht, erzählt davon (Dtn 6, 20ff.). Beim Landtag in Sichem ist nach Jos 24 davon die Rede. Die Kultlyrik läßt den Bericht davon unmittelbar nach dem Hinweis auf die Schöpfungstaten Jahwes folgen (Ps 136), Gebote in H können durch diesen Hinweis unterstrichen werden (Lev 22, 32f.; 25, 55). Und selbst der Prophet Ezechiel, der die Sündgeschichte Israels erzählt, dessen Teilreiche in zwei Mädchen mit Beduinen-(Zeltbewohner-)Namen verkörpert sind, redet in Ez 23 davon, daß sie aus Ägypten stammen und dort Jahwe zu eigen wurden. Vgl. weiter Ez 20; Jes 51, 9f.

Wenn daneben auch an einigen wenigen Stellen davon die Rede sein kann, daß Jahwe Israel »in der Wüste gefunden« habe (Dtn 32, 10; Hos 9, 10, dazu Bach), so will darin schwerlich eine andere Ursprungsgeschichte berichtet, sondern in die gleiche Richtung zurückgedeutet werden. In Ez 16 ist dann das Motiv vom Findelkind in die ganz anders gelagerte Ursprungsgeschichte Jerusalems eingedrungen.

Dem rückfragenden Religionshistoriker bleiben hier manche Fragen offen. Es ist zunächst nicht wahrscheinlich, daß die Ahnen des ganzen »Israel« der späteren Zeit den Auszug aus Ägypten erlebt haben. Vielmehr wird es sich nur um eine kleine Gruppe aus einem Teilbereich des späteren Israel, etwa um das »Haus Joseph« gehandelt haben. Aber der im Hymnus der Mirjam gefeierte Bekenntnissatz hat sich in der Folge ganz Israel, auch Jerusalem, von dessen eigenen Traditionen später die Rede sein muß, erobert. Andere Frühtraditionen sind z. T. einfach vergessen, z. T. angepaßt in dieses »Credo« eingebracht und ihm untergeordnet worden. Die Möglichkeit, daß Jos 24 eine Erinnerung an den religiösen Zusammenschluß der schon im Lande befindlichen Stämme, an denen der Name »Israel« gehaftet haben könnte (»Israelstele« Merneptahs TGI[2] 39f.), mit der Gruppe, die Jahwe als den Gott von Ägypten her bekannte, aufbewahrt hat, ist nicht auszuschließen. Deutlich ist auf jeden Fall, daß der Name »Jahwe, der Gott Israels«, dem ein älteres אל אלהי ישראל *'ēl 'aelōhē jiśrā'ēl* vorausliegt, in der Folge in besonderer Weise mit dem Altar in Sichem verbunden gewesen ist (Gen 33, 20; Jos 8, 30).

Ebenfalls macht die religionshistorische Rückfrage es wahrscheinlich, daß Jahwe unter diesem seinem Namen schon zuvor am Gottesberg in der Wüste draußen von midianitischen Gruppen verehrt worden ist. Auf der Brückenstelle dieses Glaubens zu Israel hin könnte der Priester Jethro aus Midian eine gewisse Rolle gespielt haben (Ex 18). Mag aber auch der Gottesname Jahwe und der in der Folge auch noch vom Israel der Frühzeit heilig gehaltene Gottesberg in der Wüste seine Vorgeschichte gehabt haben (die Sinai-Überlieferung wird in § 6 zur Sprache kommen), zum Gott Israels, von dem das AT kündet, ist dieser Gott erst unter dem Rühmen der anfänglichen Befreiungstat an den aus Ägypten Herausgeholten geworden. Hinter dieses Geschehen weist keine Jahwe Erinnerung »Israels« zurück. Zu den Vätergeschichten, in welche der Jahwe-Name erst nachträglich eingebracht worden ist, s. u. § 3.

Sprachlich zeigt die credoartige Aussage von der Herausführung aus Ägypten eine zweifache Form. Darf man Wijngaards folgen, so unterstreicht die Formulierung vom »Herausführen« (הוציא *hōṣī'*) aus Ägypten vor allem den Befreiungsakt, während die Verwendung des Verbs »heraufführen« (העלה *hae'aelāh*) schon das Wohnen im Lande voraussetzt und den heilsgeschichtlichen Weg der Führung durch Jahwe vor Augen hat.

Es gilt nun zu überlegen, was dieses Grundbekenntnis für den Glauben, den das AT bezeugt, bedeutet.

1. Zunächst ist ganz deutlich, daß das AT, sosehr es von Majestät und Freiheit Jahwes weiß, diesen Gott doch von seinen Anfängen her als den Gott kennt, der es mit Israel zu tun haben will. Wir stoßen im AT nirgends auf die Bemühung, Jahwe in seinem An-Sich zu erfragen. Das war gerade auch an der einzigen Stelle zu erkennen, die über die Bedeutung des Namens »Jahwe« nachdachte. Das Handeln des Gottes Israels mit seinem Volke, mit dem Einzelnen in Israel und dann, wie der Horizont des religiösen Denkens sich im Zusammenprall mit anderen Formen des Gottglaubens weitet, mit der ganzen Schöpfung und den Völkern, beherrscht die at. Aussagen.

2. Am Anfang der Exodusgeschichte, über die der Glaube des ATs immer wieder nachdenkt, steht die große Befreiung aus dem Knechtshause. Man versteht dieses Geschehen nicht wirklich, wenn man es zu einem »Prinzip Exodus«, das dann auch das »Prinzip Hoffnung« aus sich entläßt (Bloch), macht. Nicht das Faktum »Hinausgehen«, das zu immer neuen Formen des Ausgehens in Zukunft hinein führte, stellt schon das eigentlich Zentrale dar, sondern die Begegnung mit dem Gott, der sich des Gebundenen erbarmt. Die Rede von dem Gott, der das Schreien

der Unterdrückten hört und ihnen den Retter sendet, ist im AT oft zu hören und wird zu einer Verständniskategorie für spätere Erfahrungen in der Geschichte Israels (Richter, Saul, David). Die Erlösung aus der tiefen Not des Exils kann darum schon bei Ez und vor allem dann bei Dtjes in den leuchtenden Farben eines neuen Exodus, in dem die Ereignisse des anfänglichen Exodus aus Ägypten antitypisch wiederkehren, geschildert werden. Bei Trjes ist zu erkennen, wie die Bilder von Auszug und Wegbahnung in der Wüste zu Bestandteilen der religiösen Sprache zu werden beginnen (s. u. S. 201).

3. Ist gesehen, daß es sich beim »Exodus« um eine Zuwendung des barmherzig sein Volk rettenden Gottes handelt, so muß dazu allerdings gleich das Weitere gefügt werden, daß die Hilfe, die Israel erfährt, dieses auf einen Weg setzt, auf dem nun auch sein Gott weiter bei ihm bleibt. Das Thema »Führung in der Wüste« (Noth) verbindet sich eng mit dem Thema »Auszug«. Jahwe ist Israel von seinen Anfängen her bekannt als der mitgehende »Hirte Israels«. V. Maag hat dieses Erbe Israels von seiner nomadischen Vergangenheit her zu Recht mehrfach stark betont. Der soziologische Hinweis auf »das nomadische Erbe« allein wird allerdings für das theologische Verständnis noch nicht genügen. Darüber hinaus ist festzuhalten, daß Israel im Verkündigungselement des »Jahwe, dein Gott von Ägypten her« in seinem Glauben das Wissen um den Gott lebendig hält, der auf dem Wege bei ihm bleibt. Dieses Wissen wird auch durch all die späteren Theologumena von der Gegenwärtigkeit Jahwes an bestimmten Orten (s. u. § 9) nicht außer Kraft gesetzt. Dieses Wissen ermöglicht es, daß Israel in all seinen späteren »Aufbrüchen« und dem Herausgerissenwerden aus der »Ruhe«, zu der Gott es im Lande führt (Dtn 12, 9f.), seinen Gott nicht verliert und selber unter dem Mitgehen des »Hirten Israels« am Leben bleibt. Israel bleibt in eminenter Weise ein Volk der Hoffnung.

4. In dem Bekenntnis zu »Jahwe, dem Gott Israels von Ägypten her« erfährt Israels Glaube eine starke Bindung an das geschichtliche Geschehen. Über einer ersten geschichtlichen Befreiung, welche die aus Ägypten Entweichenden erfahren, ertönt der erste erhaltene Hymnus Israels. Man hat in neuerer Zeit mit Recht darauf aufmerksam gemacht (Albrektson), daß es keineswegs angeht, dem an die Geschichte gebundenen Israel die geschichtslos nur an Natur gebundenen Naturreligionen der Umwelt gegenüberzustellen. Auch die ass.-bab. Welt weiß vom Eingreifen der Götter in den Geschichtslauf und dem Angewiesensein auf die göttliche Hilfe in den Entscheidungen der Geschichte. Aber es bleibt doch unbestreitbar, daß Israel durch die Rückbeziehung seines Glaubens auf jene frühe Befreiungstat, in der es einen einzigen Herrn und nicht eine Mehrzahl von Mächten am Werke wußte, eine besonders intensive Beziehung seines Glaubens auf die geschichtlichen Erfahrungen mit auf den Weg bekam.

Dabei ist aber auch das Fehlverständnis zu vermeiden, als ob für Israel die Geschichte als solche das Offenbarungswort Jahwes geworden wäre. Nicht nur ist dem AT ein solches Verständnis von »Geschichte« als einem Phänomen eigenen Gewichtes, das dann geradezu als eigene Offenbarungsgröße verstanden werden müßte, fremd. Auch das einzelne Geschichtsfaktum als solches ist noch nicht einfach Verkündigung Jahwes. Weite Strecken des geschichtlichen Erlebens Israels, die im AT zu Gesicht kommen, bleiben stumm und enthalten in sich kein neues Wort. Aber dann kann es geschehen, daß neben erregende Geschehnisse unversehens die Wortboten Jahwes treten, welche das geschichtliche Geschehen als Anruf Jahwes, der zur Entscheidung nötigt, verkündigen. Dabei zeigt es sich sehr deutlich, daß »die Geschichte« keineswegs einfach in ihren Erfolgen Jahwe verkündigt, sondern daß gerade auch im geschichtlichen Zerbrechen, das von prophetischer Verkündigung begleitet ist, Jahwes Wort besonders eindringlich vernommen sein will. Dazu u. § 20. 21.

So wird denn in der Rückschau auch festgehalten werden müssen, daß »die Herausführung aus Ägypten« nicht ohne begleitendes Wort geschehen ist. Die Annahme, daß Mose, der Mann mit dem ägypt. Namen, in der Tat Israel »im Namen Jahwes« aus Ägypten herausführte und von daher, wie immer man das »Amt« Moses näher bestimmen mag, die weitere »Vergegenwärtigung« (Noth) der Taten Jahwes in Israel bestimmte, dürfte immer noch das Gewicht der größten Wahrscheinlichkeit besitzen.

5. In diesem Geschehen hat sich Jahwe für den Glauben Israels selber ausgesagt. Ereignishaft hat er sich darin als Retter jener Schar, die ihr Bekenntnis dann an das ganze, später im Lande als Zwölfstämmevolk existierende »Israel« weitergegeben hat, kundgemacht. Von diesem Bekenntnis her ist er der »Gott Israels«. Nicht, weil Israel sich ihn aus freien Stücken erwählt hätte oder weil er eine »Urverbundenheit« mit Israel besäße, sondern allein, weil er in freier Tat die im Knechtshause Ägypten Sitzenden errettet hat, darum ist er ihr Gott. Was die Formel der Selbstvorstellung in ihrer Weise auszusagen suchte, ist von diesem geschichtlichen Sich-selber-Sagen Jahwes her bestimmt und mit konkretem Inhalt gefüllt. Was immer jene in Ägypten Sitzenden vorher schon von Jahwe unter diesem seinem Namen gewußt haben mochten, es ist dieses alles zurückgetreten oder nachträglich in dieses »Anfangswissen« eingeordnet worden, daß der im Namen Jahwe Angerufene sich als Gott der aus dem Knechtshause Ägypten Herausgeführten und in der Ausweitung des Bekennerkreises im Lande als »Gott Israels« kundgemacht hatte. Nur wenn dieses Sich-selber-Sagen Jahwes erkannt wird, ist das »Jahwe, der Gott Israels von Ägypten her« recht verstanden.

6. Ein Letztes ist von daher klar. Das Geschehen, das für »Israels« Jahweglauben in seinem Beginn bedeutsam wird, hat von vornherein eine politische Dimension. Nicht die Erleuchtung eines einzelnen, der dann einzelne um sich sammelte, wie etwa der Buddha, steht hier am Anfang, sondern die Rettungserfahrung einer zusammengehörigen Gruppe. Diese politische, auf ein innerweltliches Volk bezogene Dimension wird dem Jahweglauben auch in der Folge eigentümlich bleiben. So sehr dann der einzelne nicht vergessen sein wird und die Verantwortung des einzelnen im Lauf der Zeit eine stärkere Akzentuierung erfährt, so sehr ist deutlich, daß er bis hin zu den späten Formulierungen des Danielbuches dem Ganzen des Jahwevolkes nicht entnommen sein wird und sich auch nicht in eine Sonderbeziehung zu seinem Gott, die vom konkreten äußeren »weltlichen« Geschehen abstrahieren könnte, flüchten kann. Zur besonderen Problematik der »Weisheit« s. u. § 18.

Die Beziehung Jahwes zu seinem Volk kann sich in verschiedenartigen Formulierungen nie-

derschlagen. Er ist »der Fels Israels« (2 Sam 23, 3), Israel ist sein »Eigentum« (סגלה, נחלה *s^egullāh*, *naḥ^alāh*), oder einfach »sein Volk.« Er hat das Volk »erworben« (קנה *qnh* Ps 74,2). Zu Jahwe als »Schöpfer Israels« und seinem »König« s. u. § 4, zum »Starken Israels« § 3.
Besonders herauszuheben sind zwei Bildkreise, in denen diese Beziehung umschrieben werden kann. Nicht sehr häufig, aber an einigen bedeutsamen Stellen wird Israel als Jahwes Sohn bezeichnet. Hos 11,1 verbindet das Bild mit dem Exodusbekenntnis: »Aus Ägypten rief ich meinen Sohn«. Ex 4, 22 bezeichnet Israel als den erstgeborenen Sohn Jahwes. Häufiger ist die plur. Individualisierung: »Söhne habe ich großgezogen . . . .« (Jes 1, 2, u. ö.). Das Bild verbindet die Herkunftsaussage (der Sohn ist unumkehrbar vom Vater her) mit dem Hinweis auf die Liebesbeziehung (Ps 103, 13). Auch das Mutterbild wird (seltener) zum Vergleich der tröstenden Zuwendung verwendet werden (Jes 49, 15; 66, 13).
Noch stärker gelangt die Liebesbeziehung im Ehebild zum Ausdruck, das in wechselnden Akzentuierungen von Hosea über Jeremia und Ezechiel bis zu Dtjes hervortritt. In der patriarchalischen Sicht des ATs verbindet sich dabei der Hinweis auf die freie göttliche Wahl mit der fest fixierten Liebesverbindung.

G. von Rad, Das formgeschichtliche Problem des Hexateuch, BWANT 4. F. 26, 1938 (= Gesammelte Studien zum AT, ThB 8, 1958, 9—86). — *S. Herrmann*, Israels Aufenthalt in Ägypten, StuttgBSt 40, 1970. — *M. Noth*, Überlieferungsgeschichte des Pentateuch, 1948. — *R. Bach*, Die Erwählung Israels in der Wüste. Diss. Bonn 1951. — *C. Steuernagel*, Jahwe, der Gott Israels, Festschr. J. Wellhausen, BZAW 27, 1914, 329—349. — *J. Wijngaards*, הוציא and העלה. A twofold approach to the Exodus, VT 15, 1965, 91—102. — *E. Bloch*, Das Prinzip Hoffnung, 1959 (zur Auseinandersetzung vgl. *W. Zimmerli*, Der Mensch und seine Hoffnung im AT, 1968, 163—178 und *H. J. Kraus*, Das Thema »Exodus«, EvTh 31, 1971, 608—623). — *V. Maag*, Der Hirte Israels, SchwThU 28, 1958, 2—28. — *ders.*, Das Gottesverständnis des ATs, Ned ThT 21, 1966/67, 161—207. — *B. Albrektson*, History and the Gods, 1967. — *M. Noth*, Die Vergegenwärtigung des ATs in der Verkündigung, EvTh 12, 1952/53,6—17. — *W. Zimmerli*, Die Weltlichkeit des ATs, 1971. — *J. Hempel*, Gott und Mensch im AT, BWANT 3. F. 2, 1936[2]. — *N. Lohfink*, Beobachtungen zur Geschichte des Ausdrucks עם יהוה, Festschr. G. von Rad, 1971, 275—305 (Lit. bis 1970).

§ 3 Jahwe, der Gott der Väter. Die Verheißung

Jahwes Geschichte mit dem Volke Israel beginnt nach der Erzählung des Pentateuchs mit dem im Buche Ex geschilderten Geschehen. Nun ist dieser Erzählung aber von Gen 12 ab eine Erzählung vorausgeschickt, in der zwar das Volk Israel noch nicht existiert, wohl aber seine Ahnen, deren einer, Jakob, nach Gen 32, 28 (J); 35, 10 (P) geradezu in »Israel« umbenannt wird. Auch diese Ahnen haben es mit dem Gott zu tun, der dann in Israel unter dem Namen Jahwe angerufen wird. Ja, es ist nicht zu überhören, daß in diesem Geschehen recht eigentlich von den Wurzeln geredet sein will, von denen her Israel als das Volk Jahwes lebt. Galling hat auf das Eigentümliche dieses Doppelanfangs der Geschichte Jahwes mit seinem Volke gewiesen und geglaubt, darin eine doppelte Erwählungstradition feststellen zu müssen. So gilt es nach der besonderen Bedeutung dieser »Vorgeschichte« für die at. Aussage von Gott zu fragen.
Es ist schon in § 1 festgestellt worden, daß im Unterschied zu der Eindeutigkeit, in der von Mose ab der Gott Israels als Jahwe bezeichnet ist, die Gottesbezeichnung in den drei Hauptsträngen der Vätererzählung eigentümlich auseinandergeht. Während J unbekümmert von Anfang an von Jahwe redet, bietet P in Gen 17, 1, dem eigentlichen Auftakt der Gottesgeschichte mit Abraham (in 11, 27. 28b. 31f.; 12, 4b. 5; 13, 6. 11b–12a; 16, 1a. 3. 15 macht P knappe Berichtsangaben

ohne jede Nennung Gottes), eine feierliche Selbstvorstellung Gottes vor dem Ahnen Israels: »Ich bin אל שדי *'ēl šaddaj*«. Auf diese wird dann in Ex 6, 3 ausdrücklich Bezug genommen. Der E wiederum verwendet in der Regel einfach die Allgemeinbezeichnung »Gott« (אלהים *'aelōhīm*). In jener Szene am Gottesberg allerdings, in der Mose auf seine Nachfrage der Jahwename enthüllt wird, ist zunächst, ebenfalls mit dem Gewicht einer Selbstvorstellung, eine vollere Selbstbenennung zu vernehmen. Da tritt Gott Mose mit den Worten entgegen: »Ich bin der Gott deines Vaters, der Gott Abrahams, der Gott Isaaks und der Gott Jakobs«, worauf Mose voller Scheu sein Angesicht verhüllt (Ex 3,6). In dieser Bezeichnung ist zunächst unverkennbar die Brücke hinüber zu den Vätergeschichten der Gen geschlagen. Es ist darüber hinaus aber von Alt sehr wahrscheinlich gemacht worden, daß es sich religionsgeschichtlich beurteilt bei diesem »Gott der Väter« um eine Glaubensform handelt, welche bei den Ahnen Israels, die den Namen Jahwe noch nicht kannten, beheimatet war.

Alt hat ein reiches Vergleichsmaterial, das allerdings gute 1000 Jahre jünger ist, herangezogen. In nabatäischen Inschriften, welche aus Gruppen stammen, die im Begriffe sind, ins sedentäre Leben hinüberzuwechseln und ihre Denksteine z. T. schon in griechischer Sprache beschriften, findet sich eine erhebliche Anzahl von Gottesnamen des Väter-Gott-Typs, in denen die allgemeine Gottesbezeichnung mit einem Menschennamen verbunden ist (»Gott des . . .«). Von dieser Analogie her glaubt Alt auf drei Väter-Gottheiten, einen »Gott Abrahams«, einen »Gott Isaaks«, der nach Gen 31, 42. 53 den besonderen Kultnamen פחד יצחק *paḥad jiṣḥāq* »Schreck Isaaks«, (nach Albright eher als »Verwandter Isaaks« zu übersetzen) trug, und »Gott Jakobs«, der nach Gen 49, 24 (Jes 49, 26; 60, 16; Ps 132, 2. 5) den volleren Kultnamen אביר יעקב *'abīr ja'aqōb* »der Starke Jakobs« gehabt haben könnte, schließen zu können. Seebass fügt dazu als Vierten den »Gott Israels«. Abweichend von Alt glauben andere (Andersen, Cross) nach assyr. und amorit. Analogien im »Vatergott« eine allgemeinere Bezeichnung finden zu müssen, die nicht zwingend mit einem menschlichen Eigennamen verbunden sein mußte, aber von Hause aus einem namentlich benannten Gott zugeordnet war.

Im vorliegenden Zusammenhange ist im Rahmen der »Theologie« danach zu fragen, was die Berichte der Gen vom Handeln Gottes an den Vätern für »das at. Reden von Gott« einbringen. Es ist an dieser Stelle nicht die Aufgabe, die Geschichtlichkeit der einzelnen Elemente, die hier für die Vorgeschichte Israels in den Vätern von Bedeutung sind, nachzuprüfen. Damit hat sich eine »Geschichte Israels« zu befassen. Es ist hier aber auch nicht die Aufgabe, den vormosaischen Religionstyp, der im »Gott der Väter« zu erahnen ist, herauszuarbeiten. Das wäre die Aufgabe einer Religionsgeschichte Israels. Die Vätererzählungen der Gen selber sind durchgehend der Meinung, daß im Handeln Gottes an den Vätern selbstverständlich Jahwe am Werke sei, wenn auch, so nach E und P, in einem eigentümlichen Zuvor unter der Verhüllung eines anderen Namens.

Damit ist aber die eigentliche Aussage dieser Vätergeschichten schon ins Blickfeld geraten. Sie stehen durchgehend im Zeichen der »Verheißung«, die der Israelgeschichte vorausläuft und sie vorbereitet.

»Verheißung« ist dabei dem weltlichen Charakter der at. Gottesrede entsprechend nichts Inwendig-Geistliches. Vielmehr geht es in ihr zunächst um die ganz gegenständlichen Güter, die das Volk erst zum Volke machen. Es ist das Versprechen an den Ahnvater, Nachkommenschaft zu bekommen und in dieser Nachkommenschaft sich zu einem Volke zu mehren. 12, 2 sagt weiter, daß der Ahnvater darin einen großen Namen, d.h. Ehre in der Völkerwelt, bekommen solle. Gen 17, 16 enthält einen ähnlichen Gedanken in der Zusage, daß in diesem Volke Könige von der Ahnfrau abstammen werden. Zu der Verheißung der Mehrung zum Volk tritt als zweite, in der alten Überlieferung von den Vätern genannte Verheißung diejenige des Landes, das Gott dem Volke geben werde. In J wird dieses Abraham, der aus seiner Heimat ausziehen soll, zunächst ganz unbestimmt verheißen (12, 1), und erst etwas später, wie er in Kanaan ist, konkret gezeigt (12, 7; 13, 14f.).

Diese beiden großen Verheißungsgüter, welche schon die ältere Väterüberlieferung genannt haben dürfte, werden dann bei J und P je in verschiedener Weise noch durch einen weiteren Akzent näher bestimmt. In 12, 2f. (J) ist es das große Stichwort vom »Segen«, den Abraham empfangen soll, ja zu dem er für die Weite der Völkerwelt, die in der jahwistischen Urgeschichte mit den düsteren Farben sich steigernden Fluches gezeichnet ist, werden soll. In P tritt dazu als Drittes die Zusage, daß der dem Abraham erscheinende Gott sein und seiner Nachkommen Gott sein wolle (Gen 17, 7f.). Man meint dahinter die Vorankündigung des heiligen Dienstes, für den Mose nach Ex 25–31; 35–40 das heilige Zelt bereitet, in das Jahwe mit seiner Lichtherrlichkeit herabkommt (Ex 40, 34–38), erkennen zu können.

Um diese Verheißung, ihre Verzögerung und ihre Gefährdung, um Irrwege und Gehorsam des Verheißungsträgers geht es im weiteren in der Geschichte, die von den Vätern in den verschiedenen Überlieferungssträngen mit je besonderen Akzenten erzählt wird. Steht bei dem aus dem Gottesdienst Israels herkommenden P der Gedanke des großen göttlichen Erlasses im Mittelpunkt, so hebt E ungleich stärker hervor, wie die Gottesfurcht (s. u. S. 127f.) des Verheißungsträgers auf die Probe gestellt wird, während in J Versagen und Gehorsam die echte Menschlichkeit der Väter Israels erkennen lassen. In Gen 15, 6, das quellenmäßig schwer zuzuteilen ist, taucht in diesem Zusammenhang das Stichwort »Glauben« auf (s. u. S. 128 f.).

Was aber soll dieses eigenartige »Zuvor« einer Phase der Verheißung und des Wartens vor der eigentlichen Zeit Jahwes, des Gottes Israels von Ägypten her? Geht es dabei nur um die überlieferungsmäßige Notwendigkeit, die älteren Erinnerungen aus der vorjahwistischen Vorzeit in der Zeit des »Gottes der Väter« (was bei P durch eine Vorzeit des אל שׁדי *'ēl šaddaj* verdrängt ist) erzählerisch noch unterzubringen?

Man wird auf diese Frage nach der theologischen Relevanz des Berichtes von der Verheißungszeit das Folgende zu sagen haben:

1. Die Vätergeschichte will unverkennbar die Frage nach dem Ursprung des Jahwevolkes Israel beantworten. Man hat Gen 12, 1–3 schon als die »Ätiologie Israels« bezeichnet. Die Frage nach dem Ursprung stellt sich auch in Israels Umwelt. So beantwortet etwa das bab. Schöpfungsepos die Frage nach dem Ursprung Babylons durch den Bericht über den Bau der himmlischen Entsprechung desselben bei der Weltschöpfung (AOT² 123). Ägypt. Glaube schildert, wie das Königtum vom Himmel auf die Erde gekommen sei. Und auch die griech. Mythologie weiß etwa zu berichten, daß Athen seinen Ursprung dem

halbgöttlichen Theseus verdanke. Auf diesem Hintergrund will die Entstehungsgeschichte Israels in den Vätererzählungen von Gen 12–50 gesehen werden. Anders als in der Umwelt wird Israel darin nicht durch irgendeine mythische Verbindung an die Anfänge der Welt gebunden. In der Urgeschichte von Gen 1–11 ist Israel nicht zu finden. Noch nicht einmal in der großen Völkertafel von Gen 10, welche die Verzweigung der Weltvölker zeigt, figuriert Israel. Mitten in der schon in Bewegung befindlichen Völkergeschichte geschieht es hier, daß Gott den Ahnvater Israels beruft und ihm die Verheißung des kommenden Volkes im eigenen Lande zuspricht.

An die Stelle der mythischen Verankerung ist hier der Bericht über den Ruf, der den Ahnen mitten im Lauf menschlicher Geschichte trifft, getreten. Die mythische Rückführung auf einen göttlichen Anfang ist hier durch das Geschehen von »Verheißung« ersetzt. Diese läßt Israel in der Geschichte, der auch seine Anfänge nicht entnommen sind, kommender Einlösung des Verheißenen entgegengehen.

2. Dieser Einsatz aber erlaubt es in besonders nachdrücklicher Weise, den Weg und das Warten der Väter sichtbar zu machen. Der Wegcharakter des Lebens unter dem Ruf Jahwes, der auch in der Herausführung aus Ägypten eine Komponente darstellte, tritt in der Geschichte der Väter, die wartend unterwegs sind, ganz besonders stark heraus. Es ist mehr als Zufall, daß in Gen 15, 7 der Rückblick auf den Auszug Abrahams aus seiner Heimat mit Worten ausgesagt wird, welche voll an die Exodusterminologie anklingen: »Ich bin Jahwe, der ich dich herausgeführt habe aus dem Ur der Chaldäer . . .«. E verwendet in 20, 13 im Munde Abrahams gar einmal den gefährlich harten Ausdruck »in die Irre (d. h. wohl »ins zunächst Ungewisse«) führen«, um Gottes Ruf an Abraham zu kennzeichnen. Der Ausdruck steht aber auch hier im Zusammenhang einer Geschichte, die Gottes bewahrende Hand über dem ins Ungewisse Hinausgeführten sichtbar macht.

3. »Verheißung« bedeutet weiter, daß der Geschichte, in der Israel dann vom »Hirten Israels« geführt wird, das Wort der Zusage voransteht. Die Geschichte des Gottesvolkes in seiner Volksdimension beginnt, so wird hier gesagt, als eingelöstes Versprechen. Was Israel bei der Herausführung aus Ägypten und der Hineinführung ins Land erfährt, ist erfülltes Wort. Der Wort- und Anredecharakter des Geschehens wird darin gesichert. Es ist nicht ein geschichtlicher Zufall, der Israel bei der Herausführung und Landnahme widerfährt, auch nicht eine befristete göttliche Laune, sondern das von langeher Angesagte.

4. Darin aber ist das Wissen um die Treue Jahwes beschlossen, der seine Verheißung nicht dahinfallen läßt, sondern hält, was er verspricht. Schon in dem, was in den Anfängen des Volkes unter Mose geschah, ist göttliche Treue wirksam, so behauptet at. Glaube.

Hier nun stellt sich die Frage, ob die Verheißung denn da, wo dann Volkwerdung und Landnahme geschehen, nicht zum Stillstand kommt. Aussagen im Zusammenhang des dtr. Geschichtswerkes, welche betonen, daß Jahwe all seine Verheißung eingelöst habe (Jos 21, 45; 23, 14; 1 Kön 8, 56), möchten nach dem ersten Anschein dahin weisen. Aber wer das dtr. Geschichtswerk in die nachsalomonische Königszeit hinein weiter verfolgt, wird entdecken, daß dort die Spannung des Weges von angesagtem zu eingelöstem Wort erneut in aller Kräftigkeit auftaucht. So geht die durch Nathan dem David gegebene Verheißung durch die Königszeit. Immer wieder bewahrt Jahwe in seiner Treue das gerichtswürdige Davidhaus »um seines Knechtes David willen« vor dem Verderben. Und wenn das zweite Königsbuch dann nach dem Zerbrechen Judas mit dem Bericht von der Erhöhung Jojachins nach langer Gefangenschaft in Babylon endet, so meint man hier im Abschluß noch die Frage des Verfassers zu hören, ob nicht die Verheißung Gottes über David am Ende auch über die Katastrophe von 587 hinauszutragen vermöge. Dazu u. S. 158 f.

Vor allem aber sind die durch die Königsbücher hin immer wieder auftretenden Propheten mit ihrer Unheilsbotschaft, die dann auch geschichtliche Einlösung erfährt, dunkle Zeugen der hier unter dem negativen Akzent stehenden Wirklichkeit des Gottes, der mit seinem Wort durch die Geschichte geht und einlöst, was er zuvor angekündigt hat.

Seine gewaltigste Schärfung erfährt dieses im Phänomen der großen Schriftprophetie, in dem beide Seiten des Gotteswortes spannungsvoll verbunden sind: Die Vorhersage kommenden Unheils bleibt nicht leeres Wort. Aber auch die verheißende Ansage eines freien Neuanfanges jenseits der Katastrophe bleibt nicht leeres Wort, wenn schon die Verheißungen die nach dem Exil geschehene Einlösung um ein Gewaltiges übertreffen und den Glauben Israels immer stärker in die Hoffnung auf noch nicht Eingelöstes hineinrufen – in eine Erwartung, die dann in dem, was dem Apokalyptiker Daniel gezeigt wird, nochmals eine letzte Steigerung erfährt, dazu u. § 21f.

So ist es deutlich, daß »Verheißung«, die da, wo von Jahwe, dem Gott der Väter, die Rede ist, so unüberhörbar laut wird, kein Element der Frühgeschichte Israels bleibt, sondern, auch wenn Israel zuzeiten zur Ruhe gekommen ist, unversehens wieder heraustritt, das Volk auf den Weg setzt und es auf dem Wege aufrechterhält. Das at. Volk Jahwes wird in alledem in ganz besonderer Weise zu einem Volke der Hoffnung.

In der at. Terminologie der »Erfüllung« steht neben pi. מלא *millē'* »erfüllen« (1Kön 8, 15. 24), das dem Mißverständnis Vorschub leisten könnte, als sei damit nun Gottes Zusage gleich einer erledigten Schuldzahlung abgegolten und die Sache zu ihrem Ende gelangt, u. a. das Verb הקים *hēqîm* »aufrichten, zum Stehen bringen« (etwa Jes 44, 26). Dieses hält ungleich deutlicher fest, daß das von Jahwe Zugesagte »steht« (Jes 40, 8) und daß in dem so im Geschehnis zustandegekommenen Wort der Verheißende voll präsent bleibt.

K. Galling, Die Erwählungstraditionen Israels, BZAW 48, 1928. — *A. Alt*, Der Gott der Väter, BWANT 3. F. 12, 1929 (= Kl. Schriften I 1—78). — *R. Clements*, Art. אברהם *'abrāhām*, ThWAT I 53—62 (Lit.). — *H. Seebass*, Der Erzvater Israel, BZAW 98, 1966. — *K. T. Andersen*, Der Gott meines Vaters, StTh 16, 1962, 170—188. — *F. M. Cross*, Yahweh and the God of the Patriarchs, HThR 55, 1962, 225—299 (auch Canaanite Myth and Hebrew Epic, 1973, 3—12). — *H. W. Wolff*, Zur Thematik der elohistischen Fragmente im Pentateuch, EvTh 29, 1969, 59—72. — *W. Zimmerli*, Verheißung und Erfüllung, EvTh 12, 1952/53, 34—59. — *ders.*, Der Mensch und seine Hoffnung im AT, 1968.

§ 4 Jahwe, der Schöpfer und König

1. Es mag auffallen, daß der Abschnitt über Jahwe, den Schöpfer der Welt, nicht an den Anfang gestellt worden ist. Im Credo des christlichen Glaubens steht der

erste Artikel, der vom Schöpfer redet, voran, und »Schöpfung« muß doch auf jeden Fall als das am Anfang, also in den principia mundi Stehende beurteilt werden. Es ist aber schwerlich zu übersehen, daß in der Aussage des ATs die in der Mitte der Geschichte geschehene »Herausführung Israels aus Ägypten« der primäre Orientierungspunkt ist. Von ihm her wird dann allerdings auch immer deutlicher das Bekenntnis zum Schöpfer, zu dem Israel in der Begegnung mit den entfalteten Schöpfungsmythen seiner kan. Umwelt herausgefordert ist, formuliert. So ist ja auch im christlichen Credo das einleitende »Ich glaube an Gott, den Vater« des ersten Artikels, das dem Bekenntnis zum »Schöpfer Himmels und der Erde« voransteht, ohne den zweiten Artikel nicht zu verstehen.

Daß Israel in Kanaan fest formulierten Formen des Schöpfungsglaubens begegnet ist, wird am deutlichsten in der Melchisedek-Episode von Gen 14, 18—20 erkennbar. Da tritt Abraham bei seiner Rückkehr vom Feldzug gegen die Ostkönige Melchisedek, der König von Salem (nach Ps 76,3 = Zion/Jerusalem), entgegen, der als Priester des אל עליון *'ēl 'aeljōn* (»Gott/El, Höchster«) bezeichnet wird. Dem Gottesnamen wird in v. 19 das Prädikat »Schöpfer von Himmel und Erde« beigelegt. Es ist bezeichnend, daß dann in v. 22 in einem Schwurwort Abrahams, das seine heutige Form erst nach der Eintragung der Melchisedek-Episode bekommen hat, von »Jahwe, Gott dem Höchsten, dem Schöpfer (קנה *qnh*) von Himmel und Erde« geredet wird. So deutlich auch das »El, Höchster« noch in eine polytheistische Umgebung zurückweist, in welcher der Schöpfer der Höchste im Kreis der Götter ist (s. u. S. 33), so ist es doch für den at. Glauben angesichts dieser Herausforderung klar, daß »El der Höchste« kein anderer sein kann als Jahwe, neben dem, wie in der Folge immer deutlicher wird, kein zweiter Gott mehr Raum hat.

Die Rede von der Herausführung aus Ägypten hat im AT eine große Eindeutigkeit. Demgegenüber ist es ein Zeichen der nachträglichen Ausformung des Bekenntnisses zum Schöpfer, daß hier das Reden vielgestaltiger und von verschiedenartigen Weltbildern her formuliert wird.

2. Im Bericht des J (Gen 2, 4b–25), der allerdings keine ausgeführte Schöpfungserzählung aufweist, sondern lediglich skizzenhaft den Anfang der Geschichte Jahwes mit Welt und Mensch schildert, ist es das Weltbild des Trockenlandes. Ein Grundwasserstrom, der die trockene Wüste feuchtet, macht es möglich, daß Jahwe den köstlichen Garten pflanzen, Tiere und dann später den Menschen aus dem feuchten Lehm formen kann. Der Zielpunkt der Schöpfung ist der Mensch, dem Jahwe seinen schönen Garten zum Wohnort gibt, für den er die Tiere und schließlich aus des Menschen eigenem Gebein die Frau schafft, weil »es dem Menschen nicht gut ist, daß er allein sei«. Die Sorge für das dem Menschen Gute steht danach am Anfang von Jahwes Tun. Die Zuwendung zum Menschen, der anders als etwa im bab. Atra—ḫasis-Epos nicht nur als Versorger des göttlichen Tisches gesehen ist, beherrscht hier den ganzen Bericht. In dem Privileg der Benennung der Tiere (2, 20, vgl. auch 23; Namengebung ist nach 2 Kön 23, 34 und 24, 17 Herrschaftsakt) wird der Mensch dabei deutlich aus der übrigen Kreatur herausgehoben.

Zur Terminologie des J ist zu sagen, daß hier wie auch späterhin kein Begriff »Welt« im Sinne eines geschlossenen Ganzen der Schöpfung auftritt, sondern in der thematischen Überschrift 2, 4b von »Erde und Himmel« geredet wird. Das Tun Jahwes ist zusammenfassend mit dem einfachen Verb עשה *'śh* beschrieben. Im weiteren formt Jahwe wie ein Töpfer (יצר *jṣr*) Mensch und Tier (7. 19) aus Erdreich (7); beim Menschen ist ausdrücklich erwähnt, daß er ihm Lebenshauch (נשמת חיים *nišmat ḥajjīm*) in seine Nase geblasen habe, vgl. dazu Pred 12, 7 (רוח *rūaḥ*). Daß auch das Tier Lebenshauch (רוח *rūaḥ*) besitzt, wird Pred 3, 21 festgestellt, wo sich dann allerdings die kritische Frage erhebt, ob nicht (anders als in Pred 12, 7 vorausgesetzt) der Lebenshauch von Mensch und Tier gleichermaßen im Tode »nach unten« (in die Erde, vgl. dazu Ps 139, 15) fahre. In Gen 2, 8 »pflanzt« (נטע *nṭ'*) Jahwe den Paradiesgarten, läßt Bäume aus der Erde sprossen (v. 9 hi. von צמח *ṣmḥ*). Aus der Rippe des Mannes »baut« (בנה *bnh*) er die Frau (2, 22). In alledem sind handwerkliche und gärtnerische Termini verwendet, die ganz so im Bereich des menschlichen Tuns gebraucht werden.

3. Während eine Urgeschichte des E nicht zu erkennen ist, bietet P in Gen 1, 1–2, 4a einen breit ausgebauten Schöpfungsbericht, in dem das kosmologische Interesse stark heraustritt. Dieser ist aus dem Weltbild der jährlich überschwemmten Alluvialebene heraus gestaltet.

Dreifach ist das wässerige oder schlammige Urchaos geschildert. Die nächste religionsgeschichtliche Parallele findet man in der Chaosschilderung des Phöniziers Sanchunjathon. Mit zwei etymologisch undurchsichtigen Begriffen ist es als תהו ובהו *tōhū wābōhū* (LXX ἀόρατος καὶ ἀκατασκεύαστος) bezeichnet. Es ist durch die über der Urflut (תהום *tᵉhōm*) liegende Finsternis charakterisiert. In dem »Gotteshauch«, der über den Wassern ist, möchte man ebenfalls ein ungeformtes Urelement (einen Gottessturm, Sanchunjathon πνεῦμα) sehen. All dieses aber ist ohne ein Element eigener Mächtigkeit, das sich dem Schöpfer entgegenstellen könnte, geschildert. Es ist, was immer an mythischer Mächtigkeit in den Einzelelementen ursprünglich stecken mochte, zum reinen Material, mit dem der Schöpfer umgeht, geworden. Unter dem göttlichen Geheiß baut sich dann alles von den kosmischen Fundamenten her auf (Himmelsfeste, Erde, Meer, Gestirne). Im »Licht« als der ersten Schöpfung Gottes ist ihnen ein eigentümlich Richtung weisendes, wohl nicht ohne einen bestimmten Deutungsakzent zu verstehendes Element vorangestellt. Der leidenschaftliche Wille zur Entmythisierung der kosmischen Elemente zeigt sich dann nicht nur darin, daß den astralen Größen, die in der bab. Umwelt von P eine höchste Würde besitzen, noch die Pflanzenwelt vorangestellt ist, sondern vor allem darin, daß die offensichtlich mythisch belasteten Worte »Sonne« (שמש *šaemaeš*) und »Mond« (ירח *jāreaḥ*) gar nicht gebraucht werden. In einer auffallenden Instrumentalisierung dieser Mächte des Himmels wird lediglich von dem großen und dem kleinen »Lichtkörper« (מאור *mā'ōr*) geredet.
Nach der Errichtung des Weltenbaues folgt dessen Bevölkerung mit Pflanzen, Wassertieren und Vögeln und schließlich mit den Landtieren und dem Menschen, der das Ziel der gottgeschaffenen Werke bedeutet.
Dieses ganze Tun ist in den Rahmen von sechs Arbeitstagen gepreßt, auf die als der eigentliche Zielpunkt der 7. Tag folgt, an dem Gott von all seinen Werken ausruht. Der Name Sabbat fällt nicht. Es ist auch kein Sabbatgebot formuliert, aber in diesem Ruhen Gottes ist sichtlich der Sabbat begründet, der dann später an Israel als ein Gebot, das zugleich voller Beschenkung ist, ausgehändigt wird (s. u. S. 108f.). In dem Gefälle auf den nach 2, 3 gesegneten und geheiligten Tag hin verrät sich priesterliches Denken und Empfinden. Die Schöpfung ist der Ehrung Gottes zugeordnet — einer Ehrung, die dann in Israel ihre gottesdienstliche Ausgestaltung finden wird.

Dieser Schöpfungsbericht ist ungleich stärker theologisch durchformt als der jahwistische. Die nicht einfache Stilisierung in der Form der sechs Arbeitstage (in den dritten und sechsten mußten je zwei Werke gelegt werden), die auf den Ruhetag zulaufen, ermöglicht die klare Verklammerung mit der Israelgeschichte. In Israel, das den Sabbat hält, kommt Gott zu seiner von Anfang der Welt im Zeitengefälle angelegten Ehre. Zugleich ist in der Zuordnung aller Werke zu dem gebietenden Worte Gottes, das die Weltelemente widerspruchslos ins Leben ruft, jede Zweitmacht eindeutig ausgeschaltet, die etwa noch im Weltengefüge als Macht neben dem einen Gott Israels gesucht werden könnte. Ps 33, 9 faßt das in dem knappen Satz zusammen: »Er sprach, und es geschah; er befahl, und es stand da«. Ps 148, 5 »Er befahl, und sie wurden geschaffen«. Es ist in dieser Schilderung durchaus anerkannt, daß es innerhalb der geschaffenen Welt Mächtigkeiten gibt.

So wird bei den Gestirnen die Aussage nicht vermieden, daß sie eine Herrschaft haben. Aber es ist keine die Gewissen bindende Herrschaft, sondern lediglich »die Herrschaft über den Tag und die Nacht«, die darin besteht, »zu scheiden zwischen dem Licht und der Finsternis« (v. 18). Ebenso ist bei der Erschaffung der Pflanzen zu sehen, daß »die Erde« den Befehl bekommt, »Grün grünen zu lassen«, und daß danach »die Erde Grünes hervorbrachte« (v. 11 f.). Die Vorstellung von der »Mutter Erde« scheint hier noch durch. Das Tun der Erde ist aber ganz so wie die Herrschaft der Gestirne dem klaren Befehl Gottes untergeordnet, der die eigentlich gebietende und durch das Gebot schaffende Instanz bleibt.

Zur Terminologie ist zu sagen, daß durch den gegenwärtigen Text eine ältere Bearbeitungsstufe des Stoffes durchscheint, in der wie in J vom »Machen« (עשׂה *ʿśh*) Gottes die Rede war (1,7. 16). Dazu kommt das »Scheiden« (הבדיל *hibdîl*) der Weltbereiche (1, 4. 7). Dieser ältere Bericht ist aber überlagert von dem »Wort«-Bericht, in dem auf ein einleitendes »Und Gott sprach« in der Regel ein Jussiv des Gebotes folgt. Bei den großen kosmischen Ordnungen tritt dazu eine ausdrückliche Benennung, in der Gott selber als Herrscher Tag und Nacht, Firmament, Erde und Meer ihre Namen gibt (1, 5. 8. 10, vgl. daneben 2, 19. 23). Auch bei P findet sich kein Wort für »Welt«. In gegenüber J umgestellter Reihenfolge redet er von »Himmel und Erde« (1, 1; 2, 1. 4a).
Besonders charakteristisch ist für Gen 1 der Gebrauch des Verbs ברא *br'*, das eine eigentümliche Reservatvokabel für den Schöpfungsvorgang zu sein scheint, der im menschlichen Tun keine Analogie hat. Dieses Verb zeigt in seinem at. Gebrauch a) die Eigenart, daß nur Gott sein Subjekt sein kann. Die Rede etwa von menschlichen Kunst-»Schöpfungen«, die dieses Wort verwendete, würde im AT blasphemisch wirken. b) Es ist bei diesem Verb nie ein Stoff, aus dem »geschaffen wird«, angegeben — im Unterschied zu allem menschlichen Tun. Solches »Schaffen« Gottes wird in 1,1 für das Weltganze ausgesagt, weiter noch in 1, 21 bei der Erschaffung der großen Meerungetüme (soll auch hier jede mythische Eigenmacht des »Meeres«-Tieres abgewehrt werden?), in 1, 27 bei der Erschaffung des Menschen und nochmals im Abschluß 2, 3b. 4a. Man wird bei Gen 1 noch nicht von einer creatio ex nihilo reden können. Diese ist in 2 Makk 7, 28 erstmals rein formuliert. Aber das Gefälle des ברא *br'* wie auch die absoluten Formulierungen von 1, 3 (14) laufen auf sie hin.

Gesonderte Aufmerksamkeit erfordert der Bericht über die Erschaffung des Menschen als 2. Werk des 6. Tages. Daß ihm ausdrücklich der Segen, fruchtbar zu sein und sich zu mehren, zugesprochen wird, verbindet ihn zunächst noch mit den Tieren des Meeres und den Vögeln des Himmels (1, 22). In 8, 17 ist der Segen auch über die Landtiere ausgesprochen. Er fehlt bei diesen in Gen 1 wohl nur darum, weil das 6. Tagewerk nicht mit dem doppelten Segenswort überfüllt werden sollte. Zum »Segen« s. u. S. 56–58. Bedeutsamer aber ist es, daß die Erschaffung des Menschen mit einer ausdrücklichen Vorüberlegung Gottes eingeführt wird, welche besagt, daß der Mensch »nach dem Bilde Gottes« geschaffen werden solle. Die Doppelaussage in Vers 26 בצלמנו כדמותנו *bᵉṣalmēnū kidᵉmūtēnū* (5, 3 umgekehrt בדמותו כצלמו *bidᵉmūtō kᵉṣalmō*) verbindet das anschauliche צלם *ṣaelaem*, welches das gestaltete Bild meint, mit der Abstraktbildung דמות *dᵉmūt*, welche »die Ähnlichkeit« bedeutet. Aus der Umwelt Israels ist bekannt, daß der König als »Abbild« der Gottheit bezeichnet wird. Schon die ägyptische Lehre des Merikare aber kann von den Menschen ganz allgemein sagen: »Sie sind seine Abbilder, aus seinen Gliedern hervorgegangen« (AOT² 35).
Auf die Frage, was im at. Kontext die Gottebenbildlichkeit des Menschen besagt, ist zunächst festzustellen, daß an einen späteren Verlust derselben nicht gedacht

ist. Nicht nur enthält P keine ausgeführte Sündenfallgeschichte (s. u. S. 153). Vielmehr redet Gen 5, 3 im heutigen, schon durch die Sündenfallerzählung des J erweiterten Text der Urgeschichte ausdrücklich unter Verwendung der gleichen Vokabeln davon, daß Adams Sohn Seth nach »Ähnlichkeit und Abbild« Adams gezeugt worden sei. Damit erübrigen sich all die zahlreichen dogmengeschichtlichen Spekulationen über eine im derzeitigen Menschen nur noch teilhaft vorhandene Gottebenbildlichkeit.

Auf der anderen Seite kann man sehen, daß die Aussage in Gen 1 unter deutlichen Absicherungen gemacht wird. Dazu dürfte *erstens* gehören, daß die Vorüberlegung Gottes überraschenderweise in 1. pers. plur. gehalten ist. Die bab. Berichte von der Menschenerschaffung wußten von einem Götterrate, in dem dieses geplant wurde. Wenn nun der sonst im Umschmelzen überkommenen Stoffes völlig unbekümmerte P gerade an dieser Stelle die Anlehnung an jenes bei ihm im Grunde gar nicht eingepaßte Reden festhält, so dürfte darin die Absicht zu erkennen sein, in Gottes Vorerwägung die Formulierung in 1. pers. sing.: »Ich will Menschen machen nach meinem Bilde« zu vermeiden. Die Gottebenbildlichkeit des Menschen meint nicht das Abbild des Gottes in seiner Einzigkeit, der dann von Ex 6, 2ff. ab im Namen Jahwe heraustritt. Das läßt sich besonders schön an Ps 8, wo der gleiche Tatbestand zur Sprache kommt, nachweisen. Während hier zunächst unbekümmert der Name Jahwes gebraucht ist, überrascht v. 6, wo mit anderen Worten ganz ebenso von der Hoheit des Menschen geredet wird, durch die Vermeidung des Jahwenamens: »Du hast ihn wenig geringer gemacht als Gott (אלהים *'aelōhīm*)«. Der Mensch ist der Sphäre der »göttlichen Wesen«, zu denen auch die Gottesboten rechnen, nahegerückt. So übersetzt LXX denn »Gott« völlig sinngerecht mit ἄγγελοι. Eine Absicherung dürfte *zweitens* auch die Zusetzung des stärker abstrakten דמות *dᵉmūt* »Ähnlichkeit« zu dem gefährlich konkreten צלם *ṣaelaem* darstellen. Ein Element der Distanzierung von Gottes Einzigkeit ist auch in der Weiterführung v. 27 zu sehen: »Und Gott schuf den Menschen nach seinem Bilde, nach dem Bilde Gottes schuf er ihn, Mann und Weib schuf er sie«. Da dem AT auf der ganzen Linie die Einbeziehung Jahwes in die Bipolarität des Geschlechtlichen fremd ist, wird durch die Bemerkung, daß der Mensch von Anfang an in dieser Bipolarität geschaffen sei, der Mensch klar von der Einzigkeit Gottes abgehoben.

Man wird sich fragen, wieweit der Gedanke der Gestaltähnlichkeit in צלם *ṣaelaem* mitschwingt. Dem AT ist eine theriomorphe Gottesvorstellung fremd. Wer allerdings dann zu sagen geneigt wäre, daß das AT Jahwe und seine Umgebung »anthropomorph« denke (vgl. etwa Ez 1, 26), der würde gerade den spezifischen Akzent von Gen 1 verschütten. Hier wird nicht von einer Menschengestaltigkeit Gottes, sondern von einer Gottgestaltigkeit des Menschen geredet. Der Mensch ist, so will hier gesagt werden, nur in diesem »Wo-her« zu verstehen. Er ist kein in sich bestehendes Wesen, sondern ist von Gott her. Dazu tritt aber in Gen 1 ganz ebenso wie in Ps 8 eine klare weitere Explikation dessen, was diese Würde der Gottebenbildlichkeit für die Menschen bedeutet. »Sie sollen herrschen über die Fische im Meer, die Vögel am Himmel und das Hausgetier, über alles Wildtier und alles Kriechtier auf Erden«. Darin ist auf den besonderen

Auftrag an den Menschen gewiesen, sich die niedrigere Tierwelt dienstbar zu machen. Der Mensch ist von Gott in ein Stück Herrschaftsamt eingesetzt. In § 18 wird davon die Rede sein müssen, wie der Mensch im Gehorsam gegen diesen Auftrag »vor Gott« lebt.

Wie bei der pflanzenzeugenden Kraft der Erde aber und der den Kalender beherrschenden Kraft der Gestirne handelt es sich bei dieser Herrschaft des zuletzt geschaffenen Wesens ganz ebenso um eine vom Schöpfer im Rahmen seiner Schöpfung verliehene und darum je und je zu verantwortende Macht, die den Menschen nie zum letzten Souverän macht. Auf diesen Schöpfer, der seiner Kreatur immer gegenübersteht und »vor dem« diese leben soll, weist Gen 1. Wenn dann hier fast monoton bei jedem Schöpfungswerk wiederholt wird, daß »Gott sah, daß es gut war«, so will darin nicht die empirische Welt mit all ihrer Ungerechtigkeit verherrlicht und stabilisiert werden (gegen E. Bloch). Von der Fragwürdigkeit dieser Welt wird noch zu reden sein (§ 19). Wohl aber will Gott über dem, was gut aus seiner Hand kam, gepriesen werden.

4. Ein weites Feld reicher Aussagen über den Schöpfer ist bei Dtjes zu finden. Für den in der spätexilischen Zeit lebenden Propheten, der die nahe bevorstehende Befreiung ankündet, ist die Schöpfung einer der großen Erweise Jahwes, welcher die Nichtigkeit der Götter und die wahre Herrschaft Jahwes vor aller Augen erweist.

In der farbigen Redeweise Dtjes' eint sich das Vokabular des J und des P. Jahwe hat die Gestirne, die Enden der Erde, die Himmel geschaffen (ברא *br'* 40, 26. 28; 42, 5), die Erde geformt wie ein Töpfer (יצר *jṣr* 45, 18), das All gemacht (עשׂה *'śh* 44, 24; 45, 12. 18). Dazu treten bildkräftigere Ausdrücke: Jahwe hat die Himmel ausgespannt (נטה *nṭh* 40, 22; 42, 5), die Erde festgehämmert (רקע *rq'* 42, 5; 44, 24), die Sterne »gerufen« (קרא *qr'* 40, 26), ihr Heer nach der Zahl herausgeführt (הוציא *hōṣī'* 40, 26).

Dabei zeigt Dtjes ein radikaleres Eindringen der Schöpfungsaussage in neue Bereiche:

a) Hatte Gen 1 gezeigt, wie Jahwe ordnend in ein Urchaos der Finsternis eingriff und die Finsternis durch das von ihm geschaffene Licht verscheuchte und ihr in der »Nacht« ihren festen Ort zuwies, so radikalisiert 45, 7 die Aussage zu der letztmöglichen Weite, wenn Jahwe dort in einer Selbstprädikation sagt: »Der ich das Licht bilde (יצר *jṣr*) und die Finsternis schaffe (ברא *br'*), der ich Heil wirke (עשה *'śh*) und Unheil schaffe (ברא *br'*) – ich, Jahwe mache (עשה *'śh*) all dieses«. Nichts in der geschaffenen Welt liegt außerhalb seines Schöpferbereiches. Gewiß will auch hier nicht eine unheile Welt als Gottes Welt sanktioniert werden. Wohl aber will bei aller Spannung gegenüber dem deklarierten Heilswillen Jahwes festgehalten werden, daß es auch über der Finsternis keine zweite Adresse gibt, an die der Mensch sich zu wenden hätte.

b) Es ist weiter für Dtjes charakteristisch, daß »Schöpfung« für ihn nicht nur eine kosmologische Aussage bleibt, welche die Dinge der Welt vom Anfang schildert, sondern sich eng mit der geschichtlichen Tat Jahwes an Israel verbindet. Besonders eindrücklich ist es in dem Gebetsanruf an den starken Arm Jahwes von 51, 9f. zu hören, wie hier Protologisch-Kosmologisches sich mit der soteriologischen Aussage des geschichtlichen Credos Israels verbindet. Dabei wird die mythische Erzählung von der Tötung des Chaos-Drachens, die im bab. Schöpfungsepos zu hören ist, zur Schilderung der Anfangstat Jahwes verwendet, wenn es lautet: »Wach auf, wach auf, zieh Kraft an, du Arm Jahwes. Wach auf wie in der Vorzeit Tagen, den längst vergangenen Geschlechtern. Bist du es nicht, der Rahab zerhieb, den Drachen durchbohrte? Bist du es nicht, der das Meer austrocknete, die Wasser der großen Urflut, der die Tiefen des Meeres zum Wege machte, daß die Erlösten durchzogen?« Jene Urtat, in welcher nach dem bab. Mythos der Schöpfergott den Chaos-Drachen zerhieb und aus den Teilen der Leiche Himmel und Erde baute (AOT² 120), wird hier in gleitendem Übergang transparent gemacht auf den Vorgang der Spaltung der Wasser des Schilfmeeres hin (Ex 14), die Israel den Durchzug und den nachfolgenden Ägyptern den Untergang brachte. Eindrücklicher kann es wohl kaum zum Ausdruck gebracht werden, daß der Gott, der die Welt schuf, kein anderer ist als der Gott, der Israel aus Ägypten führte. Vgl. dazu auch etwa Ps 136.

c) Dazu kommt aber unmittelbar ein Weiteres: Dieser Schöpfergott ist auch nicht der ferne Gott einer einst vergangenen Rettungstat. Er ist als der Schöpfer mitten in Israels Gegenwart und in dem, was sich nun als Heil über ihm ereignen wird, gegenwärtig. So ist denn nicht nur etwa in 44, 24 zu hören, daß Jahwe Israels Erlöser und Schöpfer ist, sondern darüber hinaus redet 45, 8 (vgl. 41, 20; 48, 7) davon, daß Jahwe nun das Heil »schaffen« (ברא *br'*) werde. Die Schöpfungskategorie wird hier eine allumfassende Kategorie für das Tun Jahwes am Anfang der Welt, am innergeschichtlichen Anfang Israels und in der auf Zukunft hin eröffneten Gegenwart, in die eine Heilsbotschaft mit eschatologischen Zügen ausgerichtet wird.

5. Dtjes zeigt in Sprache und Vorstellungswelt eine große Nähe zu den Ps. Auch dort stoßen wir auf eine Reihe von Aussagen über den Schöpfer.

Ps 8 vergleicht ganz im Sinne von Gen 1, 26—28 die Majestät der göttlichen Schöpfung, aus der Himmel und Gestirne als Werk seiner Hände herausgehoben werden, mit der erstaunlichen Hoheit des Menschen, dem Herrschaft über die niedrigere Kreatur verliehen worden ist. Ps 19, 2—7 führt die Werke Gottes, den Himmel (als Werk seiner Hände) sowie Tag und Nacht, als Verkündiger der Ehre Gottes (כבוד אל *kebōd 'ēl*) ein, deren Rede ohne Worte bis an den Rand des Erdkreises hinaus gehört wird. Wenn dann hier die Sonne in ihrem Weg über den Himmel geradezu personifiziert eingeführt und dem Bräutigam verglichen wird, der aus seinem Brautgemach ausgeht, so meint man dahinter, zumal wenn man die Sonnenhymnen der Umwelt vergleicht, alte, mythische Rede vom Sonnengott zu ahnen. Es ist aber bezeichnend, daß im at. Ps wie in Gen 1 die Sonne ein rein kreatürliches Wesen am Himmel geworden ist, das nur durch seinen Glanz mithelfen kann, die Ehre Gottes zu verkündigen. Die dem Ps heute folgende zweite Hälfte, welche den Preis des geoffenbarten Gesetzes Jahwes singt, will sichernd festhalten, daß mit Gott (אל *'ēl*) auf keinen Fall ein anderer gemeint sein kann als Jahwe. Der schöne Schöpfungspsalm 104, der das Wunder der Welt, in der Jahwe durch sein scheltendes Dreinfahren die Wasser in ihre Grenzen gewiesen hat (v. 6—9), und ihrer Bewohner, die alle von Gott Nahrung empfangen, rühmt, zeigt in manchen Sätzen eine auffallende Nähe zum Sonnenpsalm Echnatons (AOT² 15—18). Wieder aber ist bezeichnend, daß nicht die Sonne mit ihren lebenweckenden Kräften gepriesen wird, sondern Jahwe, der sich in Licht hüllt wie in ein Kleid und den Himmel wie ein Zeltdach ausspannt (v. 2) und der dem Mond und der Sonne ihren Weg verordnet (v. 19). Von besonderer Art ist Ps 139, in dem ein einzelner das Wunder seiner Erschaffung (קנה *qnh*) durch Jahwe preist (13—16). Mythische Anspielungen auf den Drachenkampf zu Beginn der geschaffenen Welt in der Art von Jes 51, 9f. sind noch in Ps 74, 13f. (15f.) und 89, 10f. (12f.) zu finden.

Daß die Schöpfertat Jahwes auch im Zusammenhang mit der Rühmung seiner Königsherrschaft erwähnt werden kann (Ps 95, 4f.; 96, 5), wird gleich zur Sprache kommen müssen.

6. Ein letzter Bereich, in welchem die Schöpfungsaussage eine eigenständige Ausformung erfährt, ist die Weisheitsliteratur. In § 18, der von der Weisheit handelt, wird sichtbar werden, daß das Weisheitsdenken sich im Horizont des Schöpfungsglaubens vollzieht. So kommt denn auch im Weisheitsschrifttum die Schöpfung zur Sprache. Stand in Gen 1 der Hinweis auf das mächtig gebietende Wort im Vordergrund, in Gen 2 die gütige Zuwendung zum Menschen, die sich bei Dtjes ganz voll mit dem Hinweis auf den Erlöserwillen Jahwes über seinem Volke verbindet, so hebt die weisheitliche Rede heraus, daß Gott die Schöpfung »in Weisheit« vollbracht habe. Das liegt nicht ferne von den konstatierenden Sätzen in Gen 1, daß Gottes Werk gut war. Die Behauptung, daß Gott die Welt weise erschaffen, wird in den Gottesreden des Hiobbuches voll entfaltet, wo Hiob auf seine Herausforderung Gottes hin gefragt wird, ob er denn bei der Schöpfung der einzelnen Schöpfungswerke dabei gewesen sei (38, 4 ff.). Von den Fragen nach der Beteiligung an den Geschehnissen vom Anfang geht es unmerklich über in die Schilderung der wunderbaren Naturphänomene der Gegenwart bis hin zu den ausgeführten Schilderungen von Nilpferd und Krokodil. Hiob muß bekennen, daß er vor diesen Wundern nur schweigen und die Ungemäßheit seines Redens und Fragens gestehen kann.
In andere Richtung gehen die Ausführungen in der Sammlung von Spr 1–9, in der die Weisheit als Person dargestellt wird. Die Aussage 3, 19: »Durch Weisheit hat Jahwe die Erde gegründet, durch Einsicht den Himmel festgestellt« erfährt in 8, 22ff. eine volle Personalisierung, wenn geschildert wird, wie Jahwe die Weisheit als Erstling seiner Werke am Anfang geschaffen habe und wie sie dann als sein Liebling bei der Schöpfung dabei gewesen sei und vor ihm gespielt habe. In diesem Bild scheint ägypt. Redeweise nachzuhallen, nach welcher die Göttin Maat, die Verkörperung der Ordnung des Welt- und Menschenbereichs, vor dem Schöpfergott spielt und sein Entzücken ist (Kayatz). Es ist erneut bezeichnend, welche Transformation dieses Reden im AT erfährt. Von einer Gottheit, die neben dem Schöpfer dabei wäre, kann hier nicht die Rede sein. Vielmehr ist sie das erste der von Jahwe geschaffenen (קנה *qnh*) Werke. Als solches, kreatürlich durch Jahwe gesetztes, ganz von ihm her lebendes Wesen ist sie nun bei den Werken des Anfangs dabei. Nicht als ein Zweites, das neben Jahwe da wäre, sondern als die von ihm geschaffene Kreatur, die, was sie ist, nur von ihm her ist, begleitet sie Gottes Schöpfung. Sie hat neben dem einen Wort Jahwes kein zweites Wort zu sagen. Vielmehr dient ihre Erwähnung dazu, die Seite des göttlichen Schaffens voller herauszustellen, die sich dem vor dem Geheimnis der Schöpfung staunenden Betrachten enthüllt. »Die Himmel erzählen die Herrlichkeit Gottes«, hatte Ps 19, 2 formuliert.
Es kann an dieser Stelle die Frage gestellt werden, ob solches Reden der Werke der Schöpfung auf einen zweiten Weg der Offenbarung führt. Bei der Erwägung dieser Frage ist zunächst zu beachten, daß Israel auch in diesem Bereich keinen anderen Namen nennt als den Namen Jahwe, in dem sich ihm sein Gott in geschichtlicher Begegnung erwiesen hatte. Die Werke der Schöpfung machen ihm

die Herrlichkeit Jahwes voller kund. Das Reden von der Schöpfung in den Berichten der Urgeschichte wie bei Dtjes zeigt weiter, daß es im Schöpfer keinen anderen Herrn kennt als den auch in den Werken der Schöpfung dem Menschen zugewendeten Herrn. Ob dieses Wissen direkt aus dem Naturgeschehen und dem Weltlauf abgelesen ist oder von dem spezifischen Wissen Israels um seinen Gott in dieses Weltwissen eingebracht wird, muß im Zusammenhang der Erwägung von Israels Weisheit nochmals überlegt werden. S. u. § 18.

7. In einigen Psalmen war die Schöpfung im Zusammenhang mit dem Preis des Königtums Jahwes erwähnt worden. Dem Königstitel, der die weite Herrschermacht Jahwes zum Ausdruck bringt, muß hier nähere Beachtung geschenkt werden.

Eine frühere Forschungsphase war der Ansicht, daß die Benennung Jahwes als »König« im Gegenlicht zu den Königspsalmen, die den irdischen König vor Augen haben (dazu u. S. 77f.), zu verstehen sei. Israel hätte danach seinen Gott in Analogie zu seinem eigenen König als König anzurufen und zu preisen begonnen. Von ganz anderer Seite her suchte Mowinckel die Frage zu beantworten. Nach ihm wurde in Israel am Neujahrsfest jedes Jahr neu die Thronbesteigung Jahwes gefeiert. In den Psalmen mit dem Element יהוה מלך *jahwāēh mālak*, was zu übersetzen wäre: »Jahwe ist König geworden« (Ps 93, 1; 96, 10 u. ö.), hätten wir den Ruf vor uns, der zu Beginn eines neuen Jahreszyklus die von neuem geschehende Thronbesteigung Jahwes feierte. Im Ritual des Festes, dessen Feier die Kräfte des Jahres erneuert, findet Mowinckel die Mythen von Schöpfung und Drachenkampf, von Götter- und Völkerkampf, von Exodus und Gericht Jahwes und die Schicksalsbestimmung mit der Verkündigung der Rettung aus Not verbunden. Analogien aus Babylon schienen ihm dieses Verständnis nahezulegen. Engnell, der prominenteste Vertreter der Uppsala-Schule, verband damit, über Mowinckel hinausgehend, die Annahme eines bestimmten Rituals für den irdischen König, dessen Erniedrigung in den Tod und Wiederbelebung dabei eine bedeutsame Rolle spielten (Tammuzmythus). Demgegenüber hat Maag mit Nachdruck angemeldet, daß auch im Königtum Gottes in Israel das nomadische Erbe wirksam sei, das Jahwe als den Begleiter auf dem Wege kenne und nicht zu einem statischen Ritual, sondern zum Glauben an den mitgehenden Gott führe. Grammatisch ist sichtbar geworden, daß das יהוה מלך *jahwāēh mālak* richtiger nicht als »Jahwe ist König geworden« im Kontext einer neuen Thronbesteigung zu verstehen, sondern mit »Jahwe (und kein anderer) ist König« zu übersetzen sei. In diesem Königtum aber wird nicht nur eine Königsherrschaft über Israel, sondern die weltweite, die ganze Schöpfung umfassende Königsherrschaft ausgesagt und vor allem das Kommen Jahwes zum Gericht erwartet. So wollte schon Gunkel von »eschatologischen Thronbesteigungsliedern« reden.

Im Blick auf die Herkunft solchen Redens von Jahwes Königtum vertritt Alt die These, daß Israel darin in die kan. Vorstellung vom Götterpantheon eintrat und für Jahwe das Königtum im Reiche der Himmlischen, die neben ihm zu Engelwesen depotenziert wurden, beanspruchte.

Das Königtum Jahwes, das zuerst in Jes 6, 5 in einem unzweifelhaft in die zweite Hälfte des 8. Jh. zu datierenden Texte begegnet, ist, wie der Seraphengesang von 6, 3 zeigt, von Hause aus weltweit orientiert: »Alle Lande sind seiner Herrlichkeit voll«. Der Preis der Herrlichkeit (כבוד *kābōd*) des Königs Jahwe beherrscht auch den Ps 29 (1. 2. 3. 9), der wie die bab. amatu-Hymnen die Wucht der Stimme (des Donners) Jahwes schildert. Hier ist auch gleich im ersten Vers die Weite der Götterwelt (בני אלים *b^enē 'ēlīm*) angesprochen. Ps 93 läßt noch etwas von der Feindmacht des chaotischen Urmeeres ahnen. Vgl. weiter Ps 47; 96; 98. Daß sich der Königspreis Gottes dann aber auch enger mit spezifisch israelitischem Überlieferungsgut anreichern konnte, zeigt Ps 95, der in eine

Mahnrede ausläuft, welche der Gemeinde die verstockte Wüstengeneration vorhält. Ebenso Ps 99, der auf der Basis des auf dem Zion (v. 2), am Ort der Lade (v. 5, dazu u. S. 63f.) gesungenen Trishagion (Jes 6, 3) aufgebaut ist und in der dritten Strophe Mose, Aaron und Samuel erwähnt.

8. Israels Glaube hat mit der Übernahme des Königstitels auf Jahwe diesem die Stelle zugewiesen, die im kan. Pantheon, wie nun aus den ugaritischen Texten zu entnehmen ist, der oberste Gott El einnahm. So ist denn im AT weiter die auffallende Erscheinung festzustellen, daß der El-Name unbekümmert auf Jahwe übertragen worden ist, während sich etwa dem jüngeren Baal gegenüber eine scharfe Abstoßung entwickelt hat – vor allem dann seit Elia und Hosea. Daß sie nicht immer bestanden hatte, belegt der Name Baalja (= Jahwe ist Baal) von 1 Chron 12, 6 mit hinreichender Deutlichkeit. In Ps 29 verrät v. 3 a β, daß die weltweite »Herrlichkeit« (כבוד *kābōd*) in Kanaan El zugeschrieben wurde. Auf die gleiche Feststellung führt Ps 19, 2. Die Götterversammlung ist in Ps 82, 1 als עדת אל *ʿadat ʾēl* bezeichnet. Die weitergehende These von Cross, »daß JHWH als eine El-Gestalt entstand, die sich vom alten Gott abtrennte, als sich Israels Gott von seiner polytheistischen Umwelt losriß«, dürfte sich religionsgeschichtlich kaum halten lassen.

Neben dem Götterherrn El hat Kanaan aber auch lokale Formen des El gekannt, die dann durch ein Zusatzwort näher gekennzeichnet wurden. Israel hat auch in ihnen in der Regel seinen Gott Jahwe gefunden.

a) »El, Höchster« von Jerusalem war im Zusammenhang mit Gen 14, 18–20 schon zu erwähnen. עליון *ʿaeljōn*, bei dem nicht mit Sicherheit auszuschließen ist, daß es einmal ein selbständiger Gottesname war, kann in der Folge auch allein als Bei- oder Ersatzwort für Jahwe auftreten. In Ps 82, 6 sind die wegen ihrer Ungerechtigkeit vor Gericht geladenen Götter als »Söhne des Höchsten« bezeichnet. Die Bezeichnung »Höchster« konnte ohne Schwierigkeiten auf Jahwe übertragen werden.

b) Den Beinamen אל עולם *ʾēl ʿōlām* »El (der?) Ewigkeit« erhielt Jahwe nach Gen 21, 33 in Beerseba. Auch diese Beifügung mußte dem Jahweglauben keine Schwierigkeit bereiten.

c) אל שדי *ʾel šaddaj* wird in P als spezielle Namensbezeichnung Jahwes in der Väterzeit aufgeführt, s. o. S. 13. Die Deutung des Namens ist nicht sicher: »El, der des Berges (?)«. Hebräisches Ohr wird den Anklang an שדד *šdd* »verwüsten« herausgehört haben. Von daher dürfte das omnipotens des Hieronymus, das dann zu der gängigen Übersetzung »Allmächtiger« geführt hat, zu verstehen sein. Leider ist nicht mehr auszumachen, wo diese Form des El ursprünglich haftete.

d) אל ראי *ʾēl rᵒʾī* ist in Gen 16, 13 als Gottheit des Ortes Beer Lachaj roi genannt und als Beiname Jahwes bezeichnet. Die Bedeutung des Namens bleibt dunkel.

e) Zu dem nach Gen 33, 20 in Sichem angerufenen, in der Folge mit Jahwe gleichgesetzten אל אלהי ישראל *ʾēl ʾaelōhē jiśrāʾēl* »El Gott Israels« ist o. S. 17 das Nötige gesagt worden.

f) אל בית אל *ʾēl bēt ʾēl* »Gott Bethel« tritt Gen 35, 7 (E) als Ortsname, 31, 13 (E) als Gottesname in Beziehung auf die Gotteserscheinung vor Jakob in Bethel auf. Eißfeldt hat Bethel als Gottesnamen in Israels Umwelt nachgewiesen W. H. Schmidt weist demgegenüber auf die Unsicherheit der Gen-Überlieferung hin.

g) אל ברית *'ēl b^erīt* »El des Bundes« heißt Ri 9, 46 eine noch nicht mit Jahwe gleichgesetzte Gottheit in Sichem, die wohl mit dem schroff abgelehnten בעל ברית *ba'al b^erīt* »Bundes-Baal« von 8, 33; 9, 4 gleichzusetzen ist.

Dieses letzte Beispiel zeigt, daß die Vorstellung von fremden Gottmächten durch den Jahweglauben nicht einfach ausgemerzt worden ist, so sehr dieser für Israel mit keiner anderen Macht rechnete als mit Jahwe allein. Einen theoretischen Monotheismus kennt Israel nicht. Es rechnet durchaus damit, daß es bei den anderen Völkern andere Götter gibt. Wie at. Glaube mit diesem Problem fertig geworden ist, zeigt etwa Dtn 32, 8f.: »Als der Höchste den Völkern ihr Erbe gab, als er die Menschen schied, da setzte er fest die Gebiete der Völker nach der Zahl der Gottessöhne (nach LXX; MT liest בני ישׂראל *b^enē jiśrā'ēl* »Israeliten«). Aber der Anteil Jahwes ist sein Volk, Jakob das Los seines Eigentums ....«. Anders Dtn 4, 19f., wo vor dem Dienst der Gestirne gewarnt wird, »die Jahwe, dein Gott, allen Völkern unter dem ganzen Himmel zugeteilt hat. Euch aber hat Jahwe genommen und Euch aus dem Schmelzofen Ägyptens herausgeführt«. Im Danielbuch ist dann die Vorstellung zu finden, daß jedes Volk seinen Engel hat (Dan 10, 13. 20f.; 12, 1). Israels Engel ist Michael, in dessen Namen (»Wer ist wie Gott [El]?«) die Unvergleichlichkeit Jahwes (= Els) ausgesagt sein will (Labuschagne).

Die volle Polemik gegen die Götter, die diese als Nichtse bezeichnet, wenn sie schon deren Dasein nicht einfach leugnet, ist bei Dtjes zu der Zeit zu hören, in der Israel in seinen Exulantengruppen ganz in die Welt der fremden Völker eingemengt ist. In anderer Weise redet Ps 82 davon, daß über die Götter wegen ihrer Ungerechtigkeit Gericht gehalten wird und daß sie sterben werden gleich Menschen.

In alledem ist der ganz unspekulative Charakter at. Glaubens sehr deutlich zu erkennen. Er kämpft nicht um ein gereinigtes Welt- und Götterbild, sondern läßt das Phänomen fremder Götter zunächst stehen, nimmt diesen aber alle Macht und weigert ihnen in aller Schärfe den Anspruch auf Israel. Bei Dtjes, ausgerechnet in der Zeit der tiefsten Erniedrigung Israels, ist dann aber zu erkennen, wie Fremde sich an Israel heranmachen und bekennen: »Nur bei dir ist Gott« (45, 14). So ist denn auch hier die Erwartung ausgesprochen, daß sich einmal jedes Knie Jahwe beuge und jeder Mund ihm zuschwöre (45, 23). Dazu u. S. 195f.

W. H. Schmidt, Die Schöpfungsgeschichte der Priesterschrift, WMANT 17, 1964. — *O. Eißfeldt*, Taautos und Sanchunjaton, SAB 1952, 1. — *H. Gunkel*, Schöpfung und Chaos in Urzeit und Endzeit, 1921². — *C. Westermann*, Genesis, BK I, 203f. (Lit. zur Gottebenbildlichkeit). — *G. von Rad*, Das theol. Problem des at. Schöpfungsglaubens, BZAW 66, 1936, 138—147 (= Gesammelte Studien ThB 8, 136—147). — *R. Rendtorff*, Die theol. Stellung des Schöpfungsglaubens bei Dtjes, ZThK 51, 1954, 3—13. — *C. Kayatz*, Studien zu Prov 1—9, WMANT 22, 1966. — *S. Mowinckel*, Psalmenstudien II. Das Thronbesteigungsfest Jahwäs und der Ursprung der Eschatologie, 1922. — *I. Engnell*, Studies in Divine Kingship in the Ancient Near East, 1943. — *V. Maag*, Malkût Jhwh, Suppl. to VT VII, 1960, 129—153. — *A. Alt*, Gedanken über das Königtum Jahwes, Kl. Schriften I 345—357. — *F. Cross*, אל, ThWAT I 259—279 (Lit.). — *O. Eiß-*

feldt, Der Gott Bethel, ARW 38, 1930, 1—30 (= Kl. Schriften I 206—233). — *W. H. Schmidt*, אֵל *'ēl* Gott, THAT I 142—149. — *C. J. Labuschagne*, The Incomparability of Yahweh in the OT, 1966.

§ 5 Die Erwählung Israels

Als Schöpfer und König macht Jahwe sich in der Weite seiner Weltherrschaft und -offenbarung bekannt. Eine Reflexion darüber, wie denn nun angesichts dieser Weite der Macht Jahwes seine Sonderbeziehung zu Israel zu verstehen sei, war schon in Dtn 32, 8f. erkennbar, wo Israel als sein »Anteil« (חלק *ḥēlaeq*) und das »Los seines Erbgutes« (חבל נחלתו *ḥaebael naḥ^a^lātō*) bezeichnet wurde. Dtn 4, 20 redet davon, daß Jahwe Israel »genommen« habe (לקח *lqḥ*).
Die voll durchreflektierte Formulierung dieses Tatbestandes gebraucht hier das Verb »erwählen«. Es ergibt sich aus der Sache schon als wahrscheinliche Annahme, daß diese Formulierung in Israels Glauben nicht am Anfang steht, sondern da aufkommen wird, wo man die Weite der Möglichkeiten Jahwes als des Schöpfers der Welt vor Augen hat und dann dem Geheimnis nachsinnt, warum Jahwe es nun in so besonderer Weise gerade mit Israel zu tun haben will. So ist denn in der Tat auch festzustellen, daß nach einigen in der Terminologie noch offeneren Aussagen die eigentliche Erwählungstheologie erst in der Zeit des Dtn ihre, hier nun allerdings sehr nachdrücklich entfaltete Bedeutung gewinnt.

Die Terminologie der Erwählungsaussage ist nahezu einlinig. Das Verb בחר *bḥr*, das hier gebraucht wird, ist anders als ברא *br'* kein ausschließlich von Jahwe verwendetes Wort. Neben den 99 Stellen, an denen Jahwe Subjekt des »Erwählens« ist, stehen 68, an denen es von Menschen (im profanen und religiösen Bereich) ausgesagt wird. Einmal (2 Sam 16, 18) sind beide gemeinsam genannt. Dazu kommen 3 Stellen mit verderbtem Wortlaut. Auch bei dem 13 mal belegten Verbaladjektiv בחיר *bāḥir* ist an den 12 ursprünglichen Stellen Jahwe als Subjekt der Erwählung gemeint. Festzuhalten ist, daß es anders als in akk. *itûtu* keine Abstraktbildung »Erwählung« gibt. Die verbale Formulierung herrscht. — Nahe kommt dem Verb בחר *bḥr* das mit מן *min* verbundene ידע *jd'*, »aus einer Vielzahl heraus erkennen«, das schon in Am 3, 2 zu finden ist. — »Erkennen« ist dabei nicht einseitig intellektuell zu verstehen. Es enthält den Vollgehalt des »Anerkennens« und »Annehmens« (vgl. u. S. 126 f.). Die Verben des Aussonderns (הבדיל *hibdīl*, etwa Lev 20, 24. 26), Fassens und Rufens (החזיק *haeḥ^ae^zīq* und קרא *qr'* neben בחר *bḥr* in Jes 41, 9) beschreiben zwar den Vorgang des Herausholens, aber bieten nicht den Vollgehalt des »Wählens«.

»Wählen« ist im zwischenmenschlichen Bereich eine Willensentscheidung, der, wenn sie recht geschieht, eine Reflexion vorausgeht. Lot »wählt« (Gen 13, 11) nach wohlerwogener Prüfung den besten Landanteil, ebenso David nach 1Sam 17, 40 die für die Schleuder geeignetsten Steine. Das Erwählte ist in diesem Zusammenhang das besonders Werte. בחור *bāḥūr* bezeichnet den kampftüchtigen jungen Mann, das part. ni. נבחר *nibḥār* kann geradezu Bezeichnung für das Köstliche, besonders Werte werden. Echte Wahl setzt zudem eine Vielzahl von zuvor gegebenen Möglichkeiten voraus. Wo nur eine Möglichkeit angeboten ist, kann ernstlich nicht von einer Wahl geredet werden. So ist denn in Am 3, 2 der Völkerherr zu erkennen, der über viele Möglichkeiten verfügen würde, aber entscheidet: »Euch allein habe ich erkannt von allen Geschlechtern der Erde«. Solche Wahl steht über dem Eingang der Israelgeschichte und macht Israel zum Volke Jahwes. So ist es in der Rekapitulation der Anfangsgeschichte Israels in Ez 20, 5, der einzigen Stelle, an der im Buche Ez die theologische Erwählungsaussage auftritt, zu sehen. Sie beginnt mit der Bemerkung im Munde Jahwes: »Am Tage, da ich Israel erwählte, da erhob ich ihnen meine Hand (zum Schwur) ...«.

»Wählen«, von Jahwe gesagt, ist ein Ausdruck der freien Souveränität des Herrn, der keinem Erwählten seine Wahl schuldig ist. Da nun beim menschlichen Wählen in der Regel eine vorhergehende Überlegung zu finden ist, möchte man auch bei Jahwe die Frage stellen, was ihn denn nun gerade zur Wahl Israels und keines anderen Volkes veranlaßt haben könnte. An dieser Stelle ist aber ein auffallendes Zurückweichen der at. Aussagen zu erkennen. Der Gesichtspunkt der Kostbarkeit, der sich von der Verwendung des נבחר *nibḥār* her aufdrängen könnte, wird an keiner Stelle ins Feld geführt. Die Einleitungsreden des Dtn bemühen sich, das Gegenteil deutlich zu machen. Israel ist »das Geringste unter allen Völkern« (7, 7). Jahwe vertreibt vor ihm Völker, die »größer und stärker sind« als es (4, 38). Darüber hinaus kann an späteren Stellen geradezu vom moralischen Unwert und der Halsstarrigkeit Israels geredet werden (9, 4–6; 10, 14–16). Als positive Begründung der Herausführung Israels aus Ägypten, in der die Verbundenheit Jahwes mit Israel geschichtsmanifest wird, findet sich nur eines: der Hinweis auf die Liebe Jahwes zu den Vätern und seine Treue gegenüber der Verheißung: »Weil Jahwe euch liebte und weil er den Eid halten wollte, den er den Vätern geschworen hatte, darum hat Jahwe euch herausgeführt mit starker Hand« (7, 8). Eine irrationale, freie Entscheidung der Liebe schon zur Zeit der Väter, die nicht weiter hinterfragt werden kann, steht danach hinter Jahwes Erwählung.

Man wird in diesem Zusammenhang weiter bedenken, was die Erfahrung dieser göttlichen Wahl für den Erwählten bedeutet. Es liegt darin zunächst eine Besonderung Israels, die ihm eine besondere Würde gibt. Es ist Sondereigentum Jahwes. »Jakob hat sich Jahwe auserwählt, Israel zu seinem Eigentum« (סגלה *s^egullāh*, Ps 135, 4). Diese Aussonderung aber kann mit dem Worte »heilig« umschrieben werden, das zunächst keineswegs eine ethische Qualifikation meint, sondern das Ausgesondertsein zum besonderen Besitz Jahwes. »Du bist ein heiliges Volk Jahwe, deinem Gotte. Dich hat Jahwe, dein Gott, auserwählt, daß du ihm zum Eigentumsvolk werdest aus allen Völkern« (Dtn 7, 6 = 14, 2). Am gewichtigsten sind die Aussagen von Ex 19, 5f., einer wohl »protodeuteronomischen« Stelle (anders Wildberger). Hier ist zu hören: »Und nun, wenn ihr recht auf meine Stimme hört und meinen Bund haltet, dann sollt ihr mir zum Eigentum werden aus allen Völkern heraus, denn mir gehört die ganze Erde. Und ihr sollt mir ein Königtum von Priestern und ein heiliges Volk werden«. Dem konditionalen Element, das mit der Forderung, den »Bund« zu halten, hereinkommt, wird in § 6 voller nachzudenken sein. Bedeutsam ist, daß hier über die Qualifikation als Sondereigentum und heiliges Volk hinaus noch die Bezeichnung als »Königtum von Priestern« zu hören ist. Man meint darin die Bestimmung des Ausgesonderten zu einem priesterlichen Dienst der Mittlung hören zu können. Dieser Zug ist dann vor allem bei Dtjes stark unterstrichen, wo der Erwählte gerne als »Knecht« Jahwes bezeichnet wird. »Und nun höre, Jakob, mein Knecht,

und Israel, den ich erwählt habe.... Fürchte dich nicht, mein Knecht Jakob, und Jeschurun, den ich erwählte« (44, 1f.). Das wird hier in einem Zusammenhang gesagt, der die Öffnung des Jahwevolkes auf Menschen von draußen hin, die sich ihm anschließen werden, besonders stark zum Ausdruck bringt (vgl. 44, 3–5). Daneben kann dann aber auch die Pflicht der Absonderung von allem Heidnischen stark unterstrichen werden. Die Warnung vor dem Sicheinlassen mit den Völkern Kanaans durchzieht gerade das dt. Schrifttum in besonderer Weise. Daß dieses Wissen um die Abgesondertheit von den anderen Völkern aber schon viel älter ist, zeigt der Bileam-Spruch Num 23, 9 in aller wünschenswerten Deutlichkeit, wenn der Seher dort sagt: »Siehe, ein Volk, das abgesondert wohnt, das sich nicht rechnet zu den Völkern (Heiden)«. Auch die zweifellos alte, antikan. gemeinte Redeweise: »So tut man nicht in Israel« (2 Sam 13, 12) oder die Bewertung vor allem sexueller Sünden als »Torheit in Israel« (Gen 34, 7) setzt diese Selbstunterscheidung voraus. Die nachexilische Zeit mit dem leidenschaftlichen Kampf Esras um die Trennung der Mischehen hat dann in einseitiger Betonung dieser Unterschiedenheit menschlich schwerwiegende Konsequenzen gezogen. In dieser Zeit kann auch der dunkle Kontrasthintergrund einer Verwerfung (מאס *m's*) des Nicht-Erwählten Edom gegenüber in aller Härte formuliert werden: »Jakob habe ich geliebt, Esau aber habe ich gehaßt« (Mal 1, 2f.).
Stärker aber tritt in der Regel das Wissen um die Verantwortung des Erwählten heraus. Das erwählte Israel ist nicht einfach geschobenes, privilegiertes Objekt, sondern ist immer als Subjekt zum Gehorsam gerufen. Der »dialogische« Charakter auch der Erwählung kommt darin besonders deutlich zum Ausdruck, daß nun geradezu auch von einem »Wählen« auf der Seite des Menschen geredet werden kann. So fordert Josua das Volk beim Landtag in Sichem auf: »Wenn es euch nicht gefällt, Jahwe zu dienen, so wählt euch heute, welchem ihr dienen wollt«, und wie das Volk sich für Jahwe entschieden hat, hält er ausdrücklich fest: »Ihr seid Zeugen über euch selbst, daß ihr euch Jahwe zur Verehrung gewählt habt« (Jos 24, 15. 22). Vgl. weiter Ri 5, 8 (t. inc.); 10, 14; Jes 41, 24. – Ps 119, 173 bezieht das »Wählen« direkt auf die göttlichen Gebote.
Die göttliche Erwählung wird nun aber keineswegs nur im Blick auf Israel als das Volk Jahwes ausgesagt. Von der Erwählung des Königs, die auch in Israels Umwelt in Anwendung auf die göttliche Erwählung gebraucht werden kann, redet schon die vordt. Zeit. Hier begegnet sich in Israel das doppelte Wissen, daß es sich seine Könige selber gewählt und daß Jahwe den König erwählt hat. Zum ersteren vgl. etwa 1 Sam 8, 18; 12, 13, zum zweiten im gleichen Kontext das Wort Samuels 1 Sam 10, 24: »Seht ihr nun, daß Jahwe ihn (d. h. Saul) erwählt hat«. In eigentümlicher und ganz einmaliger Verschlingung treten beide Aussagen in 2 Sam 16, 18 im Zusammenhang der alten Erzählung von der Thronnachfolge Davids nebeneinander auf, wenn Husai zu Absalom, dem seine Loyalität verdächtig ist, sagt: »Demjenigen, welchen Jahwe auserwählt hat und dieses Volk da und alle Israeliten, will ich angehören und bei ihm bleiben«. Im Königsgesetz des Dtn dagegen wird strenger differenziert, wenn dort (17, 15) formuliert wird: »Setze (שׂים *śîm*) über dich den König, den Jahwe, dein Gott, erwählen wird (בחר *bḥr*)«. In diesem Zusammenhang ist vor allem die Erwählung Davids

und seines Hauses zu erwähnen (s. u. S. 76f.). Auch hier ist die Verbindung von Erwählung und Knechtstitel zu finden (Ps 78, 70; 89, 20f., v. 4 erwähnt par. בחיר *bāḥīr* und עבד *'aebaed*). Die Chronik redet nie mehr von der Erwählung Israels, wohl aber mit betontem Nachdruck von der Erwählung des Davididen (1 Chr 28, 4–6. 10). In v. 6 werden Erwählung und Sohnestitel verbunden: »Ich habe ihn (Salomo) mir zum Sohne erwählt, und ich will sein Vater sein«.

Daneben kann auch von der Erwählung des Priesterhauses durch Jahwe die Rede sein (1 Sam 2, 28 das Priestertum Elis, Dtn 18, 5; 21, 5 Levi, vgl. weiter P Num 16, 5. 7; 17, 20 und 1Chr 15, 2; 2Chr 29,11). – Ps 105, 26 nennt parallel zueinander Mose, den Knecht (עבד *'aebaed*) Jahwes, und Aaron, den Jahwe erwählte (בחר *bḥr*).

Eigentümlich dt. ist die Formulierung vom Ort, den Jahwe erwählt, seinen Namen dorthin zu setzen oder ihn dort wohnen zu lassen (Dtn 12, 5. 11 u. ö.). Dahinter mag wieder älterer Sprachgebrauch stecken, wonach nicht Menschen, sondern die Gottheit selber den Ort des Altars bestimmt. Eigentümlich dt. aber ist die Theologie des Gottesnamens, die hier damit verbunden ist (s. u. S. 65f.), wie auch die Einbindung dieser Erwählung des Ortes der Gottesverehrung in den Kontext der Rede vom erwählten Gottesvolk. Denn es ist ganz deutlich, daß hier nicht von der Besonderheit eines heiligen Ortes an sich geredet sein will. In die besondere Erwählung des Ortes schattet sich die Erwählung Israels ab. Die innere Verbindung der Aussage des Dtn lautet: *Ein* Gott, *ein* von diesem Gott erwähltes Volk, *ein* im Bereich dieses Volkes erwählter, einziger Ort, an dem Jahwe sich in seinem Namen dem Volke anrufbar macht.

Es mag auffallen, daß die vorexilischen Propheten die Aussage von der Erwählung (בחר *bḥr*) Israels fast völlig meiden. Die einzige Erwähnung beim früh-exilischen Propheten Ezechiel (20, 5) beweist ganz so wie die mit ידע *jd'* formulierte Aussage Am 3, 2, mit wieviel Kritik sie jedem satten Erwählungsanspruch ihres Volkes begegnen, so daß ihr »Erwählungsschweigen« von daher verständlich ist. Sie machen aber auch im Blick auf ihre eigene Person mit einer Ausnahme keinen Gebrauch von dem Gedanken, zu ihrem Amt »erwählt« zu sein. Nur Jer 1, 5 führt, wiederum unter Verwendung des Verbs ידע *jd'*, nahe an diesen Gedanken heran, wenn Jahwe hier in der Berufungsstunde dem Propheten sagt: »Ehe ich dich bildete im Mutterleibe, habe ich dich erkannt. Ehe du aus dem Schoße hervorgingst, habe ich dich geheiligt. Zum Propheten für die Völker habe ich dich bestimmt«. Für die Verkündiger des Gerichtes ist ihr Auftrag so drängend, daß sie die Reflexion auf ihr eigenes Amt gar nicht vollziehen. Bei Jeremia, dem unter der Unentrinnbarkeit seines Amtes leidenden Propheten, ist das Wissen um das all seinem eigenen Willen vorauslaufende »Erkannt- = Erwähltsein« Gegenstand schwerer Bedrängnis. Das unverfügbare Zuvor des Erwählungsgeschehens wird auch gerade dadurch scharf beleuchtet. Vom Knecht Jahwes bei Dtjes, bei dem 42, 1 wieder die Bezeichnung Knecht (עבד *'aebaed*) und Erwählter (בחיר *bāḥīr*) par. verwendet, wird in späterem Zusammenhang die Rede sein (S. 196–200).

In Ex 19, 5 waren die Würdeprädikate des von Jahwe zum Eigentum erwählten Israel im Anlauf der Schilderung der Sinaiereignisse der Bedingung unterstellt:

»Wenn ihr gehorsam auf meine Stimme hört und meinen Bund beachtet, dann sollt ihr mein Eigentum sein . . . .«. Diesem besonderen Akzent der Berichte vom Geschehen am Sinai muß nun die Aufmerksamkeit gelten.

H. H. Rowley, The Biblical Doctrine of Election, 1950. — *Th. C. Vriezen*, Die Erwählung Israels nach dem AT, AThANT 24, 1953, weitergeführt in *ders.* De Verkiezing van Israel volgens het Oude Testament, 1974. — *H. Wildberger*, Jahwes Eigentumsvolk, AThANT 37, 1959. — *H. Wildberger*, בחר *bḥr* erwählen THAT I 275—300. — *Bergman-Ringgren-Seebaß*, בחר ThWAT I 592—608 (Lit.).

§ 6 Jahwe, der Gott vom Sinai. Bund und Gebot

Von den großen Pentateuchkomplexen ist einer bisher noch nicht zur Sprache gekommen. Das aus Ägypten ziehende Volk erfährt in der Wüste einen unförmig ausgeweiteten Zwischenhalt am Berge Sinai. Unter schreckenden Phänomenen von Feuer und Erdbeben erscheint Jahwe auf dem Berge (Ex 19), proklamiert zunächst vor den Ohren des Volkes die zehn Gebote (20, 1–17) und teilt dem vom erschreckten Volke zum Stellvertreter gebetenen Mose auf dem Berge weitere Gebote mit (20, 22–23, 33). In einem Buche aufgezeichnet, bilden sie nach Ex 24, 7 als »Bundesbuch« die Grundlage einer Bundschließung am Fuße des Berges, auf welche der Gang einer größeren Delegation auf den Berg, wo sie nun den »Gott Israels« schauen und Mahl halten, folgt. Bis hin zu Num 10, 10 folgt dann, nur in Ex 32–34 durch die Erzählung von der Versündigung mit dem goldenen Stierbild und deren Folgewirkungen unterbrochen, eine Fülle priesterlich geprägter Weisungen. Dann bricht das Volk zur Weiterwanderung auf. Nochmals aber wird das Geschehen unmittelbar vor dem Eintritt ins Land Kanaan aufgehalten. Eine weitläufige Rede Moses blendet im Dtn wiederum auf das Geschehen am Gottesberg, der hier Horeb heißt, zurück und bietet in Dtn 12–26 erneut eine Gebotsmitteilung.

Theophanie, Bundschluß und Gebotsmitteilung sind die theologischen Hauptakzente dieses Großkomplexes. Das Phänomen der Gottespräsenz, das hier die Gestalt einer aktuellen Theophanie annimmt, soll in § 9 zur Sprache kommen. Im Rahmen der »Grundlegung« müssen aber hier die Theologumena von Bund und Gebot bedacht werden.

Das deutsche Wort »Bund« deckt die Bedeutung des hebr. ברית *b^{e}rīt*, das LXX mit διαθήκη, Vulg. im Psalter (psalterium gallicanum) und an einigen weiteren Stellen mit testamentum, an der großen Mehrzahl der übrigen Stellen aber mit foedus (135 mal) oder pactum (96 mal) wiedergibt, nur unvollkommen. Etymologisch hat man es unter Hinweis auf das Ritual von Gen. 15, 9 ff. und Jer 34, 18 nach dem Arab. als (Zer-)Schneidung, nach akkad. *birītu* als »Fessel« (= bindende Abmachung), nach akkad. *birīt* »zwischen« als »Vermittlung« oder nach hebr. ברה *brh* »essen« als »Mahl« verstanden. Unter Hinweis auf ein dem ברית *b^{e}rīt* paralleles חזות/חזה *ḥōzāēh*/*ḥāzūt* Jes 28, 15/18 und das nur 1Sam 17, 8 belegte Verb ברה *brh* »sehen — ersehen — wählen« schlägt Kutsch als Grundbedeutung »das Ersehene, die Bestimmung, Verpflichtung« vor. Das kann ebenso auf die Verpflichtung gehen, die einer dem anderen auferlegt, wie auf die Verpflichtung, die er übernimmt, und kann auch eine gegenseitige Verpflichtung umfassen. Darin ist dann aber auch eine Sphäre der Verbundenheit von zwei Partnern ausgesagt (Pedersen), für die hier (gegen Kutsch) an der Bezeichnung »Bund« festgehalten wird. Ihr Inhalt besteht in der Aufrichtung von שלום *šālōm* »Frieden, Heil, Unversehrtheit«. Die gängige Redeweise כרת ברית *krt b^{e}rīt*, eine ברית *b^{e}rīt* »schneiden« wird oft mit dem obenerwähnten Ritual der Zerschneidung von Opfertieren zur Bekräftigung der Verpflichtung zusammengebracht. Kutsch versteht כרת *krt* nach Pedersen u.a. als »festsetzen, bestimmen« und כרת ברית *krt berīt* als »eine Bestimmung, Verpflichtung festlegen«.

Auch ברית *berīt* ist kein theologisches Reservatwort. Die darin ausgesagte Verpflichtung kann zwischen Menschen getroffen und durch einen Eid bekräftigt werden (אלה *'ālāh*). So kommt nach Gen 26, 26—33 Abimelech zu Isaak, um mit ihm eine Abmachung zu treffen, welche den שלום *šālōm* zwischen ihnen beiden bekräftigen soll (v. 29). »Da bereitete er (Isaak) ihnen ein Mahl, und sie aßen und tranken. Und am Morgen standen sie früh auf und leisteten sich den Schwur (שבע *šb'*), einer dem anderen. Und Isaak entließ sie, und sie gingen im Frieden (בשלום *bešālōm*) von ihnen weg« (30f.). Ähnliches geschieht nach Gen 31, 43—54 zwischen Jakob und Laban, wobei nach der Version des E das Mahl erst auf den geleisteten Schwur zu folgen scheint. Im Bund, welcher nach Jos 9 zwischen Israel und den Gibeoniten geschlossen wird, ist von einem Mahl nicht die Rede, auch scheint hier die Verpflichtung vor allem von Israel her übernommen zu werden. Sie sichert auch hier den Gibeoniten Unversehrtheit zu. So ist auch im Bund zwischen David und Jonathan der letztere der Gebende (1Sam 18, 3f.).

Das innere Verständnis von ברית *berīt* hat Begrich untersucht, indem er vor allem auf die Terminologie (Phraseologie) achtete. Er hat gemeint, für die ältere Zeit Israels den Typus der Geschenk-*berīt* feststellen zu können, in der einer dem anderen die Gemeinschaft schenkt. Die Formulierungsweise כרת ברית ל *krt berīt le* weist nach ihm auf dieses Verständnis, während כרת ברית את (עם, בין ובין) *krt berīt 'aet* (*'im, bēn ūbēn*) auf das Eindringen eines Vertragsdenkens unter kan. Einfluß deutet (Vertrags-*berīt*).

In der Folge sind vor allem Texte aus der Umwelt beigezogen worden, um das Verständnis des »Bundes« zu erhellen. So hat Noth auf einen Maritext gewiesen, wonach der Oberherr eine Friedensvermittlung zwischen streitenden Stämmen unternimmt. Dabei spielt das Opfer eines Esels, durch welches die Bundesmittlung vollzogen wird, eine Rolle. Ungleich stärker aber sind in jüngster Zeit die in reicher Zahl erhaltenen Vertragsformulare heth. Oberherren in den sog. Suzeränitätsverträgen mit ihren Vasallen zum Vergleich beigezogen worden. Nach einer ersten, programmatisch knappen, in den Einzelheiten aber wenig sorgfältig durchgearbeiteten Studie von Mendenhall hat Baltzer die schon seit 1923 von Weidner und Friedrich publizierten, von Korošec juristisch genauer bearbeiteten Texte für die at. Form des Bundschließens fruchtbar zu machen gesucht. Er findet in diesen Verträgen sechs konstitutive Elemente: 1. Eine Präambel mit Namen und Titel des Oberherrn. 2. Eine historische Einleitung, welche die Vorgeschichte des Vertragsabschlusses erzählt. 3. Eine Grundsatzerklärung, welche die Intention der folgenden Einzelbestimmungen zusammenfaßt. 4. Die Stipulationen, d.h. die Einzelbestimmungen der Verträge, die das eigentliche Corpus des Vertrages bilden. 5. Die Anrufung der Götter als Zeugen. 6. Fluch und Segen für Ungehorsam und Befolgung gegenüber dem Oberherrn. Es kann dann noch davon die Rede sein, daß ein Exemplar des Vertrages »vor« oder »zu Füßen« der Hauptgottheiten der betroffenen Länder niedergelegt wird. Auch die Bestimmung einer regelmäßigen Verlesung des Vertragstextes vor dem Vasallen findet sich.

Über die Debatte, die sich an diese Thesen angeschlossen hat, berichtet in nüchtern-kritischer Weise J. McCarthy. Es sind vor allem drei Erwägungen angestellt worden, welche ein zu nahes Heranrücken dieser Vertragsformulare an die älteren Aussagen vom Bund Jahwes mit Israel zu widerraten scheinen: 1. Das »missing link«. Es ist nicht zu erkennen, wie diese vor allem vom kleinasiatischen Großkönig der Zeit vor 1200 gepflegte Vertragsform an das Israel der Frühzeit, etwa gar an die von der Wüste ins Land dringenden Halbnomaden, herangelangt sein sollte. 2. Die Übernahme eines im zwischenmenschlichen politischen Bereich voll verständlichen Formulars auf die Beziehungen Jahwes zu Israel bzw. der in Frage kommenden Gruppe seiner Ahnen (aber dazu s. u. S. 43) stellt bisher ungelöste Fragen. 3. Nirgends im AT ist das differenzierte heth. Formular vollständig anzutreffen. Die Berührungen erstrecken sich jeweils auf einzelne Elemente. So wird man gut tun, die Beziehungen zwischen der at. theologischen ברית *berit* und den sehr profilierten heth. Vertragstexten nicht zu eng zu schließen.

1. Im Blick auf die at. theologischen Aussagen vom »Bund« ist nicht zu übersehen, daß deren vollste Bezeugung im dt.-dtr. Schrifttum greifbar wird. Perlitt hat dieses eindrücklich herausgearbeitet. Im ursprünglichen Rahmen des Dtn

wird nach ihm vom »Bund« im Zusammenhang mit den Vätern gesprochen. Jahwe hat den »Bund« den Vätern »zugeschworen« (7, 9. 12b). »Bund« ist somit eine Chiffre der Verheißung, mit der Jahwe seinem Volk, das er sich »erwählt« hat, entgegenkommt. Inhalt der Verheißung ist der Landbesitz (s. u. § 8). Daneben aber tritt, vor allem in den jüngeren Schichten des Dtn (etwa 5,2 mit der nachfolgenden Dekalogmitteilung), unter dem Eindruck der bedrohlichen Geschehnisse des ausgehenden 7. Jh. immer stärker die Verbindung des »Bundes« mit der Gebotsmitteilung am Horeb, unter welchem Namen das Dtn die Sinaiberichte von Ex 19ff. zitiert, heraus. Im »Bund« ist hier die fordernde Seite des Gotteswillens herausgehoben.

In den Zusammenhang dieser Reflexion über den »Bund« dürfte auch die sog. »Bundesformel« gehören, welche nun ganz ausdrücklich die Verbindung Jahwes mit Israel und Israels mit Jahwe in einer doppelseitigen Formulierung aussagt.

Smend hat darauf hingewiesen, daß sich zwar die beiden Aussagen »Jahwe, der Gott Israels« und »Israel, das Volk Jahwes« schon früh finden. Die Verbindung der beiden Aussagen zu einer Doppelformel, die Jahwe in gefährlicher Weise in ein Rechts-Vertragsverhältnis, das nach beiden Seiten gleichermaßen verpflichtet, hineinzieht, sei dagegen erst in dt. und nachdt. Zeit zu finden. In diesem Zusammenhang ist Dtn 26, 16—19 wichtig, wenn hier von der Proklamation der jeweiligen Teilaussage durch die beiden beteiligten Partner mit der ungewöhnlichen Form des hi. von אמר *'mr* geredet wird. Dagegen Lohfink.

Schon früher glaubte G. von Rad im Aufriß des Dtn den Vorgang des Bundschlusses widergespiegelt zu finden, der vier Teile aufweist: 1. Einleitende Paränese historischen Inhaltes 1—11; 2. Mitteilung des Gebotes 12, 1—26, 15; 3. Bundschluß 26, 16—19; 4. Segen und Fluch 27—30. Man würde, wenn diese Feststellungen zu Recht bestehen, hier am nächsten an die Form der heth. Vertragsformulare herankommen.

Eine Besonderheit des Dtn, die sich allerdings nur in den Schlußteilen findet (28/29), ist die Rede von einem Moab-Bund, d. h. von einem Bundschluß Israels am Ende seiner Wüstenwanderungszeit unmittelbar vor dem Übertritt ins Land. Perlitt wird im Recht sein, wenn er hier keine ältere Tradition findet, sondern lediglich eine besondere Auslegung der Aussage von Dtn 5, 2f. Da betont Mose vor der Generation, die im Begriffe ist, nach dem Ende der vierzig Jahre Wüstenwanderung ins Land hineinzuziehen: »Jahwe, unser Gott, hat mit uns einen Bund am Horeb geschlossen. Nicht mit unseren Vätern hat Jahwe diesen Bund geschlossen, sondern mit uns hier, die wir alle heute noch am Leben sind«. Darin will eine Aktualisierung des Horebbundes vollzogen werden, die das geschichtliche Geschehen zwischen Jahwe und der Vätergeneration, die am Horeb stand, nicht leugnet, sondern betont, daß, was dort geschehen, unmittelbare Gegenwart auch für die nachfolgende Generation sei. Die Umdeutung dieser Aussage in einen ausdrücklichen Bundschluß im Lande Moab historisiert diese Aktualisierung unter der Bundeskategorie in einer Weise, die in Dtn 5, 2f. so nicht vorgesehen war.

2. Von der breit vertretenen dt.-dtr. Bundestheologie aus kann nun der Blick nach vor- und rückwärts gerichtet und gefragt werden, ob die Rede vom Bund schon im älteren at. Schrifttum einen Ort hat und wie sie in den nachdt. theologischen Entwürfen wirksam geworden ist. Das Dtn zeigt, daß dabei in doppelter Richtung gefragt sein muß: Weiß die ältere Tradition von einem Bund Jahwes mit den Vätern (Abraham)? Und: Weiß die ältere Überlieferung etwas von einem Bund Jahwes mit dem Volke Israel vor der Josia-Zeit?

Was zunächst die Väterüberlieferung vor P anlangt, so muß Gen 15 genannt werden, wo v. 18 rekapitulierend feststellt, daß Jahwe einen Bund mit Abraham geschlossen habe. Dieser besiegelt das Versprechen, Abrahams Nachkommen das Land »vom Strom Ägyptens (Nil) bis zum großen Strom (Euphrat)« zu geben. Dieses Versprechen wird durch die ungewöhnlich voll ausgeführte Zeremonie des Zerschneidens von Opfertieren, zwischen deren blutigen Stücken der die Verpflichtung Übernehmende durchzugehen hat, bekräftigt. Diese Zeremonie ist im innermenschlichen Bereich in Jer 34, 18f., aber auch in einem aus dem 8. Jh. stammenden Vertrag der Könige Barga'jā von KTK und Mati'-'ēl von Arpad (KAI I 222 A 40) belegt. Die an letzterer Stelle erfolgende Kommentierung: »Gleich wie dieses Kalb zerschnitten wird, so soll Mati'-'ēl zerschnitten werden und sollen seine Großen zerschnitten werden!« zeigt, daß es sich bei der Übernahme dieser Zeremonie um eine hypothetische Selbstverfluchung handelt. Danach ist in Gen 15 die Übernahme eines zunächst zwischen Menschen geübten Ritus auf die Bundesverpflichtung zwischen Gott und Mensch zu erkennen. Dabei wird die Kühnheit dieser Übernahme voll empfunden. Während Abraham, der Empfänger des göttlichen Versprechens, das Geschehen nur unter der deckenden Hülle eines Tiefschlafes wahrnehmen kann, nimmt Jahwe die Zeremonie des Durchschreitens der Stücke und (kaum voll durchzudenken!) die hypothetische Selbstverfluchung auf sich, indem er in Feuergestalt (»ein rauchender Ofen und eine Feuerfackel« v. 17) zwischen den Stücken durchgeht.

In seiner Quellenzugehörigkeit bleibt das Stück fraglich. Dem ursprünglichen J wird es kaum zugehören, da es die klare Folge Kap. 12; 13; 18 durchbricht. Eine Zuweisung zu E läßt sich allenfalls für das Zwischenstück v. 13–16 erwägen. Man hat es aber doch wahrscheinlich mit einer vordt. Überlieferung, die sich von den ausgeschliffenen Vorstellungen des Dtn und Dtr ebenso abhebt wie von dem jüngeren P, zu tun. Das erlaubt die Feststellung, daß die Rede vom Bundversprechen Jahwes an die Väter nicht erst von Dtn erfunden worden ist, sondern ältere Überlieferung darstellt. Inhalt dieses Bundversprechens, in dem Jahwe in scharfer Einseitigkeit als der Gott erscheint, der sich in Freiheit dem Ahnen Israels zusagt, ist das Land, das Jahwe Israel unter der hypothetischen Selbstverfluchung eines Eides, wenngleich die Vokabel »schwören« hier nicht auftaucht, zu geben verspricht. Die Bundeszusage erscheint hier im Kontext der großen Väterverheißung (§ 3).

Aber auch die dt. Rede vom »Horebbund« hat, wie bei dem ausgesprochen restaurativen Charakter der dt. Bewegung von vornherein zu erwarten ist, ihre Vorgeschichte in der älteren Überlieferung. Hier ist vom Komplex der Sinaierzählungen zu reden.

Das bietet darum besondere Schwierigkeiten, weil die quellenmäßige Zuweisung der Stücke und damit auch die präzise Erfassung der einzelnen Aussagen bei diesem vielfach ergänzten und überarbeiteten Komplex bisher noch zu keinerlei Konsens geführt hat. Zwar läßt sich der Anteil von P in Ex 19, 1a. 2a; 24, 15b—31, 18a; 35—40 sauber abheben. Im verbleibenden Rest aber vermischen sich die Stimmen schier unlöslich. Es soll versucht werden, wenigstens einige Hauptakzente der theologischen Aussage, die hier zu hören sind, herauszustellen. Vgl. den Versuch einer Analyse in der Festschr. Eichrodt.

In 19,5 ist im Rahmen einer Einschaltung (3b–8), die man, wie schon erwähnt, wegen der in ihr verwendeten Begriffe, die dann z. B. im Dtn bedeutsam werden, gerne als »protodeuteronomisch« bezeichnen möchte, vom »Bund« die Rede. Das »Beobachten meines Bundes« ist hier konditional den großen Würdetiteln, die das erwählte Volk erhalten soll (s. o. S. 36), vorgeschaltet. ברית *b^erīt* meint hier die Forderung Jahwes in seinem Gebot.

Die Einschaltung prellt gegenüber dem, was dann nachher von der gewaltigen Theophanie Jahwes und der anschließenden Gebotsmitteilung im Dekalog (an das Gesamtvolk) und im Bundesbuch (an Mose zur Mitteilung an das Volk) berichtet wird, vor. Ex 24 entfaltet die Antwort des Volkes auf diese Rechtsmitteilung. Sie ist in zwei voneinander verschiedenen Akten gehalten. Eine zentrale Szene in v. 9–11 berichtet davon, wie Mose und Aaron, Nadab und Abihu und siebzig Älteste Israels auf den Berg steigen, dort den »Gott Israels« in seiner Herrlichkeit sehen (»unter seinen Füßen war es wie ein Gemächte aus Saphirfliesen, und dem Himmel war es gleich an Reinheit«) und vor ihm Mahl halten. Man meint hier auf einen Bericht des E zu stoßen. Die siebzig Ältesten sind wie in Num 11, 16f. 24b–30 E die Vertreter Israels. Sie werden gewürdigt, auf dem Berge Gott zu schauen, wobei »Gott nicht seine Hand ausstreckte gegen die Vornehmen Israels«. Was soll aber das Mahl, das im Angesichte Gottes gehalten wird? Es erinnert an die Szenen von Gen 26, 26–33 und 31, 43–54, wo das Mahl seinen festen Ort im Rahmen eines Bundschlusses hat, in dem bestimmte Abmachungen besiegelt werden. Gewiß ist es dort ein Mahl der beiden menschlichen Partner. In Ex 24, 9–11 ist demgegenüber eine Transformation zu finden, die von ferne an die Transformation von Gen 15 gegenüber Jer 34 erinnern kann. Daß sich Gott und Mensch im Bundschluß auf der gleichen Ebene begegnen, ist dort so undenkbar wie hier. So ist hier zwar die Präsenz Jahwes in all seiner Herrlichkeit berichtet, das Mahlhalten aber nur von den menschlichen Teilnehmern ausgesagt. Die Wahrscheinlichkeit aber, daß es sich auch hier um ein den Bund befestigendes Mahl handelt, ist nicht gering.

Dann aber wird sich auch hier die Frage erheben, auf welche Abmachung hin dieser Bund geschlossen ist. Im heutigen Kontext geht zunächst der Dekalog voraus, der aber offensichtlich erst nachträglich an diese Stelle gesetzt worden ist. Es geht die Gesetzgebung des Bundesbuches voraus. Auch bei ihr ist der Verdacht nicht von der Hand zu weisen, daß sie erst nachträglich zwischen 20, 21 und 24, 9 eingefügt worden ist. Hat hier einst eine kürzere Gebotssammlung gestanden, die dann durch das reichere Bundesbuch ersetzt worden ist? Auf jeden Fall wird deutlich, daß im heutigen Text in 24, 3–8, die von einer Szene unten am Berge berichten, die dem Mahl in der Gegenwart des Gottes Israels vorausgehende Selbstverpflichtung des Volkes auf das gegebene Gottesgebot zum Ausdruck gebracht werden will. Hier ist nun ganz ausdrücklich von einer Bundschließungsszene die Rede, in der Israel zusätzlich durch 12 Mazzeben, die Mose aufstellt, und die Jünglinge, welche das Opfer darbringen, repräsentiert ist. Durch das an den Altar und auf das Volk gesprengte Blut werden in ritueller Form Jahwe und sein Volk verbunden. In dem Satz 24, 8b: »Siehe, das ist das Blut des Bundes, den Jahwe mit euch auf alle diese Worte hin geschlossen hat«, wird die Bedeutung des Blutes im Kontext des Bundes ausdrücklich festgestellt. Das Ganze geschieht auf »die Worte« hin, die Jahwe zu Mose gesprochen und die Mose in einem Buch niedergeschrieben hatte.

Sucht man das theologische Gewicht der unverkennbar in einem längeren und komplizierten Traditionsprozeß kombinierten Aussagen in Ex 24 zu ermessen, so wird das Doppelte deutlich: Israel ist in seinen Vertretern gnadenhaft einer ganz einmaligen, nahen Begegnung mit dem »Gotte Israels« gewürdigt. Die Zusammengehörigkeit Israels mit seinem Gotte aber ist auf klaren Ruf zu konkretem Gehorsam gegen Jahwes Gebot gegründet. Perlitts These: »Nicht weil diese Gesetze von Mose proklamiert wurden, war am Sinai heiliger Boden, sondern weil am Sinai heiliger Boden war, kamen die Gesetze hierher« (194), welche die Verbindung von Bund und Gesetz erst der dt. Zeit zuschreibt, überschätzt die traditionsschöpferische Kraft der restaurativen dt. Bewegung.

Vom »Bunde« ist dann nochmals in Ex 34 die Rede. Das Kapitel stellt in seiner heutigen Zuordnung eine zweite Rechtsmitteilung und eine erneute Übergabe der Steintafeln, auf welchen Jahwes Gebote aufgezeichnet sind, an Mose dar, nachdem die ersten Tafeln infolge der Versündigung des Volkes mit dem goldenen Jungstierbild von Mose zerschmettert worden waren. Die Vermutung, daß in diesem im einzelnen stark ergänzten und erweiterten Kapitel die Parallele des J zum Bericht von Ex 24 und seinen Erweiterungen zu finden ist, kann nicht einfach von der Hand gewiesen werden. Hier ist es nicht mehr das ganze Volk in seinen siebzig Vertretern, das der Nähe Gottes gewürdigt wird, sondern Mose allein. Ihm wird mitgeteilt, daß Jahwe einen Bund schließt (v. 10). Eine von dt. Hand stammende Erweiterung hat dieses in v. 12. 15f. mit dem Verbot kontrastiert, mit den Bewohnern des von Jahwe zugesagten Landes einen Bund zu schließen und Ehen einzugehen. Der ursprüngliche Text hält in v. 27f. fest, daß der Bund auf die Worte Jahwes hin, die (später?) ausdrücklich als die »zehn Worte« bezeichnet sind, mit Mose geschlossen worden sei. Ergänzend hat eine Hand in v. 27 zu dem an Mose gerichteten »(Bund) mit dir« in richtiger Interpretation der Meinung der Aussage ein »Bund mit Israel« hinzugefügt. Daß auch die Lade Jahwes, in welche die Gebotstafeln des Bundes gelegt werden sollten, in der Folge die Bezeichnung »Bundeslade« erhielt, wird in späterem Zusammenhange zu erwähnen sein (s. u. S. 66).

So anders auch der in Ex 34 erzählte Vorgang aussieht, so berührt er sich doch mit dem in Ex 24 Erzählten in der Aussage, daß der Bund Jahwes mit Israel auf Worte göttlichen Gebotes hin geschehen ist.

Eine Verbindung von Bund und Gebot weist auch der Bericht von Josuas Landtag in Sichem (Jos 24) auf. In seiner gegenwärtigen Gestalt läßt sich das dt. Sprachgewand nicht übersehen. Die Möglichkeit muß aber ernstlich offengehalten werden, daß hinter der heutigen Stilisierung des Berichtes eine echte Erinnerung an einen Entscheidungsakt im frühen Israel erhalten geblieben ist. Die Tatsache, daß Josua nicht einfach zum Gehorsam gegen Jahwe auffordert, wie es Mose im Dtn tut, sondern den ihm Gegenüberstehenden die Freiheit der Wahl eröffnet, sich für Jahwe oder die Götter der Väter oder diejenigen Kanaans zu entscheiden, während er und sein Haus die Entscheidung getroffen haben, fällt auf. Sie läßt die Frage nicht zur Ruhe kommen, ob hier nicht die Erinnerung an das Geschehen erhalten geblieben ist, in dem die aus Ägypten Kommenden die schon im Lande befindlichen Stämme zum Anschluß an den Glauben an »Jahwe, den Gott von Ägypten her« aufforderten. Daß dieses in Sichem geschieht, das für Israel bis hin zur Reichsteilung eine besondere Stellung gehabt haben muß und wo nach Gen 33, 20 in der Väterzeit der »El, Gott Israels« verehrt wurde, hat viel geschichtliche Wahrscheinlichkeit für sich (Noth). Es läge dann hier die Erinnerung an das Geschehen vor, in dem das »Volk Jahwes« mit »Israel« identisch geworden ist.

Wenn aber das Jahwevolk seine Verbindung mit Jahwe schon im Zusammenhang der Ereignisse am Gottesberg in der Wüste mit dem Hinweis auf eine *bᵉrīt* darstellte, so wird auch die Möglichkeit nicht auszuschalten sein, daß es diese entscheidende Erweiterung des Jahwevolkes zum vollen »Israel« erneut unter dem Zeichen eines »Bundes«, für den der in Sichem aufgerichtete Stein »Zeuge« blieb (Jos 24, 26b), verstand.

Mit dem Gesagten ist die Ansicht abgewiesen, daß Bund und Gebot von Hause aus nichts miteinander zu tun gehabt hätten (Gerstenberger). Jos 24, 25 hält für Sichem über die zur Entscheidung rufende Rede Josuas hinaus fest, daß er dem Volke חק ומשפט *ḥōq ūmišpāṭ* verordnete, was von Mose in der auffallenden (sek. ?) Notiz über das Geschehen in Mara gesagt wird (Ex 15, 25). Das ohne Zweifel alte Überlieferungselement von den zwei mit Satzungen beschriebenen Steinen ist nirgends im besonderen mit Sichem verbunden. Dagegen sind an anderen Stellen in eigentümlich verlorenen und nicht recht eingepaßten Aussagen kurze Nachrichten über Vorgänge der Rechtsfixierung gerade in der Gegend von Sichem erhalten (Jos 8, 32. 34; Dtn 27, 11ff., vgl. dazu den Abrenuntiationsakt von Gen 35, 4, der nach Alt sek., aber wohl schon in frühköniglicher Zeit in das kombinierte Ritual der »Wallfahrt von Bethel nach Sichem« eingebaut wurde, dazu u. S. 100f.). Alt hat auch hinter der Anordnung von Dtn 31, 10f., alle 7 Jahre im Erlaß- (שמטה *šᵉmiṭṭāh*-) Jahr beim Hüttenfest das dtn. Gesetz zu verlesen, einen älteren Brauch vermutet, nach welchem jeweils zu Beginn eines Siebenjahreszyklus beim Fest der Wende des altisraelitischen Jahres Gottesrecht neu kundgemacht wurde. Die alten Redewendungen: »So tut man nicht in Israel« (2Sam 13, 12) oder das Reden von einer »Torheit in Israel« (Gen 34, 7 u. a.) zeigen, wie schon o. S. 37 erwähnt, daß sich Israel, besonders auf dem Gebiet des sexuellen Verhaltens, bewußt von seiner kan. Umwelt unterschied. Daß diese Unterscheidung gerade mit dem Israelnamen verbunden wurde, spricht dafür, daß es darin nicht nur um alte nomadische Gewöhnung, sondern um vom »Gotte Israels« gesetzte Ordnungen, in denen sich Israel als das Volk Jahwes gekennzeichnet wußte, ging.

Das »Bundesschweigen« der großen vordt. Propheten (Perlitt), gegen das immerhin Hosea stehen dürfte, läßt sich aus deren spezifischer Situation, die auch ihr »רוח *rūaḥ*-« (u. S. 86f.) und ihr weitgehendes »Erwählungsschweigen« (o. S. 38) erklärt, verstehen.

3. Die Kategorie der ברית *bᵉrīt* hat auch in der nachdt. Zeit ihre bedeutsame Rolle gespielt. Sie dient im priesterlichen Bereich zur Strukturierung des Laufes

der hier geschilderten Welt- und Israelgeschichte. Zwar hat sich die von Wellhausen zunächst gebrauchte Bezeichnung des P als liber quattuor foederum (Q) als nicht haltbar erwiesen. Die vier Weltphasen, in welchen P seine Erzählung strukturiert, sind keineswegs alle durch einen Bundschluß eingeleitet. Ein solcher fehlt im Schöpfungsvorgang, dem eigentlichen Eingangsgeschehen, das Gen 1, 1–2, 4a erzählen. Dagegen steht über der nachsintflutlichen Welt, in der sich die in Noahs Arche zusammen mit diesem und seiner Familie Geretteten neu mehren, eine ausdrückliche ברית *b^erīt*, die Gott »errichtet« (הקים את [בין ובין] *hēqīm 'aet* [*bēn ūbēn*] Gen 9, 9. 11) bzw. »gesetzt« (נתן בין ובין *ntn bēn ūbēn* v. 12) hat. Inhalt dieses Bundes ist die göttliche Zusage, keine Flut mehr über die Welt zu bringen. Diese Zusage wird durch ein Zeichen verbürgt. Der in die Wolken weggehängte (Kriegs-)Bogen Gottes soll diesen, wenn sein Zorn im Wetter wieder ausbrechen sollte, an sein Versprechen erinnern. Dieser »Bund« ist ein unkonditional gegebenes, reines Heilsversprechen Gottes für die ganze Welt. Es fällt auf, daß die »Noachitischen Gebote«, welche in 9, 1–7 gegeben werden, völlig abgelöst der Bundeszusage vorangeschickt sind und für den »Bund« keinerlei konditionale Bedeutung haben.

Durch eine weitere ברית *b^erīt* wird dann nach Gen 17 aus der Gesamtmenschheit der Eine, Abraham, in dem die Verheißung des kommenden Israel ausgesprochen ist, ausgesondert. Nach der Selbstvorstellung Gottes unter dem neuen Namen אל שדי *'ēl šaddaj* (s. o. S. 33) und einer allgemeinen Aufforderung, vor Gott zu wandeln, wird von seiten Gottes ein »Bund« zugesagt (נתן בין ובין *ntn bēn ūbēn* v. 2, einfaches בריתי אתך *b^erītī 'ittāk* v. 4, הקים בין ובין *hēqīm bēn ūbēn* v. 7; הקים את *hēqīm 'aet* v. 19. 21). Über die dreifache Verheißung, welche den Inhalt dieses »Bundes« ausmacht, war o. S. 22 gesprochen worden. Wiederum handelt es sich zunächst um eine reine Zusage ganz so, wie es auch beim Abrahambund des J von Gen 15 der Fall gewesen war, als dessen Inhalt aber 15, 18 lediglich die Landzusage aufführte. Auch diesem »Bunde« wird ein Zeichen zugeordnet, das nun allerdings eine andere Stellung im ganzen Geschehen hat als das Zeichen von Gen 9. Abraham und seinen Nachkommen wird die Beschneidung verordnet (dazu u. S. 114f.), die neben der Qualifizierung als »Zeichen« (אות *'ōt*) auch als ברית *b^erīt*, welche beobachtet werden soll (שמר *šmr*), unter Androhung der Ausrottung des Nichtbeschnittenen aus seiner Sippe streng geboten wird. Man wird trotz dieses Gebotes nicht von einem konditional gegebenen Bund reden können, da die Strafe nur den einzelnen Ungehorsamen treffen, den Bund in seiner Gänze aber nicht unwirksam machen wird. Durch die Umbenennung des Verheißungsempfängers Abram in Abraham (»Vater einer Menge von Völkern« v. 5) und seiner Frau Saraj in Sarah (»Fürstin« v. 15) wird die verwandelnde Kraft der Bundgewährung wiederum ganz unkonditional zugesagt. Die vierte, durch die endgültige Enthüllung des Jahwenamens (s. o. S. 13) scharf gekennzeichnete Phase der von P erzählten Geschichte beginnt mit der Berufung und Sendung Moses Ex 6, 2ff. Hier nun fällt es auf, daß im Gegensatz zu der vordt. und dt. Erzählung nicht mehr von einer ברית *b^erīt* die Rede ist. Es ist an Spuren noch deutlich zu erkennen, daß dieses in einer früheren Phase der Fall gewesen sein dürfte. So wird in Ex 31, 17 der Israel von Jahwe geschenkte

Sabbat gleich dem Regenbogen in Gen 9 ein »Zeichen zwischen mir und zwischen ihnen« genannt. Er wird in diesem Zusammenhang ganz so wie die Beschneidung von Gen 17 unter strenger Einschärfung des Gehorsams als ברית *b^erīt* (»Gebot«) bezeichnet, obwohl vom Errichten oder Setzen einer ברית *b^erīt* zwischen Jahwe und Israel nicht mehr die Rede ist. Daß zuvor auch in der priesterlichen Tradition von einem Bund in der Mosezeit geredet wurde, verrät im Abschlußkapitel von H die Bezeichnung des richtenden Strafwerkzeuges als חרב נקמת נקם ברית *ḥaeraeb nōqaemaet n^eqam b^erīt* »das Schwert, welches die Bundesstrafe durchführt« (Lev 26, 25). Die Eliminierung der ausdrücklichen Bundschließung in der Mosezeit durch P hat zur Folge, daß die Zeit Israels nun ganz ausschließlich zur Zeit der Einlösung der Verheißung an Abraham wird. Es dürfte dahinter eine bewußte theologische Überlegung, die aus der Situation der nachexilischen Zeit zu verstehen ist, liegen. Israel ist in der vorexilischen Zeit am Gebot, das mit dem »Bund« der Mosezeit verbunden war, gescheitert. P sieht die Zeit der Volksgeschichte Israels, die mit Mose beginnt, nicht mehr als eine Zeit, die unter dem durch das Gebot gekennzeichneten Bunde steht. Vielmehr steht auch diese Zeit nun ganz unter der Zusage der Verheißung, die Abraham gegeben worden ist.

So ist zu erkennen, wie durch Israels Geschichte hin mit dem Begriff des »Bundes« bestimmte Aussagen über die Beschaffenheit einer Zeit des Gottesvolkes vor seinem Gott zum Ausdruck gebracht werden wollen. Die Rede von dem von Jahwe gestifteten Bunde mit Israel kann dabei im einzelnen verschiedene Akzentuierungen erfahren. Zu Dan s. u. S. 210.

4. Es ist aber zu sehen, daß auch spezielle Bereiche innerhalb des Jahwevolkes mit der Kategorie der *b^erīt* gekennzeichnet werden können. In späterem Zusammenhange wird von den Gestalten die Rede sein müssen, durch die Jahwe sein Werk an seinem Volke Israel tut, dem König, dem Priester, dem Propheten, dem Weisen (§ 10). Wo Jahwe dem Hause Davids ein dauerhaftes Königtum begründet, wird von einem »Bunde« mit David geredet. In 2Sam 23, 5 erwähnen die sog. letzten Worte Davids den «ewigen Bund«, den Jahwe mit David geschlossen hat. Vgl. weiter Ps 89, 4. 29; Jer 33, 20–22. Inhalt dieses »Bundes« ist das gnädige Versprechen göttlicher Bewahrung des Davididen.

Analoges ist auch beim Priestertum der Aaroniden festzustellen. Die Treue, mit der der Priester Pinehas gegen die Versündigung Israels mit midianitischen Frauen einschreitet, beantwortet Jahwe mit der Zusage eines »ewigen Priesterbundes« (ברית כהנת עולם *b^erīt k^ehunnat ʿōlām* Num 25, 13). Eigenartig ist die Formulierung von Num 18, 19, wo von einem ewigen Salzbund geredet wird. Ist dabei daran gedacht, daß im Bundschlußritual das »Salz« eine Rolle spielt (Lev 2, 13)? Auf den Bund mit Levi wird in der Scheltrede Maleachis (2, 4. 5. 8) angespielt. Dabei kann in 2, 5 nochmals voll zum Ausdruck gebracht werden, was der Inhalt von ברית *b^erīt* ist: »Der Bund mit ihm bedeutete Leben und Heil (שלום *šālōm*)«.

Zugleich aber wird auch hier deutlich, daß »Bund« eine Form der Treue ist, welcher Dauer zugesagt wird. So wird denn bei den nur je für ihre Person berufenen Charismatikern, den Propheten und den Weisen, nie von einer ברית *b^erīt*, die Jahwe mit ihnen geschlossen hätte, geredet.

M. Weinfeld, ברית ThWAT I 781—808 (Lit.). — *E. Kutsch*, ברית *b^e rit* THAT I 339—352. — *Ders.*, Sehen und Bestimmen. Die Etymologie von ברית, Festschr. K. Galling 1970, 165—178. — *J. Pedersen*, Der Eid bei den Semiten, 1914. — *J. Begrich*, Berit. ZAW 60, 1944, 1—11 (= Gesammelte Studien, ThB 21, 1964, 55—66). — *M. Noth*, Das at. Bundschließen im Lichte eines Mari-Textes, Gesammelte Studien, ThB 6, 1957, 142—154. — *G. E. Mendenhall*, Recht und Bund in Israel und dem Alten Vorderen Orient, ThSt (B) 64, 1960. — *K. Baltzer*, Das Bundesformular, WMANT 4, 1960. — *D. J. McCarthy*, Der Gottesbund im AT, StuttgBSt 13, 1967² (Lit.), weitergeführt in *ders.*, Old Testament Covenant. A Survey of Current Opinions, 1972. — *L. Perlitt*, Bundestheologie im AT, WMANT 36, 1969. — *R. Smend*, Die Bundesformel, ThSt (B) 68, 1963. — *N. Lohfink*, Dt. 26, 17—19 und die »Bundesformel«, ZKTh 91, 1969, 517—553. — *G. von Rad*, Das formgeschichtliche Problem des Hexateuch, BWANT 4. F. 26, 1938, bes. 5. Das Formproblem beim Dtn (= Gesammelte Studien, ThB 8, 1958, 9—86, bes. 33—41). — *N. Lohfink*, Die Landverheißung als Eid. Eine Studie zu Gen 15, StuttgBSt 28, 1967 (Lit). — *W. Zimmerli*, Erwägungen zum »Bund«. Die Aussagen über die Jahwe-ברית in Ex 19—34, Festschr. W. Eichrodt 1970, 171—190. — *Th. C. Vriezen*, The Exegesis of Exodus 24, 9—11, OTS 17, 1972, 100—133. — *M. Noth*, Das System der zwölf Stämme Israels, BWANT 4. F. 1, 1930. — *E. Gerstenberger*, Covenant and Commandment, JBL 84, 1965, 38—51. — *A. Alt*, Die Ursprünge des isr. Rechts, 1934 (= Kleine Schriften I, 278—332). — *W. Zimmerli*, Sinaibund und Abrahambund, ThZ 16, 1960, 268—280 (= ThB 19, 1969², 205—216).

II. Jahwes Gabe

Es war eingangs deutlich geworden, daß at. Glaube Jahwe nur als den sich seiner Welt zuwendenden Gott kennt. Bei der Herausführung aus Ägypten hat er in den ersten Anfängen, die Israel als Volk von seiner Geschichte zu erzählen weiß, sein Ja zu ihm gesprochen. Wie Israel dieses Ja zu seinem Leben in konkreten Gaben auch weiterhin erfahren hat, soll Gegenstand der Ausführungen eines zweiten Hauptteils sein.

Dabei darf nie aus dem Auge verloren werden, was bei den Ausführungen über die Erwählung Israels und noch stärker bei dem über den »Bund« Gesagten erkennbar wurde, daß alle Gabe für Israel auch immer wieder Ruf zu einem »Beruf«, jede Beschenkung auch Antwort heischende Verpflichtung ist. Somit darf das in Teil II Ausgeführte nie ohne den Blick auf das in Teil III dann unter der Überschrift »Jahwes Gebot« Auszuführende verstanden werden.

§ 7 Der Krieg und sein Sieg

Nicht in einer verborgenen geistlichen Erfahrung, sondern in konkreter geschichtlicher Errettung hat Israel das Ja seines Gottes zu seiner Existenz erfahren und darüber den ältesten uns erhaltenen Hymnus angestimmt (Ex 15, 21): »Singet Jahwe, denn hoch erhaben ist er. Roß und Reiter stürzt er ins Meer«. So hat Israel auch in der Folge gerade in den Kriegen, die sein Leben bedrohten, das vorzügliche Feld des göttlichen Eingreifens gesehen. Der Altarname »Jahwe ist mein Panier« und der alte Kampfruf: »Hand ans Panier Jahwes (c. T.), Krieg hat Jahwe mit Amalek von Geschlecht zu Geschlecht« (Ex 17, 15f.) dürften in frühe Kämpfe der aus Ägypten Kommenden mit dem Wüstenfeind des Jahwevolkes zurückreichen. Im Bannkrieg Sauls (1Sam 15) und noch in der Schlußmahnung der Gebote des Dtn im engeren Sinne (Dtn 25, 17–19), zu einer Zeit, in der zweifellos der Kampf gegen Amalek alle direkte Aktualität verloren hatte, ist in dem abschließenden »Vergiß es nicht!« etwas von der Glut des alten Aufgebotes zum Panier Jahwes zu verspüren. Im Fragment eines Siegesliedes nach der Schlacht bei Gibeon (Jos 10, 12f.) wie in dem voll erhaltenen Deboralied nach dem Sieg über die kan. Städte der Jesreelebene, das in den Wunsch ausmündet: »So mögen umkommen alle deine Feinde! Die dich aber lieben, sind wie die Sonne, wenn sie aufgeht in ihrer Pracht« (Ri 5, 31), ist die Präsenz Jahwes auf dem Kampffeld Israels ganz ebenso zu spüren wie in dem zweifellos alten Schlachtruf des Midianiterkrieges: »Für Jahwe und Gideon« (Ri 7, 18, noch schärfer in der Variante: »Schwert Jahwes und Gideons« 7, 20). Eine unmittelbare Schilderung vom persönlichen Eingreifen Jahwes in einen Kampf ist noch in den frühen Kriegen Davids gegen die Philister zu finden, wenn da der Bescheid ergeht: »Wenn du das Geräusch des Einherschreitens in den Wipfeln der Bakabäume hörst, dann brich los; denn dann ist Jahwe vor dir her ausgezogen, das Heer der Philister zu schlagen« (2Sam 5, 24). Auch Amos erkennt in der Vernichtung der Amoriter vor Israel eine grundlegende Heilstat Jahwes (2, 9).

G. von Rad hat in seiner Untersuchung zum »Heiligen Krieg« die eigenartige Stilisierung herausgearbeitet, welche dem »Jahwekrieg« (so wird man nach dem alten Titel des »Buches der Kriege Jahwes« Num 21, 14 lieber formulieren) im Zeugnis Israels eigen ist und die ihn als eine sakrale Sphäre kennzeichnet. Durch Stoßen in die Posaune wird zu ihm aufgeboten. Besonders beschwörend ist das Aufgebot durch die blutigen Stücke eines zerteilten Tieres 1.Sam 11, 7, vgl. dazu auch Ri 19, 29. Das im Lager versammelte Volk, die »Mannschaft Jahwes«, steht unter strengen sakralen Ordnungen, ist geweihte Mannschaft (1Sam 21, 5f.). Vor der Schlacht werden Opfer dargebracht. Es wird der Gottesbescheid eingeholt. Im Munde des Gottesmannes ergeht im Perf. die Zusage: »Jahwe hat die Feinde in eure Hand gegeben«. Jahwe zieht im Kampfe dem Volke voran, die Feinde faßt panischer Schrecken. Die תרועה *t'rû'āh*, das laute Geschrei, das auch den gottesdienstlichen Jubelruf bezeichnen kann, eröffnet den Kampf. Der Vollzug des Bannes beendet ihn. So die stilisierten Elemente, die sich in keiner Schilderung eines Kampfgeschehens alle in Vollständigkeit verbunden finden, aber in der Zusammenschau der einzelnen Kampfberichte erkennbar sind. Der Jahwekrieg ist nie imperialistischer Eroberungskrieg, sondern in jedem Fall Sicherung des von Jahwe Israel gewährten Lebensrechtes. Daß auch die Landnahmekriege mit Zügen des Jahwekrieges stilisiert sein können, verrät, daß sie in den Bereich des Israel von Jahwe gewährten Lebensraumes gehören. Die Kämpfe Davids zur Schaffung seines Großreiches sind dagegen nicht mehr als Jahwekriege dargestellt. Mit der Vorstellung vom Jahwekrieg hängt es zusammen, daß die Hilfe Jahwes in seinen Kriegen auch als »Rechtshilfe« verstanden wird. Die Heilstaten Jahwes werden als צדקות יהוה *ṣidqōt jahwǟh* (Ri 5, 11; 1Sam 12, 7) bezeichnet. Sie sind Einzelerweise des »Rechtseins« Jahwes gegenüber seinem Volke, die diesem sein Recht schaffen. Zu צדקה *ṣ'dāqāh* s. u. S. 124f. Daß die militärischen Helfergestalten der Vorkönigszeit als »Richter« bezeichnet werden, kann auch von dieser Seite her beleuchtet werden, vgl. etwa Ri 3, 10.

Verbindet G. von Rad den Jahwekrieg als kultische Institution mit der von Noth postulierten Institution der altisraelitischen Amphyktyonie, so findet Smend seine geschichtliche Wurzel wohl zutreffender nicht in der »Institution«, sondern im »Ereignis« des Exodus. Stolz bestreitet, in seiner Kritik noch weitergreifend, daß der Jahwekrieg in der Frühzeit Israels überhaupt ein »kontinuierlicher Erfahrungszusammenhang« (198) gewesen sei, während Weippert G. von Rads These durch den Aufweis des Vorkommens einzelner Elemente des heiligen Krieges in Assyrien zu schwächen sucht.

Von einem ganz anderen Verständnis der ursprünglichen Beziehung von El und Jahwe her (s. o. S. 33) her haben Cross und Miller den kämpferischen Charakter Jahwes von dem diesem religionsgeschichtlich vorgelagerten Baal- bzw. El-Glauben her zu verstehen gesucht.

Jahwe, der in seinem Kriege sein Ja zu Israel geschichtsmanifest macht, kann danach geradezu selbst als Krieger beschrieben werden. »Jahwe ist ein Kriegsmann«, ist im Moselied Ex 15, 3 zu hören. Die Einzugsliturgie Ps 24 kündet den durch die Tore einziehenden König der Herrlichkeit an: »Es ist Jahwe, ein Starker und ein Held, Jahwe, ein Held im Kriege«. Mit unerhörtem Bilde beschreiben Jes 63, 1ff. den von Edom her in blutgerötetem Gewande Kommenden. Daneben kann auch das Schwert Jahwes verselbständigt werden. Sein unersättliches Rasen im Kampfe gegen die Philister (Jer 47, 6), seine Sättigung im Kampfe gegen die Ägypter (Jer 46, 10), seine Trunkenheit im Kampfe gegen Edom (Jes 34, 5f.) wird ausgesagt. In anderer Weise begegnen die Waffenbilder da, wo der Beter im Vertrauenswort Jahwe als seinen Schild (Ps 3,4, auch Gen 15, 1) bezeichnet oder ihn darum bittet, daß er Schild und Tartsche ergreifen und ihm zu Hilfe eilen möge (Ps 35, 2). Umgekehrt erfährt Hiob in seinem unbegreiflichen Leid, wie die Pfeile des Allmächtigen ihn verletzen (6, 4).

Wenn Jahwe die Kriege Israels führt, was ist dann der menschliche Anteil an diesem Kampfe? Der Glaube Israels hat diesen Anteil zunächst keineswegs ausgelöscht (Seeligmann, Schmidt). Das Deboralied berichtet im einzelnen vom Anteil der verschiedenen Menschen am Sieg. Ri 5, 23 gebraucht im Tadel gegen Meros, das sich nicht beteiligte, sogar die überraschende Formulierung: »Sie kamen Jahwe nicht zu Hilfe«. Aber die Ehre bleibt in alledem allezeit Jahwes. Das AT, in dessen Berichten es an großen Kriegsleuten keineswegs fehlt, hat keine Heldenverehrung herausgebildet. Das Heroenzeitalter der großen Recken, von dem Israel aus den Erzählungen seiner Umwelt auch wußte, hat hier eine wesentlich andere Akzentuierung erfahren. Die Geburt der halbgöttlichen Heroen der Vorzeit ist nach Gen 6, 1–4 zur Motivation der großen Flut geworden. Die Nimrodgestalt von Gen 10, 8—12 gehört in die vor-abrahamitische Menschheit, deren Geschichte nach J in die Erzählung vom Babylonischen Turmbau ausmündet. Vgl. noch Ez 32, 27. Der Sieg bleibt Jahwes Gabe. Das »Siegen« der Menschen wird so wohl nicht nur zufällig auch mit einer passiven Form als »Hilfe erfahren« (נושׁע *nōšaʿ*) ausgedrückt.

Im weiteren sind es verschiedene Wege, auf denen der göttliche Anteil am menschlichen Tun festgehalten wird.

1. Es kann vom göttlichen Geist geredet werden, der den Menschen erfaßt und ihn zu siegreicher Führung des Kampfes ermächtigt (dazu u. § 10b. c).
2. Es wird berichtet, wie Jahwe durch seine Weisungen durch den Mund des Priesters oder Propheten, der Gott befragt, die Dinge lenkt. Dabei kann auch das hl. Los eine Rolle spielen, vgl. Num 27, 21; Ri 1, 1; 1Sam 23, 2; 30, 8, auch 1Sam 14, 37; 28, 6. Träume können Gottes Bescheid vermitteln (Ri 7, 13f., vgl. 1Sam 28, 6. 15).
3. Jahwe ist es, der den Gottesschrecken über die Feinde fallen läßt (Ex 23, 27f.; Dtn 7, 20. 23; Jos 24, 12), so daß ihr Herz verzagt wird (Jos 2, 11) und sie in Verwirrung geraten (Ri 4, 15).
4. Dazu tritt in den at. Berichten auch immer wieder der Hinweis auf das Wunder. Jahwe verfügt über die Naturmächte: Das Unwetter der Deboraschlacht Ri 5, 20f., die (Hagel-)Steine, die nach Jos 10, 11 auf die fliehenden Kanaanäer fallen, den Donner, der nach 1Sam 7, 10 die Philister vertreibt. Die Legende scheut in der Folge auch vor dem Unmöglichsten nicht zurück. In einer Nacht schlägt der Verderberengel im Lager Sanheribs 185000 Mann (2Kön 19, 35).

Neben diesen Hinweis auf die direkten Eingriffe Jahwes tritt die Tendenz, den menschlichen Träger des Sieges möglichst gering erscheinen zu lassen. Gideon ist nach Ri 6, 15 der Jüngste in seines Vaters Hause, dieses das geringste im Stamme Manasse. Über die von ihm gesammelten 32000 Mann sagt Jahwe: »Des Volkes bei dir ist zu viel, als daß ich die Midianiter in deine Hand geben könnte. Israel möchte sich sonst wider mich rühmen und sagen: Wir haben uns selber geholfen« (Ri 7, 2). So wird die Zahl erst auf 10000 und dann noch auf 300 gesenkt. Saul, der die Philister besiegen soll, muß vom Troß, bei dem er sich schüchtern versteckt hatte, geholt werden. Auch David ist nach 1Sam 16 der kleinste unter seinen Brüdern. Sehr schön formuliert Jonathan bei seinem kühnen Überfall auf den Philisterposten das demütige Wissen des Jahweglaubens: »Es ist Jahwe ein leichtes, zu helfen (להושיע *l^ehôšîa'*), es sei durch viel oder wenig« (1Sam 14, 6). Von hier aus beginnt in der Folge menschliche Rüstung verdächtig zu werden. In den Worten des mit der einfachen Schleuder bewehrten David, der auf den schwergerüsteten Philister losgeht, ist in der jüngeren, theologisch reflektierten Version der Goliathgeschichte zu hören: »Du kommst zu mir mit Schwert, Speer und Wurfspieß. Ich aber komme zu dir im Namen Jahwes der Heerscharen, des Gottes der Schlachtreihen Israels« (1Sam 17, 45). Immer wieder wird Israel ermahnt, sich nicht zu fürchten, auch wo es mit seinen äußeren Möglichkeiten unterlegen ist. Dem Israel am Schilfmeer sagt Mose im Angesicht der verfolgenden Ägypter nach J: »Jahwe kämpft für euch, ihr aber bleibt nur ruhig« (Ex 14, 14). Auf diesen Ton ist auch die Kriegsansprache gestimmt, die nach Dtn 20, 1ff. der Priester dem versammelten Heere hält: »Euer Herz verzage nicht, fürchtet euch nicht und seid nicht ängstlich und erschreckt nicht vor ihnen. Denn Jahwe, euer Gott, geht mit euch, um für euch mit euren Feinden zu kämpfen, euch Rettung zu verschaffen«. Es sind Worte, die so fast wörtlich in der Ermahnung Jesajas im syrisch-ephraimitischen Kriege wiederkehren (Jes 7, 4). Bei Jesaja erreicht auch der Kampf gegen das falsche Vertrauen auf Bündnisse und Rüstungsgut einen Höhepunkt. In Ps 20, 8; 146, 3; Sach 4, 6 findet er seinen Widerhall. Die Forderung des »Glaubens« wurzelt nach von Rad im Gedankengut des Jahwekrieges und bezeichnet die Haltung, die dem Wissen um Jahwe als den Geber des Sieges entspricht. In diesen Zusammenhang gehört möglicherweise auch die Erwartung der Vernichtung alles Rüstungsgutes durch Jahwe, die an der Schwelle zu einer umfassenden Friedenshoffnung begegnet (Bach). Vgl. Ps 46, 9f.; Jes 2, 4; 9, 4; Sach 9, 10.

Noch ein anderes muß ausgesprochen werden. So sehr Israel von seinen Anfängen her immer wieder das Ja seines Gottes erfahren hat, wenn dieser ihm Sieg über seine Feinde schenkte, so sehr ist doch im AT durchgehend das Wissen darum lebendig, daß Jahwe allezeit frei ist, nach seinem heiligen Willen Israel Sieg zu geben oder Sieg zu verweigern. Jahwe wird nie einfach ein »Siegesgott Israels«.

Wie das durch die Wüste ziehende Volk auf den Bericht der Kundschafter hin sich zunächst ängstlich weigert, ins Land Kanaan hineinzuziehen, dann aber, nachdem Jahwe es in die Wüste zurückgeschickt hat, eigenmächtig doch den Krieg versucht, wird es geschlagen (Num 13f.). Wenn hier in 14, 44 (nachträglich?) die Bemerkung zugefügt ist, daß Mose und die Bundeslade das Lager nicht verlassen hätten, so will damit zum Ausdruck gebracht werden, daß Jahwe in diesem Kriege Israels nicht dabei war. Im Philisterkrieg von 1Sam 4 versucht Israel nach einer ersten Niederlage den Sieg zu gewinnen, indem es das hl. Jahwepalladium, die Lade, ins Lager holt. Aber Jahwe verweigert auch hier den Sieg und läßt die Lade, bei der Israel den »Jahwe der Heerscharen« nahe glaubt (s. u. S. 63), in die Hände der Philister fallen. Freilich wird dann auch dort nach 1Sam 5f. deutlich, daß die Philister mit der Erbeutung der Lade keineswegs ihrerseits Herren des von Jahwe verliehenen Sieges geworden sind. Jahwe hat in seiner Freiheit Macht, den Sieg auch an Israels Feinde zu verschenken. Nach 1Kön 19, 15; 2Kön 8, 12f. wird Hasael von Damaskus, der Israel bis aufs Blut peinigt, durch den Propheten Jahwes berufen. Der Syrer Naeman hat seine Siege aus der Hand Jahwes empfangen (2Kön 5, 1). Jahwe läßt nach 2Kön 15, 37; Jes 9, 10 Rezin von Damaskus gegen Israel los. Vor allem aber ist diese Freiheit des heiligen Gottes dann in der großen Prophetie verkündet, nach welcher der mächtige Assyrer Werkzeug in Jahwes Hand ist, sein Volk zu züchtigen – ein Werkzeug allerdings, das von Jahwe selber dann auch wieder zur Rechenschaft gerufen wird, wo es in Überhebung letzter Herr zu sein wähnt. Nebukadnezar, der Zerstörer Jerusalems, ist nach Jer 25, 9; 27, 6 und 43, 10 Jahwes Knecht. Zu Kyrus s. u. S. 194.

Immer deutlicher wird durch den Lauf der at. Geschichte hin, daß sich das Ja Jahwes zu seinem Volke nicht einfach an Sieg und Niederlage der politischen Größe Israel ablesen läßt. Jesaja hat unter den Propheten das dem Menschen unfaßliche Geheimnis des göttlichen Rates am vollsten herausgestellt. Aber auch bei Dtjes ist im Bekenntnis zu dem »verborgenen Gott« (45, 15) das Staunen darüber zu vernehmen.

In der Apokalyptik tritt es dann in letzter Schärfe heraus, daß Jahwes Endsieg, in dem er sich endgültig zu seinem Volke bekennt, keiner militärischen Mithilfe des Jahwevolkes bedarf. Schon Ez 38f. schildern, wie das Heer Gogs, des Großfürsten von Mesech und Thubal, auf geheimnisvolle Weise von Jahwe selber gefällt wird. In Sach 2, 1–4 sind es vier geheimnisvolle Schmiede, welche die vier Hörner, die die Totalität der Weltmächte verkörpern, abschlagen. Nach Dan 2 zerschmettert ein nicht von Menschenhänden geschleuderter Stein das Standbild, das die Weltreiche darstellt. Hier ist der Glaube ganz auf das alleinige Tun Jahwes geworfen, in dem er seinem Volke Leben schafft.

G. von Rad, Der Heilige Krieg im alten Israel, 1951. — *N. Lohfink*, Beobachtungen zur Geschichte des Ausdrucks עם יהוה, Festschr. G. von Rad, 1971, 275—305 (Lit.). — *R. Smend*, Jahwekrieg und Stämmebund, FRLANT 84, 1963. — *F. Stolz*, Jahwes und Israels Kriege, Kriegstheorien und Kriegserfahrungen im Glauben des alten Israels, AThANT 60, 1972. — *M. Weippert*, »Heiliger Krieg« in Israel und Assyrien. Kritische Anmerkungen zu Gerhard von Rads Konzept des »Heiligen Krieges im alten Israel«, ZAW 84, 1972, 460—493. — *F. M. Cross*, The Divine Warrior in Israel's Early Cult. Biblical Motifs: Origins and Transformations, ed *A. Altmann*, 1966, 11—30. — *P. D. Miller*, The Divine Warrior in Early Israel, 1973. — *H. Fredriksson*, Jahwe als Krieger, 1945. — *I. L. Seeligmann*, Menschliches Heldentum und göttliche Hilfe, ThZ 19, 1963, 385—411. — *L. Schmidt*, Menschlicher Erfolg und Jahwes Initiative, WMANT 38, 1970. — *R. Bach*, »... der Bogen zerbricht, Spieße zerschlägt und Wagen mit Feuer verbrennt«, Festschr. G. von Rad, 1971, 13—26. — *J. J. Stamm-H. Bietenhard*, Der Weltfriede im Lichte der Bibel, 1959. — *H. H. Schmid*, šalôm. Frieden im Alten Orient und im Alten Testament, StuttgBSt 51, 1971 (Lit.).

§ 8 Das Land und sein Segen

1. Israels Bekenntnis zu dem Gott, der es aus Ägypten herausgeführt hat, ist nicht isoliert stehen geblieben. Es ist immer auch als das Bekenntnis zu dem Gott verstanden worden, der Israel nach der Herausführung hineinführte in das Land

Kanaan. In klassischer Form kommt dieses im Bauerngebet von Dtn 26, 5–10 zum Ausdruck.
So hat denn Israel nie ein Autochthonenbewußtsein im Lande entwickelt. Es hat sein Land immer als Gabe aus der Hand des Gottes verstanden, der es aus der Knechtschaft errettet und ihm Freiheit vor den Bedrängern gegeben hat.
Das Land tritt dabei, wie Herrmann gezeigt hat, in einer doppelten Formulierungsweise in das Licht der Verheißung:
a) Im Bericht über die Berufung Moses ist es in enger Verbindung mit der Exoduszusage im Munde Jahwes zu hören: »Ich habe das Elend meines Volkes gesehen, das in Ägypten ist, und sein Schreien vor seinen Bedrängern habe ich gehört. ... Und ich bin herabgestiegen, es zu retten aus der Hand der Ägypter und es aus diesem Lande herauszuführen in ein gutes und weites Land, ein Land, da Milch und Honig fließt« (Ex 3, 7f. J ?).

b) Damit ist aber die traditionsgeschichtlich von anderen Wurzeln her zu verstehende Landverheißung an die Väter des Volkes verbunden worden, der von Hause aus die Rede von dem »Land, da Milch und Honig fließt«, fremd ist. Schon Abraham, den Gott aus dem Zweistromland geholt hat, ist das Land zugesagt, ja, er ist von Gott schon in das Land hineingeführt worden, das ihm sein Gott im »Bundschluß« (Gen 15, 18) unter Eid zugeschworen hatte (Gen 50, 24; Dtn 1, 8. 35 u.ö.).

So weiß denn das AT in auffallender Weise von einer zwiefachen »Landnahme« zu berichten – einer ersten, merkwürdig provisorischen, bei welcher die Väter noch ausschauend, wartend auf den Tag hoffen, an welchem das Land ihren Nachkommen wirklich voll gegeben sein wird, und einer zweiten Landnahme durch das nun bestehende Volk Israel. P hat für jene erste Phase die theologische Begrifflichkeit geprägt, wenn er vom »Lande der Fremdlingschaft« bzw. »Schutzbürgerschaft« der Väter spricht (ארץ מגורים *'aeraeṣ m^egūrīm*). Diese doppelte Redeweise von der Zusage des Landes gibt dem Verhältnis des at. Glaubens zum Lande seine Eigenart. Israel lebt nicht in einem Lande, in das es zufällig unter den Strömungen der Geschichte einmal hineingeschwemmt worden ist, sondern in einem Lande, das in der Entscheidung Jahwes für Israel schon bestimmt war, als es dieses Israel noch gar nicht gab. Insofern kann man vom Lande als einem »Urdatum« Israels reden (Buber). Man muß sich aber immer vor Augen halten, daß diese »Urverbindung« etwas ganz anderes ist als die Urverbindung von »Blut und Boden«, die eine nicht weiter zu hinterfragende Anfangsverbindung voraussetzt. Die Verbindung von Israel und seinem Land ruht in einem Entscheid Jahwes, der nie von seinem heiligen Willen, wie er dann in den Ausformungen des Glaubens an den »Bund« zum Ausdruck kommt, zu trennen ist. So kann denn in gewissen Stücken der dtn. Einleitungsreden der Landbesitz geradezu konditional mit dem Halten des göttlichen Gebotes verbunden werden (Dtn 11, 8, vgl. auch Ex 20, 12; 1Chr 28, 8). Die ganze Verkündigung der prophetischen Zeit, die Erfahrung und das Bestehen der Exilszeit ruhen auf dieser Grundlage. Ohne die Erkenntnis dieser eigenartigen Beziehung zum Lande ist die ganze Israelgeschichte bis hin zu ihrer Gegenwart in dem scheinbar ganz säkularen Zionismus nicht zu verstehen.

So sind denn in den Aussagen über das Land, wie sie im AT zu finden sind, zwei Komponenten gegenwärtig: 1. das Wissen um den Geschenkcharakter und das nie einfach Selbstverständliche dieses Besitzes und 2. das Wissen um die Besonderheit dieses Gutes, das nicht einfach als ein materieller Wert zu definieren ist, sondern immer mit dem Stand Israels als »Volk Jahwes« verbunden bleibt, und das darum nicht hoch genug gerühmt werden kann.

Dieses hohe Rühmen ist etwa in Dtn 8, 7—9; 11, 10—15 zu erkennen, wo das verheißene Land in den Worten Moses in glühendsten Farben geschildert und an der zweitgenannten Stelle mit Ägypten kontrastiert wird. Wer die realen Möglichkeiten des fruchtbaren Niltals und des kargen Berglandes Palästina mit eigenen Augen hat vergleichen können, wird unmittelbar erkennen, wie sehr hier vom Glauben göttlicher Glanz und eine die Realität weit übergreifende Herrlichkeit über diesem Lande, das Unterpfand göttlicher Huld ist, geschaut wird. Es sind aber auch gewisse stereotype Formeln, in welchen diese Empfindung zum Ausdruck gelangt. In der Rede von dem »Lande, da Milch und Honig fließt« (ארץ זבת חלב ודבשׁ *'aeraeṣ zābat ḥālāb ud^{e}baš* Ex 3, 8. 17; 33, 3; Dtn 6,3; Ez 20, 6 u. ö.) hat Usener den Hinweis auf die Götterspeise des Paradieses — das Äquivalent zu dem griechischen Nektar und Ambrosia – finden wollen. Doch ist es wahrscheinlicher, daß sich in dieser wohl alten Formel eine Idealvorstellung des Halbnomaden von überreichlicher Speise niedergeschlagen hat. In Jer 3, 19 ist von dem »köstlichen Land«, dem »Erbe allerhöchster Zier unter den Völkern« (נחלת צבי צבאות גוים *naḥ^{a}lat ṣ^{e}bī ṣib'ōt gōjīm*) die Rede. Das Prädikat »Zier« (צבי *ṣ^{e}bī*) kehrt in Ez 20, 6 wieder und wird in Dan 8, 9; 11, 16. 41. 45 Chiffre der apokalyptischen Sprache für das Land. Die in Dtn 12, 9 festzustellende Bezeichnung des Landes als des Ortes der »Ruhe« Israels transzendiert ebenfalls die konstatierbaren Realitäten. Und wenn in den Grenzbeschreibungen des Landes Nil und Euphrat als seine Grenzpunkte erscheinen (Gen 15, 18, vgl. Ex 23, 31), so mag man auf die Zeit Davids weisen, in welcher sich ganz einmalig für Israel die Einflußsphären so weiteten. Im Festhalten dieser Umschreibung ist aber ebenfalls wieder das Element der hohen Rühmung des Verheißungslandes erkennbar. Aus dieser Haltung heraus wendet Ez 20, 6 die Aussage der Kundschaftergeschichte von Num 13f. ganz unmittelbar auf Jahwe: Jahwe selber hat das Land für sein Volk erkundet.

Der Doppelaspekt des Landes schlägt sich auch sonst in der Terminologie nieder. G. von Rad hat darauf hingewiesen, daß der Begriff des Erbgutes (נחלה *naḥ^{a}lāh*), der zunächst das qualifizierte Eigentum der Sippe oder des Stammes bezeichnet, in der dt. Sprache ausgeweitet wird zum Begriff des »Erbgutes Israels« (נחלת ישׂראל *naḥ^{a}lat jiśrā'ēl*). Darin ist das qualifizierte Eigentumsrecht Israels in diesem Lande zum Ausdruck gebracht. Daneben ist aber auch die Rede vom Lande als dem »Erbgut Jahwes« zu finden, die das Land zum heiligen, Jahwe persönlich eigenen Lande macht. Die Terminologie dürfte vom Hintergrund des Kultes her zu verstehen sein. Das fremde Land, in das Israel im Exil deportiert wird, steht daneben als das »unreine Land« (Am 7, 17, vgl. Ez 4, 13). In diesem Jahwe eigenen Lande sitzt Israel als Lehensträger. »Fremdlinge und Beisassen« bei Jahwe können sie in diesem Zusammenhange genannt werden (Lev 25, 23). Jedes falsche Besitzerverhältnis einer in den Kategorien von »Blut und Boden« denkenden Nation ist darin gebrochen.

Es leuchtet ohne weiteres ein, daß solches Wissen um das Land auch in der Praxis der Landverteilung und des weiteren Umganges mit dem Land seine Folgen haben wird. Gabe und Gebot sind auch hier die zwei Seiten ein und derselben Sache. Jos 14ff. berichten, daß Josua das Land durch Losentscheid »vor Jahwe« (18, 10) den Stämmen zugeteilt habe. Die eigentümliche zweite Landverteilung nach dem Entwurf von Ez 48 trägt der Jahwegehörigkeit des ganzen Landes so Rechnung, daß in der Mitte des Landes neben den 12 Stämmeanteilen ein 13.,

als »hl. Weihegabe« bezeichneter Anteil ausgesondert wird. Auf ihm soll der Tempel stehen und sollen die am Tempel Dienenden sowie der Fürst Israels ihre Anteile bekommen. Ein Gesetz, das die göttliche Verteilungsordnung vor allmählicher Aushöhlung sichern soll, ist im Nachtrag Num 36, der den Erbbesitz der Töchter regelt, zu finden. Auch Ez 46, 16ff. suchen im Rahmen der Regelung des Buches Ez zu verhindern, daß etwa beim Besitz des Fürsten Unordnung einreißt. Das Wissen um den Landbesitz als ein vor Gott zu verantwortendes Gut, mit dem nicht einfach »kaufmännisch« umgegangen werden kann, dürfte auch hinter der Reaktion des Naboth gegenüber Ahab, der ihm das Vätererbe abkaufen will, zu finden sein (1Kön 21, 3). Und vor allem wird dann bei Jesaja (5, 8) und Micha (2, 1ff.) der vehemente Protest gegen den Landwucher aufbrechen.
Es ist nach all dem Gesagten nicht verwunderlich, daß auch in den auf eine Heilszeit jenseits des Gerichtes ausgerichteten Aussagen der Prophetie das Land seine bedeutsame Stelle behält (Hos 2, 17; Jer 32, 15; Ez 36, 28ff.; 37, 25).
2. »Land« ist der Ort, an dem die bäuerliche Tätigkeit sich entfaltet. Der Bauer aber ist noch auf ganz andere Gaben angewiesen als auf die in § 7 besprochene Gabe des Sieges und die in § 8 bisher angesprochene Aushändigung des Landes. Er braucht nicht nur kasuelle »Hilfe«, wie sie in der Rettung im Jahwekrieg erfahren wird, sondern den regelmäßigen Wechsel von Regen und Sonnenschein, die Gaben der Fruchtbarkeit des Bodens und der Segnung des Himmels und das stetige Wachsen und Gedeihen von Frucht und Herde.

Eine religionsgeschichtliche Vorbemerkung ist in diesem Zusammenhange notwendig. Anders als bei der Gabe der geschichtlichen Befreiung und Sieggewährung kommt Israel hier nicht mit einem eigenen Jahwebesitz ins Land. Es begegnet, durch seinen Jahweglauben wenig vorbereitet, einem Land, das von den Mächten der Fruchtbarkeit und der Segnung vom Himmel her viel zu sagen weiß. Kanaan kennt die Mächte der Fruchtbarkeit als göttliche Potenzen. Baal ist, wie auch die Texte von Ugarit bestätigt haben, in diesem Zusammenhang eine entscheidende Gestalt des Pantheons (Kapelrud). Der Glaube an ihn ist zugleich eng verbunden mit den bäuerlichen Praktiken, mit denen der Ackerbauer sich die Segnung dieser Macht und ihrer weiblichen Entsprechungen zu sichern versucht. Das Ritual der hl. Hochzeit, der im Gottdrama repräsentierten sterbenden und wiederauflebenden Vegetation, ist darin von Bedeutung (Hvidberg). Durch die Einhaltung dieser Rituale sichert sich der Bauer den Segen des Ackers, von ihnen ist aber auch die Sicherung der menschlichen Fruchtbarkeit, Kindersegen und Gesundheit abhängig.
In der Begegnung Israels mit diesen kan. Glaubens- und Ritualformen ließen sich drei Möglichkeiten denken.
1. Israel könnte den Gott, der sich vom Exodus her als der Gott seiner geschichtlichen Führung erwiesen hat, in der bleibenden Spezialisierung auf diesen Bereich neben der Welt des Baal, die es mit der Fruchtbarkeit und dem Segen zu tun hat, verehren. Das Leben im Lande wäre dann arbeitsteilig auf die verschiedenen Mächte verteilt.
2. Israel könnte Jahwe mit den hier vorgefundenen Mächten gleichsetzen, so wie es Jahwe auch im »Gott der Väter« wiedergefunden und Prädikate und Herrschaftsbereich »Els des Höchsten« auf Jahwe übernommen hat.
3. Es könnte eine kämpferische Auseinandersetzung anheben, in welcher Baal und der mit ihm verbundene Glaubensbereich und das ihn ehrende Ritual abgestoßen oder doch nur in entscheidender Transformation übernommen würde.
Im AT sind die Spuren aller drei Möglichkeiten zu erkennen, wie denn ja Geschichte in der Regel nicht einen einzigen Weg ausschließlich zu gehen pflegt. Der schon o. S. 33 erwähnte Name Baalja (1Chr 12, 6) verrät ganz so wie die Polemik eines Hosea, daß man Jahwe zuzeiten unbekümmert als den Baal (Herrn, Eigentümer) bezeichnet hat. In der Polemik Elias ist, gewiß im Kontext einer von Tyrus her geschehenden Überfremdung mit dem Dienst des tyrischen Baal,

zu sehen, wie ein Baalsdienst (Propheten 1Kön 18) sich offen neben den Jahweglauben setzt, während man in der Polemik Hoseas und Jeremias eher auf eine Verschmelzung von Baal- und Jahwewesen geführt werden wird. Als die im Jahweglauben allein legitime Möglichkeit kämpft sich in diesen harten Auseinandersetzungen aber der an dritter Stelle genannte Glaube heraus, nach dem nur Jahwe allein der Spender des Segens des Himmels und der Fruchtbarkeit der Erde sein kann. Der Baalname wird in der Folge verfemt und das Ritual, das mit ihm verbunden ist, nur in entscheidend umgeformter Weise vom Bauern Israels übernommen. Das wird bei den Festen Israels, die aus dem Ackerbaubereich stammen, deutlich werden (s. u. S. 109ff.). Es ist auch auf all den Gebieten, die es mit Wachstum und Segen zu tun haben, zu erkennen. Die Form der hl. Hochzeit, die dann im Kedeschenwesen an den Heiligtümern ihre rituelle Entsprechung hatte, wird ebenso geächtet und eliminiert wie der Glaube an die sterbende und vom Tode wieder erstehende Vegetationsgottheit und das mit ihr verbundene Ritual etwa der Tammuzklage (Ez 8).

Israel empfängt auch die Segnung des Bodens und des mütterlichen Leibes allein aus der Hand Jahwes, vor dem all die Mächte der Fruchtbarkeit und des wachstümlichen Sichmehrens in den Bereich geschöpflichen Lebens einbezogen werden (§ 4) und keine von Jahwe unabhängige Macht mehr besitzen. Das schon mehrfach erwähnte Gebet des Bauern von Dtn 26, 5–10 ist ein besonders eindrücklicher agendarischer Beleg dafür, wie auch der Bauer, der den Korb mit den Früchten seines Landes zum Heiligtum trägt, dem Gott dankt, der ihm, nachdem er ihn aus Ägypten herausgeführt, das Land geschenkt hat.
So leiten etwa die großen Worte des Mosesegens über Joseph (Dtn 33, 13ff.) »das Köstlichste am Himmel droben (c. T.) und aus der Flut, die drunten lagert (d.h. Regen und Quellen), das Köstlichste, was die Sonne hervorbringt und die Monde erzeugen, das Beste der uralten Berge und das Köstlichste der ewigen Hügel und das Köstlichste der Erde« vom Segen Jahwes und »dem Wohlgefallen dessen, der im Dornbusch wohnt« (Ex 3, 2), her. Die par. Aussagen des Jakobssegens über Joseph reden in Gen 49, 25f. anstatt vom »Köstlichen« von den »Segnungen« und nennen als deren Geber den אל שדי *'ēl šaddaj* (c. T.), während die »Hilfe« vom »Vätergott« (אל אביך *'ēl 'ābīkā*) hergeleitet wird. Jeremia polemisiert gegen die Jahwe Undankbaren, die nicht sagen: »Laßt uns Jahwe, unsern Gott, fürchten, der Regen gibt, Frühregen und Spätregen zu seiner Zeit, die Wochen, die feste Zeit der Ernte uns bewahrt« (5, 24), vgl. auch Hos 2, 10ff. Vor allem aber wird der Segen, der von Jahwe kommt, in den Schlußkorpora der großen Gesetzessammlungen in H und Dtn voll entfaltet. Hier kommt auch wieder zum Ausdruck, was schon zur Gabe des Landes gesagt werden mußte, daß auch dieser Segen nicht abseits vom Rechtswillen Jahwes vom Volke in Empfang genommen werden kann, sondern daß er geradezu konditional mit dem Gehorsam gegen diesen Willen Jahwes verbunden wird. »Wenn du auf die Stimme Jahwes hörst ..., gesegnet bist du in der Stadt und gesegnet bist du auf dem Felde. Gesegnet ist die Frucht deines Leibes und die Frucht deines Landes, der Wurf deiner Rinder und der Zuwachs (oder: die Muttertiere) deiner Schafe. Gesegnet ist dein Korb und dein Backtrog ... Jahwe wird den Segen entbieten, daß er mit dir sei in deinen Speichern und bei allem Unternehmen deiner Hand ... Jahwe wird dir sein reiches Schatzhaus, den Himmel, aufschließen, daß er deinem Lande Regen gebe zu seiner Zeit und daß er alle Arbeit deiner Hände segne«. Entsprechend lautet der Fluch und die Androhung der Entziehung all dieser Segens-

gaben (Dtn 28, vgl. Lev 26, 3ff.). Wenn in dem zitierten Zusammenhang »der Zuwachs« (bzw. »die Muttertiere«) im hebr. Text als עשתרת צאנך *'aš t'rōt ṣō'n'kā* bezeichnet wird, so ist in dieser Formulierung die urspr. Verbindung mit der kan. Göttin Astarte wohl kaum zu übersehen. Im vorliegenden Text ist sichtlich jede Erinnerung daran geschwunden. Der Segen der Fruchtbarkeit ist allein Jahwes Gabe.
So sehen wir denn, wie da, wo die Gaben des Himmels ausbleiben, Israel an seinen Bußtagen zu Jahwe hin schreit, daß er sich ihm wieder zuwende (Jer 14; Joel 2, 12ff., vgl. 1Kön 8, 35f.). Wir sehen, wie es, wo Dürre hereingebrochen ist, nach der Schuld fragt, die solches von Jahwe her verursacht haben könnte (2Sam 21), und hören des Propheten direkte Ansage, daß wegen der Versündigung von Ahab und Isebel nicht Tau noch Regen fallen werde (1Kön 17, 1, vgl. auch Hag 1, 6ff.; 2, 15ff.).
Über der Geschichte Israels steht nach J (Gen 12, 2f.) die unkonditionale Segenszusage, die Abraham die Mehrung zum Volk und die Segensträgerschaft für alle Geschlechter der Welt zusagt, neben den konditional formulierten Verheißungen der unmittelbaren Natursegnung, welche auch in diesem Bereich Israel zum Gehorsam gegen den Geber ruft.
In jedem Falle aber bleibt auch der Segen die freie Gabe des Herrn, der selber nicht in den Wechsel von Tag und Nacht, Dürre und Hitze, Leben und Sterben eingeht, sondern all dieses frei in seinen Händen hält.

S. Herrmann, Die prophetischen Heilserwartungen im AT, BWANT 5. F. 5, 1965. — *M. Buber*, Israel und Palästina, 1950. — *H. Usener*, »Milch und Honig«, Rheinisches Museum für Philologie N. F. 57, 1902, 177—195. — *G. von Rad*, Verheißenes Land und Jahwes Land im Hexateuch, ZDPV 66, 1943, 191—204 (= Gesammelte Studien, ThB 8, 1958, 87—100). — *A. Kapelrud*, Baal in the Ras Shamra Texts, 1952. — *J. Kühlewein*, Art. בעל *ba'al* THAT I, 327—333 — *M. J. Mulder*, Art. בצל ThWAT I 706—727 (Lit.). — *F. Hvidberg*, Weeping and Laugther in the OT, 1962². — C. *Westermann*, Der Segen in der Bibel und im Handeln der Kirche, 1968. — *C. Keller—G. Wehmeier*, Art. ברך *brk* THAT I 353—376. — *J. Scharbert*, Art. ברך ThWAT I 806—841 (Lit.).

§ 9 Die Gabe der göttlichen Gegenwart

Das AT redet nicht nur davon, daß Jahwe sich seinem Volke in seiner Führung und seinem Segen offenbar gemacht habe. Es redet auch je und je von der Gabe der persönlichen Präsenz Jahwes bei seinem Volke oder dessen Vertretern. Das geschieht im Laufe der langen Geschichte Israels in wechselnden Formen und unter Verwendung verschiedener Theologumena.
1. Der Ruf in die Gottesnähe steht schon über dem anfänglichen Geschehen des Exodus: »Entlaß mein Volk, daß sie mir dienen«, hält Mose dem Pharao nach J in geradezu monotoner Wiederholung als Gebot Jahwes vor (7, 26; 8, 16; 9, 1. 13; 10, 3). Drei Tagereisen weit will Israel in die Wüste hinausziehen, um dort Jahwe, seinem Gott, festlich Opfer zu schlachten (3, 18; 5, 3; vgl. 5, 8; 8, 22–24). Von diesem »Fest Jahwes« (10, 9) wird in der Weiterführung des Berichtes nicht mehr geredet. Es könnte sich höchstens hinter Ex 32 noch eine Spur davon entdecken lassen. Dafür folgt in Ex 19, in der Einleitung des P (19, 1) in anderer Bemessung der Wegdauer, der Bericht über die gewaltige Theophanie am Gottesberg

Sinai, in welcher Jahwe dem Volke ganz unmittelbar entgegentritt. Jeremias hat gezeigt, daß die Sinai-Theophanie, auch wenn ihre literarischen Ausformungen in Ex 19 nicht direkt darauf eingewirkt haben, entscheidend an der Entstehung der at. Gattung der Theophanieschilderung beteiligt ist. Diese hat nach ihm ihren Sitz im Leben zunächst im Siegeslied Israels. Sie löst sich dann aber von ihm und findet weitere Verbreitung.

Die Art der Präsenz Jahwes am Gottesberg wird im einzelnen in verschiedener Weise geschildert. Nach dem Bericht von der Berufung Moses (J ?) begegnet dieser Jahwe im geheimnisvollen Phänomen eines brennenden Strauches, der sich im Feuer nicht verzehrt. Vgl. dazu auch Dtn 33, 16 »der im Dornbusch wohnt« (שֹׁכְנִי סְנֶה *šōkᵉnī sᵉnāēh*). Hier wird ihm geboten: »Tritt nicht nahe heran. Ziehe deine Schuhe aus, denn der Ort, da du stehst, ist heiliges Land« (Ex 3, 5). Brennendes Feuer — wenn auch Feuer besonderer Art — ist danach die Erscheinungsweise Jahwes. Was hier im Kleinformat an einer besonderen hl. Stelle bei einem Strauchgewächs auftritt, wird in Ex 19 bei der Begegnung des aus Ägypten herausgeholten Volkes zu einem Großgeschehen am Gottesberg. J, dem Ex 19, 18 zugehören dürfte, berichtet, wie Jahwe im Feuer auf den Gottesberg herabkommt. Wie ein Schmelzofen raucht der Berg. Die Vermutung ist ausgesprochen worden, daß die Anschauung eines vulkanischen Geschehens dieser Darstellung die Farben geliefert haben könnte. Demgegenüber redet E, dessen Schilderung in 19, 16 zu finden ist, von (Donner-)Lauten, Blitzen und schwerem Gewölk, was auf die Vorstellung von einem Gewitter führt. Wenn dann weiter von lauten Posaunenstößen (v. 13b Hörnerschall) geredet wird, so dürften sich hier Züge der gottesdienstlichen Feier, in welcher die Dekalogproklamation später geschah (Ps 81, bes. v. 4), einweben. Die am saubersten ausgrenzbare Darstellung des P (Ex 24, 15b—18a) redet von der Wolke, die den Berg bedeckt, wie sich die Lichtherrlichkeit Jahwes auf dem Berg Sinai niederläßt. Die Wolke bedeckt schirmend das verzehrende Feuer dieser Lichtherrlichkeit. 6 Tage liegt die Wolke auf dem Berge, bis Mose am 7. Tage auf den Berg hinaufgerufen wird. Nach 19, 14f. (J ?) ordnet Mose eine dreitägige Vorbereitungszeit des Volkes (Waschen der Kleider) vor dem Tag des Nahekommens Jahwes an. Während J weiter von der scharfen Abzäunung des hl. Bergbereiches redet, den weder Mensch noch Tier betreten dürfen, scheint E (13b) zunächst vorzusehen, daß das Volk den Berg besteigen soll. Das Mahl der 70 (+ 4) Vertreter des Volkes auf dem Berge oben (24, 9—11, dazu S. 43) möchte man am liebsten mit diesem Erzählungsstrang verbinden. Von (vulkanischem ?) Feuer, das aus finsteren Wolken herausscheint, redet auch die Rekapitulation des Geschehens in Dtn 4, 11; 5, 23. All diesen im einzelnen so verschieden akzentuierten Schilderungen ist der Hinweis auf die verzehrende Majestät des gnadenhaft seinem Volke Nahenden eigen (zu Ex 33 s. u. S. 61 ff.).

Der Glaube an die Verbundenheit Jahwes mit dem Gottesberg, der in bisher nicht aufgehelltem Wechsel der Benennung als Sinai (J P) oder Horeb (E Dtn) bezeichnet werden kann, ist als ein Erbe der Frühzeit der Stämme zu verstehen. An dem Gottesberg, neben dessen Lokalisierung auf der heutigen Sinaihalbinsel auch eine Lokalisierung im nw. Arabien, das in historischer Zeit noch tätige Vulkane aufweist, erwogen worden ist, haben mutmaßlich verschiedene Stämme der Umgebung ihren Gott unter dem Namen Jahwe verehrt. Der Berg ist Wallfahrtsort dieser Gruppen gewesen. Man hat dabei an kenitische oder midianitische Gruppen gedacht. Bestandteil at. Glaubens wird diese Ehrung Jahwes am Gottesberg aber erst durch die Verbindung mit dem Glauben an die geschichtliche Errettung der in Ägypten Fronenden durch Jahwe. Für Israel ist der Gott, der am Sinai/Horeb in seiner Majestät erscheint, der Gott, der es nach seinem Bekenntnis aus Ägypten heraus in die Freiheit geführt hat. Auf diese Rettung hin ist es zu der besonderen Verbindung Jahwes mit den von ihm Geretteten gekommen. Das Theophaniegeschehen am Gottesberge ist daraufhin Bestandteil des Bundschlusses geworden, dessen Mahl nach 24, 9–11 von den Vertretern des Volkes in Jahwes Gegenwart

gehalten wurde und dessen Verpflichtungshandlung nach 24, 3–8 am Fuße des Berges geschah. Nach P ist das ganze Geschehen der Gotteserscheinung am Sinai dann zum Ort des Erlasses der Ordnung des Gottesdienstes Israels »vor Jahwe«, der dieses recht eigentlich zum Jahwevolk machte, geworden.
In dieser neuen Zuordnung wirkt der Glaube an »den vom Sinai« (das זה סיני *zāēh sīnaj* von Ri 5, 5; Ps 68, 9 scheint diesen Titel Jahwes zu belegen) dann auch weiter in die Geschichte des Zwölfstämmevolkes im Lande Kanaan herein. Zu einer geschichtlichen Tat der Rettung erscheint Jahwe nach Ri 5, 4f. von Süden her in der Ebene Jesreel, um dort vom Himmel her die Feinde Israels zu bekämpfen. Auch Dtn 33, 2 redet von seinem Kommen vom Sinai her, um in V. 3 (c. T.) seine Liebe zu seinem Volk zu erwähnen. Und noch im Psalm Habakuks (3,3) hallt diese Rede nach. So flieht denn nach 1Kön 19 der Eiferer um Jahwe, Elia, in seiner Bedrängnis zum Gottesberg Horeb, um dort zu erfahren, daß Jahwe ihm nicht im Sturm, nicht im Erdbeben, nicht im Feuer, sondern in einer Stimme leisen Flüsterns begegnet. Noth hat die Vermutung ausgesprochen, daß in Num 33 ein Itinerar der »Wallfahrt zum Sinai« verarbeitet sei.
2. Neben diesen Glauben an das Erscheinen Jahwes vom fernen Gottesberg in der Wüste her sind aber nach dem Ansässigwerden im Lande neue Erfahrungen der Präsenz Jahwes im Lande selber getreten. Einige Zeit nach der Landnahme ergibt sich das bunte Bild einer Reihe von wichtigen Landesheiligtümern durch das Land hin und her, an die der Israelit zu bestimmten Zeiten im Jahre hinzieht, um dort »Jahwes Angesicht zu schauen«, vgl. 1Sam 1. Dreimal im Jahr sollen alle Männer solches tun (Ex 23, 17; 34, 23; Dtn 16, 16). Der Ausdruck »Jahwes Angesicht schauen« stammt, wie Nötscher im einzelnen belegt hat, aus der polytheistischen Umwelt Israels, in welcher am Heiligtum das Bild der Gottheit geschaut und verehrt wurde. Eine spätere Zeit, welche diese Aussage für den Jahweglauben verfänglich fand, hat durch Umvokalisierung des Textes die Formulierung des MT gestaltet, wonach alle Männer »sich vor dem Angesicht Jahwes sehen lassen sollten«. Der Grund für diesen Glauben an die Präsenz Jahwes am heiligen Ort im Lande selber ist im Altargesetz in Ex 20, 24 erkennbar. In dessen ältester Form gebietet Jahwe, einen Altar aus Erde zu errichten, und verheißt: »An jedem Ort, an dem ich meines Namens gedenken lassen will, werde ich zu dir kommen und dich segnen«. Hier ist ganz unmittelbar damit gerechnet, daß Jahwe im Lande zu erkennen gibt, wo er seinen Namen angerufen sehen möchte. Einen aktuellen Anlaß dieser Art erkennt man etwa in 1Sam 14, 33–35, wo nach gewonnener Schlacht Saul einen Stein heranwälzen läßt, an dem das Volk seine erbeuteten Tiere rituell richtig schlachten kann. »Und Saul baute Jahwe einen Altar. Das ist der erste Altar, den er Jahwe baute«. Ist es zufällig, daß gerade ein Sieg Israels über die Philister hier Anlaß zur Errichtung eines Altars ist, bei dem Jahwe nahe geglaubt wird? Die legendäre Erzählung vom Sieg über die Philister infolge des Gebetes Samuels führt nach 1Sam 7, 12 zur Aufrichtung des Steines der Hilfe (אבן העזר *'aebaen hā'ezaer*), ohne daß dabei hier ausdrücklich von einem Opfer geredet würde.

An anderer Stelle kann man erkennen, daß die Heiligtumslegenden der hl. Orte Kanaans in die Väterzeit zurückdatiert werden. Darin spiegelt sich die richtige

Erinnerung, daß es sich dabei um alte (ursprünglich vorjahwistisch-kan.) Heiligtümer des Landes handelt. So richtet Jakob nach der Erzählung von Gen 28, 10–12. 17f. 20. 22 E den Stein auf, der unter seinem Kopfe lag, als er die erregende Schau der Himmelsleiter hatte, auf der »Boten Gottes« auf- und abgingen, und gießt Öl über ihm aus. 35, 7 fügt dazu den Altarbau. Nach Gen 28, 16f. geht dem Aufrichten des Steines der erschreckte Ruf voraus: »Wie furchtbar (= heilig) ist doch dieser Ort. Das ist (ja) nichts anderes als ein Haus Gottes (darin wird der Name »Bethel« geprägt), und das Tor zum Himmel ist es«. Die Parallele des J sagt direkter: »Fürwahr, Jahwe ist an diesem Ort, und ich wußte es nicht«. Nach 35, 7 wird dem Altarbau und der Namengebung des Ortes die Erläuterung beigefügt: »Dort hatte sich ihm Gott geoffenbart, als er vor seinem Bruder floh«. Neben diese Heiligtumslegende mit ihrer noch deutlich polytheistischen Vorgeschichte, nach welcher die Gottesboten ursprünglich Götter gewesen sein dürften, lassen sich Episoden aus der Abrahamgeschichte stellen. Jahwe erscheint dem Abraham in Sichem (Gen 12, 7), Bethel (12, 8; 13, 4. 14–17), Mamre bei Hebron (13, 18; 18, 1ff.) am Ort des Altars. In alledem ist deutlich zu erkennen, daß der Mensch auch in seinem Altarbauen die Präsenz Gottes nicht aus Eigenem herbeizwingt, sondern weiß, daß sie ihm geschenkt wird. Vgl. auch die Pnuel-Erzählung in Gen 32, 23–33. Jahwe bleibt auch in der Gabe seiner Präsenz der Freie, der seinem Volke nach seiner freien Entscheidung seine Gegenwart kundmacht.
3. Ex 33 verrät ein intensives Nachdenken und gibt mehrgestaltige Antworten auf die Frage, ob denn nun Jahwe, der einst von seinem Volke am Gottesberg aufgesucht worden war, mit dem Volke mitgezogen und in welcher Weise das geschehen sei. Dem Volke, das sich mit dem goldenen Stierbild versündigt hat, sagt Jahwe zunächst: »Wenn ich auch nur einen Augenblick in deiner Mitte mitziehen würde, so müßte ich dich vernichten« (5). Etwas später ist die Frage im Munde Moses zu hören: »Du hast mich noch nicht wissen lassen, wen du mit mir sendest«, worauf Jahwe antwortet: »Mein Angesicht (פני *pānaj*) wird (mit-) gehen, und ich will dich zur Ruhe bringen«, was von Mose sofort festgehalten wird: »Wenn nicht dein Angesicht (mit-)geht, so laß uns nicht von hier hinaufziehen« (12ff.). Das »Angesicht Jahwes« erscheint hier geradezu verselbständigt. Auch wenn dann in v. 16f. wieder ausgesagt zu sein scheint, daß nun doch Jahwe selber mitkommen werde, so ist doch wohl die Meinung die, daß im »Angesicht« die verzehrende Heiligkeit, die das sündige Volk nicht zu ertragen vermöchte, in gewissem Sinne mediatisiert ist (aber vgl. auch 33, 20). In seinem »Angesicht«, das noch oft ohne diese besondere Akzentuierung erwähnt wird (besonders eindrücklich etwa im aaronitischen Segen Num 6, 24–26), verspricht Jahwe dem Volk seine Gegenwart in einer Gestalt, die diesem nicht das Leben kostet. Auf karthagischen Stelen wird die weibliche Gottheit Tinnit als פן בעל *pn bʿl* bezeichnet (KAI 78, 2; 79, 1. 10/11 u.ö.). Hier ist das dem Menschen zugewendete Angesicht der Gottheit in einer weiblichen Gestalt verselbständigt. Für das at. Reden ist es kennzeichnend, daß im »Angesicht Jahwes« kein anderer gegenwärtig ist als Jahwe selber.

Die sichtlich von anderer Hand stammende Bemerkung Ex 33, 2 verrät in analogem Zusammenhang eine andere Vorstellung. Hier sagt Jahwe: »Ich sende meinen Boten (מלאך *mal'āk*) vor dir her«. Neben den Stellen, die, wie die Bethel-Szene, von einer Vielzahl von »Boten« sprechen, wird hier und anderswo »der Bote Jahwes« genannt. Es fällt an anderen Stellen auf, wie unmittelbar die Rede vom Boten in die Rede von Jahwe selber übergehen kann. Nach Gen 16 tritt der Hagar, die aus dem Hause Abrahams geflohen ist, in der Wüste der Bote Jahwes entgegen, um ihr eine Verheißung zu sagen. V. 13 beendet die Episode mit der Bemerkung: »Sie nannte den Namen Jahwes, der mit ihr geredet hatte: Du bist *'ēl rᵒ'ī*«. Gen 31, 13 sagt der »Bote« Gottes, der Jakob in der Fremde erscheint: »Ich bin der Gott, der dir in Bethel erschienen ist«. Ganz so ruft nach Gen 22, 15ff. der »Bote Jahwes« dem Abraham vom Himmel her zu: »Ich habe bei mir selber geschworen, spricht Jahwe ...«, wobei wiederum im Boten kein anderer gefunden werden dürfte als Jahwe selber. Zum andernmal kann hier im religionsgeschichtlichen Vergleich darauf gewiesen werden, daß etwa im griechischen Glauben Hermes als Bote des Zeus verstanden wird, d.h. der Hochgott durch seinen zum Menschen geschickten Boten mit diesem verkehrt (Apg 14, 12). In Israel ist auch im »Boten«, der den Menschen anredet, kein anderer zu finden als Jahwe selber, dessen Anblick nach seinem Wort an Mose (Ex 33, 20) kein Mensch zu ertragen vermag. In Ex 23, 21 identifiziert sich Jahwe mit seinem Boten durch die Aussage: »Mein Name ist in ihm«.

4. Nach den Nachrichten über die Mosezeit ist die Gegenwart Jahwes bei dem wandernden Volke im besonderen mit zwei Kultgegenständen verbunden. Ex 33, 7–11 berichten von dem »Zelt«, das Mose außerhalb des Lagers aufschlägt. Es ist nicht mit Sicherheit auszuschließen, daß die volle Bezeichnung אהל מועד *'ōhael mō'ēd*, die man am wahrscheinlichsten mit »Zelt der Begegnung (zwischen Jahwe und Mose)« übersetzt, erst nachträglich aus P, wo das Zelt in der Mitte des Lagers steht, in die älteren Texte eingedrungen ist. Auf dieses Zelt, in welchem der Nichtpriester Josua die Hut hält, senkt sich die Gottesgegenwart in der Wolke nieder, wenn Mose mit einem Anliegen zu ihm hinausgeht. »Und Jahwe redete mit Mose von Angesicht zu Angesicht, wie ein Mann mit seinem Freunde redet«. In Num 12, 8 sagt Jahwe selber in anderem Zusammenhang über Mose: »Von Mund zu Mund rede ich mit ihm ... die Gestalt Jahwes schaut er«. Nach Num 11, 16f. 24f. redet Jahwe hier mit Mose und legt einen Teil von Moses Geist auf die siebzig Ältesten des Volkes, die rings um das Zelt versammelt sind. In alledem will festgehalten werden, daß die unmittelbare Nähe Jahwes zu seinem Volke und dessen eigentlichem Vertreter auch nach dem Weggang vom Sinai erhalten bleibt. Zugleich aber wird darin die Freiheit des Kommens Jahwes, der nicht an einen Ort gebunden ist, sondern nur je und je zur Begegnung mit dem Menschen kommt, nachdrücklich unterstrichen. Die Aussagen stehen in eigentümlicher Spannung zu der ebenfalls in Ex 33 berichteten Szene, wonach Jahwe dem Mose das Schauen seines Angesichtes verwehrt: »Mein Angesicht kannst du nicht schauen, denn kein Mensch, der mich schaut, wird leben« (33, 20, vgl. dazu auch Jes 6, 5). Ganz hart stößt hier das Wissen um die verzehrende Majestät Jahwes, den tötenden deus nudus, auf das Bekenntnis Israels, daß ihm in Mose der offene Zugang zu dem ihm nahekommenden Gott gewährt worden sei. Von einem Kult beim Zelt, wovon P reden wird, verlautet in all diesen alten Nachrichten nichts.

Die Erwähnung des Gotteszeltes tritt nach der Landnahme zurück. Die Verbindung desselben mit Silo (Jos 18, 1; 19, 51; 1Sam 2, 22) scheint ebenso spätere Konstruktion zu sein wie diejenige mit Gibeon (1Chr 16, 39; 21, 29; 2Chr 1,3; 5, 5) und Jerusalem (1Kön 8,4). Das »Zelt Jahwes« der Zeit Davids (1Kön 1, 39; 2, 28–30), in dem die Lade untergebracht wird, darf nicht mit dem »Zelt« der Mose-Zeit, in dem Mose den Gottesbescheid einholt, gleichgesetzt werden. Das Wandern Jahwes »in Zelt und Wohnung«, das nach 2Sam 7, 6 die vordavidische Zeit Israels kennzeichnet, wird eine gleichartige Unterbringung der Lade in früheren Zeiten meinen und kaum auf die Unterbringung der Lade im »Zelt der Begegnung« zu deuten sein.

5. In P ist das »Zelt der Begegnung« seiner unabhängigen Bedeutung beraubt und zum Gehäuse der Lade Jahwes geworden. Der Verdacht, daß auf Ex 33, 1–6 einst ein alter Bericht über die Fertigung der Gotteslade aus dem von Israel abgelegten Schmuck folgte und bei der Zusammenarbeitung mit P dem ausführlicheren Bericht Ex 25, 10–22/37, 1–9 zum Opfer gefallen sei, ist nicht ganz auszuräumen. Zur Fertigung der Kultgegenstände aus dem abgelegten Schmuck vgl. Ex 35, 22 P (auch Ri 8, 24ff.). In den nichtpriesterlichen Berichten der Mosezeit ist die Lade allerdings nur in Num 10, 35–36, den Begleitsprüchen für ihr Aufheben und Niedersetzen, die aus dem Ritual der Ladeprozessionen (Ps 24, 7–10) stammen dürften, sowie in Num 14, 44 erwähnt. Sie spielt in den Berichten vom Durchzug durch den Jordan und von der Eroberung Jerichos in Jos 3f. und 6 als Zeichen der machtwirkenden Präsenz Jahwes, vor dem sich nicht nur die Wasser des Jordan trennen, sondern auch die Mauern Jerichos zusammenbrechen, eine bedeutsame Rolle. Kraus und Wijngaards meinen darin die Spiegelung einer regelmäßigen Ladeprozession bei Gilgal finden zu können. Die Jerusalemer »Kultlegende« der Gotteslade (ארון האלהים *'ᵃrōn hā'ᵃᵉlōhīm*) aber ist in 1Sam 4–6 und 2Sam 6 zu finden, wo ihr Weg von ihrem Sitz in Silo über den Fremdaufenthalt im Philistergebiet, dic Rückführung nach Beth-Semes und Kirjath-Jearim bis zur Überführung nach Jerusalem durch David verfolgt wird.

Das Wort »Lade« (ארון *'ᵃrōn*), das Gen 50, 26 einen Sarg, 2Kön 12, 10f. einen im Tempel aufgestellten Kollektenkasten bezeichnet, möchte zunächst auf einen Behälter, in dem etwas geborgen wird, weisen. In der Kultlegende der Lade wird darauf nie angespielt. Wohl aber wird hier die erschreckende Heiligkeit dieses Gerätes, bei dem Jahwe mit seiner unheimlichen Macht nahe ist, unterstrichen. Der Philistergott Dagon wird von seinem Postament gestürzt, wie die Lade vor ihm steht. Die Leute von Beth-Semes, aber auch der gutwillig die Lade stützende Ussa werden vom Schlage getroffen. Auf der anderen Seite aber wird die Freiheit des über der Lade Gegenwärtigen darin erkennbar, daß Israel sich den Sieg auch durch die Einholung der Lade ins Heerlager nicht zu nehmen vermag. In 2Sam 6, 11 aber wird im Gegenbild sichtbar, wie Jahwe den Obed-Edom, in dessen Haus die Lade untergebracht wird, segnet.

Mit der Lade ist, wohl schon von Silo her, der Name »Jahwe der Heerscharen« (יהוה צבאות *jahwäēh ṣᵉbā'ōt*) verbunden. In ihm wird, wic immer man die »Heerscharen« deuten mag (himmlisches Heer, irdisches Heer Israels, urspr. selbständiges Beiwort »Mächtigkeit« vgl. auch o. S. 14), in jedem Fall auf den »Mächtigen«

gedeutet, dessen Name über der Lade ausgerufen (2Sam 6, 2) und dessen Besitzanspruch darin über ihr laut wird. Mit ihm ist der ursprünglich vielleicht selbständige Titel »Der über den Keruben Thronende« (ישׁב הכרובים *jōšēb bakk'rūbīm*) verbunden. Dieser ist nach Ps 99, 1 (18, 11) auf die Keruben als Trägergestalten Jahwes bezogen und nicht mit den Keruben, die im Jerusalemer Tempel schirmend ihre Flügel über die Lade ausgestreckt halten (1Kön 8, 7), zu verbinden.

Wie des näheren die Präsenz Jahwes bei seiner Lade vorgestellt wurde, ist kontrovers. Man hat diese zuzeiten als Thronsitz Jahwes verstanden und auf Analogien im griechischen Bereich hingewiesen, nach welchen leere Gottesthrone Verehrung fanden. Jer 3, 16f. scheint auf ein solches Verständnis zu führen. Daneben stehen aber Aussagen, welche die Lade als den Schemel der Füße Jahwes verstehen (Ps 99, 5 und 132, 7f.). Auch Jes 6 scheint auf die Vorstellung zu führen, daß Jahwe auf einem hoch in den Himmel hinaufragenden Thron sitzt, seine Füße aber im Tempelhaus, das von seinen überwallenden Gewandsäumen erfüllt wird, auf der hier stehenden Lade als auf einem Schemel aufruhen. Ez 43, 7 verbindet die beiden Vorstellungen, wenn Jahwe hier das Allerheiligste, in dem allerdings keine Lade mehr erwähnt ist, als »Ort meines Thrones und Ort meiner Fußsohlen« bezeichnet. Rätselhaft bleibt in alledem die Bezeichnung der Lade als »Kasten«, bei dem man unwillkürlich nach einem Inhalt fragt. Greßmann hat an zwei Götterbilder gedacht, aber darin mit Recht keine Gefolgschaft gefunden. Die jüngere Tradition (Dtn, P) redet von den beiden Gesetzestafeln (Ex 40, 20; 1Kön 8,9), dazu dem Stab Aarons (Num 17, 25) und dem Manna-Krüglein (Ex 16, 33f.), die sich in der Lade befinden. Wird darin eine ältere Tradition über einen bestimmten Ladeinhalt weitergeführt?

6. Daß David die Lade nach Jerusalem überführte, ist für die Vorstellungen von der Gegenwart Jahwes von einschneidender Bedeutung geworden. Zwar wird hinter 2Sam 24 und deutlicher noch 1Chr 21 etwas von der alten, vorisraelitischen Heiligtumslegende Jerusalems erkennbar. Nach 1Chr 21, 16 tritt David, der für seine Volkszählung bestraft werden soll, bei der Tenne des Jebusiters Ornan (Arauna) »der Engel Jahwes zwischen der Erde und dem Himmel stehend, mit dem gegen Jerusalem gezückten Schwert in seiner Hand« entgegen. Durch die Errichtung des Altars an dieser Stelle vermag David der Pest, die im Volke wütet, zu wehren. Dahinter meint man eine alte Erzählung von der Erscheinung einer Gottheit an der Stelle des Altars, und dann wohl auch der Stelle des späteren, von Salomo erbauten Tempels, erkennen zu können. Aber diese Ortslegende ist in der Folge vor den gewichtigeren Aussagen, die über Jerusalem formuliert wurden, zurückgetreten. Dieses wurde nun vor allem unter dem Namen Zion, der ursprünglich die Höhe über der Stadt bezeichnet haben könnte, auf welche das Heiligtum zu stehen kam, als die Gottesstadt gerühmt. Durch die Überführung der Lade auf den Zion erfuhren gerade hier in besonders intensiver Weise kan. Redeweisen unter der Wucht des Glaubens an Jahwe, den Herrn Israels und im besonderen auch den Herrn im Jahwekrieg, ihre Einschmelzung. Unter neuem Vorzeichen wurden sie Bausteine für die »Zionstradition« (Jeremias). Vor allem halfen diese Elemente dazu, dem Glauben an Jahwe, der auf dem Zion wohnt

(Jes 8, 18), die volle, universale Dimension zu geben. So wird nun von Jahwe ausgesagt, daß sein Wohnsitz am Quellort der Weltenströme liege (Ps 46, 5, vgl. Ez 47, 1–12), was die Kanaanäer von El aussagten. Der Zion wird zum Weltberg, dem Zaphon (צפון *ṣāfōn*) im Norden, der in Ugarit als Wohnsitz Baals angesprochen wurde (Ps 48, 3). Auch die Bezeichnung als »Gottesstadt« dürfte kan. Vorbilder haben. Dazu kommt aber, von der Ladetheologie des יהוה צבאות *jahwāēh ṣᵉbā'ōt* angeregt, die Raffung der Aussagen unter dem Gedanken des Sieges Jahwes in seinem Jahwekrieg. Die eigentümlich überhöhenden Aussagen vom Ansturm der Völker gegen die Gottesstadt und der Unüberwindlichkeit der Gottesstadt werden formuliert. War im Jahwekrieg Israels von der Überlegenheit Jahwes über seine Feinde und der Vernichtung ihrer Waffen die Rede gewesen, so wird nun der Zion der Ort, an dem Jahwe die Waffen der anstürmenden Völker vernichtet. In den Zionspsalmen 46; 48; 76 und in der Verkündigung Jesajas, die sich im Bereich dieser Zionsaussagen bewegt, kommt dieser Glaube an die Unüberwindlichkeit der Gottesstadt, in der Jahwe gegenwärtig ist, zu ihrem kühnsten Ausdruck. Jene letzten Aussagen von der Unüberwindlichkeit der Gottesgemeinde, welche die Pforten der Hölle nicht überwinden werden (Mt 16, 18), bereiten sich hier vor.

Bei Ez fehlt der Zionname. Dafür redet er vom »hohen Berg Israels«, auf dem Jahwe seine volle Ehre erfahren und inmitten seines Volkes gegenwärtig sein wird (20, 40; 40–48). Hier ist die Verbindung der Zion- mit der Israeltradition auch in der Namengebung entschlossen vollzogen.

7. Die dt. Bewegung hat dem Glauben an die Präsenz Jahwes in Jerusalem eine neuartige Gestalt gegeben. Es ist umstritten, ob die gesetzlichen Partien des Dtn, welche die sog. Zentralisationsforderung enthalten, die in Dtn 12 programmatisch an die Spitze gerückt ist, von allem Anfang an Jerusalem als einzigen Kultort des einen Gottes Jahwe (Dtn 6, 4) im Auge hatten. Angesichts der Möglichkeit, daß der Kern des Dtn aus dem Nordreich stammen könnte, ist auch erwogen worden, ob nicht hier einst an Sichem oder einen anderen Ort sakraler Mitte des alten Stämmebundes gedacht war. Mit der Übernahme nach Juda konnte aber für den Gesetzgeber nur noch Jerusalem, das seit David die Lade beherbergte, in Frage kommen. So ist es denn im dt. Bereich ganz deutlich der Fall. In diesem Zusammenhang erfährt der Glaube an die Präsenz Jahwes bei seinem Volke eine Neuinterpretation, welche die theologische Begründung des Präsenzglaubens in scharfer Reflexion herausstellt.

Im Dtn beschreibt Mose den Ort, den Israel nun als den eigentlichen Ort der Gottesnähe aufsuchen soll, als den »Ort, den Jahwe, euer Gott, aus all euren Stämmen erwählt, daß er seinen Namen dahin setze« (12, 5), oder den »Ort, den Jahwe, euer Gott, erwählt, um seinen Namen dort wohnen zu lassen« (12, 11). Das erste, was darin erkennbar wird, ist die Anwendung der Kategorie der Erwählung für diesen Ort – der Kategorie, die auch zur Erklärung des besonderen Status des Jahwevolkes vor seinem Gott Jahwe angewendet wird. Jeder Gedanke an eine dem Orte selbst inhärierende Heiligkeit, wie sie an anderer Stelle in der Verwendung der Kategorie vom »Nabel der Erde« (Ri 9, 37 von einer Stelle bei Sichem gesagt, Ez 38, 12 vom ganzen Lande, in dem Israel wohnt) zum Ausdruck kommt, ist damit ausgeschaltet. Der Ort der Präsenz Jahwes ist der Ort der freien Wahl Jahwes. Ez 5, 5 kombiniert dann den im Omphalos-(= Nabel-)Bild liegenden Gedanken der Mitte mit der Setzung Jahwes, indem hier formuliert wird: »Das ist Jerusalem – in die Mitte der Völker habe ich es gesetzt«.

Dazu kommt aber als zweites, daß die Präsenz Jahwes in dem neuartigen Theologumenon vom erwählten Ort als dem Ort der Präsenz des göttlichen »Namens« zum Ausdruck gebracht wird. Es ist eingangs festgestellt worden, daß der »Name« nicht eine auswechselbare Etikette bedeutet, sondern das Wesen des Benannten in sich befaßt. Es ist andererseits auch ganz deutlich, daß »Name« die anrufbare Seite eines Wesens ist. Im Namen ist der Angerufene anzutreffen. Das Anrufen seines Namens »betrifft« ihn. Nun wird es wiederum in der Umwelt Israels sichtbar, daß, wie schon bei den פנים *pānīm* und dem מלאך *mal'āk* ausgeführt, die präsente oder doch dem menschlichen Anruf nahe Seite der Gottheit von dieser in Gestalt einer eigenen Gottheit abgetrennt werden kann. Die Eschmunazar-Inschrift aus Sidon (Anfang 5. Jh. v. Chr.) redet davon, daß der König Eschmunazar der Astarte, dem »Namen Baals« (שם בעל *šm b'l*), in Sidon einen Tempel gebaut habe (KAI 14, 18). Das Dtn redet wiederum in scharfem Unterschied zu dieser Formulierung von der strikten Einheit des angerufenen Gottes. Im »Namen Jahwes« ist kein zweiter, mittelnder Gott da, sondern Jahwe selber, er allein. – Man kann sich fragen, ob im dt. Theologumenon vom »Namen« neben der in des Menschen Gebet anrufbaren Seite auch noch die freie Aktivität Jahwes ausgesagt werden will. So kann etwa Jes 30, 27 von der aktiven Gewalt des »Namens« reden: »Siehe, der Name Jahwes kommt von ferne, sein Zorn brennt . . .«. Im Dtn selber tritt diese Seite nicht besonders heraus. Wohl aber unterstreicht Dtn in ganz besonderer Weise, wie nun Israel an dem Ort, da Jahwes Name wohnt, sich vor seinem Gott freuen, ihm aus solcher Freude heraus seine Gaben bringen und vor ihm Mahl halten kann.

Aufschlußreich ist, was in diesem Zusammenhang mit dem alten Kultobjekt der Lade, von dem her die Auffassung von der Präsenz Jahwes in seiner hl. Stadt Jerusalem ihren Ausgang genommen hatte, geschieht. Die Einleitungsreden des Dtn kommen in Kap. 10 erneut auf die Lade zu sprechen (während das Zelt der Begegnung keine Erwähnung findet). Diese ist jetzt aber all ihres numinosen Charakters entkleidet und schlicht der Behälter des »Gesetzes« in der Gestalt der beiden am Gottesberg ausgehändigten Gebotstafeln geworden. So wie im ganzen Aufriß des Dtn Israel auf das Hören der göttlichen Weisung hin ausgerichtet wird, so ist auch die Lade nun ausschließlich von dem in ihr liegenden Wort der göttlichen Weisung her verstanden. Von hier aus ist auch die Bezeichnung der Lade als »Bundeslade« (ארון הברית *'arōn habberīt*), die dann auch an anderen Stellen eingedrungen ist, zu verstehen. ברית *berīt* bezeichnet in diesem Zusammenhang die Forderung des Bundes, die im Gebot formuliert ist.

8. Nach dem dt. muß noch die Form des Präsenzglaubens in P bedacht werden. In § 3 war erwähnt worden, daß der Skopus der Erzählung von P die Erwartung des Kommens Jahwes in die Mitte seiner Gemeinde ist. Schon die Verheißung an Abraham erhält in Gen 17, 7f. die besondere Akzentuierung auf die Jahwegemeinde hin, die dann in der Errichtung des heiligen Zeltes in der Mitte des Lagers

(Ex 35ff.) ihre konkrete Einlösung erfährt. In der Schilderung des heiligen Zentrums des am Gottesberg lagernden Volkes, dessen Bezeichnung als עדה *'edāh* nicht von dem hier in der Mitte des Lagers befindlichen אהל מועד *'ōhael mō'ed* zu trennen sein dürfte (Rost), finden sich die beiden Elemente von Zelt und Lade fest verbunden. Es ist dabei festzustellen, daß das Zelt keinerlei selbständige Bedeutung als Treffpunkt zwischen Jahwe und Volk bzw. dessen Vertretern mehr hat. Auch die Lade, für die Ex 25/37 eine genaue Beschreibung mit Maßangaben, Material, Verzierungen bietet, die eine in den Grundzügen zutreffende Schilderung der alten Lade darstellen dürfte, hat im Blick auf den Präsenzglauben eine bedeutsame Umzeichnung erfahren. Über der Lade befindet sich nach Ex 25, 17 ein Deckel (כפרת *kappōraet*), und v. 21f. bemerken ausdrücklich, daß Jahwe sich hier zur Begegnung stellen und »vom Deckel zwischen den beiden Keruben über der Lade des Zeugnisses her« mit Mose reden werde. P ersetzt dabei in seiner Bezeichnung der Lade das ברית *b'rīt* des Dtn durch עדות *'edūt* »Zeugnis«, wobei auch hier an die »Satzung« Jahwes gedacht sein dürfte. Über die Herkunft des neuen Elementes der כפרת *kappōraet*, das nun recht eigentlich zur Stelle der Gottespräsenz wird, ist nichts Näheres auszumachen. Ob es, wie die Übersetzung ἱλαστήριον in LXX voraussetzt, etwas mit כפר *kpr* »sühnen« zu tun hat, ist fraglich. Aber auch das weitere Element der Sinai-Überlieferung, das ebenfalls schon früher mit dem Zelt der Begegnung verbunden worden war, die Wolke, die in sich den Lichtglanz Jahwes birgt, tritt hier wieder auf. Nach Errichtung des hl. Zeltes und seiner Ausstattung bedeckt nach Ex 40, 34f. die Wolke das Zelt der Begegnung, und die Herrlichkeit Jahwes erfüllt das Zelt, so daß selbst Mose nicht in das Zelt hineingehen kann. Nach 40, 36f. gibt dann jeweils das Sich-Wegheben und das Neu-Herunterkommen das Zeichen für Aufbruch und Stillehalten des Lagers. An anderen Stellen in P wird von aktuellen Erscheinungen Jahwes in der Gestalt der Wolke und des כבוד *kābōd* geredet. Obwohl Ex 29, 45f. sagt, daß Jahwe inmitten des Volkes wohnen (שׁכן *škn*) werde, ist dieses doch nicht zu einer statischen Anwesenheit verdichtet. Die Freiheit des Nahekommens und Weggehens Jahwes bleibt gewahrt. Diese Freiheit wird auch beim priesterlichen Propheten Ezechiel, der die Nähe der Jahweherrlichkeit in der Exilsferne erfährt (Ez 1, 1–3, 15) und den Auszug der Jahweherrlichkeit aus dem Tempel wie dann auch ihre Wiederkehr im Gesicht schaut (8–11; 43, 1ff.), sehr voll zum Ausdruck gebracht.

Die Vokabel כבוד *kābōd*, die im priesterlichen Reden vom כבוד יהוה *k'bōd jahwāēh* ihren festen Platz bekommen hat, bezeichnet zunächst das »Gewichtige, Schwere«, dann weiter »das, was Ehre verleiht«. Sie ist schon in vorisr. Sprache auf die Wucht der göttlichen Erscheinung übertragen worden, wie besonders Ps 29, welcher Jahwe als אל הכבוד *'ēl hakkābōd* feiert, zeigen kann. Er preist die Sturmerscheinungen als Auswirkungen der »Stimme Jahwes« und mündet in die Feststellung aus: »In seinem Palaste ruft alles: כבוד *kābōd*«. Nach Ps 19, 2 rühmen die Himmel den כבוד אל *k'bōd 'ēl*, und die (Himmels-)Feste verkündet sein Werk. Vgl. auch den Seraphengesang Jes 6,3. Dann aber zeigt sich die Verdichtung der Vorstellung, die nun geradezu die Erscheinungsweise Jahwes bezeichnet. Nach Ex 33, 18ff. verlangt Mose, den כבוד

kābōd Jahwes zu sehen. In der Weiterführung des Gespräches, in dem Jahwe Mose die Bitte verweigert, tritt ohne weitere Erklärung פנים *pānīm* an die Stelle des כבוד *kābōd*. Es wird Mose lediglich zugestanden: »Wenn nun mein *kābōd* vorüberzieht, dann stelle ich dich in die Felsspalte und decke meine Hand über dich, bis ich vorübergegangen bin. Dann werde ich meine Hand wegtun, und du darfst hinter mir nachsehen – aber mein Angesicht (פנים *pānīm*) darf man nicht schauen«. Auf dieser Anschauung beruht das Reden des P vom כבוד יהוה *k^ebōd jahwāēh* als der eigentlichen Gestalt der Präsenz Jahwes, in der er dem Volke der Wüstenzeit immer wieder entgegentritt (Ex 16, 10; Lev 9, 6. 23; Num 14, 10; 17, 7; 20, 6). In Num 17, 7; 20, 6 (14, 10?) ist dabei der אהל מועד *'ōhael mō'ed* als Erscheinungsstelle ausdrücklich erwähnt. Aber auch in den Bericht von der Tempelweihe ist dieser Zug (nachträglich?) eingedrungen. Er ist hier mit dem Moment der Einbringung der Lade in den Tempel verbunden (1Kön 8, 10f.). Eine Näherbeschreibung ganz eigener Art bietet Ez 1 (10). Thron und Erscheinungsvorstellung sind hier verbunden. Vier throntragende Wesen werden ausführlich geschildert. Die Einfügung von Rädern neben den geflügelten Tieren, die auf die Vorstellung von einem Thronwagen führen, ist wahrscheinlich erst in einer zweiten Phase geschehen. Vom »Wagen« redet dann ganz offen 1Chr 28, 18; Sir 49, 8, vgl. auch LXX zu Ez 43, 3. Die mit der Lade verbundene Vorstellung vom »Schemel der Füße« Jahwes geht in Ez 43, 7 in der Formulierung »Ort meiner Fußsohlen« (neben dem »Ort meines Thrones«) in die Beschreibung der Stelle der Präsenz der göttlichen Lichtherrlichkeit ein.
So ist zu erkennen, wie der Glaube des ATs in verschiedenster Form festhält, daß er es mit dem im Gottesvolk je und je in Segnung und Gericht präsenten Gott Israels zu tun hat.

J. Jeremias, Theophanie, WMANT 10, 1965. — *M. Noth*, Der Wallfahrtsweg zum Sinai (4. Mose 33), PJ 36, 1940, 5—28. — *F. Nötscher*, »Das Angesicht Gottes schauen« nach bibl. und bab. Auffassung, 1969². — *M. Görg*, Das Zelt der Begegnung, BBB 27, 1967. — *K. Koch*, Art. אהל *'ōhael* ThWAT I 128—141 (Lit.). — *H. Zobel*, Art. ארון *'ᵃrōn*, ThWAT I 391—404 (Lit.). — *H. J. Kraus*, Gilgal — ein Beitrag zur Kultusgeschichte Israels, VT 1, 1951, 181—199. — *J. Wijngaards*, The Dramatization of Salvific History in the Deuteronomic Schools, OTS 16, 1969. — *G. von Rad*, Zelt und Lade, NKZ 42, 1931, 476—498 (= Gesammelte Studien, ThB 8, 109—129). — *J. Maier*, Das altisraelitische Ladeheiligtum, BZAW 93, 1965. — *O. Eißfeldt*, Jahwe Zebaoth, Kleine Schriften III 103—123. — *J. Schreiner*, Sion-Jerusalem, Jahwes Königssitz, 1963. — *J. Jeremias*, Lade und Zion, Festschr. G. von Rad 1971, 183—198. — *L. Rost*, Die Vorstufen von Kirche und Synagoge, BWANT 4. F. 24, 1938. — *C. Westermann*, Die Herrlichkeit Gottes in der Priesterschrift, Festschr. W. Eichrodt 1970, 227—249 (Lit.).

§ 10 Charismata der Leitung und Weisung

Zu den Gaben, mit denen Jahwe Israel erhält, gehören auch immer wieder Menschen, die in Jahwes Auftrag Leitung und Weisung vollziehen. Das AT enthält eine Fülle von Reflexion über diese Menschen und das spezifische Charisma, das ihnen eigen ist.
Es kann im Rahmen einer Theologie des ATs nicht darum gehen, die soziologische Struktur der »Gesellschaft« Israels darzustellen und diese in ihrem geschicht-

lichen Wandel zu verfolgen. Wohl aber muß es die Aufgabe sein darzustellen, wie at. Glaube Jahwes Handeln in diesen Personen oder Personengruppen erkennt und beschreibt.

a) Mose und Josua

Am Eingang zur Volksgeschichte Israels steht Mose, der Mann mit dem äg. Namen, der den Auftrag erhält, Israel in Jahwes Namen aus Ägypten heraus und zum verheißenen Land hin zu führen. Die Überlieferung zeigt, wie Israels Glaube dem »Amt« dieses Mannes, den sein Gott in besonderer Weise zum Werkzeug der grundlegenden Befreiungstat macht, nachgedacht hat, ohne ihn endgültig einer bestimmten »Amtskategorie« zuordnen zu können, was sich im Gegenlicht auch in der neueren Moseforschung spiegelt (Smend, Osswald). Im Anschluß an den Berufungsbericht, in welchem nach E und P Mose erstmals der Jahwename geoffenbart wird, ist von seiner Ausrüstung mit der Fähigkeit, Wunder zu wirken, berichtet (Ex 4). In der Vorbereitung des Auszuges wird diese Mächtigkeit, nach den verschiedenen Quellenschriften verschieden akzentuiert, eingesetzt. In diesem Zusammenhange spielt der Stab Moses eine besondere Rolle. Es ist dann zu sehen, wie eine spätere Zeit Mose nach dem Muster des Propheten zu verstehen sucht (Perlitt), so besonders nachdrücklich Dtn 18 (dazu s. u. S. 89f.). In diesem Zusammenhange kann auch die Erwägung Raum bekommen, ob nicht Mose Träger des Gottesgeistes gewesen ist. Num 11 kommt aber zur Erkenntnis, daß Mose dieses in einem alle Maße sprengenden Umfange gewesen sein muß. Ein Teil des Geistes, der auf Mose ist, genügt schon, siebzig Älteste zu prophetischem Reden zu bringen (11, 25). Daneben stehen dann aber wieder die schon erwähnten Aussagen von Ex 33, 11 und Num 12, 8 – Aussagen, die Mose scharf von allem »Prophetischen« abheben und ihn in einer Direktheit mit der Präsenz Jahwes verbinden, wie es sonst keinem Menschen geschehen ist. Das Rätseln um die Person Moses zeigt sich auch darin, daß er als der in flammendem Zorn um Jahwe Eifernde (Ex 32, 26–29) und dann wiederum als der Sanftmütigste aller Menschen geschildert werden kann (Num 12, 3). Der »Nachruf« auf Mose in Dtn 34, 10–12 hält fest, wie sehr Mose, wenn auch sein Widerstreben gegen die Übernahme des göttlichen Auftrages (Ex 4, 10ff.), sein Seufzen unter der übergroßen Last (Num 11, 11f.) und schließlich sein Erleiden des göttlichen Zornes »um Israels willen« (Dtn 1, 37; 3, 26) ihn als bedrängten Menschen sichtbar machen, die sonstigen Kategorien der Charismatiker sprengt.

Demgegenüber tritt Josua, der Führer Israels bei seiner Landnahme, wie das Josua-Buch sie darstellt, ganz in den Schatten Moses als Vollender eines durch jenen begonnenen Werkes. Num 27, 12–23 schildern in Sprache und Vorstellungswelt des P, wie Mose im Angesicht des Priesters Eleasar durch Aufstemmen der Hände etwas von seiner Würde (הוד *hōd*) auf ihn überträgt. Nach Dtn 31, 14f. geschieht die Einsetzung in dem »Zelt der Begegnung«, auf das Jahwe selber in der Wolkensäule herunterkommt. In Dtn 3, 21f. 28 ist es Mose allein, der Josua beauftragt. Jos 1 schildert breit ausladend, wie Jahwe ihn zu seinem Werke ermutigt und ihm seine Hilfe zusagt. So tritt er als Heerführer, Treuhänder Jahwes bei der Landverteilung und Mahner des Volkes zu echtem Jahwegehorsam (23f.) auf. Zu einem bestimmten Typus gebietender priesterlicher oder gar prophetischer Vollmacht ist er im Wort des ATs nicht geworden. Die Vermutung von Beek, daß er sogar seinen Namen dem in ihm intendierten Typus des »Retters« (מוֹשִׁיעַ *mōšīa'*) verdanke, ist wenig wahrscheinlich.

R. Smend, Das Mosebild von Heinrich Ewald bis Martin Noth, 1959. — *E. Osswald*, Das Bild des Mose, 1962. — *L. Perlitt*, Mose als Prophet, EvTh 31, 1971, 588—608. — *A. Alt*, Josua, BZAW 66, 1936, 13—29 (= Kleine Schriften I, 1953, 176—192). — *M. A. Beek*, Josua und Retterideal, Festschr. W. F. Albright 1971, 35—42.

b) Richter und Nasiräer

Das Richterbuch berichtet von den Gestalten der sog. »Richter«. Hier muß die Sicht des dtr. Rahmens von derjenigen der verwendeten älteren Quellenstücke unterschieden werden.

1. Das Richterbild des Rahmens, dessen nähere innere Schichtung, die W. Richter in seinen Analysen des Buches herausarbeitet, hier unberücksichtigt bleiben muß, drängt sich dem Leser des Richterbuches als erstes auf. Es ist durch die thematischen Ausführungen des Passus Ri 2, 6ff. vorbereitet, die einen bestimmten Geschichtsverlauf, der sich dann immer wiederholt, vorweg skizzieren. Danach fällt Israel nach dem Tode Josuas und der nach ihm lebenden Ältesten Großisraels zu den Baalen und Astarten ab, wird daraufhin von Jahwe in die Hand seiner Feinde gegeben, die ihm schwer zusetzen. Auf sein Schreien und seine Umkehr zu Jahwe hin aber sendet ihm Jahwe einen Retter und verschafft ihm Ruhe von seinen Drängern – eine Ruhe, die anhält, solange der Richter lebt. Nachher setzt der gleiche Prozeß von neuem ein.

In dieser dtr. Geschichtssicht (s. u. § 20) wird ein ganz bestimmtes Bild des »Richters« gezeichnet, für welches drei Merkmale konstitutiv sind:

a. Die Richter bilden keine feste Sukzession, sondern treten je neu als von Jahwe gesandte Helfer auf. Die Reihe der Richter ist diskontinuierlich, ohne die Verknüpfung einer innergeschichtlichen festen Sukzession.

b. Das Auftreten des Richters wird nicht mit irgendeiner menschlichen Tüchtigkeit begründet, sondern ruht ganz auf der Sendung durch Jahwe, der sich seines gequälten Volkes, das sich in seiner Not erneut zu ihm hinkehrt, erbarmt. Nicht »Helden« sollen in diesen Richtergestalten gerühmt werden, sondern Werkzeuge Jahwes, der seines Volkes Not sieht: »Sie retteten sie aus der Hand ihrer Berauber« (2, 16). In dem »Retter« (מוֹשִׁיעַ *mōšīa'*) erfährt Israel erneut, daß Jahwe es als sein Helfer mit ihm zu tun haben will.

c. Zugleich aber ist der Richter und sein Auftreten mit einem bestimmten Rechtswillen Jahwes verbunden. Auf die Umkehr des Volkes hin tritt der Richter auf. Und in der Zeit, in der er lebt, »richtet« er dann auch sein Volk, d. h. er hält den Gehorsam gegen den Rechtswillen Jahwes aufrecht. Erst nach seinem Tode fällt das Volk wieder in seinen Ungehorsam zurück.

Zwei Tendenzen sind in der Gestaltung dieses eigenartigen Richterbildes nicht zu verkennen. Auf der einen Seite sind die Richter als die unvermutet, durch kein »Amt« vorbereiteten, allein von Jahwe her gesandten Gestalten geschildert. Die Freiheit des Hilfeerweises Jahwes soll in ihrer Diskontinuität zum Ausdruck gebracht werden. Auf der anderen Seite aber ist der Versuch gemacht, in ihrem Auftreten doch auch wieder ein »Gesetz« zu erkennen: Die Regel der über Israel stehenden Treue und Barmherzigkeit, die ihrerseits nicht zu lösen ist von dem Rechtswillen Jahwes. Dieser ist hier in dem Gebot, ihn allein zu verehren, konkretisiert. So sucht der dtr. Rahmen das Gesetz der an kein Gesetz gebundenen, freien Gnade Jahwes, die nie ohne seinen Rechtswillen ist, in den Richtern zur Darstellung zu bringen.

2. Die von den dtr. Rahmenstücken umschlossenen älteren Quellenstücke zeigen diese strenge Stilisierung noch nicht. Zweierlei Elemente sind im dtr. Richterbuch zusammengebunden: a) ein altes Richterbüchlein, das von wirklichen, mit der Rechtswahrung im Volke befaßten Richtern spricht, ohne daß ihnen militärische Taten der Befreiung zugeschrieben würden. Nur der Bericht über Jephtha, der ihnen zuzurechnen ist, transzendiert den Horizont dieser Rechtswahrergestalten. b) Nachrichten über Rettergestalten der vorstaatlichen Zeit Israels, die nach W. Richter schon vor ihrem Einbau in das dtr. Werk in einem »Retterbuch« zusammengestellt waren. Diese »Retter« haben es an keiner Stelle mit Gesamtisrael zu tun, wenn sie auch einmal, wie in der Deboraschlacht, eine Vielzahl von Stämmen im Kampfe zu einen wissen.

Schwer zu bestimmen ist die Gestalt Othniels, der nach 3, 7—11, vom Geiste Jahwes gepackt, hingeht und den Bedränger Kusan-Risathaim (»Mohr doppelter Bosheit«?) schlägt. Die ganz profan berichtete, verwegene Tat Ehuds (3, 12—30), der Eglon, den Bedrücker aus Moab, in seinem eigenen Palaste ermordet und dann zum Befreiungskampfe aufruft, scheint in den Bereich des Einzelstammes Benjamin zu gehören, während bei Samgar (3, 31) bezweifelt wird, daß es sich überhaupt um eine Gestalt aus Israel handelt. Dagegen trägt die in Ri 4 in Prosa und Ri 5 im Deboralied berichtete Tat der Befreiung der in die Ebene Jesreel eingesickerten Stämme von dem Druck der kan. Städte den Charakter des Jahwekrieges. 7 Stämme finden sich unter den anfeuernden Liedern der »Prophetin« (4,4) Debora unter der Führung des Naphthaliten Barak zum Kampf gegen die Quälgeister zusammen, zu dem Jahwe vom Sinai her im Unwetter seinem Volke zu Hilfe kommt. Das Deboralied preist Jahwe dafür, daß sich Führer und Volk in Israel willig erzeigten zu diesem Kampf. Im besonderen wird die Keniterin Jael, die mit ihrer Sippe in der Gegend zeltete, dafür gepriesen, daß sie den feindlichen Feldherrn Sisera in ihrem Zelte erschlug. Am vollsten ist die Erzählung von Gideon, dem Befreier von der Plage der fliegenden Midianiterscharen, ausgestaltet. Die Berufung durch den Jahweboten geht voraus. Mit der auffallenden Formulierung: »Der Geist Jahwes zog den Gideon an (לבש *lbš*)« wird seine Zurüstung zur Führung im Kampfe beschrieben. Bei Gideon scheint sich hinterher eine Führungsstellung im engeren Bereich zu konsolidieren, wenn er es auch nach 8, 22f. ausdrücklich ablehnt, eine (Königs-) Herrschaft über Israel zu übernehmen. Die Erzählung von Abimelech, wie immer sie ursprünglich zuzuordnen sein mag, macht sichtbar, daß der Ansatz wieder zerstört wird. Im Aufstieg des Söldnerführers Jephtha zum »Haupt und Führer« (ראש וקצין *rōʾš w^{e}qāṣīn* 11, 11) in Gilead ist strukturell der spätere Aufstiegsweg Davids vorweggenommen. Auch hier aber wird der Geist Jahwes als die eigentliche Zurüstung dieses Söldnerführers zum Befreiungskampf der Gileaditen gegenüber Ammon genannt (11, 29). Und das ist mit Nachdruck auch bei der im übrigen recht losen, anhangsartigen Zufügung der Simsongeschichten geschehen. Ihnen wird sogar eine Kindheitsgeschichte, in welcher der »Bote Jahwes« die Geburt Simsons ankündigt, vorangestellt. Die ungefügen Krafttaten Simsons, die sich gegen den steigenden philist. Druck wenden, sind in 13, 25; 14, 6. 19; 15, 14 als Folgen der Geisterfülltheit verstanden. Der »Jahwegeist« beginnt nach 13, 25 den Simson zu »stoßen« (פעם *p'm*). Er kommt nach den anderen Stellen aktuell über ihn (צלח *ṣlḥ*).

Abfall und Umkehr Israels sowie das Rechtschaffen des Richters spielen in diesen alten Rettergeschichten, abgesehen von dem textlich ganz ungesicherten 5, 8a, keine Rolle. Dagegen tritt das Element der charismatischen Spontaneität allenthalben heraus. Wo es theologisch reflektiert wird, tritt der Begriff des göttlichen Geistes (רוח *rūaḥ*) auf. Dieser ist als die Kraft verstanden, welche von Jahwe her den Menschen überfällt, ihn »stößt«, ihn wie ein Gewand »anzieht« und ihn zu spontanen Hilfstaten für die Seinen ermächtigt. Der Gedanke der Freiheit des göttlichen Eingreifens beherrscht hier ohne eine bestimmte regelnde Geschichtssystematik die Berichte. Aus seiner Freiheit aber sendet Jahwe Israel »Helfer«. Es ist gar nicht zu überhören, daß hier, wie schon im zentralen Element der Rahmenerzählungen, Jahwe erneut als der Gott gerühmt wird, der, wie einst beim Exodus aus Ägypten, die Not seines Volkes sieht und es aus ihr errettet.

3. Simson ist nach Ri 13, 5. 7 Nasiräer (נזיר *nāzīr*). Das AT zeigt zwei verschiedene Formen dieses Phänomens. In Num 6 ist ein Gesetz des Nasiräates zu finden. Dieses regelt die freiwillige Selbstbindung eines Menschen auf befristete Zeit. Der Nasiräer enthält sich des Weines, des Scherens der Haare. Er vermeidet jede Verunreinigung mit einem Toten. Das Ende seiner Gelübdezeit wird mit einem feierlichen Opfer begangen (vgl. dazu Apg 18, 18; 21, 23ff.). Diesem freiwilligen Nasiräat auf Zeit steht bei Simson das Nasiräat aufgrund göttlicher Berufung gegenüber. In ihm sind Enthaltung von Wein und Nichtscheren der Haare als lebenslängliche Verpflichtungen verstanden. Am 2, 11 f. belegen deutlich, daß solches Nasiräat gleich der Prophetie als Heilsgabe Jahwes an sein Volk verstanden wird. Der Gedanke besonderer Erwählung und Weihe liegt auch in der Heraushebung Josephs im Jakob- und Mosesegen, wo Joseph als »Nasir unter seinen Brüdern« bezeichnet wird. Das Wort wird noch Lev 25, 5. 11 für die im Sabbat- und Jobeljahr nicht beschnittene Rebe verwendet.

Sonach ist der Nasiräer der Jahwe in besonderer Weise Geweihte, der nach dem Verständnis der Simsongeschichte als Träger eines göttlichen Charismas unmittelbar unter die »Retter« Israels tritt.

O. Grether, Die Bezeichnung »Richter« für die charismatischen Helden der vorstaatlichen Zeit, ZAW 57, 1939, 110—121. — *W. Richter*, Traditionsgeschichtliche Untersuchungen zum Richterbuch, BBB 18, 1963. — *Ders.*, Die Bearbeitungen des »Retterbuches« in der deuteronomischen Epoche, BBB 21, 1964 (Lit.).

c) Der König

Wer die Berichte über die Entstehung des Königtums in Israel (1Sam 8–12) liest, trifft auf ein zwiespältiges Urteil über diese Institution. Auf die Klage Samuels, daß das Volk sich einen König wünscht, antwortet Jahwe nach 1Sam 8: »Sie haben nicht dich, sondern mich verworfen, daß ich nicht mehr König über sie sei« (1Sam 8, 7). Menschliches Königtum ist danach wider das Königtum Jahwes. Mit dieser Begründung weist schon Gideon nach Ri 8, 22f. die ihm angebotene Königswürde zurück. Demgegenüber ist nach 1Sam 9, 16 der Befehl Jahwes an Samuel, Saul zum נגיד *nāgîd* über Jahwes Volk Israel zu salben, mit der Aussage verbunden: »Er wird mein Volk aus der Hand der Philister retten, denn ich habe das Elend (c. T.) meines Volkes gesehen, denn sein Schreien ist zu mir gedrungen«. Danach ist der Gesalbte gnädige Gabe Jahwes, von Jahwe selber seinem bedrängten Volke zur Hilfe gesandt.

Die Doppelbeleuchtung des Königtums in Israel weist ganz besonders deutlich darauf hin, daß dieses »Amt« nicht einfach gradlinig aus den genuinen Impulsen des Jahweglaubens herausgewachsen ist. Besonders stark läßt sich gerade hier erkennen, daß es unter der »Herausforderung« der Umwelt in Angleichung an diese und zugleich in Differenzierung von ihr entstanden ist. Das Königtum existiert in Israels Umwelt, wie dieses seine eigene staatliche Form findet, schon längst als eine Institution besonderer Prägung und religiöser Würde.

Im alten Ägypten, das über die kan. Vasallenfürsten in der Frühzeit des »Neuen Reiches« auf Palästina und dann in der salomonischen Zeit, wie die Ehe Salomos mit einer ägypt. Prinzessin (1Kön 3, 1) verrät, ganz direkt auf den jerusalemischen Königshof eingewirkt hat, wird der Pharao kurzerhand als »der Gott« bezeichnet. Er ist zugleich »Gottessohn«. An der Tempelwand in Luxor ist zu sehen, wie der Gott Amon-Re bei der Königinmutter eingeht, bei ihr den König zu zeugen (Brunner). Die offizielle königliche Titulatur, das sog. Königsprotokoll, das beim Regierungsantritt jedes Königs festgesetzt wird, enthält in seinen fünf Teilen zunächst die Bezeichnungen »Horus, Goldhorus«. Als solcher hat der König seine Bedeutung im Ritual, ist er der Mittler zwischen Himmel und Erde, von dem Heil und Fruchtbarkeit des Landes abhängen. Besonders deutlich wird das beim Sed-Fest, einer Jubiläumsfeier, deren ausgebautes Ritual die völlige Erneuerung der königlichen Macht zum Ziele hat.

In den Großreichen des Zweistromlandes war das elf Tage lang gefeierte Neujahrsfest die gewaltigste rituelle Begehung, welche Königtum und Wohlfahrt des Landes miteinander verband. Zwar treten hier die Züge der Vergöttlichung des Königs in der nachsumer. Zeit zurück. Der König wurde als sterbliches Wesen gesehen, aber das Königtum war himmlischen Ursprungs, der König eine Gestalt göttlicher Wahl. Als solcher hatte er zu jedem Jahresbeginn in Babylon »die Hände Marduks zu ergreifen«, um dadurch sein Königtum und die Wohlfahrt im Lande neu zu festigen. Er hatte beim Neujahrsfest gewisse, verglichen mit dem ägypt. Königsritual allerdings ungleich beschränktere Funktionen zu erfüllen im Zusammenhang mit der heiligen Hochzeit der Götter, welche die Fruchtbarkeit des neuen Jahres sicherte, und im Zusammenhang mit der großen Prozession zum Festhaus, dem *bīt akītu*. Hier hatte der König nicht nur das Zeichen zum Aufbruch der großen Götterprozession zu geben. Ein Sanherib stand, wie er es auf den Kupfertüren des *bīt akītu* in Assur dargestellt hat, selber auf dem Wagen des Gottes Assur.

In den Anfängen seines Königtums geht Israel zunächst seine eigenen Wege. Das Königtum eines Saul erscheint noch als etwas, was dem Tun der Rettergestalten des Richterbuches nicht ferne steht. 1Sam 11 schildert, wie auf den vom Felde zurückkehrenden Saul, der von der Schmach hört, die den Bewohnern von Jabes in Gilead durch den König Nahas von Ammon angedroht ist, der »Geist Gottes« fällt. Mit den blutigen Stücken seiner Rinder und der Drohung, es mit den Rindern eines jeden, der ihm nicht in den Krieg folgt, ebenso zu halten, bietet er Israel auf. Der Schreck Jahwes fällt auf dieses, so daß Männer ihm folgen und Jabes entsetzen. Dann aber zieht die Mannschaft, die erfahren hat, wie »Jahwe heute Heil (תשועה *t'šû'āh*) gewirkt hat in Israel« (11, 13), ans Heiligtum in Gilgal, wo Saul »vor Jahwe« unter Darbringung von Opfern zum König gemacht wird. Folgende Momente sind hier von Bedeutung: Wie bei den »Rettern« des Richterbuches ist es der Gottesgeist (רוח אלהים *rūaḥ 'ᵃᵉlōhīm*), dieses Element spontanen göttlichen Handelns, das den »Retter« aufscheucht. »Jahwe-Schrecken« (פחד יהוה *paḥad jahwǟh*) ist es, was Israels Männer zur Heerfolge willig macht (vgl. Ri 5, 2), so daß der Sieg gewonnen werden kann. Auf diese spontane Hilfstat des Gottes Israels hin, in welcher der »Retter« offenbar gemacht worden ist, folgt das neuartige Element der Akklamation des Heerlagers Israels. Der Retter, in dem Jahwe sich bezeugt hat, wird am Heiligtum vor Jahwe zum König gemacht.

Dieser Erzählung vom Retterkönig ist im Zusammenhang der älteren, königtumsfreundlichen Überlieferung noch ein anderer Bericht, der das göttliche »Kundmachen« des Erwählten zum Inhalt hat, vorausgeschickt. Wie in den Vätergeschichten der eigentlichen Israelgeschichte die göttliche Vorankündigung vorausgeschickt wird, so kündet hier der Gottesmann Samuel im Vorhinein die von Jahwe beschlossene Errettung und die Wahl des Retters an, indem er den ahnungslosen Bauernburschen Saul, der auf der Suche nach seines Vaters Eselinnen ist, zum נגיד *nāgīd* salbt. W. Richter, Schmidt u. a. finden im נגיד *nāgīd*, einer bisher etymologisch nicht einwandfrei erhellten Bezeichnung (Kundgemachter, an die Spitze, vornean Tretender?), eine Benennung, die ursprünglich dem vorköniglichen militärischen Führer eigen war. Allgemeine Erwägungen möchten dafür sprechen, erschwerend bleibt allerdings die Tatsache, daß der Titel in keiner der vorköniglichen Rettergeschichten erscheint. Wenig wahrscheinlich ist es, daß dieser Titel schon in vorköniglicher Zeit mit der Salbung verbunden gewesen sein sollte (Richter).

Der Ritus der Salbung (משח *mšḥ*) ist in den Großreichen der Umwelt Israels nur bei den Hethitern mit Sicherheit belegt. Dazu kommt der Amarnabrief 51 (Knudtzon), in welchem ein ägypt. Vasallenfürst Addu-Nirari von Nuḫašše im 15. Jh. dem Pharao Thutmoses IV. gegenüber erwähnt, daß des Pharao Großvater (Thutmoses III.) seinen »Großvater in Nuḫašše zum König machte und Öl auf seinen Kopf tat« und erklärte: »Denjenigen, welchen der König von Ägypten zum König gemacht und auf dessen Kopf er Öl getan hat, soll irgend einer nicht stürzen (?)«. Die Salbung, die nicht bei jedem Nachfolger wiederholt wird, ist danach »Ermächtigung« durch einen Oberherrn (Kutsch). So dürfte auch die prophetische Salbung die Bedeutung einer »Ermächtigung« des Gesalbten durch Jahwes Kraft darstellen. Daß der »Gesalbte Jahwes« infolge der darin liegenden Beschlagnahmung durch Jahwe für die Menschen einen Tabucharakter bekommt, zeigen 1Sam 24, 7. 11; 26, 9. 23. In der Folge wird »Gesalbter Jahwes« eine allgemeinere Bezeichnung für den König. Jes 45, 1 ist der heidnische Perserkönig Kyrus, der die Befreiung an dem verbannten Israel als Jahwes Bevollmächtigter vollziehen soll, Jahwes משיח *māšīaḥ* genannt.

Der zweite König Israels, David, ist auf anderen Wegen zum Königtum gelangt als Saul. Wie der Söldnerführer Jephtha des Richterbuches hat er sich durch seine militärische Tüchtigkeit langsam und zielbewußt heraufgearbeitet. Es ist aber bezeichnend, daß die at. Überlieferung auch an den Anfang des Berichtes über diesen für den Glauben Israels in der Folge so ungleich bedeutsameren König eine Erzählung über die Salbung des ahnungslosen Hirtenknaben David durch Samuel setzt. Darin bekennt at. Glaube, daß er auch diesen König, der in 1Sam 16 als der unscheinbarste und unbeachtetste unter seinen Brüdern dargestellt wird, durch Jahwes freien Entscheid, bevor noch eine eigene tüchtige Tat des Betroffenen vorlag, zum Dienst an seinem Volke Israel bestimmt glaubt. Auch hier behauptet 16, 13, daß die Ausrüstung mit dem Geist Jahwes und somit die göttliche Wirksamkeit am Anfang des Aufstiegs des bisher Unbeachteten gestanden habe. Die Königssalbung durch seinen Stamm Juda in Hebron bringt dann, ganz so wie die auf mühsamen Verhandlungswegen erreichte Anerkennung und Salbung »vor Jahwe« durch die Ältesten Israels (der Nordstämme) in Hebron (2Sam 5, 3), auch hier das Element der Akklamation. In dieser anerkennt das Volk den ihm von Jahwe als נגיד *nāgīd* (5, 2) Gezeigten und beantwortet darin die Tat Jahwes. Designation durch den Gottesmann, Geistbegabung, Bewährung im kriegerischen Erfolg, Akklamation des Volkes und Salbung zum König ist nach der heute vorliegenden Endgestalt der Aufstiegsgeschichte Davids der Weg, unter dem auch sein Königtum verstanden sein soll. Auch hier ist noch zu erkennen, wie die Aufstiegsgeschichte Davids (1Sam 16 – 2Sam 5) hinter allem das Gesicht Jahwes, des Gottes Israels, sichtbar zu machen sucht, den Israel von der Herausführung aus Ägypten her kennt. Im Kampf gegen Goliath tritt David für die »Schlachtreihen des lebendigen Gottes« ein (17, 26. 36), die von dem ungefügen Philister gelästert worden sind. Er führt »die Kriege Jahwes« (1Sam 18, 17; 25, 28). Jahwe wirkt durch ihn »große Rettung« an Israel (19, 5). Als ein Jahwebescheid werden 2Sam 3, 18 von Abner die Worte zitiert: »Durch die Hand Davids, meines Knechtes, werde ich mein Volk Israel aus der Hand der Philister und aus der Hand aller ihrer Feinde erretten«. Von daher ergibt sich die Akklamation der Ältesten Israels, die ebenfalls ein Jahwewort zitieren: »Jahwe sprach über dich: Du sollst mein Volk Israel weiden und sollst נגיד *nāgīd* sein über Israel« (2Sam 5, 2). Gerade hier, wo die einzelnen Schritte im Aufstiegsweg Davids noch so deutlich sind und sich alles auf ganz normalen politischen Wegen zu entwickeln scheint, ist es besonders eindrücklich, wie die at. Überlieferung dieses äußerlich doch so ganz andere Geschehen unter die gleichen Akzente rückt, wie den Weg des ersten Israelkönigs Saul.

Nochmals ganz anders ist der Aufstiegsweg des dritten Israelkönigs, Salomos. Die Erzählung von der Thronnachfolge Davids mit ihrer nüchternen und keiner falschen Heroisierung verfallenen Darstellungsweise verschweigt nicht, daß dieser aus einer in Ehebruch und Mord zustandegekommenen Ehe geboren worden ist. Sie verschweigt nicht die Wege der Intrige am Hofe des alten David, die zu der von David angeordneten Thronfolge Salomos und seiner Salbung am Gihon durch den Priester Zadok geführt haben. Und doch will die knappe Feststellung über Salomo: »Jahwe liebte ihn« und die Zusatzbemerkung, daß Nathan dem Kind, das ihm zur Erziehung übergeben war, »um Jahwes willen« den Namen Jedidja, d. h. »Liebling Jahwes«, gegeben habe (2Sam 12, 24f.), das Rätsel festhalten, daß auch in all diesen Irrungen und Wirrungen die Hand Jahwes die Entscheidung geführt hat. Auch Salomos Königtum ruht danach letzten Endes in einem Entscheid Jahwes, dessen innere Begründung allerdings ganz im Dunkel gelassen wird. Von der Besonderheit, daß hier nun erstmals der Sohn auf den Vater folgt, wird noch zu sprechen sein.

Alt hat gezeigt, daß sich der Typus der freien Königswahl, in welcher das Volk jeweils demjenigen die Akklamation zuteil werden ließ, der durch sein Charisma dafür ausgewiesen war, im Nordreich auch weiterhin grundsätzlich erhalten hat.

So fehlen denn hier auch nicht die Nachrichten über den Vorgang prophetischer Designation, welche dem Thronantritt vorausgeht: 1Kön 11, 29ff. für Jerobeam I. Der gleiche Prophet Ahia von Silo kündet nach 1Kön 14, 14 im Zusammenhang eines Gerichtswortes einen neuen König, der dann in Baesa in Erscheinung tritt, an, vgl. auch das Wort des Propheten Jehu 1Kön 16, 1—4. Die Designation des neuen Herrschers durch einen Prophetenschüler Elisas berichten 2Kön 9, 1ff. Daß dazwischen auch einmal der Sohn dem Vater nachfolgen konnte, mag sich in der Abfolge Omri-Ahab daraus erklären, daß in Ahab ein für dieses Amt fähiger Mann bereitstand. In den fünf Generationen des Hauses Jehu dagegen erklärt es sich aus der allgemeinen Erschöpfung des Landes durch die Syrerkriege. Sobald sich unter Jerobeam II. eine politische Erholung einstellte, ist auch wieder der alte freie Wechsel erkennbar, in dem Jerobeams Sohn Sacharja nach kurzer »Wartezeit«, wie schon die früheren Königssöhne Nadab (1Kön 15, 25ff.) und Ela (1Kön 16, 8ff.), von einem neuen Mann, bezeichnenderweise wieder einem militärischen Führer, weggefegt wird. In der Jahweklage bei Hosea: »Sie machen Könige, doch nicht von mir aus, sie setzen Fürsten — ich weiß nichts davon« (8, 4) kommt nicht nur der Zerfall dieses Entscheidungsmodus, der nun einfach von der Macht her bestimmt ist, zum Ausdruck, sondern ganz ebenso das Wissen des Propheten, daß die rechte Königswahl in Israel von der Frage nach dem Jahweentscheid bestimmt sein sollte. Sehr schön formuliert, wie früher erwähnt, das »Königsgesetz« Dtn 17, 14ff., das die Nordreichsverhältnisse voraussetzt, die richtige Art der Königswahl: »Du sollst einen König über dich setzen (שׂים *śîm*), den Jahwe, dein Gott, erwählt (בחר *bḥr*)«. Die »Erwählung« ist Sache Jahwes. Im Achten auf diese Wahl, mag sie nun durch Prophetenwort oder durch hinhorchendes Aufmerken auf den in seinem Tun von Jahwe her Beglaubigten geschehen, »setzt« sich Israel seinen König. Das Königsgesetz von Dtn 17 ist auch darin ganz aus dem Glauben Israels heraus geboren, daß es dem König, wohl schon auf gemachte Erfahrungen hin, verbietet, sich viele Frauen, großes Rüstungsgut und viel Gold und Silber zu beschaffen. All dieses würde sein Herz und sein Vertrauen von der Bindung an Jahwe allein abziehen. Es wird dem König verboten, auf dem Wege der Rüstungsbeschaffung Menschen nach Ägypten (als Söldner, Sklaven) zu verschachern. Das hieße die uranfängliche Heilsgeschichte mit ihrer Herausführung Israels aus Ägypten rückgängig machen. Und eine jüngere Ergänzung schärft dem König im besonderen ein, das (dtn.) Gesetz Jahwes aufzuschreiben und regelmäßig zu lesen. In diesen das Königtum bejahenden Regelungen klingt unverkennbar auch schon das kritische Mißtrauen gegenüber einem selbstherrlich werdenden Königtum an, das Jahwe aus seinem Königsrecht über Israel verdrängt. Von konkreten Erfahrungen in dieser Hinsicht her ist die eingangs erwähnte königskritische Haltung zu verstehen. Es darf aber nicht übersehen werden, daß auch diese königskritische Darstellung festhält, daß Jahwe (durch Losentscheid) den König Saul erwählt (בחר *bḥr*), woraufhin die Akklamation des Volkes geschieht (1Sam 10, 24).

Einen anderen Weg hat das Königtum im Südreich Juda genommen. In einer erstaunlichen Kontinuität hat sich hier die Familie Davids auch in ihren schwachen Vertretern durch die vier Jahrhunderte der Existenz des Königtums in Jerusalem gehalten. Man wird dafür im Zusammenhang geschichtlicher Erwägungen die Tatsache ins Feld führen, daß es David gelang, sich in Jerusalem, das nach 2Sam 5, 6ff. von seinen Söldnern erobert und dann von ihm zur »Stadt Davids« gemacht wurde, eine unangreifbare »Hausmacht« zu schaffen. Analoges hat später Omri im Nordreich mit der Gründung Samarias versucht (1Kön 16, 24), ohne allerdings seiner Familie auf die Dauer die Stabilität der Jerusalemer Davididen geben zu können (2Kön 9f.). So genügt denn die machtpolitische Erklärung allein zum Verständnis der geschichtlichen Lebenskraft des Davidhauses nicht. Diese ist tiefer verankert. Es fällt in der Daviderzählung, wie sie heute vorliegt, auf, daß nicht nur zu Beginn ein Prophetenwort ihn zu einem Königtum, das demjenigen Sauls gleicht, beruft, sondern daß ihm in der Mitte seiner Regierungszeit ein zweiter Prophet mit einem neuartigen Wort entgegentritt. Nach 2Sam 7 geht es, wie immer die literarische Schichtung dieses Kapitels zu beur-

teilen sein mag, auf jeden Fall um eine Zusage des Propheten Nathan an David, die seinem Hause von Jahwe her Dauer verspricht. Sie ist mit der Abwehr des Planes Davids, Jahwe in Jerusalem ein (Tempel-)Haus zu bauen, verbunden. »Nicht du solllst mir ein Haus bauen – ich will dir ein Haus bauen«.
Von dieser Zusage an das Haus Davids her ist es zu verstehen, daß in der Folge in Juda nie ein Prophet auftritt, der einem Manne neu die Königswürde zusagte. Die Salbung Salomos geschieht nach 1Kön 1 durch den Priester Zadok, nicht durch den Propheten Nathan (dessen Nennung in 1, 34 ist nicht ursprünglich, vgl. 1, 39). Daß Nathans Wort im »israelitischen« Juda angenommen worden ist, zeigt sich weiter darin, daß bei Störungen in der Thronfolge in der Stadt Jerusalem, dem Bereich der Hausmacht des Davididen, gerade der Landadel aus Juda korrigierend und die Ordnung wieder aufrichtend eingreift, vgl. 2Kön 21, 24; 23, 30. Besonders bezeichnend ist die verschiedene Reaktion von Stadt und Land bei der Beseitigung der Königin Athalja 2Kön 11, 20.
Mit der Dynastiebildung dringt ein neues, Kanaan vertrautes, Israel aber bisher unbekanntes Element ins Königtum ein. Hier gehen nun auch die Tore zur Übernahme fremden Königsrituals weit auf.

Die Vermutung hat viel für sich, daß David in seinem zweiten Priester Zadok, der nun neben dem Eliden Abjathar auftritt, einen Vertreter altjerusalemischer Tradition in den Priesterdienst vor der Lade Jahwes aufgenommen hat. Zu dieser Jerusalemer Tradition gehört die Gestalt Melchisedeks, jenes früheren Priesterkönigs in Jerusalem, der nach Gen 14, 18—20 dem Abraham entgegengetreten ist, ihn gesegnet und von ihm den Zehnten bekommen hat.
Die Psalmensammlung enthält eine Reihe von Königspsalmen, unter ihnen zwei, die auf das Geschehen am Tage der Thronbesteigung des Jerusalemer Königs aus dem Hause Davids führen. In Ps 110 werden zwei Gottessprüche zitiert, die zu diesem Anlaß über den jungen König ausgesprochen wurden. Der erste, 110, 1, spricht dem König die Mitregentschaft mit Jahwe zu. 1Kön 2, 19 zeigt, daß solches im irdisch-politischen Bereich im Zeremoniell des Hofes durch die Hinsetzung eines Thronsitzes zur Rechten des Königs zum Ausdruck gebracht wurde. So sagt der Gottesspruch von Ps 110, 1: »Setze dich zu meiner Rechten, bis daß ich alle deine Feinde zum Schemel deiner Füße hinlege«. Der zweite Gottesspruch aber, der im Schwur zugesagt wird, lautet: »Du bist ein Priester nach der Art Melchisedeks«, und fügt daran nochmals die Zusage, daß Jahwe die Feinde des Königs vernichten werde. In Ps 2, der im Stil der Großreichherrscher gehalten ist, wird in einem ersten Gottesspruch wider alles Toben der Völker versichert: »Habe ich doch meinen König eingesetzt auf meinem heiligen Berge Zion« (2, 6). Dann aber wird in einem zweiten Spruch, in dem man die Analogie zum ägypt. Königsprotokoll finden möchte, dem jungen König gesagt: »Du bist mein Sohn, heute habe dich gezeugt«. Hier ist die in Ägypten übliche Bezeichnung des Königs als des Sohnes Gottes zu finden, allerdings in bezeichnender Brechung. Indem seine Zeugung anders als an der Tempelwand von Luxor nicht in die Zeit vor der Geburt des Königs zurückverlegt, sondern mit dem »Heute« auf den Tag der Thronbesteigung bezogen wird, erscheint das Ganze als adoptianischer Akt. Nicht physische Zeugung, wohl aber die göttliche Deklaration am Thronbesteigungstage macht den König zum »Sohn Gottes«. In Nordisrael, wo am Hofe trotz der anderen Begründung des Königtums Elemente des Königsrituals auch nicht gefehlt haben werden, ist man nach Ausweis des Hochzeitsliedes Ps 45, des einzigen sicher aus dem Nordreich stammenden Königspsalmes, sogar noch einen Schritt weitergegangen und hat nach Ausweis von v. 7 den König geradezu als »Gott« (אלהים *'aelōhīm*, nicht »Jahwe«!) bezeichnet. Daß auch in Jerusalem die Sitte der hohen Thronnamen nicht unbekannt war, zeigt die »messianische« Stelle Jes 9, 5f., wo man die »Geburt« des Kindes auch nach Ps 2 verstehen möchte und wo dann die Thronnamen: »Wunderrat, Gottheld, Ewigvater, Friedefürst« lautwerden. Diese lassen in der Gottesbezeichnung wie in der Friedens- (= Heils-)Zusage u.a. Elemente der Umwelt erkennen. Im »Wunderrat« enthalten sie daneben aber auch wieder genuin-jesajanisches Wortgut, s. u. S. 173.

Ps 72 ist darin aufschlußreich, daß er mit dem gerechten Königtum (auch Ps 101) und der weltweiten Herrschaft des Königs auch Gedanken an die Wohlfahrt der Natur unter seinem Regiment verbindet. »Es wird Überfluß an Korn sein im Lande, auf den Höhen der Berge wird es rauschen« (ZB v. 16). In der messianischen Stelle Jes 11, 1ff. ist es in v. 6—8 mit den Farben des Paradieses geschildert, wie der Friede mächtig werden wird bis hinunter in die Tierwelt. In der ersten Hälfte jenes Wortes dagegen ist die weite Auffächerung des altisraelitischen Glaubens an die Geistbegabung des Königs auffallend. Nicht mehr die Dynamis, die einen Saul im aufflammenden Zorn zu kühner Tat bewegte, steht hier vor Augen, sondern das Charisma der Weisheit (vgl. auch 2Sam 14, 17—20) und Gerechtigkeit des Herrschers aus dem Wurzelstock Isais. Daß der König aber auch ohne die Überhöhung des Hofstils als der Hilfsbedürftige und nachher für erwiesene Hilfe dankende Verantwortliche im Jahwevolk gesehen wird, zeigen Ps 20f.

Man wird die Frage nach der theologischen Berechtigung der Übernahme der volltönenden, auf dem Boden der Großreichskönigtümer erwachsenen Aussagen des Hofstils stellen. Sie liegt für den at. Glauben darin, daß hinter der Herrschaft des Davididen, des kleinen palästinensischen Duodezfürsten, immer wieder die Herrschaft Jahwes, des Herrn aller Welt, auftaucht. So ist etwa in der Ausmündung des zum Thronbesteigungsfest des irdischen Königs gehörigen Ps 2 ganz voll nur noch von der Herrschaft Jahwes die Rede. Der König Israels macht den Herrschaftsbereich Jahwes auf Erden sichtbar. Am kühnsten ist das in der erzählenden Literatur von der Chronik zum Ausdruck gebracht, die in der Spätzeit das Wesen des Davidkönigtums göttlicher Verheißung darzustellen sucht. In der Wiedergabe der Worte Nathans an David von 2Sam 7, 16 formuliert 1Chr 17, 14 die Zusage Jahwes über den Davidnachkommen um zur Aussage: »Ich will ihn für immer über mein Haus und mein Königtum stellen«. 1Chr 28, 5 formuliert, daß Salomo »auf dem Thron der Königsherrschaft Jahwes« sitze, vgl. weiter 1Chr 29, 23; 2Chr 9, 8. Das ist die Auswirkung der »Erwählung zum Sohne«, wie 1Chr 28, 6 geradezu formulieren kann. Jahwes Sache auf Erden geschieht durch den von ihm erwählten Sohn. Die Königsherrschaft Jahwes erscheint hier in erregender Weise mit der Herrschaft des »Sohnes Davids« verbunden.
Neben den Glauben an die Erwählung des Davididen tritt früh schon der Glaube an die Erwählung des Zion, von dem in § 9 als dem erwählten Ort der Präsenz Jahwes zu reden war. Ps 132 macht diese Doppelerwählung besonders deutlich. Kraus will von hier aus geradezu auf ein »königliches Zionsfest«, das die Doppelerwählung in einem Fest vereinigte, schließen. Im erzählenden Bereich redet 1Kön 11, 13 von der Teilverschonung des von der Gerichtsansage betroffenen Hauses Salomos »um meines Knechtes David und um Jerusalems willen, das ich erwählt habe«.
In diesen hohen Aussagen über den König aus dem Hause Davids liegt, wie einige schon zitierte Stellen deutlich machten, eine Saat besonderer Art. In der Diskrepanz zwischen hoher Zusage und enttäuschender Empirie des tatsächlichen Königtums mußte sich die Erwartung angesichts des Glaubens an den in der Geschichte führenden Gott nach vorne werfen. Die Zusage an das Davidhaus wird so zum Mutterboden der messianischen Erwartung. Ps 89 zeigt das rätselnde Fragen, wie Jahwe es mit seinem Bunde mit seinem Gesalbten halten werde. Daß die Zusage an das Haus Davids auch mit der Kategorie des »Bundes« beschrieben werden konnte, war o. S. 47 erwähnt worden. Dieses Ausschauen

nach dem kommenden Davididen, der Recht und Gerechtigkeit, aber auch den Frieden bringen wird, spricht sich in den »messianischen« Worten des ersten Jesaja besonders deutlich aus. Es ist aber auch in den erweiternden Ergänzungen von Am 9, 11f. und Hos 3, 5, in Jer 23, 5f. und Ez 34, 23f.; 37, 24 zu finden. Sach 9, 9f. belegen es für die nachexilische Zeit, nachdem die glühende Gegenwartshoffnung auf den nach Jerusalem zurückgekehrten Davididen Serubbabel, die in Hag 2, 20ff., Sach 4 u.ö. erkennbar wird, zusammengebrochen ist. Das im NT zu vernehmende Geschrei zum »Sohne Davids« verrät, daß diese Erwartung, die keineswegs allenthalben in der Prophetie zu hören ist (s. u. S. 196), auch um die Zeitenwende in dem »Israel« jener Tage lebendig war. Sie schaut nach dem königlichen Davididen aus, in dem Rettung und verwirklichte Gerechtigkeit auf dem Throne der Gottesherrschaft auf Erden volle Gestalt gewinnen und das Königtum auf Erden nicht mehr gegen das Königtum Gottes stehen wird.

A. Alt, Die Staatenbildung der Israeliten in Palästina, 1930 (= Kleine Schriften II, 1953, 1—65). — *K. H. Bernhardt*, Das Problem der altorientalischen Königsideologie im AT, Suppl. to VT 8, 1961 (Lit.). — *H. Brunner*, Die Geburt des Gottkönigs, 1964. — *H. Frankfort*, Kingship and the Gods, 1955². — *A. R. Johnson*, Sacral Kingship in Ancient Israel, 1955. — Myth, Ritual and Kingship, ed. by *S. H. Hooke*, 1958. — *W. Richter*, Die *nāgid*-Formel, BZ NF 9, 1965, 71—84. — *L. Schmidt*, Menschlicher Erfolg und Jahwes Initiative, WMANT 38, 1970. — *E. Kutsch*, Salbung als Rechtsakt im AT und im Alten Orient, BZAW 87, 1963. — *L. Rost*, Die Überlieferung von der Thronnachfolge Davids, BWANT 3. F. 6, 1926. — *G. von Rad*, Das judäische Königsritual, ThLZ 72, 1947, 211—216 (= Gesammelte Studien, ThB 8, 1958, 205—213). — *Ders.*, Erwägungen zu den Königspsalmen, ZAW 58, 1940/41, 216—222. — *H. J. Kraus*, Die Königsherrschaft Gottes im AT, 1951. — *S. Mowinckel*, He That Cometh, 1956.

d) Der Priester

Nach Jer 18, 18 hat Jeremia in seiner Gerichtsankündigung angesagt, daß dem Priester die Tora (Weisung), dem Propheten der דבר *dābār* (das Jahwewort) und dem Weisen die עצה *ʿēṣāh* (das weise Raten) ausgehen solle. In diesem Wort sind drei Gruppen im Volk und die Charismata, die für das Bestehen des Volkes von Bedeutung sind, genannt: Priester, Prophet und Weiser, die es mit Tora, Wort und Rat zu tun haben.

Zunächst ist vom Priester zu reden. Befragt man das AT nach der Herkunft und Entstehung des Priestertums, so scheint zunächst auf diese Frage eine eindeutige Antwort gegeben zu werden. Im Zusammenhang mit der Anweisung zum Bau des »Zeltes der Begegnung« und seines Zubehörs wird nach P in Ex 28 verordnet, daß Mose seinen Bruder Aaron und dessen vier Söhne zu Priestern machen und die einzelnen Stücke der priesterlichen Gewandung für deren »Investitur« herstellen solle. Ex 29 gibt Anweisungen für die Weihe der Priester. Ex 39f. und Lev 8 berichten den Vollzug des Angeordneten, und Lev 9 schildert Aarons erstes Opfer. Dazu finden sich in Num 3f. Anordnungen für die Leviten, die als Diener den Priestern bei ihrem heiligen Geschäft zur Seite treten sollen.

Diese eindeutige Antwort erfährt aber bei näherem Zusehen eine kräftige Komplizierung. Die Priestergestalt des Aaron mit seinen Söhnen fehlt im Gesetzbuch des Dtn völlig. Dafür redet Dtn 18, 1–8, wo das Priesteramt im Gottesvolk geregelt wird, vom Stamme Levi: »Ihn hat Jahwe, dein Gott, aus all deinen Stämmen heraus erwählt, daß er hintrete, im Namen Jahwes Dienst zu tun, er und seine Söhne«. Daneben möchte man den etwas älteren Bericht von Ex 32 halten, wo Aaron am Gottesberge in Abwesenheit des Mose das goldene Stierbild anfertigt und offenbar in priesterlicher Funktion ein Fest anordnet. Wie aber Mose vom Berg herabkommt, das Geschehene sieht und im Zorn die Tafeln mit dem Gottesgesetz zerschmettert, da sammeln sich auf seinen Ruf nach den Treugebliebenen die Leviten um ihn her und vollziehen ein blutiges Gericht an den Abtrünnigen. Aaron bleibt dabei in einem seltsamen Zwielicht außerhalb stehen. Den Leviten aber gebietet Mose nach diesem Geschehen: »Füllet heute eure Hand für Jahwe« (v. 29). Dieser auch in Mari (ARM II 13, 17) belegte term. techn. meint zunächst die »Zuweisung bestimmter Einkünfte aus einer bestimmten Amtstätigkeit« und wird dann Bezeichnung für die Bestallung zu einem Amt. Nach dieser Erzählung, die feindselig gegen Aaron gerichtet ist, sind die Leviten die wahren Jahwepriester. Aaron wird von ihr anders als dann in den jüngeren Genealogien nicht als Angehöriger des Stammes Levi verstanden. Auf diese Linie des levitischen Priesterdienstes ist auch der Levi-Spruch im Mosesegen Dtn 33, 8–11 zu rücken, der das besondere Privileg des Jahwedienstes Levis mit einer Tat der Bewährung, die an Ex 32, 25–29 anklingt, aber in Massa und Meriba lokalisiert wird, begründet. Näher bei P, aber doch wieder eigenständig ist die Priesterverordnung in der großen Schlußvision des Buches Ez (44, 6ff.), in welcher der Name Aaron nicht auftaucht, die Priester vielmehr als »Söhne Zadoks« bezeichnet werden. Ihnen sind die Leviten als die in der großen Krise der vorexilischen Zeit Schuldiggewordenen und darum zu niederen Dienstleistungen Verurteilten gegenübergestellt. Mit dieser zadokidischen Linie dürfte das Wort eines Gottesmannes gegen das sündige Haus Elis in 1Sam 2, 27–36 zusammengestellt werden, welches der Priesterfamilie in Silo einen »treuen Priester« ankündigt, der nach dem Herzen Jahwes handelt und lebenslang vor dem Gesalbten Jahwes wandeln wird. Darin wird Zadok, jener wohl aus jebusitischem Kanaanäertum stammende Priester, den David an die Seite des Elinachkommen Abjathar gestellt hat, gemeint sein. In der Verbannung Abjathars durch Salomo hinaus nach Anathoth (1Kön 2, 26f.) und der Anerkennung Zadoks als des einzigen wahren Jerusalemer Priesters dürfte die Einlösung dieser Drohung geschehen sein.

Die paar erwähnten Hauptstellen lassen auf eine starke Bewegung in der Vorgeschichte des schließlich auf einer genealogischen Linie Levi-Aaron-Zadok uniformierten Priestertums schließen. Diese Vorgeschichte ist keineswegs schon voll aufgehellt. Man hat es zweifellos mit sehr verschiedenen Wurzeln des Priestertums in Israel zu tun. An den ursprünglich kan. Heiligtümern wird man mit nichtisr. Priesterfamilien rechnen müssen. Gehört Aaron als Ahne der Priesterschaft von Bethel, die dann bei dem goldenen Stierbild Dienst tat, zunächst in diese Kategorie? Mit großer Wahrscheinlichkeit ist Zadok ihr zuzurechnen. Demgegenüber weist der Levispruch Dtn 33, 8—11, der von den Wüstenorten Massa und Meriba redet, in die vorkan. Vorgeschichte der Israelstämme zurück. Einzelne Leviten, welche der »Levitenregel« (Gunneweg) der Landbesitzlosigkeit verschrieben sind, begegnen in der vorköniglichen Zeit in Ri 17f. und 19—21. Ri 17f. zeigen, daß man einen solchen Leviten sich gerne zum Priesterdienste anwarb. Die dt. Forderung, daß alle Priester »levitische Priester« sein sollten, hat sich aber nicht durchgesetzt. Durch die Kultzentralisation in Jerusalem unter Josia hat die zadokidische Priesterschaft in Jerusalem ein großes Übergewicht bekommen. 2Kön 23, 9 belegt, daß sie die volle Opferberechtigung der Priester der Landheiligtümer, welche Dtn 18, 6—8 mindestens für die Leviten unter ihnen gefordert hatte, nicht gewährt hat. Der nicht vom Propheten Ezechiel selber stammende Entwurf des Priester- und Levitenrechtes von Ez 44, 6ff. zeigt die schwere Spannung, die in der ausgehenden Exilszeit zwischen den beiden Gruppen herrschte und zu einer deutlichen Diffamierung der Leviten, die zu niederen Diensten am Heiligtum bestimmt wurden, führte. Die kleine Zahl der heimkehrwilligen Leviten zur Zeit Serubbabels (Esr 2, 40 = Neh 7, 43) und noch Esras (8, 15ff.) illustriert diesen Tatbestand sehr deutlich. Die Regelung von Num 3, welche die Leviten nun nicht mehr als Bestrafte, sondern unter dem ungleich edleren Aspekt der Stellvertretung für die auszulösenden Erstgeborenen im Volke zum Dienst am Heiligtum bestimmt, stellt dann einen offenbar auch für die Leviten erträglichen Kompromiß dar. Auf Spannungen zwischen dem Aufstiegswillen der Gruppe Korah, die nach den Überschriften von Ps 42; 44—49; 84f.; 87f. und 2Chr 20, 19 eine Gruppe der Tempelsänger darstellt, und den in Aaron verkörperten Vollpriestern deutet die Koraherzählung von Num 16. Andererseits übernimmt das Hohepriestertum, das sich in der nachexilischen Zeit voll herausbildet, in seiner von P geschilderten Amtstracht Insignien des untergegangenen Königtums (Kopfbund, »Blume« am Kopfbund, Brustschild, vgl. Noth).

Das Priestertum erscheint leicht als das Statisch-Amtliche im Gegensatz zu dem charismatisch freien Wort des Propheten. Jer 18, 18, welches die Priester-Tora unmittelbar neben das prophetische »Wort« als eine von Jahwe geschenkte, aber von ihm auch zu verweigernde Gabe stellt, vertritt darin eine andere Auffassung. Auch das priesterliche Tun ist von Jahwe geschenktes Charisma, das Israel und dem Einzelnen in Israel »Leben« vor Gott ermöglicht. Es gilt im Folgenden einen Überblick über dieses Tun zu gewinnen.

1. Der Levi-Spruch von Dtn 33, 8 stellt an den Anfang die Bitte an Jahwe: »Gib (c. T.) Levi deine Tummim (תמים *tummīm*) und deine Urim (אורים *'ūrīm*) dem Manne deiner Huld«. Mit dieser Doppelbezeichnung ist das hl. Los, das dem Priester in besonderer Weise anvertraut ist, gemeint. Die genaue Deutung der Bezeichnung ist unsicher. Ist Urim mit אור *'ōr* »Licht« zu verbinden (Luther: »Licht und Recht«) oder mit dem Stamme ארר *'rr* »verfluchen«, dem dann das von תמם *tmm* »ganz, intakt, unversehrt sein« hergeleitete Gegenwort Tummim gegenübersteht? Deutlich ist, daß es sich um eine Form des Loses (Pfeile, bezeichnete Steine?) handeln muß, durch das eine Alternativfrage mit Ja oder Nein beantwortet wird. Anschaulich ist ein solcher Losvorgang in 1 Sam 14, 40ff. (nach LXX ergänzt) beschrieben. Der Priester, der das Los handhabt, ist danach im Feldlager dabei, um allenfalls auftretende Entscheidungsfragen mit diesem Mittel der Gottesbefragung zu beantworten. 1Sam 28, 6 erwähnt drei Wege des Gottesbescheides, die dort alle dem Saul eine Antwort verweigern: Träume, Urim, Propheten. Wieder zeigt die Einbettung dieser priesterlichen Gottesbefragung zwischen die Gottesbescheide im Traum oder durch Prophetenwort, daß das hl. Los für den Glauben Israels keineswegs eine neutral technisch zu handhabende Möglichkeit ist, sondern ein Ort, an dem Jahwe in seiner Freiheit redet. Daß das hl. Los nicht einfach technisch verfügbar ist, läßt noch Esr 2, 63 (= Neh 7, 65) erkennen. Nach der Rückkehr einer Gruppe aus dem Exil wird die Frage, ob Familien, die ihren Stammbaum-Nachweis verloren hatten, priesterlicher Herkunft seien, vom Statthalter ausgesetzt, »bis wieder ein Priester mit Urim und Tummim aufsteht«. – Zu der von P beschriebenen hohepriesterlichen Tracht Aarons gehört nach Ex 28, 15–30 noch eine mit zwölf Edelsteinen, auf denen die Namen der Stämme stehen, kostbar verzierte Tasche, in welcher die Urim und Tummim liegen.

Zu dieser Tracht gehört nach Ex 28 auch das Ephod, das in den Berichten aus der Saul-David-Zeit eine auffallend ähnliche Funktion hat wie das hl. Los, vgl. etwa 1Sam 14, 18 (LXX) oder 1Sam 23, 9; 30, 8, wo David den Gottesbescheid durch das vom Priester getragene Ephod erhält. Im Ornat Aarons, wo es ebenfalls ein Kleidungsstück darstellt, ist es von der Lostasche unterschieden. Eine Erschwerung seiner Deutung liegt darin, daß in Ri 8, 24ff. (Gideons Ephod) an ein geformtes Gottesbild gedacht sein dürfte. So stellt sich die Frage, ob man mit den zwei verschiedenen Formen des Priester-Ephod seinerseits und einem Gottesgewand, von dem dann ein Gottesbild den Namen bekommen hat, andererseits rechnen muß (so Elliger, anders Friedrich).

Die priesterliche Beantwortung konkreter Alternativfragen durch Los und Ephod in geschichtlichen Entscheidungssituationen führt strukturell auffallend nahe an das prophetische Bescheidgeben von 1Sam 22, 5 heran. Daß Priester- und Propheten-(Seher-)tum in der älteren Zeit nahe beieinanderliegen, wird u. S. 85 von anderer Seite her unterstrichen werden müssen. Auch der Priester ist mit seinem in Dtn 33, 8 an erster Stelle erwähnten Amt ein Hüter der Freiheit Jahwes, über die keine menschliche Entscheidung verfügen kann. Es ist in diesem Zusammenhang aufschlußreich, daß es in der nachexilischen Zeit, in welcher das Priestertum im »Hohenpriester« beim Wegfall des Königtums gesteigerte Bedeutung gewann, nicht, wie man es nach religionsgeschichtlichen Analogien erwarten möchte, zu einer breiten Entfaltung des Orakelwesens gekommen ist, die den Priester zum mächtigen Handhaber der Gottesentscheidung gemacht hätte. Das hl. Los hat es im AT, solange es geübt worden ist, mit der einfachen Ja-Nein-Frage zu tun. Esr 2, 63 scheint darauf zu deuten, daß die nachexilische Zeit nicht mehr die Vollmacht zu haben glaubte, diese Form der Gottesbefragung zu üben.

2. Die priesterliche Aufgabe der Toraerteilung wird in Ez 44, 23 näher erläutert: »Sie sollen meinem Volke Weisung (Tora) geben über den Unterschied von heilig und profan, und über den Unterschied von unrein und rein sollen sie sie belehren« (vgl. auch Ez 22, 26). Ein anschauliches Beispiel solcher Torabelehrung bietet Hag 2, 11ff. Weil nach dem Glauben des ATs Jahwe ganz real in den Menschenbereich hereintritt, gibt es den zu scheuenden (Gen 28, 17a) »heiligen« (קדוש *qādôš*) Ort (Ex 3, 5; Jos 5, 15) neben dem »profanen« (חל *ḥōl*). Es gibt bis in den Bereich der Speise hinein Erlaubtes, »Reines« (טהר *ṭāhōr*), neben Verwehrtem, Gottfremdem, »Unreinem« (טמא *ṭāmē'*). Der Priester ist der wissende Hüter dieser Grenzen, der den Menschen etwa über die »Satzungen des Lebens« (Ez 33, 15), die von dem, der das Heilige betritt, beachtet sein wollen, belehrt. Die sog. »Eintrittstorot« oder »Torliturgien« (Ps 15; 24, 3–5, vgl. Jes 33, 14b–16) zeigen, welcher Ausweitung solche »Weisung« fähig ist. Nicht nur die für unser Empfinden in den Bereich des Medizinischen hineinreichenden Phänomene ansteckenden Aussatzes (Lev 13), die Differenzierung erlaubter und verbotener Speise (Dtn 14, 3ff.), die Art der Darbringung der Opfer (Lev 1ff.) fällt in den Bereich priesterlicher Weisung, sondern auch das zwischenmenschliche und gottesdienstliche Rechtverhalten des Menschen. Davon wird Teil III handeln. Solches

Torawissen wird nur in der echten Scheu vor Jahwes Heiligkeit gewonnen. Es ist ein böser Vorwurf, wenn Zeph 3, 4 formuliert: »Ihre Priester entweihen das Heilige, tun der Tora Gewalt an«.

3. Erst an dritter Stelle erwähnt der Levi-Segen (Dtn 33, 10b), was in der Regel als erstes mit dem Priesteramt verbunden wird: das Opfern. »Sie legen Weihrauch vor deine Nase und Ganzopfer auf deinen Altar«. Das Wissen um die Ordnungen des Heiligen mußte den Priester in besonderer Weise befähigen, mit dem Opfer in rechter Weise umzugehen. Ri 17f. läßt erkennen, daß es als besonderer Glücksfall empfunden wurde, wenn man an einem »Gotteshaus« (17, 5) einen Leviten zum »Vater und Priester« (17, 10) gewinnen konnte, vgl. auch v. 13. So entführen denn nach der ohne Zweifel polemisch karikierenden Erzählung von Ri 17f. die vorbeiziehenden Daniten nicht nur das Gottesbild des Micha, sondern auch seinen Priester und machen ihn zum Priester ihres Stammesheiligtums in Dan. In 18, 30 scheint noch die Nachricht durch, daß sich die Priesterschaft in Dan von Mose herleitete.

In den gottesdienstlichen Ordnungen des P tritt das Opfer ganz in den Vordergrund. Bei der Scheidung der Priester und Leviten in Ez 44, 6ff. und P wird der Opferdienst den Priestern vorbehalten, während die Leviten lediglich die niederen Hilfsdienste zu versehen haben. Vgl. auch die levitischen Tempelsänger und Schwellenhüter von 1Chr 25f. Die in älterer Zeit belegte Opferdarbringung durch einen Nichtpriester wird in jüngerer Zeit unmöglich. Auch aus dem königlichen Amt wird die Funktion des »Priesters«, die Ps 110 noch nach dem Vorbild des Priesterkönigs Melchisedek dem jungen König beim Thronantritt zusprach, ausgegliedert. Belegt noch 1Kön 8, 62ff., daß Salomo bei der Tempelweihe Opfer darbrachte, und erwähnt die Beamtenliste 2Sam 8, 18 Davids Söhne als Priester, so kann solches der nachexilischen Zeit nur als Sakrileg erscheinen. 2Chr 26, 16ff. erklären den Aussatz des Königs Ussia mit dessen Frevel, Räucheropfer darzubringen. Zu den Opferarten s. u. § 17.

4. In diesem Zusammenhange kann erwähnt werden, daß auch das gottesdienstliche Segnen der Gemeinde immer klarer als Privileg und Auftrag des Priesters bezeichnet wurde. Nach 1Kön 8, 55 segnet der König Salomo die zur Tempelweihe versammelte Gemeinde, so wie nach Gen 14, 19f. der Priesterkönig Melchisedek Abraham gesegnet hat. Dtn 10, 8 verordnet, daß der Stamm Levi die Bundeslade Jahwes trage, dienend vor Jahwe stehe und in seinem Namen segne. Das Tragen der Lade durch die Leviten, das P in Num 4 in all seine einzelnen Hantierungen differenziert, wird nach der von 1Chr 23, 25ff. entwickelten Theorie zur Zeit, da die Lade im Tempelhaus zur Ruhe kommt, in die niedrigeren Levitendienste umgewandelt. Das Segnen der Gemeinde dagegen ist nach P besonderes Vorrecht des Hohenpriesters Aaron und seiner Söhne. Sie legen nach der Formulierung von Num 6, 27 »den Namen Jahwes auf das Volk«, wenn sie die in v. 22ff. zitierten Worte des aaronitischen Segens sprechen.

5. Weniger klar ist zu bestimmen, in welcher Weise der Priester auch an der Rechtsprechung Israels beteiligt ist. So nennt Dtn 17, 8ff. in seinem vorliegenden Text Richter und Priester nebeneinander als mit dem Schlichten der Rechtshändel beauftragt. Auch Ez 44, 24 verordnet, daß die Priester in Streit-

sachen zu Gericht sitzen und sie nach Jahwes Rechtssatzungen entscheiden sollen. Die ältere Zeit kennt nach Ausweis von Ex 22, 7f. eine Einschaltung des Heiligtums in das Rechtsverfahren nur bei der Abklärung von Schuldtatbeständen, die sich sonst nicht klären lassen. Dtn 31, 9ff. und 27, 14ff. wissen von feierlichen Rechtsproklamationen vor der versammelten Gemeinde, in denen die Leviten eine bedeutsame Rolle spielen. Die volle Einschaltung der Priester in die Rechtsgeschäfte dagegen möchte man am liebsten erst der Zeit zuschreiben, in der die Eigenstaatlichkeit Israels dahingefallen ist.
Im Überblick über die Aussagen vom priesterlichen Amt wird man feststellen, daß es manche geschichtliche Verschiebung erfahren hat. Israel hat in ihm aber in steigender Eindeutigkeit ein von seinem Gott ausgesondertes Amt gesehen, das seinen Dienst in der Hut der Grenzen am Orte der göttlichen Präsenz, der Belehrung über den rechten Umgang mit dem Heiligen und der Vermittlung des von dort her verheißenen Segens zu tun hatte. In der nachexilischen Zeit ist dazu das Mittleramt der Sühnung, das im Tun des Hohenpriesters am großen Versöhnungstage (Lev 16) seine stärkste Verdichtung erfuhr, getreten. Dazu s. u. S. 112.
Die aus alter Zeit tradierte »Levitenregel« der Landbesitzlosigkeit, die Levi aus dem Segensgut der anderen Stämme heraushob, wird nun dahin interpretiert, daß in den Opferanteilen Jahwe selber sich zum besonderen »Erbgut« des von ihm ausgesonderten Stammes Levi gemacht habe (Dtn 10, 9; 18, 2; Ez 44, 28; Num 18, 20). Die vertiefende Sublimierung des Leviten-Satzes: »Jahwe ist mein (Land-) Anteil« in der Psalmfrömmigkeit (16, 5f.; 73, 26) hat G. von Rad eindrücklich herausgestellt.

A. Cody, A History of OT Priesthood, 1969 (Lit.) — *A. H. J. Gunneweg*, Leviten und Priester, FRLANT 89, 1965. — *M. Noth*, Amt und Berufung im AT, 1958 (= Gesammelte Studien, ThB 6, 1960², 309–333). — *W. Zimmerli*, Erstgeborene und Leviten, Festschr. W. F. Albright, 1971, 459—469 (= Studien zur at. Theologie und Prophetie, ThB 51, 1974, 235—246). — *J. Begrich*, Die priesterliche Tora, BZAW 66, 1936, 63—88 (= Gesammelte Studien, ThB 21, 1964, 232—260). — *K. Elliger*, Ephod und Choschen, VT 8, 1958, 19—35 (= Festschr. F. Baumgärtel, 1959, 9—23). — *I. Friedrich*, Ephod und Choschen im Lichte des Alten Orients, 1968 (Lit.).

e) Der Prophet

In dem Wort Jer 18, 18 über den Entzug der Charismata im Volke Jahwes nennt Jeremia an zweiter Stelle das »Wort« (דבר *dābār*) des Propheten. Auch Am 2, 11 wertet die Propheten zusammen mit den (charismatischen) Nasiräern als vorzügliche (vom Volk hinterher mißachtete) Heilsgaben Jahwes an sein Volk. Vgl. auch Jer 7, 25 u.ö. Unter dieser Perspektive der Gabe Jahwes an sein Volk und unter der Frage, wie Jahwe in dieser Gabe seinem Volke entgegentritt, soll nun vom Propheten die Rede sein. Die speziellen Gehalte der schriftprophetischen Verkündigung werden in § 21 zur Sprache kommen.

Das Phänomen der Prophetie ist vielgestaltig. 1Sam 9, 9 belegt, daß das AT selber von der Mehrgestaltigkeit des Phänomens schon im Bereich der sprachlichen Bezeichnung weiß. »Früher sagte einer, wenn er hinging, Gott zu befragen: Auf, wir wollen zum Seher (ראה *rō'äeh*) gehen. Denn wer heute Prophet (נביא *nābī'*) genannt wird, den nannte man zuvor Seher«. So kennt denn

die ältere Zeit als »Gottesmann« (unter dieser Allgemeinbezeichnung können die verschiedenen Phänomene zusammengefaßt werden) auf der einen Seite die Gestalt des »Sehers«, für den neben ראה *rō'āēh* die Bezeichnung חזה *ḥōzāēh* tritt. Die letztere wird in der Chronik in reichem Maße für den Propheten gebraucht. Daneben steht die Bezeichnung נביא *nābī'*, die nach ihrer Bildung neben die alten Titel des נגיד *nāgīd* und נשׂיא *nāśī'* zu stellen ist. In ihrer Deutung steht passives Verständnis als »Berufener« neben dem aktiven »Rufer, Sprecher«. Neben den Einzelgestalten, bei denen wie bei Samuel (1Sam 9) etwa Nachfrage nach dem Verbleib verlaufener Eselinnen gehalten werden kann, steht das Gruppenphänomen der »Prophetenbande« (1Sam 10, 5. 10). Diese Propheten-Seher können mit Heiligtümern verbunden sein. Von der Prophetin Mirjam, welche das Siegeslied anstimmt (Ex 15, 20f.), von dem wilden Musikspiel der Prophetenbande von 1Sam 10 und der Bemerkung 2Kön 3, 15, daß unter dem Spiel der Musik die Hand Jahwes über Elisa kommt, so daß er Gotteswort kündet, führt die Linie bei fehlenden Zwischengliedern herunter zum Spiel der Tempelsänger, das 1Chr 25, 1f. als נבא *nb'* (niph.) bezeichnet wird. Auf die Nähe zum gottesdienstlichen Leben führt auch die Erwähnung der Fürbitte als eines besonderen Amtes der Propheten (Jer 14f., von Rad, anders Macholz). Es geht aber keinesfalls an, die Prophetie durchgehend, auch in den großen Gestalten der Schriftprophetie, einfach als »Kultprophetie« in Anspruch zu nehmen. Vgl. die besonnene Darstellung von Johnson.
Das AT selber weiß, daß das Phänomen der Prophetie nicht auf Israel und das Jahwevolk beschränkt ist. Neben dem Seher Bileam, der von ferneher geholt wird, um Israel zu verfluchen (Num 22—24), steht die Schar der Baalspropheten, mit der Elia es nach 1Kön 18 auf dem Karmel zu tun hat. Daß der altarabische Seher als *kāhin* bezeichnet wird, führt, was sich S. 82 von anderer Seite her ergab, darauf, daß die Wurzeln des Seher- und Priestertums (כהן *kōhēn*) nicht zu ferne voneinander liegen. Die Gestalt eines in Verzückung geratenen »Propheten« im alten Byblos begegnet im Reisebericht des Wen-Amon (AOT[2] 72). Von עדדן *'ddn* »Zählern« und חזין *ḥzjn*, durch welche der Himmelsbaal Antwort erteilt, redet die aram. Zkr-Inschrift (um 800 v. Chr., KAI 202 A 12). Vor allem aber ist in neuerer Zeit aus den Mari-Briefen eine Prophetie bekannt geworden, in welcher das seherische und das ekstatische Moment gleichermaßen vorkommen und kultgebundene neben kultfreien Personen erkennbar werden (Ellermeier).

Anders als beim (Jerusalemer) König und Priester, darin dem Retter-Richter und Nasiräer gleich, vererbt sich das Amt des Propheten, da wo er uns als Einzelgestalt begegnet (anders als bei den Tempelsängern), nicht vom Vater auf den Sohn. Zum Propheten wird einer berufen. 1Kön 19, 19f. berichten, daß Elia den Elisa durch Überwerfen seines Prophetenmantels in sein Gefolge und darin zum Propheten berufen habe. Danach scheint der Ruf in die Nachfolge vom prophetischen Meister auszugehen. Die Wahrnehmung, die sich vor allem in den Elisa-Geschichten 2Kön 4; 6 aufdrängt (vgl. aber auch 1Sam 19, 18ff.), daß es »Prophetenschulen« gegeben hat, läßt es als nicht unmöglich erscheinen, daß »Berufung« dieser Art ausgeübt worden ist. Als der eigentlich Berufende will aber auch bei Elisa Jahwe selber verstanden werden. Dieser hat nach 1Kön 19, 16 Elia befohlen, Elisa zum Propheten zu salben. Da der Vollzug hinterher sehr anders aussieht, die Aussage von der »Salbung« des Propheten auch nur noch in Jes 61, 1 gemacht wird, ist mit übertragenem Gebrauch des Wortes zu rechnen. Bedeutsam ist aber, daß die Berufung aus dem Entscheid Jahwes stammt. 2Kön 2, 9f. fügen ergänzend hinzu, daß die besondere Ausstattung Elisas mit dem (doppelten) Erstgeburtsanteil am Geist Elias nochmals Gottes und nicht Elias eigener Entscheid ist. So findet sich denn schon bei Samuel (1Sam 3), aber dann auch bei den großen Propheten meist der ausdrückliche Hinweis auf die Berufung durch Jahwe (Jes 6; Jer 1; Ez 1, 1–3, 15; Jes 40, 6–8). Auch Am 7, 14f. enthält, wie immer man das Wort dann des näheren deutet, diesen Hinweis.

Man möchte angesichts dieser entschlossenen Verlegung der Berufung in den Entscheid Jahwes erwarten, daß die Propheten von der »Erwählung« zu ihrem Amt durch Jahwe sprächen. Eine Aussage in dieser Richtung enthält, wie schon erwähnt, Jer 1, 5, wo Jahwe Jeremia sagt: »Bevor ich dich gebildet habe im Mutterleib, habe ich dich erkannt (ידע *jd'*), bevor du aus dem Mutterleib herausgingst, habe ich dich geheiligt (d.h. als mein Sondereigentum ausgesondert), zum Propheten für die Völker habe ich dich gemacht«. Angesichts dessen fällt auf, daß das Dtn, das mit der Erwählungsaussage doch so verschwenderisch umgeht, in seinem Prophetengesetz (s. u.) die Rede von der Erwählung (בחר *bḥr*) des Propheten vermissen läßt. Erst Jes 42, 1, wenn es in dem dort genannten »Knecht Jahwes« um eine prophetische Gestalt geht, redet vom בחיר *bāḥîr*. Im Bewußtsein der Propheten selber spielen offensichtlich andere Kategorien eine Rolle, wenn sie von ihrem Verhältnis zu Jahwe reden.

In der Vor-Schriftprophetie ist es vor allem die Kategorie der רוח *rûaḥ*, die schon beim Retter-Richter und beim König anzutreffen war. Im »Geist Jahwes« ist nicht in idealistischer Interpretation eine intellektuelle »Geistigkeit«, die beim Propheten da wäre, zu finden. Vielmehr meint »Geist Jahwes« (oder: »Gottes«) auch hier wie schon beim Retter-Richter und König ein dynamistisches Phänomen, das den Propheten von Jahwe her überwältigt und zu Leistungen antreibt, die im nüchternen Alltagsleben nicht möglich wären. Nach 1Sam 10, 6. 10 springt der Jahwegeist, der die Propheten unter dem Antrieb der Musik von der Höhe herabstürmen läßt, auf den jungen Saul über, so daß auch er in prophetische Verzückung gerät. Nach 1Sam 19, 20ff. ist es der »Gottesgeist« der Prophetenschüler um Samuel, der zunächst Sauls Boten und dann ihn selber erfaßt, so daß er sich die Kleider vom Leibe reißt und schließlich erschöpft niederfällt. Beide Stellen wollen die seither eingebürgerte Redewendung: »Ist auch Saul unter den Propheten?« erklären, die noch etwas von der Verwunderung der Menschen widerspiegelt, die Saul in dieser ungewöhnlichen Gesellschaft der Propheten finden. Nach 2Kön 2, 16 halten die Prophetenschüler von Jericho es nach der Himmelfahrt Elias für möglich, daß der »Geist Jahwes« Elia gepackt (hochgehoben) und auf einen der Berge oder in eines der Täler verschlagen haben könnte.

Die dynamistische Komponente kommt noch stärker in der gleichsinnigen Rede von der »Hand Jahwes« zum Ausdruck. Diese packt nach dem Gottesurteil auf dem Karmel den Elia, so daß er in gestrecktem Lauf neben dem Wagen des Ahab her bis nach Jesreel rennt (1Kön 18, 46). Nach 2Kön 3, 15f. kommt die Hand Jahwes über Elisa, wie ihm Musik gemacht wird. Sie befähigt ihn in einer schwierigen Lage im Krieg zum Gottesspruch. Roberts weist darauf hin, daß in der Umwelt Israels vom Zugriff der »Hand der Gottheit« im Zusammenhang mit Krankheitserfahrungen geredet wird.

Es ist eine auffallende Erscheinung, daß die Rede vom prophetischen Geist bei den früheren Schriftpropheten gemieden wird. In Hos 9, 7 ist es einmal in der Polemik der Leute zu hören, daß sie Hosea als »Geist-Mann« (איש הרוח *'îš hārûaḥ*) bezeichnen. In Mi 3, 8 erweist das Metrum die Selbstaussage Michas, daß er vom Geist Jahwes erfüllt sei, als Zusatz. Erst bei Ezechiel, der von daher auffallend archaisch wirkt, wird ganz wie in der Vor-Schriftprophetie vom Geist geredet, der den Propheten »aufhebt« (נשא *nś'* 3, 12. 14; 8, 3 u.ö.), ihn »wegrafft« (לקח *lqḥ* 3, 14), auf ihn »fällt« (נפל *nfl* 11, 5) oder ihn »hinbringt« (הביא *hēbî'* 8, 3; 11, 1. 24a; 43, 5).

Das »Geist-Schweigen« der älteren Schriftprophetie ist wohl im Lichte von Hos 9, 7 (und 2Kön 9, 11) als bewußte Abgrenzung von den absonderlichen Geisttaten zu verstehen. Dabei kann auch die Tatsache eine Rolle spielen, daß diese Propheten von der Botschaft Jahwes so unmittelbar mit Beschlag belegt sind, daß die Reflexion auf den mediatisierenden Geistbegriff bei ihnen entfällt. Vom harten »Zugriff der Hand« ist in Jes 8, 11 und vom lastenden Druck der göttlichen Hand in der Jeremia-Konfession 15, 17 die Rede.

Die alte Bezeichnung des Gottesmannes als »Seher« verrät, daß in der prophetischen Gotterfahrung auch die Schau eine Rolle spielt. Dieses Element, das sich mit dem Traumgesicht berühren kann, ist von Bileams Schau her über Elisa (Fernschau 2Kön 5, 26) bis zu den großen Propheten hin vorhanden (Jes 6; Am 7, 1ff.; Jer 4, 23–26; 24). Gegen den Traum als Mittel göttlicher Offenbarung ist Jeremia äußerst kritisch (Jer 23, 25–28). Sehr stark tritt das Element der Vision dann bei Ezechiel (1, 1–3, 15; 8–11; 37, 1–14; 40–48) und in dem Zyklus der ursprünglich 7, dann um 3, 1–7 auf 8 vermehrten Nachtgesichte Sacharjas heraus.
Schon in der Vor-Schriftprophetie aber, und vor allem dann in der klassischen Schriftprophetie, tritt das Element des Gotteswortes (דבר יהוה *d^ebar jahwǟh*), das in der Audition empfangen wird, beherrschend heraus. Aus dem Formelgut, in welches die prophetischen Botschaften eingebettet sind, heben sich die Formel des Botenspruches und die Gottesspruchformel besonders heraus. Die erstere hat ihren ursprünglichen Sitz im Leben im Zusammenhang der Botensendung, von der her dann auch das Formular des Briefes, der primär nicht als direktes Wort des Briefschreibers an den Briefempfänger, sondern als »Memorandum« für den Botschaftsüberbringer gedacht ist, gestaltet wird. So hebt etwa ein Brief des Statthalters Kibridagan an König Zimrilim von Mari an: »Zu meinem Herrn (d.h. Zimrilim) sprich: So sagt Kibridagan« (Ellermeier 29). In dieser Formel ist zunächst der Bote angeredet und mit der Botschaft beauftragt. Im Gewand des Boten tritt nun auch der Prophet auf. Sollte in dem כה אמר יהוה *kōh 'āmar jahwǟh* noch der Akzent des perf. Geschehens liegen (»so hat Jahwe gesprochen«), so würde in diesem Einsatz prophetischer Rede auf die Stunde des Botschaftsempfanges zurückgeblickt, aus welcher der Bote, der nun vor dem Volk steht, herkommt. Nicht aus einer mystischen Einheit mit Jahwe heraus redet danach der Prophet, wo er sein Wort in 1. pers. als Jahwes eigenes Wort aussagt, sondern im Verhältnis des Gesandten zu dem ihn Sendenden, in dem er von jenem das Wort empfangen hat. So ist denn auch die Gottesspruchformel נאם יהוה *n^e'ūm jahwǟh*, welche eine alte Seherformel sein mag (Num 24, 3), zu interpretieren. Neben der Aussage vom unmittelbaren Botschaftsempfang durch den einen Herrn ist bei den Propheten aber auch die Vorstellung lebendig, daß sie Botschaft aus dem himmlischen Beratungskreis Jahwes empfangen. 1Kön 22, 19–22 schildert diesen Kreis, aus dem dann allerdings zunächst eine רוח *rūaḥ* (hier: ein böser Geist) zu den Propheten hin entlassen wird. Hinter der plur. Rede von Jes 6, 8 dürfte dieselbe Vorstellung, die in Am 3, 7 und Jer 23, 22 unter ausdrücklicher Verwendung des Wortes סוד *sōd* (»vertrauliche Besprechung, Kreis von Vertrauten«) ausgesprochen wird, liegen.
Von der Botensituation her ist zu verstehen, daß die eigentliche Legitimation des Propheten in seinem Gesandtsein liegt (Ez 2, 3). Die gefährlichste Bestreitung eines Propheten liegt in dem Satz: »Jahwe hat dich nicht gesandt« (Jer 28, 15).

Im Botschaftsauftrag empfängt der Prophet ein »Wort« (דבר *dābār*). Das Wort ist denn auch in Jer 18, 18 als das Proprium des Propheten genannt worden. Das Ausbleiben des Wortes bedeutet das Ende des Botschafterdienstes. Das »Wort« kann dann geradezu mit der »Schau« gleichgesetzt werden, wenn etwa Jes 2, 1 formuliert: »Das Wort, welches Jesaja schaute« (neben 1, 1). So bedeutet ganz so auch das Ausbleiben der »Schau« das Ende des Botschafterdienstes (Mi 3, 6f.). Zum Prophetenwort ist des näheren folgendes zu sagen:

1. Es ist für die große Prophetie bezeichnend, daß sie nichts weiß von einer amorphen, nur stammelnden Zungenrede, die dann erst der Interpretation bedürftig wäre. Etwas vom ungeformten Rohmaterial der Rede könnte man höchstens noch in den zwei kauderwelschen Wortknäueln von Jes 8, 1 vermuten, die dann allerdings eine sehr klare Auslegung in eine bestimmte Situation hinein erfahren. Sonst aber ist das prophetische Wort immer wieder von einer nüchternen Klarheit. Alles Sich-wichtig-Machen mit geheimnisvoll undeutlichen Nebenerscheinungen ist Jeremia nach 23, 25f. 31 im tiefsten verdächtig.

2. Die zweite Eigenart des Wortes der großen Schriftpropheten liegt in seiner klaren Beziehung auf das geschichtliche Ergehen Israels. Am Rande dieses Ergehens können auch Fremdvölker angeredet werden. Die Fremdvölkerrede kann sich sogar zu einer gewissen Selbständigkeit verdichten. Aber im Zentrum der Botschaft der Propheten steht das Geschick Israels, zu dem der Prophet als Jahwes Bote redet. Dabei ist es deutlich, daß ganz konkret in bestimmte Zeitsituationen hinein geredet wird. Die Propheten entwickeln sich nicht zu Programmatikern oder etwa gar, wie Muhammed, zu Gestaltern politischer Gebilde und Herrschern in diesen Gebilden. Sie bleiben die an kurzer Leine gehaltenen, in bestimmte Zeitverhältnisse gesandten Boten. Das gilt auch noch von Ez 18, wo fälschlicherweise oft ein zeitabgelöstes Lehren gefunden wird, s. u. S. 189f.

3. Wenn einer aber feststellen möchte: So haben es die Propheten also *nur* mit Wort, gesprochener Botschaft zu tun, so wäre dieses »Nur« eine unzutreffende Bewertung. Die Propheten wissen von dem Wort, das Wirklichkeit schafft, ja schon in sich selber ein Stück vorweggenommener Wirklichkeit ist. »Wort« ist für den Propheten nicht nur Gedanke, Idee. Es ist Ereignis. Die oft zur Einleitung einer Worteinheit verwendete Formel: »Und es erging das Wort Jahwes an mich« will eben dieses Ereignishafte festhalten. Jes 9, 7 redet von dem »Wort, das niedergefallen ist in Israel«. Grether erläutert das mit dem kühnen Bild einer »Bombe mit Zeitzündung«. Jeremia vergleicht das Wort dem Feuer und dem Hammer, der Felsen zerschlägt (23, 29). Das Wort, welches sich in der prophetischen Verkündigung ereignet, schafft Wirklichkeit. Dieser Charakter der prophetischen Verkündigung als ein Ereignis, das Geschehnis vorwegnimmt, wird in den prophetischen Zeichenhandlungen (so wird man in Anlehnung an die at. Eigenaussage, etwa Ez 4, 3; 24, 24, besser sagen als »symbolische Handlungen«) besonders deutlich. Wenn Ahia von Silo seinen Mantel zerreißt und zehn von den zwölf Stücken an Jerobeam gibt (1Kön 11, 30f.), wenn Elisa den König Israels einen Pfeil nach Osten schießen und ihn nachher mit dem Pfeilbündel auf den Boden schlagen heißt (2Kön 13, 14ff.), wenn Hosea ein Dirnenweib heiratet und drei Kindern Verkündigungsnamen gibt (Hos 1), Jesaja drei Jahre lang

nackt herumläuft (Jes 20), Jeremia einen Topf am Scherbentor zerschmettert (19, 1ff.), Ezechiel nach dem Tode seiner Frau starr dasitzt und alle Trauerriten unterläßt (24, 15ff.) und Sacharja aus dem Golde, das Rückwanderer gespendet haben, eine Krone macht und sie Serubbabel (so im urspr. Text von 6, 9ff.) aufsetzt, so ist all dieses nicht nur didaktisch gemeinte Verbildlichung der mitfolgenden Botschaft, sondern selber schon Teil des kommenden Geschehens, das sich im Worte ankündet (Fohrer).

In einer Reflexion, welche das Ganze der Geschichte umspannt, wird dieser Charakter des göttlichen Wortes in den Worten, die rahmend um die Wortsammlung Dtjes' gelegt worden sind, zum Ausdruck gebracht. Aller Vergänglichkeit des Menschen und der Menschengeschichte wird in 40, 6–8 das Wort Jahwes entgegengestellt, das allem Vergehen entnommen ist und »(be)steht« (יקום *jāqūm*). In 55, 10f. ist die Wirkungskraft dieses Wortes mit der befruchtenden Kraft von Regen und Schnee verglichen. Wie jene wird es nicht zurückkehren, ehe es gewirkt hat, wozu es gesandt ist.

4. Es ist auch noch in der klassischen Prophetie zu sehen, wie der Prophet um Gottesbescheid und Fürbitte angegangen wird und da, wo es ihm nicht verboten ist, Fürbitte übt. Das eigentlich Kennzeichnende der großen Prophetie aber ist die Spontaneität, mit der sie aus der Freiheit Jahwes heraus ergeht. In ihren Ankündigungen, die oft den Erwartungen und ehrwürdigen Überlieferungen des Volkes zuwiderlaufen, sind die Propheten die eindrücklichsten Verkündiger des Gottes Jahwe, der zu seinem Volke kommt, der sich aber in seinem Wort und Handeln diesem Volke aus seiner Freiheit heraus selber sagt und in seinem »Ich, ich« (Hos 5, 14; Jes 43, 25) auf dem Plane bleibt.

Dtn 18, 9–22 formuliert im Rahmen der Gesetzgebung für das ins Land einziehende Gottesvolk ein »Prophetengesetz«. Man wird die Frage stellen, wie denn das Element im Gottesvolk, das am lebendigsten die Spontaneität des Heraustretens Jahwes zu Gesicht bringt, in ein »Gesetz« gefaßt werden kann. Näheres Zusehen zeigt nun auch, daß nach einer einleitenden Ermahnung Israels die Rede über den Propheten selber in die Form einer Verheißung übergeht und darin aus dem Rahmen einer Gesetzgebung völlig herausfällt.

In der einleitenden Einschärfung wird zunächst auf all die Weisen geblickt, in denen die heidnische Umwelt den Willen der Gottheit und das Wissen um das Kommende zu erfahren sucht: Wahrsagerei, Zeichendeuterei, Zauberei, Totenbeschwörung u. a. All dieses wird Israel strengstens verwehrt. Jahwes Volk soll — und darin wendet sich das Gebot zur Verheißung — zu jeder Zeit Prophetie von seinem Gott her geschenkt bekommen. Die Verheißung muß in diesem iterativen Sinne verstanden werden und deutet nicht, wie es dann Apg 3, 22 f. und 7, 37 verstehen, auf eine einzelne, kommende Heilbringergestalt. Mose wird hier als das Urbild des Propheten gesehen (§ 10a). Einen Propheten wie ihn wird Jahwe je und je in seinem Volke aufstehen lassen. Das Anfangsgeschehen am Gottesberge wird dabei zur Ätiologie des Propheten verwendet. Weil Israel die unmittelbare Rede aus dem Feuer am Gottesberg heraus nicht mehr ertragen konnte, hat Jahwe Mose zum Mittler berufen. So wird auch immer wieder ein Prophet als Mittler des göttlichen Willens erstehen. Dieser Wille ist entsprechend dem ganzen Kontext des Dtn vor allem vom Gebot her verstanden. Das Element der Ankündigung kommender Tat Jahwes fehlt aber nicht, wenn abschließend die Frage gestellt wird, wie denn der wahre Prophet erkannt werden könne, und die Antwort darauf lautet, daß der wahre Prophet am Eintreffen seines Wortes erkannt werde.

In diesem eigenartigen dtn. Prophetengesetz ist ein Vierfaches bemerkenswert:

1. Dtn 18 setzt voraus, daß das prophetische Wort unabdingbar zum Volke Jahwes gehört. Jahwe wird sein Volk nie ohne dieses Wort lassen.

2. Das Wesen des Prophetischen ist darin rein bewahrt, als es in keine vom Menschen her zu sichernde Amtskategorie eingefaßt wird. Keine Sukzession, keine bestimmte Abstammung vermag Israel die Prophetie zu sichern. Sie ist allein im Versprechen Jahwes, der sein Volk nie ohne seine unmittelbare Weisung lassen will, gesichert.

3. Obwohl im dtn. Gesetz ein die Zeiten übergreifender Gotteswille verkündigt werden will, wird der Prophet nicht aus der Zuordnung zu je konkreter Geschichte herausgenommen. Er ist der je für seine Zeit Redende.

4. Neu und eigenartig ist aber die Vorstellung einer festen Abfolge von Propheten, in der Jahwe jedes Glied je neu erstehen lassen wird. In solcher Zusicherung will die Treue Jahwes mit seiner Freiheit verbunden werden. In Joh 14, 18 formuliert der scheidende Christus die gleiche Gewißheit mit dem Bildwort: »Ich will euch nicht als Waisen zurücklassen«.

Demgegenüber fehlt allerdings im AT auch die andere Stimme nicht, die aus prophetenloser oder doch prophetenarmer Zeit heraus nach einer letzten Erfüllung der Prophetie ausschaut. Mal 3, 23f. redet vom Propheten Elia, der am Vorabend des Tages Jahwes aufstehen werde. In anderer Weise erwartet Joel die Erfüllung des Wunsches, der schon in der Mosegeschichte Num 11, 29 als Stoßseufzer Moses laut wird, wie Josua sich darüber aufregt, daß der Geist auch auf Männer gefallen ist, die sich nicht nach dem Gebot Moses verhielten: »Wollte Gott, daß alle im Volke Jahwes Propheten wären, daß Jahwe seinen Geist auf sie legte«. Jo 3, 1ff. schaut nach dem Tage aus, an dem alles Volk des prophetischen Geistes Jahwes teilhaftig werden wird. Über das Teilhafte der Gabe des Propheten tritt hier die Erwartung einer letzten Totalerfüllung dessen, was Jahwe seinem Volke in seiner Prophetie geben will.

Im dtn. Prophetengesetz wurde zum Schluß eine Frage angerührt, die auch in der großen Schriftprophetie in steigendem Maße brennend wird. In den erregten Tagen Jeremias, hart vor dem Untergang Judas, stehen sich in Jerusalem völlig gegensätzlich lautende prophetische Ansagen gegenüber. Woran ist die echte von der falschen Prophetie, die göttliche Gabe von der menschlichen Verführung zu unterscheiden? 1Kön 22, 19ff. schiebt diese Frage in erschreckender Weise in Jahwe selber zurück. Da, wo er Ahab ins Gericht führen will, läßt er den Lügengeist ausgehen, der das Wort seiner Propheten verfälscht, so daß der König betört in sein Unheil rennt. Ez 14, 9, aber auch Jes 6, 9f. streifen diesen gleichen Gedanken. In Dtn 18 war das seltsam matte Kriterium des ja erst post festum feststellbaren Eintreffens des vom Propheten Angekündigten genannt. In dieser Argumentation, die auch in Jer 28, 8f. zu finden ist, will auf jeden Fall der Geschehnischarakter des echten Jahwewortes festgehalten werden. Sie hilft aber nicht zu einer »objektiven« Möglichkeit der Beurteilung in actu. Dtn 13, 2ff. setzen voraus, daß auch ein falscher Prophet Zeichen und Wunder zu tun und darin dem Wort Geschehnis beizugeben vermag. Wenn er aber zum Abfall zu anderen Göttern auffordert, so ist er trotz all dieser Krafttaten als falscher Prophet dem Gericht zu

überantworten. An anderer Stelle (Jer 23, 14; 29, 23) wird die subjektive Gehorsamshaltung des Propheten gegenüber Jahwes Gebot beurteilt: Ein Prophet, der Ehebruch betreibt, kann kein wahrer Jahweprophet sein. Darin wird erneut sichtbar, daß sich die Gabe von Jahwes Wort nicht von seinem Gebote trennen läßt. Wiederum von anderer Seite her urteilt Jer 23, 14. 22, daß ein Prophet, der den Gottlosen in seinem gottlosen Tun beruhigt, nicht von Jahwe her kommen kann. Und zuvor schon wurde erwähnt, mit welch tiefem Mißtrauen Jeremia all der Prophetie gegenübersteht, die sich durch äußeres Beiwerk, das geheimnisvoll dreifache Versichern: »Mir hat geträumt« (23, 25f. c. T.), das unheimliche Raunen des Gottesspruches (23, 31), aber auch das gegenseitige Stehlen von Gottes Wort (23, 30) gewichtig zu machen sucht.
Aber all dieses sind im Grunde Kriterien, die in einer zugespitzten Situation, wie sie in Jer 28 sichtbar wird, keine »objektive« Entscheidung ermöglichen. So sehen wir denn auch, daß Jeremia angesichts des ihm offen entgegenstehenden Wortes des Propheten Hananja, der gar durch das Zerbrechen des Joches, mit dem Jeremia die Unterwerfung unter Nebukadnezar als Jahwes Willen verkündigte, eine jedermann einleuchtende Zeichenhandlung zu vollziehen schien, wortlos davongegangen ist. Er besaß kein »objektives« Kriterium, das ihm ein Urteil erlaubt hätte. Er mußte warten, bis ihm von Jahwe her das Wort erneut ereignishaft zukam. Dann allerdings trat er Hananja entgegen und sagte ihm sein Ende an, das dann kurze Monate darauf auch tatsächlich eintrat. Eine ähnliche Situation ist nochmals in Jer 42, 1ff. zu erkennen. In bedrängendster Lage möchten nach der Ermordung Gedaljas die Menschen, welche die Rache der Babylonier fürchten, von Jeremia einen Gottesbescheid erhalten, der ihnen die Flucht nach Ägypten freigibt. 10 Tage muß Jeremia, dessen persönliche Meinung ohne Zweifel längst vorher feststand, in dieser höchst drängenden Lage warten, bis das Wort Jahwes sich neu ereignet. Erneut wird sichtbar, daß Jeremia über kein übergeordnetes Kriterium verfügt, an dem sich das Gotteswort messen ließe. In diesen aufs Letzte zugespitzten Situationen kann es nur geschehen, daß Jahwe selber dem Propheten erneut sein Wort widerfahren läßt. Was »Jahwes Wort« ist, kann bei all dem, was sich als vorläufiges Kriterium anführen lassen mag, letztlich nur Jahwe selber sagen. Das liegt auf der Linie von 1 Kor 2, 11, wo ausgesagt ist, daß Gottes Geist allein sagen kann, was in Gott ist.
So führt die Verkündigung der Prophetie überraschend wieder an das Geheimnis des Gottes Israels heran, dessen Name ist: »Ich bin, der ich bin« (§ 1).

G. Hölscher, Die Profeten, 1914. — *B. Duhm*, Israels Propheten, 1922². — *J. Lindblom*, Prophecy in Ancient Israel, 1962. — *A. R. Johnson*, The Cultic Prophet in Ancient Israel, 1962². — *G. von Rad*, Die falschen Propheten, ZAW 51, 1933, 109—120. — *G. C. Macholz*, Jeremia in der Kontinuität der Prophetie, Festschr. G. von Rad 1971, 306—334. — *F. Ellermeier*, Prophetie in Mari und Israel, 1968. — *J. J. M. Roberts*, The Hand of Yahweh, VT 21, 1971, 244—251. — *O. Grether*, Name und Wort Gottes im AT, BZAW 64, 1934. — *C. Westermann*, Grundformen prophetischer Rede, BEvTh 31, 1960. — *W. Zimmerli*, Der Prophet im AT und im Islam, 1943 (= Studien zur at. Theologie und Prophetie, ThB 51, 1974, 284—310). — *G. Fohrer*, Die symbolischen Handlungen der Propheten, 1953. — *G. Quell*, Wahre und falsche Propheten, 1952.

Jer 18, 18 läßt neben dem Priester und Propheten, die von Jeremia mit dem Entzug ihres Charismas bedroht werden, als dritten noch den Weisen (חכם *ḥākām*) erkennen, dem das Charisma des »Rates« (עצה *ʿeṣāh*) genommen werden soll. In einer anders gelagerten Aufzählung von drei Menschengruppen im Volke warnt Jer 9, 22 den Weisen davor, sich seiner Weisheit (חכמה *ḥokmāh*) zu rühmen, so wie auch der Kriegsmann sich nicht seiner Stärke und der Reiche seines Reichtums rühmen soll.

Andere Stellen lassen erkennen, daß mit dem »Weisen« hier an die politischen Ratgeber im Staate gedacht ist. Die Parallelisierung mit den »Schreibern« (ספרים *sōfᵉrīm*) in Jer 8, 8f. zeigt, daß sie es auch mit der durch Josia nach 2Kön 23, 1–3 zum Staatsgesetz erhobenen Tora Jahwes zu tun haben. »Schreiber« (ספר *sōfēr*) erscheint in den Beamtenlisten Davids und Salomos (2Sam 8, 17; 1Kön 4, 3) als Bezeichnung eines der höchsten Ämter im Staate. Die Schlüsselstelle in der Erzählung von Absaloms Aufstand 2Sam 17, 14 zeigt nicht nur, wie sehr »Ratgeben« das Geschick des Landes entscheidend bestimmen kann, sondern auch, wie Jahwe gerade in den Vorgängen des geheimen königlichen Rates das entscheidende Wort mitspricht. Vgl. Spr 19, 21.

Daß die »Weisheit« in diesem Bereich göttliche Gabe ist, wird exemplarisch in der Erzählung von dem König erkennbar, der dann der eigentliche Typus des Weisen geworden ist, so daß in der Folge das Weisheitsschrifttum nach Möglichkeit von ihm hergeleitet wird (Spr, Pred, Weish), Salomo. Im Eingang des Berichtes über sein Königtum erzählt 1Kön 3 von dem Opfer des jungen Königs in Gibeon, bei dem ihm Jahwe die Erfüllung eines Wunsches zusagt (auch Ps 2, 8a) und Salomo sich nicht Macht, sondern Weisheit zum rechten Richten wünscht. Der Anfang von Jahwes Erhörungszusage lautet: »Siehe, ich tue nach deinen Worten. Siehe, ich gebe dir ein weises und verständiges Herz, daß deinesgleichen keiner vor dir gewesen ist und keiner nach dir aufstehen wird« (3, 12). Wenn dann in 3, 16–28 das Beispiel des »salomonischen Urteils«, wenn in 5, 9–14 die Leistungen von Salomos Weisheit beschrieben werden und nach 10, 1–13 die Königin von Saba nach selbständiger Erprobung dieser Weisheit bewundernd von Salomo scheidet, so will darin, wie es 5, 9 nochmals thematisch sagt, die Gabe Jahwes beschrieben werden. Daneben ist in 5, 10 ganz unbefangen anerkannt, daß es Weisheit auch außerhalb Israels in Ägypten und bei den Ostleuten gibt. Ungewöhnlich ist es, daß in Jes 11, 2 Weisheit mit dem Königscharisma der רוח *rūaḥ* verbunden wird.

Schon die bisherigen Angaben zeigen, daß der »Weise« im AT nicht der »Philosoph« oder spekulative Theoretiker über Welt und Mensch ist. Bei aller Meisterschaft kunstvoller Formulierung der weisen Sprüche und Lieder bleibt Weisheit eminent praxisbezogen und der praktischen Meisterung des Lebens zugewendet. Es liegt auf dieser Linie, daß von חכמה *ḥokmāh* auch im praktisch-handwerklichen Bereich geredet werden kann. Jes 40, 20 berichtet von der Herstellung eines Götzenbildes durch einen »weisen Kunsthandwerker« (חרש חכם *ḥārāš ḥākām*). König Hiram von Tyrus verspricht Salomo, ihm als Helfer

in seiner Bautätigkeit den Künstler Huram-Abi zu senden, daß er »zusammen mit deinen Weisen (= Kunsthandwerkern) und den Weisen meines Herrn David, deines Vaters«, seine Arbeit in Israel tue (2Chr 2, 12f.). Auch hier ist unbefangen wieder ausländische Weisheit anerkannt. Ex 28, 3 (P) erwähnt im Zusammenhang der Anfertigung der Kleider Aarons, daß Jahwe den »Geist der Weisheit« ins Herz aller חכמי לב *ḥakmē lēb* gegeben habe (vgl. weiter 35, 10; 36, 1f. 4. 8, auch Frauen 35, 25). Nochmals taucht hier der »Geist«(רוח *rūaḥ*)-Begriff, der das göttliche Charisma feststellen will, auf. Und eindrücklich ist es, wie Jes 28, 23ff. in seinem hintergründigen Bauerngleichnis auch das Tun des Bauern, der die Zeit seiner Ackerhantierungen und die Weisen des Einbringens der Ernte kennt, als ein von Gottes wunderbarem Rat (עצה *ʿēṣāh*) belehrtes Tun kennzeichnet.
Über das von der Weisheit gelenkte Leben des Menschen vor Gott wird in § 18 näher die Rede sein müssen. Dort auch Literaturangaben.

III. Jahwes Gebot

Ist in Teil II mit einer gewissen Einseitigkeit auf das geschaut worden, was Israel durch seine Geschichte hin als Gabe Jahwes erfahren hat, so muß nun darauf geachtet werden, was at. Glaube über die Forderung seines Gottes sagt. Es ist dabei nochmals mit Nachdruck zu unterstreichen, daß dieses nicht ein Zweites, Anderes ist, was zur Gabe hinzukommt. In der Verbindung Jahwes mit Israel, die dieses als gnädige Gabe bekennt, und in all dem, was aus dieser Verbundenheit geschenkhaft fließt, liegt auch immer Aufruf, göttliche Forderung. Jede Gabe schließt etwas von Aufgabe in sich. In der Aufgabe und der Weisung zum rechten Verhalten sieht at. Glaube aber zugleich immer wieder die Gnade barmherziger göttlicher Lenkung durch die Vieldeutigkeit des menschlichen Lebens hindurchscheinen. Am gewaltigsten rühmt Ps 119 die Gnade dieser Weisung, die »des Fußes Leuchte« und »Licht auf dem Wege« ist (v. 105).
Von der Verdichtung dieser göttlichen Weisung im Gebot ist im Folgenden zu reden.

§ 11 Ort, Benennung und Art der Gebote

In § 6 ist ausgeführt worden, wie Israel nach der Darstellung des Pentateuchs unmittelbar nach seiner Befreiung aus Ägypten in der Wüste am Gottesberg seinem Gott begegnet ist. Die im Auszug geschenkte Freiheit des Jahwevolkes wird hier im »Bund« mit Jahwe befestigt. Dabei war gerade in der Kategorie des »Bundes« eindrücklich zu erkennen, wie Heilsversprechen Jahwes und Gehorsamsversprechungen des Volkes sich nahe berührten.
Eine reiche Forschungsarbeit hat nachgewiesen, wie vielschichtig das im Bereich der Sinaierzählung untergebrachte Gut an göttlichen Anordnungen ist und wie verschiedene Zeitphasen sich in ihm spiegeln. Die in allem durchgehaltene Grundaussage ist aber nicht zu überhören: Was immer in den verschiedenen Zeiten Israels die Würde göttlicher Anordnung tragen soll, muß in jenem Anfangsgeschehen, in dem Israel in die Nähe seines Gottes gerufen wurde, begründet sein. Das ist nicht erst die Sicht des Dtn. Unter den Ausnahmen von dieser Regel stellt außer den nach P schon im Noah- und Abrahambund proklamierten göttlichen Regelungen einzig das in die Schlußvision Ez 40–48 eingebaute Material und die im chr. Geschichtswerk für den Tempelgesang proklamierte Ordnung Davids einen etwas breiteren Komplex an anderer Stelle eingereihter Gebotsmitteilung dar. Kleinere Elemente wie das von Samuel zitierte »Königsrecht« 1 Sam 8, 11–17, die

Ordnung der Beuteverteilung durch David (1 Sam 30, 24f.) u.ä. fallen nicht ernsthaft ins Gewicht.

1. An die Spitze der von Jahwe am Gottesberg proklamierten Gebote ist in einer jüngeren Phase der Redaktion mit Bedacht *der Dekalog* von Ex 20, 2–17 gestellt worden. In seiner Präambel tritt Jahwe in 1. pers. als das eigentliche Ich der Rechtsgebung in seinem Namen heraus. Alle »Verantwortung« in Israel, so will es dieses herausgerückte Ich zu Beginn der Gebotsmitteilung sagen, soll »Antwort« an diesen Einen, an dessen Rettungstat vom Anfang in der Selbstvorstellung Jahwes erinnert wird, sein.

»Die zehn Worte« (עשׂרת הדברים *ʿ^aśaeraet hadd^ebārīm*) wird die Zusammenstellung der zehn Sätze in Ex 34, 28 auffallend schlicht genannt. Der Form der Zusammenreihung einer Zehnzahl von Sätzen, die möglicherweise in katechetischer Absicht das Herzählen an den zehn Fingern ermöglichen will, steht in Dtn 27, 15—26 diejenige eines Dodekalogs von zwölf Fluchsätzen gegenüber (nach den zwölf Stämmen Israels gezählt?). Ps 50 und 81 dürften darauf weisen, daß der Dekalog in gottesdienstlichen Feiern als Zusammenfassung des Gotteswillens proklamiert wurde. Die acht Verbote und zwei Gebote von Ex 20 sind dabei unverkennbar in der Absicht zusammengestellt, möglichst alle wichtigen Lebensbereiche einzubeziehen. Die stärker zersetzte Reihe von Ez 18, 5—9 scheint einen ähnlichen Aufriß der Sachbereiche zu verraten. Das Nebeneinander der Dekalogform von Ex 20, 2—17 und Dtn 5, 6—21 gibt den Blick auf zwei Stationen der Interpretation und darin auf den lebendigen Überlieferungsvorgang frei, in dem der Dekalog gestanden haben muß. Formal fällt an ihm auf, daß die Ich-Rede Jahwes nur über die beiden ersten Sätze und deren explizierende Erläuterungen hin durchgehalten ist (Ex 20, 2—6/Dtn 5, 6—10). Das hebt diese beiden Sätze in ihrer Bedeutung deutlich heraus. Sie werden in § 12 und 13 gesondert zur Sprache kommen.

Der theologische Hintergrund des Dekalogs in seiner vorliegenden, durch Erweiterungen der Kurzgebote interpretierten Form wird in der eigenartigen Spannung der zwei Selbstaussagen Jahwes, welche die beiden einleitenden Gebote rahmen, erkennbar. Der Präambel von Ex 20, 2 (Dtn 5, 6), in der Jahwe sich als der Gott Israels, der dieses aus dem Sklavenhause Ägypten herausgeführt hat, in seiner erbarmenden Tat vorstellt, steht in 20, 5b.6 (Dtn 5, 9b.10) eine zweite Selbstaussage gegenüber. In dieser sagt Jahwe von sich: »Ich, Jahwe, dein Gott, bin ein eifersüchtiger Gott, der da heimsucht die Schuld der Väter an den Söhnen bis ins dritte und vierte Glied bei denen, die mich hassen, aber Huld übe an Tausenden bei denen, die mich lieben und meine Gebote halten«. Ex 34, 14 formuliert das gleiche in unmittelbarem Anschluß an das erste Gebot (Verbot der Fremdgötterverehrung) noch schärfer, wenn es hier lautet: »Jahwe, eifersüchtig (קנא *qannāʾ*) ist sein Name, ein eifersüchtiger Gott (אל קנא *ʾēl qannāʾ*) ist er«. Vgl. weiter Dtn 4, 24: «Jahwe, dein Gott, ein fressendes Feuer ist er, ein eifersüchtiger Gott«, Dtn 6, 15, und in der Form אל קנוא *ʾēl qannōʾ* Jos 24, 19 die Feststellung Josuas: »Ihr könnt Jahwe nicht dienen, denn er ist ein heiliger Gott (אלהים קדשים *ʾ^{ae}lōhīm q^edōšīm*), ein eifersüchtiger Gott (אל קנוא *ʾēl qannōʾ*) ist er«. Sonst noch Nah 1, 2 in der Wendung gegen Jahwes Feinde: »Ein eifersüchtiger Gott (אל קנוא *ʾēl qannōʾ*) und ein Rächer ist Jahwe, ein Rächer ist Jahwe und voller Grimm (בעל חמה *baʿal ḥēmāh*), ein Rächer ist er gegenüber seinen Widersachern«. Die Dekalogformulierung von der Heimsuchung am dritten und vierten Glied meint ursprünglich nicht eine Abfolge von Strafen durch die verschiedenen Generationen hin, sondern einen Vernichtungsschlag, welcher eine

Familie in ihrer weitesten Generationenerstreckung auslöscht (Rost, vgl. das »Urahne, Großmutter, Mutter und Kind in einer Stube versammelt sind . . .«). In solcher Härte ahndet Gott das Vergehen derer, die sein Gebot nicht halten. Die Formel ist dann wohl erst in einer zweiten Phase durch das formal nicht ganz entsprechende »Huld üben an Tausenden« ergänzt worden. In dieser überbordenden Zweitaussage will zum Ausdruck gebracht werden, daß der Heilswille den Zornwillen weit übergreift und Gottes eigentliches Wünschen offenbart. Das ist auch in Nah 1, 3a noch zu 1, 2 hinzugefügt worden. Aber in dem Zorn über diejenigen, die Jahwe »haßt«, d.h. die seinem Gebote nicht zu gehorchen bereit sind, flammt die dunkle Möglichkeit auf, daß Jahwes Gebot eine todbringende Nachtseite bekommen kann.

Die Verheißung langen Lebens im Lande, welche dem Gehorsam gegen das Gebot der Elternehrung beigefügt ist, führt in den Bereich spezifisch dt. Denkens. Von diesem ist später zu reden.

2. *Das Bundesbuch*, welches mit der Einleitungsbemerkung Ex 20, 22 eingeführt und in 23, 20–33 mit einem Ausblick auf die Führung ins Land abgeschlossen wird, zeigt nicht die formale Profilierung des Dekalogs. Dafür ist hier das weite Ausgreifen des Jahwewillens, der Verschiedenartiges umfaßt, zu erkennen.

Die Überschrift Ex 21, 1, welche einen bei gelegentlichen Einbrüchen anderer Stilarten bis 22, 16 reichenden Komplex kasuistisch formulierten Gebotes, das formal wie inhaltlich nahe bei den Rechtskorpora des Zweistromlandes und der Hethiter steht, überschreibt, bezeichnet die Rechtssätze als משפטים *mišpāṭīm*. Diese formulieren in der Protasis in einem sehr kultivierten Stil Rechtstatbestände und bieten in der Apodosis die Entscheidungen, die im besitz- wie strafrechtlichen Bereich getroffen werden sollen. Damit sind knapp formulierte todesrechtliche Sätze, die einmal in Reihen zusammengestellt gewesen sein dürften, verbunden (21, 12. 15—17; 22, 18. 19?), zudem apodiktisch formulierte Gebote und Prohibitive, die den zwischenmenschlichen Bereich (vor allem Schutz des Schwachen), die Sphäre des Gerichtes und des Gottesdienstes betreffen. Im Unterschied zu den משפטים *mišpāṭīm* sind diese nicht durch einen bestimmten Terminus gekennzeichnet. Die Vermutung, daß ein solcher in חק *ḥōq* »Satzung« zu finden sei, ist eher unwahrscheinlich (Hentschke). Die Ex 15, 25 (Mose in Mara), Jos 24, 25 (Josua in Sichem), 1Sam 30, 25 (David im Amalekiterkrieg) belegte Aussage, daß חק ומשפט *ḥōq ūmišpāṭ* erlassen worden sei, kann, zumal an der letztgenannten Stelle, nicht zwei verschiedene Rechtsformen bezeichnen. So ist das Bundesbuch ein Beleg für die umgreifende Beanspruchung sehr vielgestaltiger Lebens- und Rechtsbereiche durch Jahwe, bietet aber abgesehen von den gelegentlich zugewachsenen motivierenden Sätzen, in denen Jahwes besonderes Aufmerken auf die Schwachen (22, 22. 26) und die Erinnerung an die einstige Schutzbürgerschaft (Fremdlingschaft) Israels in Ägypten (22, 20; 23, 9) ausgesagt wird, keine tiefere theologische Durchdringung seiner Rechtsstoffe.

3. Das ändert sich im *Deuteronomium*. Dieses geht im Gewande einer Moserede einher, die Israel unmittelbar vor dem Übergang über den Jordan eindringlich vor das am Gottesberg dem Mose kundgemachte Jahwegebot stellt. Stofflich trifft es sich in manchem mit dem Bundesbuch. Die Rechtsordnungen sind aber vor allem in der vorderen Hälfte der eigentlichen Gebotssammlung und in den vorausgeschickten Einleitungsreden ungleich voller durchreflektiert.

In der Terminologie für die Gebote begegnet wieder das schon im Bundesbuch verwendete »Recht« (משפט *mišpāṭ*). Es ist etwa in 5, 28; 6, 1; 7, 11 verbunden mit »Satzung« (חק *ḥōq*) und »Befehl« (מצוה *miṣwāh*), in welch letzterem das Element des »Gebietens« voll heraustritt. Daß das Gebot geradezu mit »Bund« (ברית *b^erīt*) bezeichnet werden kann (4, 13), wurde in § 6 erwähnt. Seltener begegnet auch der Begriff »Mahnzeichen, Mahnung« (עדות *'edût*) für Jahwes Gebote. Neuartig ist im Dtn, daß hier die zusammenfassende Bezeichnung »Weisung« (תורה *tôrāh*) eingeführt wird. Aus der Bezeichnung für die Einzelweisung, die vor allem im priesterlichen Bereich mit Tora bezeichnet wurde, ist hier ein umgreifender Begriff für das Ganze des (dtn.) Gesetzes geworden, vor dem sich das Volk zum hörenden Gehorsam entscheiden soll.

In den dtn. Einleitungsreden wird zudem deutlich, daß das Vielerlei der Einzelgebote auf eine rechte Gesamthaltung Israels zielt. Auf diese Gesamthaltung der Liebe zu Jahwe und der rechten Furcht vor ihm muß in § 16 zurückgekommen werden.

Das Dtn verlegt die ganze Gesetzmitteilung vom Anfang der Wüstenwanderungszeit an deren Ende. Das ist von tiefer innerer Bedeutung. Das göttliche Gebot wird dadurch eng mit der göttlichen Gabe des Landes verbunden. Landsässigkeit ist Ruhe nach der langen Wanderungszeit (12, 9f.), sie ist Segnung, Leben. An der Schwelle zu diesem Leben wird das Gebot laut. Es werden in diesem Zusammenhang die beiden Aspekte erkennbar: Das Gesetz mit seinen guten und weisen Satzungen ist ein Teil der großen Segnung, die Jahwe mit seinem Volke vorhat. »Wo wäre ein großes Volk, dem Gott so nahe wäre, wie Jahwe, unser Gott, sooft wir zu ihm rufen. Und wo wäre ein großes Volk, das Satzungen und Rechte hätte so gerecht wie dieses ganze Gesetz (תורה *tôrāh*), das ich euch heute vorlege« (4, 7f.). Zugleich ist dieses Gesetz aber auch Aufforderung zur rechten Entscheidung. »Leben und Tod lege ich dir vor, Segen und Fluch. Wähle nun das Leben« (30, 19). Auch wer meint, die beiden Aspekte auf die verschiedenen Situationen Israels vor und in der Exilszeit verteilen zu müssen (Perlitt), wird im Dtn, das heute vorliegt, diese Spannung nicht verkennen können.

In den Vertragstexten aus Israels Umwelt ist zu erkennen, wie am Schluß Segen für den, welcher den Vertrag hält, und Fluch über den, welcher ihn mißachtet, ausgesprochen wird. Das Dtn ist nach diesem Modell gebildet. Daß Josia nach 2Kön 22 bei der Verlesung des Buches, das ihm vorgelegt wird, so tief erschrickt, läßt vermuten, daß schon das »Buch des Gesetzes«, das ihm vorlag, diese Gestalt gehabt hat. Dtn 27f. schildern Segen und Fluch, die mit Gehorsam und Ungehorsam verbunden sind.

In diesem Zusammenhange ist angelegt, was vielleicht erst in den exilischen Erweiterungen des Buches voll ausgesprochen wird, daß der Ungehorsam Israels der Tora Jahwes gegenüber das Land verscherzen könnte. An manchen Stellen haben die Mahnungen etwas Beschwörendes an sich, was verspüren läßt, daß das vom Gebot intendierte Leben (Lev 18, 5; Ez 20, 11. 21) auch verscherzt werden könnte. Dabei wird mit Nachdruck betont, daß das Gesetz und der Gehorsam gegen dasselbe nicht ungreifbar ferne liegen. Das von Paulus Röm 10, 6–8 zur Illustration des Evangeliums zitierte Wort Dtn 30, 11–14 redet in seinem ursprünglichen Kontext vom »Gebot« (מצוה *miṣwāh*). Dieses ist nicht ferne, so daß man erst in den Himmel hinaufsteigen müßte, es zu holen. Es ist auch nicht jenseits des Meeres, so daß man es von dort holen müßte. »Ganz nahe ist dir das Wort, in deinem Munde und deinem Herzen ist es, so daß du es tuest«.

4. In anderer Weise reden die Verfasser der priesterlichen Gesetzgebung. Sie haben im *Heiligkeitsgesetz* (Lev 17–26) einen Komplex eingebaut, der selber aus verschiedenartigen Teilen besteht, aber doch einmal als ein Eigenes zusammengefaßt worden sein muß, bevor er in den jetzigen Zusammenhang des P aufgenommen wurde.

Die zusammenfassende Bezeichnung als תורה *tōrāh* fehlt hier. Stattdessen wird in der Regel von חקות *ḥuqqōt* und משפטים *mišpāṭīm* Jahwes geredet (18, 4 u. ö.), seltener von מצות *miṣwōt* »Befehlen« (22, 31 u. ö.). 26, 15 erwähnt den »Bund«, 18, 30 braucht das sehr allgemeine מִשְׁמֶרֶת *mišmaeraet*, 26, 46 plur. תורת *tōrōt*.

Auch diese Gebotssammlung mündet in eine doppelte Zukunftsperspektive aus: Gnädige Beschenkung mit der Fülle der Lebensmöglichkeit im Falle des Gehorsams, Verderben und Verlust aller Güter im Falle des Ungehorsams. Die Worte »Segen« und »Fluch« sind hier nicht gebraucht. In der Sache aber geht es auch hier um eben dieses. Auch steht in einigen Sätzen von Lev 26 deutlich schon die Erfahrung des Exils hinter den Aussagen. Die Möglichkeit von Buße, Umkehr und göttlicher Neubegnadigung ist in 26, 40ff. in einer Erweiterung voll geschildert.

Im Kernstück der Gebote von H (Lev 18–20) treten aber andere Elemente heraus. In der Rahmung von Kap. 18 (v. 24–30, auch 20, 22), ist der Blick auf die Vorbevölkerung im Lande gerichtet und festgestellt, daß das Land sie wegen ihrer Unreinheit ausgespien habe. Warnend ist dieses auch Israel vorgehalten. Darin wird spürbar, daß der Gesichtspunkt der kultischen Reinheit oder eben nun der »Heiligkeit« dominierend hervortritt. Von einem Stehen an der Schwelle des Landes, das im Übertritt über den Jordan gewonnen werden soll, ist in dieser an den Sinai zurückverlegten Gesetzgebung nichts zu erkennen. Dafür fällt hier aber der Nachdruck auf, mit welchem die Gebote durch die Selbstnennung Jahwes in seinem Namen unterstrichen werden. Vor dem zur Heiligkeit berufenen Volke wird in der Mitteilung der konkreten Forderungen Jahwes immer wieder das »Ich bin Jahwe« (אני יהוה *'anī jahwaeh*) laut, in dem Jahwe sich dem Volke selber nennt und in der Anerkennung seines Namens die Motivation zum Halten der Gebote erwartet. Neben dem knappen Nennen des Namens ohne jede weitere Präzisierung (Elliger: »Hoheitsformel«) steht die Formulierung: »Ich bin Jahwe, euer Gott« (Elliger: »Huldformel«). Hier wird nicht auf die geschlossene Ganzheit des Gottesgebotes gewiesen, das Furcht und Liebe wecken möchte, wie im Dtn. Das unvermittelte Heraustreten des Heiligen in seinem heiligen Namen soll hier Jahwes Volk zur Befolgung seiner Forderung bewegen.

5. *Die Priesterschrift* hat dann den Bereich der kultischen Ordnungen um das hl. Zelt der Begegnung herum, Opfer und Reinheitsverhalten eingehend geregelt. All diese Ordnungen bis hin zur rechten Anordnung des Lagers und der Marschordnung sind auf den Glauben an die Präsenz Jahwes in der Mitte seines Volkes hin erlassen. Es sind somit nicht »Gesetze«, die abgelöst von dem gnädigen Geschenk dieser Präsenz ihre Gültigkeit hätten, sondern Anordnungen, die das rechte Umgehen mit dieser gnadenvollen Gabe schirmend ordnen wollen. In diesem Zusammenhang kann auch davon die Rede sein, daß unrechtes Umgehen mit dem

Heiligen lebensgefährlich ist, vgl. Lev 10. Aber die Gemeinde als ganze ist mit dieser Nähe Jahwes beschenkt. Das Gewinnen des Landes ist hier völlig aus dem Gesichtsfeld entschwunden. In der Terminologie fällt der häufige Gebrauch von »Mahnzeichen, Mahnung« (עדות *'ēdūt*) für das Gebot auf. So wird die Lade mit den Gebotstafeln denn hier als ארון העדות *'arōn hā'ēdūt* bezeichnet, aber auch das Zelt der Begegnung kann als אהל העדות *'ōhael hā'ēdūt* oder משכן העדות *miškan hā'ēdūt* bezeichnet werden. Daß der Vorhang vor der Lade פרכת העדות *pārōkaet hā'ēdūt* genannt wird, ist schon in H Lev 24, 3 zu finden.

6. Hier kann nun auch *der Entwurf von Ez 40–48*, welcher P in seiner Endgestalt zeitlich vorausliegt, angeführt werden. Er redet nicht von einer Gesetzgebung am Sinai, von Mose als Gesetzgeber und Aaron als seinem hohepriesterlichen Bruder. Das gottesdienstliche Leben wird im Zusammenhang mit der Verkündigung der eschatologischen Gottespräsenz im neuen Heiligtum, das dem Propheten in der göttlichen Schau gezeigt wird, geordnet. Die Nähe zur Gesetzgebung des P erklärt sich von dieser Mitte her. Nur daß hier in dem nachezechielischen Abschluß auch eine neue Landverteilung in Sicht kommt, die nun ihrerseits ganz voll auf die Präsenz Jahwes im Lande hin ausgerichtet und bemüht ist, dem Heiligen in des Landes Mitte auch gerade durch die rechte Landverteilung seine Ehre zu geben.

7. Mit einer eigenartigen Erwägung begründet *die Chronik* die neue Ordnung der Tempelmusik durch David. Von einer göttlichen Offenbarung, welche dem David diese Ordnung geböte, ist hier nicht die Rede. Dafür wird die Theorie vertreten, daß David in alledem im Grunde nicht neues Gebot verordnet, sondern lediglich zuvor erlassenes Gebot Jahwes an neue Verhältnisse angepaßt habe. Es war nach P (Num 4, vgl. auch Dt 10, 8) die Aufgabe der Leviten gewesen, das Heilige auf der Wanderung durch die Wüste zu tragen. Mit dem Zurruhekommen des Volkes und der Lade Jahwes entfiel dieser Dienst. David, der schon nach Am 6, 5 als der große Psalmsänger bekannt ist, hat dann hier die große Anpassung an den Tempelgottesdienst vorgenommen und die Leviten, die nach dem Einbringen der Lade in den von ihm geplanten Tempel »arbeitslos« werden würden, in neue »Arbeit« zu Ehren des Heiligen berufen. Nur in dieser begrenzten Weise wird von David als dem Urheber neuer heiliger Ordnungen des Volkes Jahwes geredet. Indirekt macht somit auch die Chronik mit ihrer scheinbaren Neuerung der Gebotsbegründung nochmals sichtbar, wie alles, was im Volke Jahwes rechtens ist, seine letzte Begründung im »Gesetz Moses« erfahren muß. Der Verweis auf die Tora Moses ist gerade hier besonders häufig.

Der Durchgang durch die Welt des at. Gebotes kann sichtbar machen, unter welch verschiedenen Perspektiven die göttlichen Anordnungen im Laufe der Zeit erscheinen und wie weit der Umkreis gespannt ist, in dem Israel sich seines Gottes gebietendem Willen gegenüber weiß.

Es gilt nun, im einzelnen auf die Weisen des göttlichen Anrufs in Jahwes Gebot zu achten.

A. Alt, Die Ursprünge des israelitischen Rechts, BGL, Ph. Hist. Kl. 86, 1, 1934 (= Kleine Schriften I 278—332). — *M. Noth*, Die Gesetze im Pentateuch, SGK, Geistesw. Kl. 17, 1940

(= Gesammelte Studien, ThB 6, 1957, 9—141). — *J. J. Stamm*, Der Dekalog im Lichte der neueren Forschung, 1962². — *L. Rost*, Die Schuld der Väter, Festschrift R. Herrmann, 1957, 229—233. — *W. Zimmerli*, Das Gesetz und die Propheten, 1969². — *H. Schulz*, Das Todesrecht im AT, BZAW 114, 1969 (Lit.). — *R. Hentschke*, Satzung und Setzender, BWANT 5. F. 3, 1963. — *R. Kilian*, Literarkritische und formgeschichtliche Untersuchung des Heiligkeitsgesetzes, BBB 19, 1963 (Lit.). — *R. P. Merendino*, Das Deuteronomische Gesetz, BBB 31, 1969 (Lit.). — *R. Rendtorff*, Die Gesetze in der Priesterschrift, FRLANT 62, 1954. — Vgl. auch Lit. zu § 1 und 6.

§ 12 · Das erste Gebot

An der Spitze der apodiktischen Sätze des Dekalogs steht in Ex 20, 3 (= Dtn 5, 7) das Verbot Jahwes, das in wörtlicher Übersetzung lautet: »Nicht soll dir sein – andere Götter mir gegenüber« (Noth, Knierim) bzw. »mir zum Trotz« (Köhler). Zu diesem Satz gehört als Fortführung auch die Erweiterung v. 5f. mit der zweiten Selbstaussage Jahwes von v. 5b. 6, von deren Bedeutung in § 11 die Rede war. Diese bezieht sich, wie auch Ex 34, 14 zeigt, auf das 1. Gebot zurück. In der Einhüllung in die beiden spannungsvollen Selbstaussagen Jahwes v. 2 und 5b. 6, die das Gewicht einer Begründung dieses ersten Satzes tragen, kommt die thematische Bedeutsamkeit des 1. Gebotes voll zum Ausdruck. In der Gebundenheit an den Einzigen, Jahwe, der aus Knechtschaft befreit hat und der zugleich um seine Einzigkeit eifert, liegt die fundamentale Bestimmtheit des at. Glaubens.

Ex 20, 3 fällt in doppelter Hinsicht durch seine weitgefaßte Formulierung auf:
1. Keine Fremdgottheit ist konkret mit Namen genannt. Das »andere Götter« umspannt in genereller Formulierung schlechthin die ganze sonstige Götterwelt. Man möchte hier an die Formulierungen der Vertragsformulare der Umwelt denken, wo das Verbot, sich mit einem »anderen Oberherrn« in irgendeiner Weise einzulassen, auch geradezu thematisch die Einzelanordnungen beherrschen kann.
2. Auch die Formulierung des Prädikates: »Es soll dir nicht sein«, die mit ihrer Verwendung des unanschaulichen, weitgespannten היה *hjh* von allen anderen Geboten abweicht, welche in 2. pers. dem Angeredeten ein bestimmtes Tun verbieten oder gebieten, ist ungewöhnlich und erinnert von ferne an die absolut gebietenden Sätze des Schöpfers in Gen 1, 3: »Es sei — Licht«, 1, 6: »Es sei — eine Feste« und in der mangelnden Ausrichtung auf das plur. Subjekt besonders an 1, 14: »Es sei — Lichtkörper an der Feste (dem Firmament)«. Die Formulierung stellt offensichtlich eine letztmögliche Verdichtung eines Fundamentalsatzes dar. Sprachlich hat sie ihre nächsten Entsprechungen im dt./dtr. Schrifttum.
Die wohl ältere Formulierung von Ex 34, 14 verbietet konkreter die Proskynese vor einem anderen Gott — was die Erweiterung in Ex 20, 5 dann ausdrücklich nachträgt. Auffallend ist das im AT nur hier begegnende sing. »ein anderer Gott« (אל אחר *'el 'aḥer*). Die wohl älteste greifbare Gebotsformulierung im Bundesbuch in Ex 22, 19, welche das Opfer an Fremdgötter verbietet, ist leider verstümmelt. Nach Alt ist hinter: »Wer Göttern opfert, verfällt dem Bann« ein ursprüngliches: »Wer anderen Göttern opfert, soll unbedingt sterben« zu vermuten. Anders Schulz: »Wer anderen Göttern opfert, verfällt dem Bann«.
Die beiden genannten Stellen widerraten der Annahme, das Fremdgötterverbot sei erst der dt. Zeit zuzuschreiben. Andererseits ist es auch nicht wahrscheinlich, daß es schon in den nomadischen Anfängen des Volkes formuliert worden ist, in denen die aus Ägypten errettete Schar die Versuchung der Hinneigung zu anderen Gottheiten schwerlich schon erfuhr. Mehr Gewicht hat die Vermutung Knierims, daß die ausschließliche Verpflichtung Israels auf den Jahwedienst in der Begründung des Zwölfstämmeisraels in Sichem, woran eine Erinnerung in Jos 24 erhalten sein dürfte, geschehen ist. Das in Sichem verankerte eigentümliche Ritual der Abrenuntia-

tion mit seinem Vergraben der Fremdgötter (אלהי הנכר *'ae lōhē hannēkār*) unter dem hl. Baum in Sichem (Gen 35, 2. 4), das, wie o. S. 45 erwähnt, bei der Verlegung des Königsheiligtums nach Bethel (1 Kön 12, 29, vgl. Am 7, 13) als ältere Tradition in das Ritual für die Wallfahrt von Sichem nach Bethel eingebaut worden sein dürfte, scheint hierfür eine willkommene Bestätigung zu bieten. Danach wäre in diesem Akt der Entscheidung, in dem Jahwe die Stelle des אל אלהי ישראל *'ēl 'ae lōhē jiśrā'ēl* einnahm, das 1. Gebot erstmals ausdrücklich formuliert worden.

Das 1. Gebot ist, wie die älteren Formulierungen noch deutlicher als Ex 20, 3 zum Ausdruck bringen, nicht als eine Doktrin gemeint, wonach Israel zu glauben hätte, daß es auf der weiten Welt unter allen Völkern keine anderen Götter gebe. Es ist o. S. 34 schon ausgeführt worden, daß Israel zunächst ganz unbefangen die Existenz anderer Gottheiten in anderen Bereichen voraussetzt, wie denn auch Paulus in 1Kor 8, 5 dieses offenläßt: »Denn wenn auch sogenannte Götter im Himmel und auf Erden da sein mögen, wie es denn ja viele Götter und Herren gibt. ...«. Wie dieser weiß es aber auch um die entscheidende Weiterführung: »So haben doch *wir einen* Gott ...«. So ist im 1. Gebot das »*dir*« unterstrichen: »Es sollen *dir* keine anderen Götter sein«. Israel soll keinem anderen Gott die Proskynese und das Opfer zuteil werden lassen.
Es ist dann zu sehen, wie auch hier die Herausforderung der Geschichte zu schärferer polemischer Klärung des Gebotes zwingt. Hat das Israel der frühen Zeit in großer Unbefangenheit Namen und Prädikate des kan. Hochgottes El auf Jahwe übernommen und auch das, was die ältere Überlieferung von den Gottesbegegnungen mit dem »Gott der Väter« wußte, als Verheißungsgeschichte Jahwes interpretiert, so ist der scharfe Gegensatz offenbar erstmals an der Gestalt des Gottes Baal (in Ugarit der Sohn Dagans und indirekt auch Els, s. Kapelrud), der es im besonderen mit Fruchtbarkeit und Witterungsphänomenen und dem damit verbundenen Ritual zu tun hatte, aufgebrochen. Die Zeit Ahabs und seines prophetischen Gegenspielers Elia, die den Baalsglauben zunächst in der tyr. Spielform, die aber auf dem kan. Grunde leicht Anklang finden konnte, einzubürgern suchte, wurde zu einer ersten Kampfzeit. In der Konfrontation der Szene auf dem Karmel, wie 1Kön 18 davon berichtet, bricht das Bekenntnis in der antibaalistischen Polemik auf: »Jahwe, er ist Gott, Jahwe, er ist Gott« (18, 39). In Hoseas Polemik, die in der Frühverkündigung Jeremias ihre Weiterführung erfährt, ist der tyr. Hintergrund verschwunden. Auch unter der Dynastie Jehus, der den Thron der Wendung gegen die tyr. Politik Ahabs und Isebels verdankt, hat das baalistische Wesen unter der Decke scheinbaren Jahweglaubens sich weiter breitgemacht. Die genannten Propheten bringen demgegenüber das 1. Gebot in seiner zeitgemäßen Explikation zur Geltung. Nordisrael wird von Hoseas Polemik her, die im Untergang des Nordreiches ihre geschichtliche Besiegelung erfährt, in besonderer Weise zum »götzendienerischen« Königreich.
In anderer Weise brandet die Welle der Fremdgötterei in der Assyrerzeit über Juda hin. 2 Kön 23, 4ff. lassen erkennen, wie viele Symbole »anderer Götter« unter dem Druck der politischen Fremdmacht bis in den Jerusalemer Tempel hinein Heimatrecht gewonnen haben. So wurde denn das dt. Schrifttum, in dem der Widerstand gegen das Fremdgötterwesen seine entschlossenste Formulierung

gefunden hat, der harte Vorkämpfer gegen alle Fremdgötterei. Der Aufriß der dt. Gesetzgebung im engeren Sinne ist für die Aktualisierung, welche das 1. Gebot in dieser Zeit erfährt, besonders aufschlußreich, indem er die doppelte Kampffront zeigt, in welcher der Kampf nun steht. Dtn 13 entfaltet in drei Beispielen die Möglichkeit, daß Propheten oder »Traumträumer« die eigenen Verwandten oder eine Stadtgemeinschaft in Israel zum Dienst fremder Götter verführen könnten. Es fordert die unerbittliche Bestrafung der Verführer, auch wenn diese sich durch Zeichen und Wunder auszuweisen wüßten (13, 3). In 17, 2–7 ist nochmals ein analoger Fall aufgeführt, bei dem dann vor allem die sorgfältige Zeugenerhebung gefordert wird. – Dem Zusammenhang Dtn 13, den man als Explikation des »1. Gebotes« eigentlich am Anfang der Gesetzgebung erwarten möchte, ist dann aber in Dtn 12 noch in mehrfachen Varianten das sog. Zentralisationsgesetz vorangestellt, das sich ohne Zweifel ganz ebenso als eine aktuelle Anwendung des 1. Gebotes versteht. Unter der Ausweitung: »Keine anderen Götter = keine anderen Heiligtümer«, was positiv gewendet lautet: »*Ein* Jahwe (so formuliert es das bis heute für das Judentum liturgisch bedeutsame »Höre Israel« שמע ישראל *šᵉmaʿ jiśrāʾēl* in 6, 4) = *ein* Heiligtum«, wird die Vernichtung auch aller Jahwe-Ortsheiligtümer außer dem einen »an dem Ort, den Jahwe erwählt, seinen Namen dort wohnen zu lassen« (12, 11), gefordert. In der Zentralisation des Jahwedienstes nach Jerusalem will die dt. Reform in zeitgerechter Interpretation dem 1. Gebot nachleben.

H weist nicht die straffe Anordnung des Dtn auf. Immerhin ist auch hier in Lev 17 eine Parallele zu Dtn 12 zu erkennen, wenn die Heranbringung aller Opfer zum Eingang des hl. Zeltes gefordert wird. Im weiteren überwiegt aber in Lev 17 das Interesse an der kultisch korrekten Darbringungsweise der Opfer (Vermeidung des Blutgenusses). In der stark zusammengesetzten Teilsammlung Lev 19 ist zwar nicht ganz zu Beginn, aber doch unter den einleitenden Vorschriften in v. 4 verboten, sich zu den Götzen, die hier als אלילים *ʾᵃᵉlīlīm* bezeichnet werden, zu wenden. 26, 1 rückt dann das gleichartig formulierte Verbot wieder an die Spitze. In der Sammlung von Lev 20 dagegen ist ganz zu Anfang das strikte Verbot des Moloch-Opfers zu vernehmen. Das Darbringen der Erstgeburt an eine als »König« bezeichnete Gottheit (das מלך *mōlaek* ist gegen Eißfeldt u. a., die darin eine Opferbezeichnung finden wollen, als diffamierende Umvokalisierung des »Königs« [= מלך *maelaek*]-Titels mit den Vokalen des Wortes בשת *bōšaet* »Schande« zu verstehen), die jahwistisch interpretiert worden sein dürfte und deren Altar im Hinnomtal stand (Jer 19, 2ff.), ist für die priesterlichen Kreise jener exilisch-frühnachexilischen Zeit die greulichste Form des Götzendienstes, vgl. auch Ez 20, 25f., dazu u. S. 186f. Daß priesterliches Denken den Fremdgötterdienst vor allem von der Seite seiner kultischen Verunreinigung her als besonders belastend empfand, dürfte sich auch in der Terminologie Ezechiels zeigen. Hier (wie dann auch an einigen dtr. Stellen) sind die Fremdgötter als גלולים *gillūlīm* bezeichnet. Im Vokalismus dürfte hier die diffamierende Angleichung an die Bezeichnung שקוצים *šiqqūṣīm* »Greuel« zu finden sein. Seiner Etymologie nach aber wird das Wort mit den »Kotstücken« (גללי- *gaelᵉlē-*) von Ez 4, 12. 15 zusammengehören und die Götzen und die sie darstellenden Gegenstände als »Mistdinger« bezeichnen. Für die Bedeutsamkeit des 1. Gebotes ist hier auch die Geschichtsrekapitulation von Ez 20 aufschlußreich. Sie setzt bei der »Erwählung« Israels in Ägypten ein. Auf die Namensoffenbarung Jahwes: »Ich bin Jahwe, euer Gott«, folgt zunächst der Schwur, daß Jahwe sein Volk aus Ägypten heraus in ein gutes Land hineinführen wolle. Dazu tritt unmittelbar die Gebotsforderung, die damit ganz an den Anfang der Erwählungsgeschichte in Ägypten gerückt wird. Sie umfaßt inhaltlich allein das 1. Gebot, das in der eben skizzierten priesterlichen Terminologie formuliert und durch Jahwes Selbstaussage im Namen motivierend unterstrichen wird: »Werft ein jeder die Scheusale, an denen seine Augen hängen (שקוצי עיניו *šiqqūṣē ʿênāw*), weg, und macht euch nicht unrein an den Götzen (גלולים *gillūlîm*) Ägyptens. Ich bin Jahwe, euer Gott« (v. 7). Von den Landesbaalen in Kanaan und den Großgöttern der ass. Großmacht ist hier nicht mehr die Rede. Die Forderung des Erstgeburtsopfers wird in 20, 25 f. als eine unheimliche, von Jahwe selber erlassene, die Sünde nur mehrende Ordnung verstanden. Die eigentlich zentrale Forderung am Quellpunkt der Israelgeschichte in Ägypten wird aber ganz so wie im Dekalog im 1. Gebot gesehen, das in dieser Ursprungssituation seine besondere Aktualisierung in Richtung auf die »Götzen Ägyptens« erfährt.

In eine ganz andere Welt tritt man beim spätexilischen Propheten Dtjes. Er bietet keine gesetzlichen Gebotsformulierungen, wohl aber ist bei ihm die reiche Welt der Götter, die er in Babylonien ganz unmittelbar vor Augen hat, zu einem Gegenstand überlegenen Spottes geworden. Unter Hinweis auf die Geschichtsmächtigkeit und das die Geschichte im voraus lenkende und gestaltende »Wort« (s. o. S. 88 f.) schildert er die Ohmacht der »Götter«, die in ihren Bildern verehrt werden. Es ist eigenartig zu sehen, wie da, wo Israel in die Völkerwelt hinausgeworfen, den Mächten der »Götter« anscheinend hilflos preisgegeben ist, die Evidenz der im 1. Gebot beschlossenen Wahrheit dem Propheten diskussionslos über jeden Zweifel erhaben ist. Auch die Völker werden nach 45, 23 f. in der Zukunft die Knie beugen und bekennen: »Nur in Jahwe . . . ist Heil und Stärke«. Darin wird erneut sichtbar, was zu Anfang der Ausführungen über »Jahwes Gebot« gesagt worden war, daß die Weisung, die nun gerade das erste, zentralste Gebot Israels erteilt, gnadenvolle Weisung zum Heil ist.

R. Knierim, Das erste Gebot, ZAW 77, 1965, 20—39. — *W. H. Schmidt*, Das erste Gebot, ThEx 165, 1969. — *A. Alt*, Die Wallfahrt von Sichem nach Bethel, Kleine Schriften I, 1953, 79—88. — *A. S. Kapelrud*, Baal in the Ras Shamra Texts, 1952. — *N. S. Lohfink*, Das Hauptgebot, 1963. — *F. Horst*, Das Privilegrecht Jahwes, FRLANT 45, 1930 (= Gottes Recht, ThB 12, 1961, 17—144. — *O. Eißfeldt*, Molk als Opferbegriff im Punischen und Hebräischen und das Ende des Gottes Moloch, 1935. — *H. D. Preuß*, Verspottung fremder Religionen im AT, BWANT 5. F. 12, 1971 (Lit.). Vgl. auch Lit. zu § 6 und 11.

§ 13 Das Bildverbot (und das Verbot des Mißbrauchs des Gottesnamens)

Neben dem ersten Gebot steht in Ex 20, mit jenem zusammen von der doppelten Selbstaussage Jahwes umklammert, das Verbot: »Du sollst dir kein Bild machen«. Die in ihrer Anknüpfung textlich kontroverse Weiterführung: »noch irgend eine Gestalt – (weder von dem, was) im Himmel droben und auf Erden drunten und im Wasser unter der Erde (ist)« stellt eine nachträgliche Verdeutlichung dar. Die auch sonst festzustellende enge Verklammerung von Fremdgötter- und Bildverbot hat der immer wieder aufflammenden Diskussion darüber Nahrung gegeben, ob beim Bildverbot an Jahwebilder oder Fremdgottbilder gedacht sei.

Das in Ex 20, 4 verwendete Wort פסל *paesael* bezeichnet zunächst das aus Holz oder Stein geschnitzte oder gehauene Gottesbild oder den nichtmetallischen Kern eines solchen. Später wird es in unschärfer gewordener Verwendung auch für das metallene Bild gebraucht (Jes 40, 19; 44, 10). Die Formulierung in Ex 34, 17: »Gußbildgötter (oder: einen Gußbildgott?) sollst du dir nicht machen« ist heute durch die starke dt. Bearbeitung vom ersten Gebot in v. 14 abgerückt. מסכה *massēkāh*, eine Ableitung von נסך *nsk* »gießen«, bezeichnet immer das metallene Bild. Dem Altargesetz (Ex 20, 24—26), welches die Gesetzessammlung des Bundesbuches wohl in einer früheren Phase eingeleitet hat, ist nachträglich (in plur. Formulierung) in v. 23 ein Kopfstück vorangesetzt worden, welches verordnet: »Nicht sollt ihr bei (= neben?) mir Götter von Silber machen, und Götter von Gold sollt ihr euch nicht machen«. Erneut verrät sich in solcher Voranstellung die Bedeutung des Bildverbotes. In enger Verbindung mit dem Fremdgötterverbot ist es dann wieder in H Lev 19, 4b anzutreffen: »Gußbildgötter (אלהי מסכה *'aelōhē massēkāh*) sollt ihr euch nicht machen«, vgl. auch Lev 26, 1. — Einen besonderen Akzent bringt der Fluchdodekalog von Dtn 27, der das Bildverbot ohne ein ausdrückliches Fremdgötterverbot (nachträglich?) an die Spitze der ganzen Fluchreihe gestellt hat: »Verflucht ist der Mann, welcher ein Bild (פסל *paesael*) und Gußbild (מסכה *massēkāh*), einen Greuel für Jahwe, Machwerk der Hände eines Kunsthandwerkers, macht und es heimlich aufstellt« (27, 15). Die Heimlichkeit des Tuns verbietet es, an ein öffentlich aufgestelltes Gottesbild Israels zu denken, woran bei den zuvor genannten Stellen wohl gedacht war. Im übrigen fällt auf, daß im Korpus der Gesetzsammlung Dtn 12—26 ein Bildverbot fehlt. Zur מצבה *maṣṣēbāh* s. u.

Das Bildverbot darf keinesfalls dahin verstanden werden, als ob in ihm eine »höhere Geistigkeit«, die sich in Israel allmählich herausbildete, die Versinnlichung im Bilde ablehnte. Solcher Dualismus von sinnlich und geistig ist dem AT fremd. Es muß andererseits festgehalten werden, daß auch die Umweltreligionen nicht dem platten Glauben huldigten, als ob die Gottheit einfach mit dem Bilde, das im Tempel aufgestellt war, identisch wäre. Vielmehr glaubten sie, daß die Gottheit vom Bilde Besitz ergreife und dann allerdings bei ihm anzutreffen sei. Israel hat aber auch diesen Glauben in seinem Bildverbot radikal abgelehnt. Dahinter steht das Wissen, das in ihm doch wohl schon sehr früh vorhanden ist, daß Jahwe, der ihm in der geschichtlichen Tat der Herausführung aus Ägypten als der geschichtsüberlegene begegnet ist, in jedem Fall auch jeder Bilddarstellung überlegen bleibt. Und dieses nicht, weil Israel sich seinen Gott in einer jeder Bildhaftigkeit entrückten abstrakten Geistigkeit vorgestellt hätte. Zu deutlich stehen die unbekümmert verwendeten Aussagen, die von Jahwes Gesicht, seinen Händen, seinen Augen usw. reden, gegen solche Vorstellung. Aber nie konnte Israel Jahwe als einen Gott glauben, der irgendwo in das von Menschen Geschaffene einfach einginge. Was sich in der Konfrontation mit der Schöpfungsvorstellung der Umweltvölker im spezifisch at. Schöpfungsglauben klar ausformulierte (§ 4), ist in Israel unverkennbar seit seinen Anfängen vorhanden und hat sich im strikten Verbot der Herstellung eines irgendwie gestalteten Gottesbildes niedergeschlagen. Israel wußte, daß Jahwe nie so dem Menschen zuhanden sei, wie es die Gottheit in den Ritualformen der Umwelt war, in welchen das Gottesbild bedient, bekleidet, geschmückt, gespeist, aber dann

auch zu mantischer Praktik gehandhabt wurde. Das strikte Verbot aller Zauberpraktiken deutet in die gleiche Richtung.
Nun wäre es allerdings falsch anzunehmen, daß sich nicht auch in Israel ein geschichtlicher Prozeß des allmählichen, klareren Durchdringens dieses Wissens vollzogen hätte. Das ist im AT selber deutlich zu erkennen.

Der jüngeren Geschichtssicht gilt das Nordreich nicht nur allgemein als das sündige, sondern im besonderen als das götzenbildnerische Königreich. Dabei ist in der dtr. Darstellung, welche an dieser Gesamtwertung in besonderer Weise beteiligt ist, vor allem an die beiden goldenen Jungstierbilder, welche an den Königsheiligtümern Bethel und Dan standen, gedacht. Jerobeam I. hatte diese nach 1 Kön 12, 28f. dort aufgestellt und unter dem Kultruf: »Das ist dein Gott, der dich aus Ägyptenland geführt hat«, geweiht. Wie war solches in einem Israel, das um die Weltüberlegenheit Jahwes von frühen Zeiten an wußte, möglich? Ein Blick auf das Heiligtum in Jerusalem, das durch die Maßnahmen Jerobeams ohne Zweifel im Sinne einer »Politik der Abgrenzung« polemisch anvisiert war, kann hier weiterhelfen. In Jerusalem stand die von David eingeholte Lade als Zeichen der Gottespräsenz. Die Verwechslung des Kastens der Lade mit Jahwe selber lag hier nicht nahe. Die Lade blieb »der Schemel seiner Füße«, die darüber angebrachten Keruben »Thronsitz« Jahwes. So spricht alles dafür, daß auch die Maßnahme Jerobeams die beiden Jungstierbilder nicht als Bilder meinte, von welchen im Sinne des Umweltglaubens Jahwe selber Besitz ergreift. Auch sie dürften als Postament, Thronort der über ihr thronenden, klar von ihr getrennten Gottheit interpretiert worden sein. Nur so ist es zu verstehen, daß noch ein Elia und auch ein Amos sich ohne jede ausdrückliche Polemik gegen diese Bilder in Bethel bewegen konnten (2 Kön 2, 2f.; Am 7, 10ff.). Erst bei Hosea bricht innerhalb der uns bekannten Nachrichten, hier aber nun ganz elementar, die erschrekkende Erkenntnis durch, daß für den Glauben des Volkes das Bild zu mehr geworden war als zu bloßem Postament, dienendem Thronschemel des jedem Machwerk von Menschenhänden grundsätzlich überlegenen Herrn. »Menschen küssen Kälber«, lautet eine der entsetzten Formulierungen Hoseas (13, 2). Dieser Adorationsgestus verrät dem Propheten, was für eine unheimliche Verwechslung hier geschehen war. Das Stierbild, das in der Umwelt eng mit den Fruchtbarkeitsgottheiten in der Art des Baal verbunden war, mußte natürlich ganz anders zur Versuchung werden, als der Kasten, der im Allerheiligsten von Jerusalem stand.
Die Erzählung vom goldenen Kalb in Ex 32, bei welcher in so auffallender Weise Aaron, der Bruder Moses, beteiligt ist, dürfte in ihrem Hintergrund noch die Betheler Heiligtumslegende des goldenen Stierbildes verraten. Dieses wurde als ein von einer frühen Priestergestalt der Exoduszeit (bezeichnend wieder die Verankerung in dieser Anfangszeit Israels) eingeführtes Kultsymbol bewertet. Nicht den Gott der Fruchtbarkeit feiert der Kultruf, der bei diesem Bilde laut wurde, sondern in Ex 32, 4 wie in 1 Kön 12, 28 ist es der Hinweis auf den Gott, der Israel aus Ägypten führte. In der heutigen Gestalt allerdings ist die Erzählung Ex 32 zur scharf polemischen Ablehnung dieses Bildes, das dem Willen Jahwes eindeutig zuwider ist, geworden. Der at. Glaube rückt darin ein für allemal von

diesem in so gefährlicher Weise verwechslungsfähigen Kultbild ab. – In ähnlicher Weise wird man auch bewerten müssen, was Ri 8, 24ff. von Gideon, der mit dem Ruf: »Schwert Jahwes« in den Kampf gezogen ist, berichtet. Auch in Ophra wird die offizielle Interpretation des dort aufgestellten Ephod (s. o. S. 82) anders gelautet haben, als es nun in der Bewertung durch den dtr. Erzähler erscheint. Darf Ähnliches auch vom Kultbild in Dan, dessen unheilige Vorgeschichte Ri 17f. erzählen, bei dem aber eine Priesterfamilie, die sich von Mose herleitete (Ri 18, 30), Dienst tat, vermutet werden?

Daß Jerusalem im übrigen zunächst keinerlei Anlaß zu der dtr. Polemik gegen Bethel hatte, zeigt die gut verbürgte Nachricht, daß bis in die Tage Hiskias im Tempel in Jerusalem ein ehernes Schlangenbild stand, vor dem Opfer dargebracht wurden. Num 21, 4–9 lassen ganz wie die vermutete Vorform von Ex 32 noch erkennen, daß auch dieses Bild, was immer seine tatsächliche geschichtliche Herkunft gewesen sein mag, in Jerusalem als ein Kultsymbol der Exoduszeit bewertet wurde. Es soll nach der Jerusalemer Heiligtumslegende sogar von Mose selber gefertigt worden sein. Num 21 berichtet dieses in voller Unbefangenheit ohne jeden polemischen Ausfall. Es ist nun aber bezeichnend, daß ebenfalls im ausgehenden 8. Jh., unmittelbar nach der Zeit Hoseas, dieses Bild als Kultsymbol im Jerusalemer Tempel fragwürdig zu werden beginnt und vom König Hiskia im Zusammenhang einer (antiass. motivierten?) Kultreform stillschweigend beseitigt wird, obwohl keiner die mosaische Herkunft des Symbols bestreitet (2 Kön 18, 4).

Die Polemik Hoseas und die nachfolgende Bestätigung dieser Polemik im Untergang Nordisraels hat noch zur Ausschaltung eines weiteren, von der älteren Zeit völlig harmlos anerkannten Kultsymbols geführt. Während die Errichtung hölzerner Gottsymbole, die nach der kan. Gottheit Aschera Ascheren genannt wurden, wegen eben dieser Verbindung mit einer weiblichen Gottheit in Israel schon früh verdächtig war (1Kön 15, 13), hat die ältere Zeit gegenüber der Aufrichtung von Steinen an heiliger Stelle nicht die geringsten Bedenken. Ex 24, 4 berichtet, daß Mose im Zusammenhang mit dem Bundschluß am Fuße des Gottesberges zwölf Steine nach der Zahl der zwölf Stämme Israels aufgerichtet habe. Die Überlieferung, daß der hl. Stein in Bethel vom Ahnen Jakob aufgerichtet und mit einer Ölspende übergossen worden sei (Gen 28, 18), ist ohne jede Polemik weiter überliefert worden, ganz ebenso die Errichtung des »Steins der Hilfe« (אבן העזר *'aebaen hā' ēzaer*) durch Samuel (1 Sam 7, 12) und des Steines in Sichem durch Josua (Jos 24, 26f.). Jer 2, 27 zeigt aber, wie auch hier sich allerlei Afterglaube einschlich. So wird auf die schon bei Hosea einsetzende Polemik hin denn auch das Kultzeichen der Mazzebe (מצבה *maṣṣēbāh*) verdächtig und im Lichte des Bildverbotes als untragbar empfunden. Dtn 16, 22 stellt sie mit der Aschere (v. 21) zusammen und verbietet ausdrücklich ihre Errichtung. In Lev 26, 1 steht dieses Verbot neben dem Verbot der Errichtung von Gottesbildern.

Auch beim Bildverbot ist es dann zu sehen, daß Dtjes das Ganze in einer beeindruckenden Souveränität, die von keiner Versuchung des Bilderdienstes mehr angefochten zu sein scheint, beurteilt. Hier ist – besonders drastisch in der sek. Erweiterung Jes 44, 9–20 – dem Spott über den Afterglauben, daß im Bild die

Gottheit präsent sein könnte, voller Ausdruck gegeben. Mag man auch feststellen, daß dieser Spott dem Selbstverständnis etwa des bab. Bilderdienstes nicht gerecht zu werden vermag, so bleibt die Tatsache doch eindrücklich, wie vollkommen frei von jeder inneren Anfechtung durch den Bilderdienst, der hier unmittelbar mit dem Bilderdienst der Fremdgötter verbunden wird, der at. Glaube geworden ist. Wieder geschieht dieses in der Zeit der tiefsten Erniedrigung Israels und seines Wohnens inmitten einer bilderfrommen Umwelt.

In einer Erweiterung der dt. Einleitungsreden in Dtn 4 ist ein Nachdenken über den inneren Grund des Bildverbotes zu erkennen. Es ist wiederum bezeichnend, daß hier keine Reflexion über das verborgene Wesen Jahwes angestellt, sondern der Blick auf die Offenbarungserfahrung vom Anfang gerichtet wird. Weil das Volk, als es am Gottesberg vor Jahwe stand, keine Gestalt Jahwes erblickt, sondern lediglich seine Stimme aus dem Feuer heraus vernommen hat, darum soll es sich auch kein gestaltetes Bild machen (פסל תמונת כל סמל *paesael t^emūnat kol saemael*), weder ein Abbild (תבנית *tabnīt*) eines männlichen noch eines weiblichen Wesens, noch ein solches (darin wird Ex 20, 4 voller paraphrasiert) von Wesen aus einem der drei Weltbereiche (4, 16–18). In der dem Bundesbuch vorgeschalteten Formulierung des Bildverbotes scheint eine ähnliche Argumentation beabsichtigt zu sein, wenn in Ex 20, 22 dem Verbot der Hinweis darauf, daß Jahwe vom Himmel her geredet habe, vorausgeschickt wird.

Angesichts der Antithese von Dtn 4: Nicht schaubares Bild, sondern zu hörendes Wort, könnte sich die Frage stellen, ob sich denn der Mensch nicht ganz so auch des gehörten Wortes, zumal des geoffenbarten Gottesnamens bemächtigen und ihn selbstherrlich in seine Verfügung nehmen könnte. Der Dekalog, in dessen Präambel Jahwe sich in seinem Namen offen kundmacht, tritt in seinem dritten Satz Ex 20, 7 auch dieser Eigenmächtigkeit entgegen: »Du sollst den Namen Jahwes, deines Gottes, nicht zu Nichtigem (לשוא *laššaw'*) aussprechen«. Dieses Verbot, hinter dem die Ermächtigung steht, den Jahwenamen am richtigen Orte in Lobpreis und Hilfeschrei zu gebrauchen, will allem Mißbrauch wehren. So wird denn in Jahwes Gebot

1. aller Magie entschlossen gewehrt. Zu den von Dtn 18, 10–12 abgewehrten Mißbräuchen ist zweifellos auch der Mißbrauch des Namens zu rechnen.
2. Lev 24, 10–23 machen in einer Lehrgeschichte, in die in v. 15–22 eine weiter gefaßte Rechtsbelehrung eingebaut ist, deutlich, wie ein unbeherrschter Flucher, der Jahwes Namen »durchbohrt« (נקב *nqb*), von der Gemeinde gesteinigt werden soll. Zum Mißbrauch des Namens gehört
3. der Meineid im Namen Jahwes, den Lev 19, 12 (Ps 24, 4) verbietet. Soll man
4. in diesem Zusammenhang auch noch die in Ez 36, 20 geschilderte Entehrung des Namens Jahwes erwähnen, die Israel, welches als »Volk Jahwes« Jahwes Namen in seinem Verhalten und der darauf folgenden Katastrophe in den Mund der Völker bringt, vollzieht? Dieses transzendiert zweifellos das in dritten Gebot unmittelbar Gemeinte, läßt aber eine letzte Dimension der Gefährdung des Gottesnamens im Menschenmunde erkennen, in die Jahwe sich in der Dargabe seines Namens begeben hat.

Die Spätzeit des ATs hat in der Scheu vor diesem Verbot das Aussprechen des Jahwenamens überhaupt unterlassen (s. o. S. 12). Es ist zu fragen, ob sie darin nicht auch auf die gnädige Ermächtigung, die in der Präambel des Dekalogs zu hören ist, verzichtet hat. Die nt. Gemeinde, die im Namen des »Sohnes« den Namen des Vaters in neuer Weise kennengelernt hat, weiß dann erneut um das Privileg der Anrufung des Vaters »im Namen Jesu Christi«.

W. Zimmerli, Das zweite Gebot, Festschr. A.Bertholet, 1950, 550—563 (= Gottes Offenbarung, ThB 19, 1969², 234—248). — *K. H. Bernhardt*, Gott und Bild, 1956. — *W. Zimmerli*, Das Bilderverbot in der Geschichte des alten Israel, in: Schalom, Studien zu Glaube und Geschichte Israels. Festschr. A. Jepsen, 1971, 86—96 (= Studien zur at. Theologie und Prophetie, ThB 51, 1974, 247—260).

§ 14 Das gottesdienstliche und rituelle Gebot

At. Glaube lebt vor dem Gott, der keinen anderen in der unmittelbaren Verehrung neben sich duldet und der sich in keinem Bild, aber auch nicht in seinem offenbar gemachten Jahwenamen vom Menschen her einfangen und »handhaben« lassen will. Er tut es nicht in einer freien Geistigkeit, sondern in einem Leben, das seine bestimmten gottesdienstlichen Formen hat. Auch in den Ordnungen dieses gottesdienstlichen Lebens weiß er um seines Gottes Gebot.
Auch hier aber läßt sich ein Zwiefaches erkennen:
1. Die Formen, in denen at. Glaube seinem Gott dient, sind nicht unmittelbar vom Himmel gefallen. Neben Gut, das die nach Kanaan kommenden Stämme als älteres Erbgut mitgebracht haben, treten Formen, die unverkennbar der neuen Umgebung, in die sie hineintreten, entstammen.
2. Auch in seinem gottesdienstlichen Leben lebt Israel in einer Geschichte, in welcher Älteres zurücktritt und neue Akzente erkennbar werden. Es kann hier nicht darum gehen, eine vollständige Geschichte des at. Gottesdienstes zu bieten, vgl. dazu Kraus. Wohl aber muß eine at. Theologie darauf achten ,wie at. Glaube auch in seinen gottesdienstlichen Ordnungen seines Gottes Gebot vernimmt. Im folgenden ist erstens vom Sabbat, zweitens von den Festen Israels und drittens von den rituellen Ordnungen zu reden.
1. *Der Sabbat*, der Tag der Ruhe nach sechs Arbeitstagen, trat schon o. § 4 im Zusammenhang mit dem Schöpfungsbericht von P ins Gesichtsfeld. Er war dort der Tag der Ruhe Gottes nach dem Abschluß des gewaltigen Schöpfungswerkes. Von einem »Sabbatgebot« für den Menschen war dort nicht die Rede. Dieses taucht in der Dekalogtafel an vierter Stelle als ein Israel von Jahwe gegebenes Gebot auf. Schon das Bundesbuch erwähnt ihn (Ex 23, 12, ebenso Ex 34, 21). In H vgl. Lev 19, 3; 23, 3; 26, 2. In P wird er in Ex 31, 12–17 (35, 1–3) in gewichtiger Weise mit der Einsetzung des hl. Dienstes für Israel verbunden, wobei nach v. 13 Jahwe ihn ausdrücklich als »Zeichen für alle Zeiten zwischen mir und euch für (all) eure Geschlechter, damit man erkenne, daß ich euch heilige« (vgl. auch v. 17), bezeichnet. Wenn Ez 20 neben der gleichartigen Formulierung in v. 12 dann in v. 20 die freiere Umschreibung: »Damit man erkenne, daß ich Jahwe, euer Gott, bin«, verwendet, so wird darin sichtbar, daß der Sabbat

als besonderes Zeichen der (heiligenden) Aussonderung Israels, das in seiner Einhaltung dieses Tages als Jahwes Volk erkennbar wird, verstanden ist.

Die Ursprünge des Sabbats sind nicht mit Sicherheit aufgehellt. Man hat auf Entsprechungen in bab. Hemerologien hingewiesen, in welchen der 1., 7., 15., 21. und 28. Tag eines Monats als Unheilstage, an denen man keine wichtigeren Verrichtungen unternehmen sollte, galten (AOT[2] 329). Die feste Bindung an den Mondlauf und der Charakter von dies nefasti kennzeichnet diese Tage. Das erstere gilt auch für den unter dem Namen *šabattu* besonders beachteten 15. Tag des Mondmonats. Meinhold wollte im Sabbat, weil er gelegentlich par. zum Neumond auftritt (Am 8, 5 u. ö.), einen ursprünglichen Vollmondstag finden. An einen Markttag denkt Jenni. Kraus leitet ihn vom Urmodell der Festwochen beim Passa/Mazzot und Laubhüttenfest (s. u.) ab. Für den im AT erkennbaren Sabbat ist die volle Freiheit vom Mondlauf und das Fehlen jeder Deutung als dies nefastus kennzeichnend. Die Bedeutung des unabhängig von jedem Heiligtum durch Arbeitsenthaltung zu begehenden Sabbats nimmt im Lauf der Geschichte zu.

Der at. Sabbat stellt in seinem Freilassen jedes 7. Tages für Jahwe in einer Art »Zeit-Brache« die Ehrung des Herrn aller Zeit dar. Das AT selber läßt zwei explizite Motivationen für diese Zeitbrache erkennen. Die Dekalogform von Dtn 5, 12–15 begründet die Arbeitsruhe final: »Damit dein Knecht und deine Magd Ruhe halten wie du (selber). Und du sollst daran denken, daß du Sklave gewesen bist in Ägyptenland und daß Jahwe, dein Gott, dich von dort mit starker Hand und ausgestrecktem Arm herausgeführt hat. Darum hat dir Jahwe, dein Gott, befohlen, den Sabbat zu halten«. Mit dem Hinweis auf den Sklaven ist der Sabbat hier wie auch in Ex 23, 12 sozial motiviert. Die Rücksicht auf den Sklaven wird dabei mit der Rückerinnerung an die eigene Arbeitsversklavung in Ägypten begründet. Im Freihalten jedes 7. Tages von Arbeit steht erneut der Gott, der die Geknechteten befreite, vor Augen. Von ihm her soll der Nachfahre jener von Jahwe Befreiten auch Augen für den von Arbeit Belasteten an seiner Seite bekommen. Die Dekalogform von Ex 20 dagegen steht in Verbindung mit der priesterlichen Schöpfungserzählung, die auf den Sabbat als Tag des Ruhens des Schöpfers selber hinauslief. Israel bekommt darin teil an dem Vorrecht der Ruhe des Schöpfers selber. Es wird dadurch zu einem innerhalb der Schöpfung Jahwes ausgezeichneten, von Jahwe an sich herangeholten oder, wie Ex 31, 13 und Ez 20, 12 sagen, »geheiligten« Volk. Die privilegierende Gabe dieser Ordnung des 7. Tages, die immer wieder mit Freuden aus Jahwes Hand empfangen werden darf, was besonders eindrücklich in Ex 16, 29 zu sehen ist (Jahwe »gibt« den Sabbat), gewinnt aber unversehens auch den Aspekt des strengen Gebotes, das unter Todesdrohung eingeschärft wird (Ex 31, 14, dazu Num 15, 32–36).

2. Neben den stetig, von jeder Ordnung des Naturlaufes gelöst durch das Jahr hin laufenden Sabbat treten die Ordnungen bestimmter *Feste*. Wohl weiß das ältere Israel auch von der Möglichkeit freier Anberaumung etwa einer Siegesfeier nach gewonnenem Kampf (1 Sam 18, 6f.) oder eines Bußtages bei Landesnot durch Feinde (1 Sam 7, 5f.; Jer 36, 9) oder Dürre (Jer 14). Dazu kommen aber die regelmäßigen Feste, welche auf die bäuerliche Ernte hin orientiert und dadurch deutlich als ursprüngliche Feste der Landesbewohner Kanaans ausgewiesen sind. Drei solche Feste, an denen die männliche Bevölkerung am Heiligtum erscheinen soll, kennen die älteren Festkalender Ex 23, 14–17; 34, 18–23 (hier wird der Sabbat, der 23, 12 noch abgehoben ist, eingeschlossen); Dtn 16, 1–17:

a) das Fest der ungesäuerten Brote (חג המצות *ḥag hammaṣṣôt*),

b) das (Korn-)Erntefest (חג הקציר *ḥag haqqāṣīr*), das Ex 34, 22 den Namen Wochenfest (חג שבעת *ḥag šābūʿōt*) erhält,

c) das Lesefest (חג האסיף *ḥag hāʾāsīf*), das später als Hüttenfest (חג הסכות *ḥag hassukkōt* Dtn 16, 13) bezeichnet wird.

Der agrarische Ursprung dieser Feste ist deutlich, wenn beim Mazzenfest ein siebentägiges Essen von ungesäuerten Broten, d. h. wohl die saubere Trennung der neu eingeholten Gerstenernte vom alten (als Sauerteig zu verwendenden) Korn des Vorjahres angeordnet wird. Zum (Weizen-)Erntefest ordnet Ex 23, 16 ausdrücklich an, daß »die Erstlinge vom Ertrag deiner Saat auf dem Felde« dargebracht werden sollen (34, 22 nennt noch deutlicher »die Erstlinge vom Schnitt des Weizens«). Und das Lesefest um die Wende des Jahres hat die Weinernte vor Augen. Es ist in der älteren Zeit das große Jahresfest. Ri 21, 19, wo der Raub der Töchter von Silo durch die Benjaminiten bei den Tänzen in den Weinbergen geschildert wird, bezeichnet es kurzerhand als »das Fest Jahwes« (חג יהוה *ḥag jahwāeh*). 1 Kön 12, 32 zeigt, daß es in der Folge im Nordreich kalendarisch etwas später angesetzt worden ist als im Süden. Am Anfang aber steht sicher nicht die kalendarische Fixierung, sondern die freie Anordnung je nach dem Stand der Ernte im jeweiligen Jahr.

Es ist für den Glauben des ATs bezeichnend, daß im Lauf der Geschichte Israels nicht nur neue Elemente zu dem altkan. Festkalender hinzugetreten sind, sondern auch die innere Motivation eine Verschiebung erfahren hat. Der Blick auf das Gebet des Bauern, der seine Erntefrüchte zum Heiligtum bringt (Dtn 26), zeigt die Richtung, in der sich die Verschiebung vollzieht. An die Stelle der Ausrichtung auf Ernte und Fruchtbarkeit des Landes, die, wie in § 8 ausgeführt, in der Folge uneingeschränkt als Gaben Jahwes, des Gottes Israels, verstanden wurden, tritt die Ausrichtung auf den Gott, der Israel aus Ägypten herausgeführt hat.

Besonders eindrücklich ist dieses beim ersten der 3 Feste, das in der Bewertung der jüngeren Zeit an die vorderste Stelle rückt und auch im NT als das große Fest der Wallfahrt nach Jerusalem erscheint (Jesus, Paulus). Dieses hat sich schon früh mit einem wohl aus der Vorlandnahmezeit stammenden Hirtenbrauch, dem Passa, verbunden. Nach Rost handelt es sich um einen apotropäischen Brauch, der beim Aufbruch der Herde zum Weidewechsel der Halbnomaden durch ein Tieropfer und eine bestimmte Blutstreichung das Wohlergehen der Herde schützt und die bösen Mächte der Seuche von der Herde fernhält. Es ist geschichtlich nicht mehr mit Sicherheit auszumachen, wie sich dieser Brauch mit dem Aufbruch der aus Ägypten entweichenden Gruppen verbunden hat. Auf jeden Fall gehört das Blutstreichen an die Türpfosten (Ex 12, 7. 22) und das Tragen von Wandertracht (v. 11) in der Folge eng mit der Erinnerung an den Auszug aus Ägypten zusammen, bei dem Jahwe durch seinen Verderberengel die ägypt. Erstgeburt geschlagen, Israel dagegen verschont und ihm den Aufbruch ermöglicht hat. Die Verbindung des Passabrauches mit der siebentägigen Woche des Mazzenessens mag sich zunächst durch die kalendarische Nähe der beiden Brauchtümer ergeben haben. Für den at. Glauben aber ist es bezeichnend, daß in dieser Verbindung die Orientierung auf die geschichtliche Rettung aus Ägypten eindeutig den Sieg behält. Auch das Essen der ungesäuerten Brote wird nun in diesem Kontext erklärt. Der Aufbruch aus Ägypten habe so eilig geschehen müssen, daß die Frauen der Israeliten, die eben alle den Teig zum Brote bereitet, ihn aber noch nicht gesäuert hatten, dieses Säuern unterließen (Ex 12, 34), so daß Israel beim Auszug ungesäuerte Brote aß. Der nächtliche Passabrauch, in dem ein Tier geschlachtet und sein Blut für den Blutritus verwendet wird, bildet nun das Eingangsgeschehen zur Woche des Mazzenessens. Die Verschlingung der beiden Begehungen ist im heutigen Text von Dtn 16 schon ganz vollzogen. Der Reformbericht von 2Kön 23, 21–23 zeigt, daß das am Zentralheiligtum in Jerusalem gefeierte Passa (auch im Namen siegt nun der Passabrauch) zum charakteristischen Fest der Reform Josias geworden ist. Die nachexilische Gesetzgebung von P (Ex 12, 1–20) läßt dann aber erkennen, wie der alte Brauch des Feierns in den Familien sich auch nach der Zentralisierung zähe zu behaupten gewußt hat. Noch Jesus feiert nach der Darstellung der Synoptiker das Passa zwar in Jerusalem, aber nicht im Tempel, sondern in der Mahlgemeinschaft des Jüngerkreises, so wie es die Familien zu halten pflegten.

Weniger durchsichtig ist der Vorgang der Umprägung beim großen Herbstfest. Während manche annehmen, der Brauch, in Hütten zu wohnen, gehöre ursprünglich zu diesem Feste, möchte Kraus ein ursprünglich selbständiges Zeltfest annehmen, das sich dann mit dem Herbstfest verbunden hätte. Deutlich hat die heilsgeschichtliche Orientierung in Lev 23, 39–43 gesiegt, wo Israel das siebentägige Wohnen in Hütten verordnet ist, »damit eure Geschlechter erkennen, daß ich die Israeliten in Hütten wohnen ließ, als ich sie aus Ägypten herausführte«. An die Stelle des Hinweises auf die Ernte der Früchte, die nach Lev 23, 40 zum Feste gehören und noch im heutigen Judentum in die Laubhütte gehängt werden, ist auch hier die Erinnerung an das Anfangsgeschehen in Israel, als es in der Wüste in Hütten wohnte, getreten – so unverträglich sich auch grüne Zweige und Baumfrucht neben dem Zug durch die dürre Wüste ausnehmen mögen.

Das 7 Wochen, d. h. unter Einrechnung des Anfangstages am 50. Tage (danach πεντεκοστή Apg 2,1, Pfingsten) nach dem Passa gefeierte »Wochenfest« hat seine klare Historisierung, wenn man nicht in der Datierung von Ex 19, 1 (P) einen ersten Ansatz dazu finden will, erst in nachat. Zeit erfahren. Hier wurde es zur Erinnerung an die Offenbarung am Sinai gefeiert.

In alledem wird sichtbar, mit welchem Nachdruck sich der Glaube an Jahwe, den Gott des Auszugs aus Ägypten, in Israels Festkalender auch da, wo dieser von Hause aus von ganz anderen Glaubensformen her bestimmt war, Ausdruck zu schaffen vermocht hat. Es läßt sich dieses weiter negativ daran illustrieren, daß die am Gestirnlauf orientierten Feste, die in Israels Umwelt zweifellos einen nicht unbedeutenden Platz einnahmen, in Israels Festkalender deutlich zurücktreten. Das gilt vom Neumondstag, der in 1 Sam 20, 5f. für die Zeit Sauls und Davids als festlicher Tag erwähnt wird und noch in den Opfervorschriften von Ez 46, 1ff. und Num 28, 11ff. erkennbar ist. Es gilt ganz ebenso vom Neujahrsfest, das sich etwa in Babylon zum gewaltigsten Fest entwickelte, in dem göttliches und irdisches Königtum sich die Hand reichten und die Schicksale des Jahres im Rate der in der Landeshauptstadt versammelten Götter bestimmt wurden. Entgegen der These von Mowinckel hat es sich, was immer seine zeitweilige Bedeutung am Jerusalemer Königshof gewesen sein mag, keinen wirklich bedeutsamen Platz im Festkalender Israels zu erobern vermocht. Num 29, 1–6 ordnen Opfer und Lärmblasen für den 1. VII., den altisraelitischen Herbst-Jahresanfang an. Auch Lev 23, 24f. erwähnen Festversammlung und Lärmblasen.

Lev 25, 9 (Ez 40, 1) scheinen auf den 10. VII. als Datum des Jahresanfanges zu weisen. Im Vergleich mit den großen Jahresfesten bleibt die Bedeutung dieser Daten des Naturjahres aber blaß. Und nicht unerwähnt darf bleiben, daß das Volk Jahwes, der aus Ägypten geführt hat, nirgends im AT eine Feier des Sterbens und Wiederauflebens seines Gottes und auch nie die Feier der Gotteshochzeit in sein festliches Brauchtum aufgenommen hat. Daß es an Versuchung dazu nicht gefehlt hat, dürfte neben Ez 8, 14 auch das Bußlied Hos 6, 1f. beweisen.

Dagegen erobert sich nach dem Exil der in Lev 16 in breiter Anweisung geschilderte große Versöhnungstag (יום הכפרים *jōm hakkippūrīm*) eine gewichtige Stelle im Festkalender Israels (Lev 23, 27–32; 25, 9; Num 29, 7–11). Alte Ritualelemente, die ursprünglich mit der Entsühnung des Heiligtums und des Priesters verbunden sein mochten, sind hier in eine große Gemeindefeier eingegangen, in welcher der Hohepriester dem Volk, das sich durch strenges Fasten kasteit, Sühnung für die Sünden des vergangenen Jahres schafft. Der mit der Sünde der Gemeinde beladene Sündenbock wird in die Wüste zu dem Wüstendämon Asasel gejagt (von daher unsere Redewendung »zum Teufel jagen«). Heiligtum, Priestertum und Volk werden so von der Sünde befreit. Das starke Heraustreten dieser Feier hängt mit der gesteigerten Empfindung der Sühnebedürftigkeit des Volkes nach dem Exil zusammen. Im Ritual des großen Versöhnungstages erfährt Israel im priesterlich-gottesdienstlichen Bereich die auch über dem sündigen Volke stehende Vergebungswilligkeit seines Gottes am nachdrücklichsten. In § 21 wird von der Krise, ohne die diese Entwicklung nicht zu verstehen ist, zu reden sein.

Unbekannten Ursprungs ist das erst im Buche Est innerhalb des ATs auftauchende Purimfest. Es ist in der östlichen Diaspora in Anlehnung an heidnisches Brauchtum entstanden. Im Zusammenhang der Erwägungen einer at. Theologie ist hier allein bedeutsam, daß nochmals ein Fest mit einer großen geschichtlichen Rettungstat begründet wird, so märchenhaft diese auch erzählt sein mag und so sehr hier allein die versteckte Anspielung auf eine »Hilfe von einem anderen Orte her« (4, 14) auf die Hilfe des Gottes Israels zu weisen wagt. Im Namen des Festes steckt akk. *pur* »Los«, wie Est 3, 7; 9, 24 festhalten. In diesem Fest will der durchs Los erst zum Verderben, dann aber zum Heil des Diaspora-Judentums ausgewählte Tag gefeiert werden.

Die großen Feste vereinen die Gemeinde am Heiligtum. Sie erfordern nach den Vorschriften des P besondere Opferleistungen. In der Abgabe von Zehnten und Erstlingen ist das einzelne Glied der Gemeinde durch die Zeiten hin in verschiedener Bemessung daran beteiligt. In der Erfüllung der »Gelübde« (נדר *nēdaer* /*naedaer*) und den freiwilligen Opfern (נדבה *nᵉdābāh*) ist der Spielraum der freien Gabe gewahrt. In P zeigen Lev 1–7 die strengere Differenzierung der Opferarten, deren gewichtigste die עולה *ʿōlāh*, das Brandopfer, die מנחה *minḥāh*, das Speiseopfer, der זבח *zaebaḥ* bzw. זבח שלמים *zaebaḥ šᵉlāmīm* und die in nachexilischer Zeit besonders bedeutsamen חטאת *ḥaṭṭāʾt* »Sündopfer« und אשם *ʾāšām* »Schuldopfer« sind. Dazu weiter u. S. 131.

3. Aber Jahwes Gebot fordert das einzelne Glied des Jahwevolkes noch unmittelbarer in seinem täglichen Verhalten vor dem Heiligen. In § 10d war von der

Aufgabe des Priesters, Weisung zu erteilen, die Rede gewesen. Zu dieser Weisung gehört nicht nur die Hut des Heiligen, des von der Präsenz Jahwes bestimmten Raumes der Unnahbarkeit, und seine Unterscheidung vom »Gewöhnlichen, Profanen«, sondern ebenso die Grenzüberwachung zwischen dem Unreinen, vom Menschen zu Meidenden, gewissermaßen negativ mit gefährlicher Macht Beladenen, und dem Reinen, dem Menschengebrauch Zugänglichen. S. o. S. 82f. Das ist die Welt der rituellen Ordnungen.

Besonders verunreinigend ist die Sphäre des Todes (Num 19), der geschlechtlichen Ausscheidungen (Lev 15), des Aussatzes, der den Nächsten ansteckt (Lev 13), und der menschlichen Exkremente (Dtn 23, 12—14; Ez 4, 12b. 14f.). Der Unterscheidung von Rein und Unrein unterliegen aber auch Tiere, Fische und Vögel. Dtn 14 und Lev 11 bieten Listen reiner, d. h. dem Genuß freigegebener, und unreiner, d.h. dem Genuß verwehrter Tiere, Vögel und Fische. Während die zuvor aufgeführten Bereiche der Meidung von religionsgeschichtlichen Analogien her leicht zu kategorisieren sind, will es bei den Listen der unreinen Tiere schwerer fallen. Hier mögen geschichtliche Abgrenzungen etwa vom Brauchtum der im Lande vorgefundenen Bevölkerung mitspielen. Aus Ugarit wissen wir nun, daß das Schwein im Gefolge des Baal Bedeutung hatte. Die »Verteufelung« desselben könnte ihren Ursprung in der bewußten Abgrenzung Israels von Kanaan haben, so wie dann später die christliche Kirche das Fleisch des den Germanen heiligen Pferdes als ungenießbar »verteufelte«. Beachten wir die Selbstaussage der genannten Listen, so sehen wir allerdings, daß von diesen möglichen Hintergründen nichts mehr zu erkennen ist. Vielmehr werden hier ganz gegenständlich und im Einzelfall auch einmal fragwürdig (der Hase als Wiederkäuer in Lev 11, 6) bestimmte Kategorien: Wiederkäuer — Nichtwiederkäuer, gespaltene — ungespaltene Klauen, beschuppt und mit Flossen versehen, als Beurteilungskriterien verwendet. Warum gerade diese Kriterien eingeführt werden, wird in keiner Weise einsichtig gemacht. So wird denn die Meidung der aufgeführten unreinen Tierarten zum reinen, von keiner tieferen Einsicht rational erhellten Gehorsamsakt. Im Beachten der hier aufgeführten Grenzen und im Einhalten der Reinheitsvorschriften beachtet der Mensch das vom Priester entdeckte und in seiner Weisung verordnete Gebot und verrät darin seine Scheu vor Jahwes Ordnung.

Es ist dann allerdings im AT auch zu sehen, wie Elemente dieses rituellen Reinheitsbrauchtums auf ein Schuldverständnis anderer Art hin durchsichtig gemacht werden. So wird im Ritual von Dtn 21, 1ff. ein Bezirk, der durch das Blut eines von unbekannter Hand Erschlagenen verunreinigt ist, durch ein bestimmtes Opferritual gereinigt. Dazu aber wird ein Gebet mit ganz persönlich gehaltener Vergebungsbitte gesprochen, das die Reinigung vom persönlichen Willen Jahwes erbittet. In Ps 51, 9 wird der Brauch der Reinigung mit der Ysop-Pflanze Bild für das im persönlichen Gebet von Jahwe erbetene Gut der Vergebung von Schuld. Besonders radikal reißen dann die großen Schriftpropheten in ihrer Weisung das rituelle Brauchtum in die Sphäre zwischenmenschlicher persönlicher Verantwortung herein, etwa Jes 1, 15—17.

Zwei rituelle Ordnungen müssen besonders herausgehoben werden, weil sie für den at. Glauben besondere Bedeutung gewonnen haben. Gen 9, 4 verbietet im Rahmen der Noah nach der Flut gegebenen Ordnung in aller Strenge den Genuß von Tierblut. Man wird dahinter die religionsgeschichtlich an vielen Orten anzutreffende Sitte des Blutgenusses zur Vermehrung eigener Mächtigkeit vermuten dürfen. In der Formulierung von Lev 17, 11: »Die Lebenskraft des Tieres ist im Blut« hat das AT die Empfindung, daß Mächtigkeit im Blute liegt, noch selber ausgesprochen. Israels Glaube wehrt aber die Sitte des Blutgenusses in aller Schärfe ab. In der Form des Schächtens, die das Tier durch den Schächtschnitt ausbluten läßt, hat diese Abwehr ihre rituelle Form gefunden. Bei jeder Tierschlachtung soll dadurch die Erinnerung daran wachgehalten werden, daß der Mensch nicht Souverän des Lebens ist, sondern den göttlichen Machtvorbehalt allezeit anzuerkennen hat. Wenn dann allerdings Jahwe selber in Lev 17, 11 sagt: »Ich habe es (das Blut) euch für den Altar gegeben, daß man euch damit Sühne erwirke, denn das Blut ist es, das durch die (in ihm wohnende) Lebenskraft Sühne erwirkt«, dann ist in solcher Ordnung die Mächtigkeit, die Jahwe sich selber vorbehalten hat, in neuer Weise gnadenhaft dem Menschen zugewendet.

Es ist dann aber in Gen 9, 5f. bezeichnend, daß zu diesem Verbot des Genusses von Tierblut unmittelbar das strikte Verbot des Vergießens von Menschenblut tritt. Auf diesen Schutz des menschlichen Lebens wird in § 15 zurückzukommen sein. Hier genügt es festzuhalten, daß für den priesterlichen Gesetzgeber das rituelle Gebot unter dem Stichwort »Blut« ganz unmittelbar mit dem Gebot der Scheu vor dem Leben des Mitmenschen verbunden ist. Die harte Polemik gegen die »Blutstadt« Jerusalem beim Priesterpropheten Ezechiel (22, 1ff.) zeigt, wie weit der Umkreis dieses zwischenmenschlichen Blutrechtes gespannt werden kann.

Zum anderen ist das Ritualgebot der Beschneidung zu erwähnen.

Auch dabei treffen wir auf einen im religionsgeschichtlichen Bereich weitverbreiteten Brauch, der es als »rite de passage« mit der Sicherung der Fruchtbarkeit des Mannes zu tun hat und darum zeitlich in der Regel als Initiationsritus in die Phase des Mannbarwerdens des jungen Menschen gelegt wird. Israel teilt diesen Brauch zunächst mit verwandten Völkern seiner Umwelt. Der Unbeschnittene (unter Israels Nachbarn kennen die Philister keine Beschneidung) gilt in ritueller Empfindung als der Unreine.

Die Begründung der Beschneidung ist im AT an zwei verschiedenen Stellen mit je sehr verschiedener Akzentuierung zu finden. In Ex 4, 24–26 ist die Episode überliefert, daß Jahwe Mose bei seiner Rückkehr von Midian nach Ägypten zur Nachtzeit überfällt und ihn töten will. Nur die Geistesgegenwart von Moses Frau Zippora, die ihren Sohn mit dem (archaischen) Kieselsteinmesser beschneidet und mit der Vorhaut Moses Scham berührt, rettet sein Leben. Ein ausdrückliches Gebot der Beschneidung ist hier nicht ausgesprochen. Es ist aber wohl nicht zufällig, daß diese Episode, so wenig sie in den Kontext paßt, nach dem Jahwe eben daran ist, Israel durch Mose aus Ägypten zu holen, gerade in die Zeit Moses zurückdatiert wird. Der Ritus ist hier in dem eigentümlich verkürzten und nicht mehr in allen Einzelheiten aufzuhellenden Zusammenhang als Schutzritus interpretiert. Der Gedanke der Sicherung der Fruchtbarkeit ist ausgeschaltet. Auch fällt auf, daß der Ritus nach dem vorliegenden Zusammenhang nicht an Mose, der von Zippora dann als ihr »Blutbräutigam« bezeichnet wird, sondern am Kinde vollzogen wird.

Ungleich reflektierter ist demgegenüber der Bericht des P über die Einführung der Beschneidung. Sie ist, wie schon früher erwähnt, in Gen 17 mit dem Abrahambund verbunden und hat in diesem die Funktion des Zeichens erhalten, das den Bund mit Abraham am Leibe eines jeden, der diesem Bunde zugehört, versichtbart. Schaut man von hier auf die vorgegebene religionsgeschichtliche Bedeutung der Beschneidung zurück, so sind zwei unterscheidende Merkmale nicht zu übersehen:

1. die Beschneidung soll nach der bestimmten Anordnung Jahwes am 7. Tag am eben geborenen Kinde durchgeführt werden. Sie ist damit eindeutig abgerückt vom Initiationsritus des Mannbaren. Dafür ist sie 2. zu einem Eingangsritus ganz anderer Art geworden. Sie ist sakramentales Zeichen und Unterpfand für die Verheißung Jahwes an Abraham und seine Nachkommenschaft. Warum

dieses gerade in der Form der Beschneidung geschieht, wird nicht begründet. Der Gedanke der Reinheit mag noch hereinspielen, wie vielleicht auch aus Jos 5, 1ff., wo die Beschneidung des ins Land eindringenden Volkes berichtet wird, zu entnehmen ist. Die Abkehr vom Naturhaft-Vitalen und Hinkehr zum Geschichtlich-Erwählenden ist aber ganz unübersehbar.

Im Vergleich mit Ex 4, 24–26 hat die Beschneidung bei P ein ungleich größeres Gewicht bekommen. Sie ist nicht ein Ritus unter anderen, sondern das eigentliche Zeichen der Zugehörigkeit zum Jahwevolk geworden. Diese Rangerhöhung zum Bundeszeichen dürfte wie die Rangerhöhung des Sabbatgebotes zum Zeichen der Heiligung, d. h. der Beschlagnahmung Israels durch Jahwe, unter der geschichtlichen Herausforderung der Exilszeit, in welcher Tempel und Kult und Land verlorengegangen waren, zu verstehen sein. Sabbat und Beschneidung konnten auch unter dem tempel- und landlos gewordenen Volke Bekenntniszeichen in einer fremden Umgebung werden.

Zugleich aber läßt sich auch über die Bedeutsamkeit der Beschneidung bei P ähnliches sagen wie über die Bedeutung des Sabbats. Geschenk und Gebot liegen auch in ihr in Einem beschlossen. Gnadenzeichen ist sie, indem sie den Zugang zu den großen Verheißungen eröffnet, die Abraham gegeben sind, hinter dem das Volk, dessen Gott Jahwe sein will, angesprochen ist. Zugleich aber formuliert Gen 17, 14 die auch in Ex 31, 14 zu hörende Bannformel, daß aus dem Kreise seiner Verwandten herausgeschnitten werden soll, wer die Beschneidung nicht so, wie Jahwe es geboten, empfängt.

Auch bei dem Zeichen der Beschneidung ist es dann geschehen, daß der am Fleisch vollzogene Ritus Bild für das von Jahwe am Herzen zu vollziehende Erneuern geworden ist, vgl. Jer 4, 4; 9, 24f.; Dtn 10, 16; 30, 6; Lev 26, 41; vgl. auch Ex 6, 12. Dazu Hermisson.

H. J. Kraus, Gottesdienst in Israel, 1962². — *B. Landsberger*, Der kultische Kalender der Babylonier und Assyrer, 1915. — *J. Meinhold*, Zur Sabbathfrage, ZAW 48, 1930, 121—138. — *E. Jenni*, Die theologische Begründung des Sabbatgebotes im AT, 1956. — *L. Rost*, Weidewechsel und altisraelitischer Festkalender, ZDPV 66, 1943, 205—216 (= Das kleine Credo, 1965, 101—112). — *A. Alt*, Zelte und Hütten, Festschr. F. Nötscher, 1950, 16—25 (= Kleine Schriften III, 1959, 233—242). — *S. Mowinckel*, Psalmenstudien II, Das Thronbesteigungsfest Jahwäs und der Ursprung der Eschatologie, 1922. — *H. J. Hermisson*, Sprache und Ritus im altisraelitischen Kult, WMANT 19, 1965.

§ 15 Jahwes Gebot für den Umgang mit Menschen und Gütern

Jahwe hat sich in Israel sein Volk berufen. Er hat dieses nicht nur durch gottesdienstliche und rituelle Zeichen aus seiner Umwelt ausgegrenzt, sondern, wie schon die alte Rechtssammlung des Bundesbuches zeigt, sein ganzes Leben auch in seinen zwischenmenschlichen Beziehungen und im Umgang mit seinen Gütern seinem Willen unterstellt. Die großen vorexilischen Schriftpropheten sind die harten Ankläger gegen ein Volk, das meint, mit der Einhaltung der gottesdienstlichen und rituellen Zeichen Jahwe Genüge tun und im Umgang mit dem Mitmenschen und den Gütern am Gebot Jahwes vorbeileben zu können.

1. Im Dekalog mit seiner bewußt weit ausgreifenden Gebotsreihe schließen die Gebote vom Umgang mit Mitmenschen und Gut nahtlos an die 4 im engeren Sinne religiös-gottesdienstlichen Gebote an. Eine Scheidung in der Verteilung auf »zwei Tafeln« ist nirgends angedeutet. Auf das Sabbatgebot, auch in Lev 19, 3 eng mit ihm zusammengeschlossen, folgt das Gebot, Vater und Mutter zu ehren. In diesem Gebot steht die geschichtliche Folge der Generationen im Blickfeld. Da auch die Mutter einbezogen ist (sie wird in Lev 19, 3 sogar vorgeordnet), genügt es nicht, hier einfach auf ein patriarchalisches Gesellschaftssystem zu weisen. In diesem Gebot, das im AT mit einem eigentümlichen Nachdruck oft wiederkehrt, kommt vielmehr der geschichtliche Charakter der at. Haltung zum Ausdruck. Jeder Mensch hat sein unumkehrbares Woher. Er hat sein Leben nicht selber geschaffen, sondern es empfangen. So soll er die Scheu vor denen, von denen sein Leben herkommt, nie vergessen.

Wer Vater oder Mutter schlägt oder verflucht (gering macht?), begeht ein todwürdiges Verbrechen (Ex 21, 15.17). Sein Vergehen erscheint im Fluchdodekalog von Dtn 27 in v. 16. Es kennzeichnet als todwürdiges Verbrechen die Blutstadt Jerusalem (Ez 22, 7). Dtn 21, 18—21 ordnen an, daß ein störrischer Sohn, der Vater und Mutter nicht gehorcht, nach öffentlicher Anklage vor den Ältesten seiner Stadt gesteinigt werden soll. Auf der anderen Seite ist nicht zu übersehen, daß dieses Gebot als einziges im Dekalog eine Verheißung bei sich trägt (Eph 6, 2f.). Der Besitz des Landes wird denen zugesagt, die diese Ordnung Jahwes scheuen.

Wer nun urteilen möchte, daß in alledem als Letztes die Verherrlichung der Familie zu erkennen sei, der muß Dtn 13, 7–12 beachten, wo zwar Vater und Mutter nicht genannt sind, wohl aber Bruder und Sohn und Tochter und Ehefrau. Wo diese zum Dienst fremder Götter verführen, soll alle familiäre Rücksicht zurücktreten und strengstes Gericht gehalten werden. Man geht nicht fehl, wenn man auch das Gebot der Ehrung der Eltern dem 1. Gebot unterordnet – so wie dann im NT Jesus in anderem Zusammenhang formuliert: »Wer Vater und Mutter mehr liebt als mich, ist mein nicht wert« (Mt 10, 37). Über der Generationenfolge der irdischen Eltern steht der Herr und Geber alles Lebens, der jede Absolutsetzung einer innermenschlichen Autorität verwehrt.

2. Man wird ähnliches vom Gebot: »Du sollst nicht töten« feststellen können, in dem Jahwe den Schutz des von ihm verliehenen Lebens vor jedem willkürlichen Zugriff vollzieht.

Das in Ex 20, 13 gebrauchte Verb רצח *rṣḥ* ist nicht das gewöhnliche Wort für »töten«, sondern meint ein frevles, ungeordnetes Greifen nach dem Leben des anderen (Stamm). Das AT wacht in großer Schärfe über dem Leben des Menschen, das ein diesem zugeteiltes Gut ist. Im Bereich der noachitischen Gebote ist das Vergießen des Blutes eines Menschen unter Hinweis auf die Gottebenbildlichkeit des Menschen verboten. Ein kunstvoll im chiastischen Doppeldreier gehaltener Rechtssatz unterstreicht in Gen 9, 6 die Anordnung Gottes: »Wer Blut des Menschen vergießt, — durch den Menschen sein Blut soll vergossen werden«. Ex 21, 12 führt die Tötung eines Menschen unter den todeswürdigen Verbrechen an, vgl. auch Lev 24, 17. 21b. Bei nicht sühnbarem Mord soll nach Dtn 21, 1—9 eine besondere Entsühnung des betroffenen Stadtbezirkes vorgenommen werden. Sogar der ungewollte Totschläger kann nicht einfach durch Menschen freigesprochen werden. Jahwe selber legt in diesem Falle die Hand auf ihn, indem er ihm an seinem Altar Asyl gewährt. In den genaueren Vollzugsordnungen des Asylrechtes (Num 35, 9ff.; Dtn 19, 1—13; Jos 20), die auch dafür besorgt sind, jeden Mißbrauch dieses Rechtes unmöglich zu machen, findet sich in Num 35, 25. 28 (P) die auffallende Regel, daß der unvorsätzliche Totschläger bis zum Tode des mit dem hl. Öl gesalbten Hohenpriesters am Asylort bleiben soll. Darin ist der Gedanke verborgen, daß der Hohepriester in seinem Sterben auch das von dem Totschläger vergossene Blut sühnt.

Auch dieses Gebot würde falsch interpretiert, wenn man in ihm den Gedanken der absoluten Heiligkeit des Menschenlebens finden würde. Nicht Leben an sich, wohl aber das einem Menschen von Jahwe zugesprochene Leben wird geschützt. Die Tatsache, daß der Jahwekrieg, in dem Israel gegen seine Feinde zu Felde zieht, im AT ebensowenig ein Problem darstellt wie die Tötung des Schuldigen im Rechtsvollzug, verrät, daß at. Glaube über dem Menschenleben die Hand des Gottes ehrt, dessen Wille in der Erhaltung des Jahwevolkes gegenüber seinen Widersachern und in der Aufrichtung der von ihm verordneten Rechtsordnung auch über jedes Menschen Leben steht. Von der Selbsthingabe des vollkommenen Gerechten für den Sünder, von der her einmal auch Krieg und Todesstrafe zum Problem zu werden beginnen, ahnt das AT erst in Jes 53 von ferne ein Kommendes.

3. Ein weiteres Dekaloggebot wehrt dem Einbruch in fremde Ehe. Israel weiß gerade auf dem Boden der Sexualmoral schon sehr früh um seine Unterschiedenheit von Kanaan. Von einer »Torheit in Israel«, von dem »So tut man nicht in Israel« weiß man schon in früherer Zeit gerade da, wo es sich um den verantwortlichen Umgang mit der Geschlechtlichkeit handelt, s. o. S. 37.

Im priesterlichen Bereich wird der Ehebruch vor allem unter der Kategorie der (kultischen) Verunreinigung gesehen (Ez 18, 6; 22, 11). Lev 18 und 20 reden eingehend von den verwehrten geschlechtlichen Beziehungen (Elliger). Todesstrafe für Ehebruch setzt schon Gen 38 voraus. Die Ehe wird durch das Verlöbnis konstituiert (Dtn 22, 23f.). Dabei kennt das AT kein Gebot der Einehe. In Ez 23 wird in einer Bildreihe sogar von der Ehe Jahwes mit zwei Frauen geredet. Auch die Verstoßung der Frau aus einer Ehe ist nicht verwehrt. Dtn 24, 1—4 ordnen an, daß der unschuldig Verstoßenen ein Scheidebrief, der einen Rechtsschutz für sie bedeutet, ausgehändigt werde. Wiederverheiratung so Getrennter ist aber verboten. Scharf wendet sich das at. Gebot gegen alle widernatürliche Unzucht zwischen Gleichgeschlechtlichen wie auch gegen Tierschande (Lev 18, 22f.; 20, 13. 15f.). Ebenso scharf verurteilt es vor allem seit Hosea und dem Dtn alle religiös verbrämte, in Kanaan an der »Heiligen Hochzeit der Gottheit« orientierte Kultprostitution. All dieses aber geschieht nicht aus einer Leibfeindlichkeit, sondern auf dem Hintergrund unbefangener Bejahung von Leib und Geschlechtlichkeit des Menschen. Das AT bleibt auch darin unbefangen »weltlich«, kennt aber die Welt auch in diesem Bereich nur als Kreatur Jahwes und das Tun des Menschen in diesem Bereich als das vor Jahwe zu verantwortende Tun, s. o. § 4.

4. Vom Verhalten gegenüber dem Eigentum des anderen reden der 8. und 10. Satz des Dekalogs (Ex 20, 15. 17; Dtn 5, 19. 21).

Für das »Nicht-Begehren« des letzten Dekalogsatzes hat Herrmann gezeigt, daß חמד *ḥmd* nicht primär das innerliche »Begehren« meint, sondern an die unrechten Machenschaften denkt, mit denen Eigentum des anderen auf Umwegen in den eigenen Besitz gebracht werden kann, vgl. etwa das Tun der Isebel nach 1 Kön 21. In der dtn. Formulierung ist dann durch Einbringung des Verbs אוה *'wh* der Gedanke an das innerliche Verhalten dazugekommen.

Auch hier ist es wichtig, nicht etwa den Gedanken an die »Heiligkeit des Privateigentums« aus dem Gebot herauszuhören. Hinter dem göttlichen Schutz des Eigentums des anderen steht der Gedanke an die göttliche Zuteilung des Gutes an den anderen, die nicht angetastet werden soll. Daß auch Eigentumsrechte ihre

Grenze haben, wird am schärfsten bei den Propheten offenbar, wo in den Weherufen Jes 5, 8 und Mi 2, 1ff. die Landaufkäufer, »die Haus an Haus rücken und Acker an Acker, bis kein Platz mehr ist und ihr allein Besitzer seid im Lande«, in aller Schärfe angegriffen werden. Dieses Tun ist ganz so ein Einbruch in die göttliche Zuteilung, die jedem im Volke sein Haus und Landstück zugeteilt sehen will. Darum wird der göttliche Eingriff angekündigt, der diesen gottlos behaupteten Privatbesitz zerschlagen wird. In diesen Zusammenhang gehört das Gesetz vom Jobeljahr in Lev 25, wann immer dieses entstanden und wie immer es zur Geltung gekommen sein mag. Hier ist in einer bis ins einzelne überlegten Rechtsordnung festgelegt, daß in jedem 50. Jahr der in der Zwischenzeit aus Notlagen heraus veräußerte Landbesitz an die früheren Eigentümer zurückfallen, aber auch Schuldknechtschaften aufgehoben werden sollen, so daß erneut wieder jedem das ihm von Jahwe zugedachte Seine zuteil wird.

5. Im 9. Satz des Dekalogs ist der Rechtsbereich angesprochen. Wenn hier »falsches Zeugnis« verboten wird, so ist darin ein Element aus der Rechtsverwaltung herausgegriffen, das zu sauberer Rechtspflege unabdingbar dazugehört. Nur wo der Zeuge in einer klaren Gebundenheit an den Rechtswillen Jahwes in seinem Zeugnis der Wahrheit die Ehre gibt, kann im Rechtsgang das Recht, das den anderen schützt, wirklich aufgerichtet werden.

Mit dem Rechtsbereich beschäftigt sich schon im Bundesbuch ein besonderer Richterspiegel Ex 23,1—3. 6—9, wobei auch die Verbreitung falscher Gerüchte, die Angst vor dem Mächtigen, die Versuchung des Bestechungsgeschenkes u. a. zur Sprache kommen. Der kleine Richterspiegel Lev 19, 15—16, der wieder nachdrücklich in dem Heraustreten der Person Jahwes: »Ich bin Jahwe« seine Gründung erfährt, fällt durch seine Betonung der Unparteilichkeit gegen beide Seiten, den Geringen wie den Großen, auf. Im Dtn finden sich Ordnungen für das Rechtswesen in 16, 18—20; 17, 8—13. Der Forderung des Rechttuns im Rechtsbereich ist in H Lev 19, 35f. auch die Forderung von rechtem Maß und Gewicht zugeordnet. Sie wird in einer auffallend steilen Begründung durch den persönlichen Hinweis auf Jahwe, der aus Ägypten geführt hat, motiviert.

Im Zusammenhang mit der Ordnung des Gerichtswesens taucht dann sowohl im Bundesbuch wie in H auch das Wissen darum auf, daß Jahwe nicht nur die Verfolgung des eigenen guten Rechtes, sondern auch die Hilfsbereitschaft gegenüber dem »Feind« sehen möchte. So ist in Ex 23, 4f. in auffallender Zerreißung der Sätze des Richterspiegels das Gebot ausgesprochen, das verlaufene Tier des »Feindes« diesem wieder zuzustellen und dem unter seiner Last niedergebrochenen Esel des Feindes auf die Beine zu helfen. Dtn 22, 1–4 unterdrücken die Rede vom »Feind« und reden stattdessen vom »Bruder«, an dem solches getan werden soll. Lev 19, 17f. formuliert dagegen in unmittelbarem Anschluß an die Sätze zum Rechtswesen die zweimal von der negativen Formulierung in die positive Mahnung umschlagenden Sätze: »Du sollst deinen Bruder nicht hassen in deinem Herzen (d.h. im Verborgenen); weise deinen Nächsten offen zurecht, daß du nicht Sünde auf dich ladest. Nicht rächen sollst du dich und nicht (den Zorn) gegenüber deinen Volksangehörigen festhalten. Du sollst deinen Nächsten lieben wie dich selbst. Ich bin Jahwe.« Hier ist offensichtlich nicht nur an die Besitzgüter gedacht, die Jahwe seinem Volke zuwendet, sondern darüber hinaus an die Huld, die er den Gliedern dieses Volkes zudenkt. So soll auch der über seinen Nächsten

Erzürnte und auf Rache Sinnende im Gegenüber zu Jahwe (»Ich bin Jahwe«) zur Zuwendung der Liebe willig werden.

6. Ist solche Mahnung zur Zuwendung gegenüber dem »Feind« im AT eher selten, so ist es ein auch schon im Richterspiegel des Bundesbuches und darüber hinaus oft begegnender Zug, daß zur Zuwendung gegenüber dem Schwachen und Geringen gemahnt wird.

Der Arme, der »Fremdling« (גר *gēr*, was besser mit »Schutzbürger« übersetzt wird), der als Landbesitzloser nicht selber rechtsfähig, sondern auf den Schutz eines Freien angewiesen ist, die Waise und die Witwe, die ganz ebenso im Rechtsgang der freien Männer benachteiligt sind, treten in diesem Zusammenhange besonders heraus. Vor ihrer Unterdrückung wird gewarnt (Ex 22, 20—23; 23, 6. 9; Lev 19, 33). Jahwe ist es, der ihr Schreien hören wird. Auch da, wo hartherzig der Mantel des Schuldners gepfändet und über Nacht behalten wird, hört er das Schreien des ohne seinen Mantel zur Nachtzeit Frierenden (Ex 22, 25f., vgl. zur Begrenzung des Pfandrechtes auch Dtn 24, 6. 10—13). In diesen Zusammenhang gehört auch das durch das ganze AT scharf durchgehaltene Verbot des Zinsnehmens (Ex 22, 24; Dtn 23, 20f.; Lev 25, 35—37; Ps 15, 5; Spr 28, 8). Bei diesem steht nicht das moderne Produktionsdarlehen vor Augen, in dem einer Geld aufnimmt, um mit diesem Geld eine Produktion anlaufen zu lassen, sondern das Konsumtionsdarlehen, bei dem der Arme genötigt ist, Korn oder Früchte oder auch Geld zu borgen, um sein Leben zu fristen. Die Not des anderen soll nie Anlaß zur Bereicherung des Besitzenden werden. Wenn Dtn 23, 21 als einzige Ausnahme das Zinsnehmen vom »Fremden« (נכרי *nokrī*, nicht גר *gēr*) erlaubt, so geht es darin wohl um die ausländischen Händler und Kaufleute, die für Israel nicht notleidende »Nächste« gleich den als »Nächste« in ihrer Gemeinschaft lebenden »Fremdlingen(= Schutzbürgern)« geworden sind. Im Dtn tritt zu den personae miserae noch der landbesitzlose Levite, bei dem eingeschärft wird, daß er zu den Opfermahlzeiten am Zentralheiligtum mit den anderen Gruppen von Armen mitgenommen werden soll (Dtn 12, 12 u. ö.). Es ist ebenfalls das Dtn, das verordnet, die Zehntabgabe des jeweils dritten Jahres nicht ans Heiligtum zu geben, sondern am Ort selber dem Leviten, dem Schutzbürger, der Waise und Witwe zukommen zu lassen (14, 28f.).

Jahwe ist der Gott, der Israel aus der Knechtschaft in Ägypten herausgeholt und ihm Freiheit geschenkt hat. Es ist schon in (vielleicht jüngeren) Zusätzen im Bundesbuch, aber dann vor allem im Dtn zu hören, wie an diese Urerfahrung Israels, von der her es seinen Gott kennen gelernt hat, erinnert wird.

Ex 22, 20 formuliert es da, wo es verbietet, den Schutzbürger zu bedrücken: »Ihr seid Schutzbürger gewesen in Ägyptenland«, 23, 9 noch voller: »Ihr wißt, wie es dem Schutzbürger zumute ist, denn ihr seid Schutzbürger gewesen in Ägyptenland«. Im Dtn tritt die Erinnerung im Zusammenhang des Sklavenrechtes auf. Wo über Ex 21, 1ff. hinaus verordnet wird, daß der freigelassene hebräische Sklave auch mit den Mitteln zum Lebensunterhalt ausgestattet werden soll, ist die Erinnerung zu hören: »Denke daran, daß du Sklave gewesen bist in Ägyptenland und daß Jahwe, dein Gott, dich losgekauft hat. Darum gebiete ich dir dieses heute« (15, 15, vgl. auch 24, 17f.).

Am allervollsten wird die aktive Verantwortlichkeit auch für den Fremdling (= Schutzbürger) in Lev 19, 34 in positiver Wendung zum Ausdruck gebracht: »Wie der Einheimische soll euch der Fremdling, der als Schutzbürger bei euch weilt, sein; du sollst ihn lieben wie dich selbst, denn ihr seid Fremdlinge (= Schutzbürger) gewesen in Ägyptenland. Ich bin Jahwe, euer Gott«. Hier ist ganz voll wieder beides verbunden: Der Rückverweis auf die selbsterlebte Geschichte mit dem Verweis auf den in seinem Ich heraustretenden Jahwe, der sich als Israels Gott aussagt.

7. Es mögen zusammenfassend ein paar Grundzüge, die das im Gebot Jahwes geforderte Ethos kennzeichnen, herausgehoben werden, bevor dann die Antwort des Gehorsams, wie das AT sie zeichnet, in Teil IV ausdrücklich zur Sprache kommt.

Die in § 11–15 zu Gehör gebrachten Elemente ließen erkennen, daß der at. Glaube bei all dem, was ihn im Verständnis des Gebotes Jahwes mit seiner Umwelt und der weiteren Religionsgeschichte verbinden mag, sich in ganz besonderer Weise von dem Gott, der sich Israel in seiner Befreiungstat am Anfang kundgetan hat, zum Gehorsam gerufen weiß.

a) Das Gebot Jahwes betrifft zunächst Israel. Im Dtn, diesem für die Prägung der at. Aussagen so bedeutsamen Dokument, ist das Wissen um das von Jahwe erwählte hl. Gottesvolk Israel, wie G. von Rad gezeigt hat, ganz besonders ausgeprägt festzustellen. Die Polemik gegen das AT hat diese Begrenzung auf Israel denn auch immer wieder zu Angriffen verwendet. Über das Verständnis der in diesem Zusammenhang gern zitierten Stelle Dtn 23, 20f. ist soeben das Nötige gesagt worden. Wenn dagegen in Dtn 14, 21 nicht rituell geschächtetes Fleisch dem Israeliten verwehrt, dagegen dem Schutzbürger zum Essen und dem Ausländer zum Verkauf freigegeben wird, so ist darin die Abgrenzung der als Jahwevolk umschriebenen Größe »Israel«, die ihre besondere Ritualordnung einhalten soll, nicht zu übersehen. Wo es dagegen um die nichtkultische Verantwortung für den zum »Nächsten« gewordenen Fremdling (= Schutzbürger) geht, redet auch das Dtn ganz eindeutig: »Ihr sollt den Fremdling (= Schutzbürger) lieben, denn ihr seid selber Fremdlinge gewesen in Ägyptenland« (Dtn 10, 19). Das AT kennt nicht die Fernstenliebe, die den Nächsten vergißt, wohl aber die Möglichkeit, daß der Ferne zum Nahen werden kann. Dazu mag im NT immerhin auch Gal 6, 10 verglichen werden.

b) Das Gebot Jahwes betrifft zunächst Israel als Volk. Es geht nicht vom Einzelnen aus, sondern von der Gemeinschaft, die durch Jahwes Ruf betroffen ist. Diese soll »heilig« sein, weil Jahwe heilig ist (Lev 19, 2). So suchen wir denn im AT vergeblich nach einer Ethik der Selbstvervollkommnung des Einzelnen oder einer Tugendlehre, die vom Individuum als dem primären Element in der Geschichte Jahwes ausgeht. Das Gebot Jahwes meint die Gemeinschaft und nun allerdings auch gerade den Einzelnen in dieser Gemeinschaft. Denn es geht nicht an, von einem »Kollektivismus« im AT zu reden. Wenn in Ez 18 die ausdrückliche Polemik gegen eine Resignation zu hören ist, die vom Kollektivschicksal, in dem Söhne für der Väter Sünden büßen müssen, aus argumentiert, so ist das, wie die formgeschichtliche Untersuchung von Ez 18 deutlich macht, nicht als absolutes Novum zu verstehen. Ezechiel argumentiert in Ez 18, 5ff. mit Gebotsreihen, die in der Tempelpraxis von Jerusalem schon vorgeprägt worden sind, wie immer der Prophet sie dann in der konkreten Situation weiter modifizieren mag. Vgl. u. S. 189f. Auch die immer wieder aufflammende Diskussion darüber, ob der Dekalog es mit dem Einzelnen oder mit dem Volke zu tun habe, kann lediglich verdeutlichen, wie selbstverständlich hier der Anruf an den Einzelnen in den Anruf an ganz Israel eingebettet ist. Analoges wäre in der Diskussion um das Ich der Psalmen zu erkennen, wo die Alternative: Ich des Einzelnen – Gemeinschaft des Gottesvolkes sich nicht prinzipiell durchhalten läßt. So gibt es denn auch keine Individualethik, die sich aus der Verantwortung in der und für die Gemeinschaft herauslösen könnte.

c) Indem zunächst Israel und der Einzelne dann in seinem konkreten, leibhaften Leben im Zusammenhang des Jahwevolkes angeredet ist, läßt sich das Gebot auch nicht auf eine Ethik der Innerlichkeit reduzieren, in der allein schon der gute Wille des Einzelnen genügte und die Gesinnung das allein Entscheidende wäre, wie immer die Tat dann aussehen mag. Jahwes Forderung meint, so sehr im gleich Folgenden auch von der hinter aller Tat liegenden Gesamthaltung geredet werden muß, die im konkreten Zusammenleben Israels sich bewährende Tat. Das war schon bei den Ausführungen über das 10. Gebot gestreift worden. Hier soll es in einer Erwägung zum 9. Gebot weiter illustriert werden.

Der Dekalog kennt kein allgemeines Gebot der Wahrhaftigkeit noch auch ein allgemeines Verbot des Lügens. Das 9. Gebot hat die konkrete Situation des Gerichtsvorganges vor Augen, in dem der Zeuge im Jahwevolk die Verpflichtung hat, nicht etwas zu sagen, was der Aufrichtung des von Jahwe geforderten Rechtes zwischen den Gliedern des Jahwevolkes im Wege stünde. Die Wahrheitsforderung ist hier an dem durch das wahrhaftige Zeugnis zu rettenden Nächsten orientiert.

Es kann demgegenüber auffallen, wie selbst ein Jeremia, dieser gegenüber der »Lüge« im Volke so sensible Prophet, unbefangen einem Wunsche Zedekias nachkommt, den Oberen im Volke nicht den wahren Inhalt seines Gespräches mit dem König mitzuteilen (Jer 38, 24ff.). Durch seine halbwahre Auskunft schädigt Jeremia keinen Nächsten, er schont aber den König, dem er eben zuvor die schonungsloseste Wahrheit gesagt hatte. Er tut dieses, da er nicht an einen abstrakten Wahrheitsbegriff, wohl aber an den Nächsten gebunden ist, ganz unbefangen.

Man muß hier in der Wahrnehmung der at. Haltung zur »Wahrheit« sogar noch einen Schritt weitergehen und das Gesagte mit dem unter a) Gesagten verbinden. Israel weiß sich in seinem Wahrheitsverhalten auch in den Kontext des göttlichen Verhaltens eingebunden. Wo Jahwe in seinem Zorn Feinde richten will, hat auch Israel nicht auf der »Wahrheit« zu bestehen. Das tritt besonders grell da heraus, wo Jahwe daran ist, Ägypten, das Jahwes Volk nicht ausziehen lassen will, zu strafen. Da ist Israel geheißen, sich von den Ägyptern Gefäße zu leihen, ohne von der Absicht, die Ägypter zu berauben, zu reden (Ex 3, 22; 11, 2; 12, 35). Vgl. auch 2Kön 8, 8ff. das Tun Elisas. Es ist deutlich, daß da, wo die im AT noch aufrecht erhaltene Freund-Feind-Beziehung unter dem Geschehen am Kreuze entscheidend zerbrochen wird, auch das »Wahrheit-Reden« in eine neue Beleuchtung zu stehen kommt. Der at. Ansatz dürfte aber doch über das AT hinaus Bedeutung behalten. Wenn hier bei allem Wahr-Reden nicht nur ein innerliches Wahrhaftigsein gefordert, sondern immer auch der Nächste, auf den das wahre Wort wirken wird, ins Auge gefaßt ist, so wird dieses über die Testamente hin Gültigkeit behalten. Wahr reden ist ein Stehen in der Treue, die sich dem Nächsten verbunden weiß und von der Tat und ihrer Wirkung auf den Nächsten nicht absehen kann. Der kalte, von aller Wirkung auf den Nächsten absehende, nur sach- und nicht menschbezogene Wahrheitsfanatismus dürfte kaum als die biblische Wahrheitsforderung angesprochen werden. In dieser Ausrichtung auf den eines Menschen Verantwortung befohlenen Nächsten verficht das AT sehr nachdrücklich, daß vom Menschen אמת *'aemaet* »Zuverlässigkeit, Treue, Wahrheit« gefordert ist.

Doch führen diese Erwägungen über die Forderung Jahwes nun schon ganz unmittelbar hinüber zum Blick auf die vom Menschen erwartete Antwort an Gott und im weiteren Umkreis zu dem »vor Jahwe« geschehenden Leben des Menschen in seiner ganzen Breite.

J. J. Stamm, Sprachliche Erwägungen zum Gebot »Du sollst nicht töten«, ThZ 1, 1945, 81—90. — *K. Elliger*, Das Gesetz Lev. 18, ZAW 67, 1955, 1—25 (= Kleine Schriften, ThB 32, 232—259). — *W. Zimmerli*, Die Weltlichkeit des ATs, 1971. — *J. Herrmann*, Das zehnte Gebot, Festschr. E. Sellin, 1927, 69—82. — *L. Hejcl*, Das at. Zinsverbot, 1907. — *A. Bertholet*, Die Stellung der Israeliten und der Juden zu den Fremden, 1896. — *J. Hempel*, Das Ethos des ATs, BZAW 67, 1964². — *E. Jacob*, Les bases théologiques de l'éthique de l'Ancien Testament, Suppl. to VT 7, 1960, 39—51. — *H. van Oyen*, Ethik des ATs, 1967.

IV. Das Leben vor Gott

Die Frage mag gestellt werden, ob ein Abschnitt über »Das Leben vor Gott« in eine at. Theologie hineingehört. Zumal in eine Theologie, die davon ausgeht, daß at. Glaube von dem »Sich-selber-Sagen« Jahwes in seiner Geschichte herkommt. Aber die bisherigen Ausführungen haben sichtbar gemacht, wie at. Glaube seinen Gott nicht in einem jenseitigen An-Sich, sondern in seinem Zugehen auf Israel und die Welt kennt und das AT sich in seinen Aussagen über Gott als Buch der Anrede versteht. Dann aber wird es so sein, daß auch in der »Rückrede«, die Gott vom Angeredeten erwartet, wie in einem Spiegel der Redende erkennbar wird.

Man wird diese »Rückrede« da finden, wo der Mensch im Gehorsam auf das formulierte Gebot seines Gottes antwortet. Sie ist aber auch da zu finden, wo Israel, ohne daß bestimmte Gebote formuliert würden, sich an die heilvolle Führung seines Gottes hingibt (§ 16). Jahwes Wesen wird weiter da erkennbar werden, wo sich Menschen in Lobpreis und Hilfeschrei zu ihm wenden (§ 17). Aber selbst da, wo der Mensch sich, seiner Geschöpflichkeit bewußt, in dankbar-gehorsamem Gebrauch der ihm als Jahwes Kreatur vom Schöpfer verliehenen Gaben seinen täglichen Weg in nüchternen Entscheidungen bahnt, wird erkennbar, mit welchem Gott er es zu tun hat (§ 18).

§ 16 Die Antwort des Gehorsams

Die Zuwendung Jahwes zu seinem Volke hat, so war in Teil II und III deutlich geworden, zwei Aspekte, die sachlich nicht voneinander zu trennen sind. Sie äußert sich in der barmherzigen Führung Jahwes, anhebend mit seiner Herausführung Israels aus dem Knechtshause Ägyptens und dann weiter in all seinen Gaben an Israel und die Welt. Gabe ist dabei aber immer auch Aufgabe. Diese Forderungsseite verdichtet sich im gebietenden Wort, das ein ganz bestimmtes Tun des Gehorsams erwartet.

So wird denn auch die Antwort des Gehorsams ihre zwei Aspekte haben. Sie besteht einmal im Gehorsam gegen die konkreten Forderungen, die in Teil III entfaltet worden waren.

In diesem Zusammenhang spielt das »Hören« (שׁמע *šmʿ*), das auch »gehorchen« heißen kann, das »Beobachten« (שׁמר *šmr* im Sinne von »einhalten, befolgen«) und das »Tun« (עשׂה *ʿśh*, vgl. etwa die stereotypen Formulierungen beim Sinaigeschehen Ex 19, 8; 24, 3, in 24, 7 mit שׁמע *šmʿ* verbunden) eine bedeutsame Rolle. Sie führen auf die klar umrissene Tat des Gehorsams.

Die Antwort des Gehorsams besteht aber ganz ebenso im Annehmen und rechten Bewahren der Gaben Jahwes, die Israel im Rahmen der geschichtlichen Führung durch seinen Gott zuteil werden. Es ist im Einzelfall oft gar nicht eindeutig auszumachen, wo dabei die Gabe, die mit reinen Händen empfangen sein will, übergeht in das Gebot, das des Menschen aktive Gehorsamsleistung fordert. Das kann sich im folgenden an einzelnen Stellen sehr deutlich zeigen.

1. Daß sich das Wesen Jahwes, der zu seinem Volke kommt, in diesem abschatten will, ist besonders deutlich in dem Satz ausgesprochen, der die zentrale Gebotssammlung von H einleitet: »Ihr sollt heilig sein, denn ich, Jahwe, euer Gott, bin heilig (קדוש *qādōš*)« (Lev 19, 2). Zugleich berühren sich hier aber auch Gabe und Gebot Jahwes ganz unverkennbar.

Die Bezeichnung Jahwes als des »Heiligen« stellt sich wahrscheinlich als Übernahme eines kan. Begriffes dar. In Ugarit erhält u. a. El das Prädikat *qdš* (Schmidt). Israel hat damit das Wissen um Jahwes Herrentum und seine Ausschließlichkeit verbunden. In Ex 19, 6 (Dtn 14, 21 a β; 26, 19) wird Israel als »heiliges Volk« bezeichnet. Dtn 14, 2 unterstreicht diese indikativische Aussage durch den ausdrücklichen Hinweis auf die Erwählung durch Jahwe. In Ex 31, 13 und Ez 20,12 wird der Sabbat als das besondere Zeichen der heiligenden Erwählung Israels bezeichnet. Darin schattet sich etwas von der Art Jahwes, der am gewaltigsten im Trishagion des Seraphengesanges von Jes 6,3 (Ps 99) als der Heilige bezeichnet wird, auf Israel ab. Zugleich aber wird das Volk in Lev 11,44 f.; 20, 26 dazu aufgerufen, in seinem Leben vor Gott eben diese Heiligkeit durch sein aktives Tun unter Beweis zu stellen. Lev 19, 2 leitet als Kopfstück einer Gebotssammlung die reiche Ausfächerung an Einzelweisungen ein, durch deren Befolgung Israel dieses sein Wesen zu erweisen hat. Dtn 28, 9 schaltet das Halten der Gebote sogar konditional der Aufrichtung des heiligen Volkes durch Jahwe vor. Sehr deutlich ist in dieser spannungsvollen Verwendung der Heiligkeitsaussage die Mahnung zu hören: Werde, was du durch Jahwes Tat bist!

2. In verstärktem Maße noch kann die Abschattung des göttlichen Wesens Jahwes auf die Gemeinde, die vor Gott lebt, und zugleich die unverkennbare Spannung, die zwischen Gabe und Gebot, Indikativ und Imperativ besteht, bei dem Begriff der צדקה (צדק) *ṣᵉdāqāh* (*ṣaedaeq*), der mit dem deutschen »Gerechtigkeit« nur sehr unvollkommen wiedergegeben wird, gesehen werden. Das theologische Fundamentalproblem von »göttlicher und menschlicher Gerechtigkeit« verbirgt sich hinter diesem Tatbestand.

Es ist in neuerer Zeit ganz deutlich geworden, daß die von Jahwe ausgesagte »Gerechtigkeit« nicht mit der justitia zu verwechseln ist, die mit verbundenen Augen streng nach einer über den Parteien stehenden objektiven Norm jedem an Lohn und Strafe zuteilt, was er verdient hat. Vielmehr meint das at. Reden von der »Gerechtigkeit Jahwes« das der Gemeinschaft, die zwischen ihm und seinem Volke besteht, gemäße göttliche Verhalten. Die plur. Rede von den צדקות יהוה *ṣidqōt jahwaeh*, die schon im Deboralied Ri 5, 11 begegnet (auch 1 Sam 12, 7; Mi 6, 5), wird am besten mit »Heilstaten Jahwes« übertragen. Das sing. צדקה *ṣᵉdāqāh* und צדק *ṣaedaeq* wird bes. in den Ps und dem aus der Psalmwelt kommenden Dtjes und Trjes oft zur Bezeichnung der heilvollen Ordnung Jahwes verwendet, die bis in die Natur hinaus zu erkennen ist. Nach Jepsen bezeichnet das mask. צדק *ṣaedaeq* die »Richtigkeit, Ordnung«, während das fem. צדקה *ṣᵉdāqāh* für das »Verhalten, das auf rechte Ordnung zielt«, gebraucht wird. Schmid möchte das Wort in seiner vielfachen Verästelung von seinem kan. Muttergrund, in dem es die Weltordnung in verschiedenen Bereichen aussagt, her verstehen.

Nun zeigt sich, daß »Gerechtigkeit«, welche die Sphäre des göttlichen, in Israel spezifisch jahwistisch verstandenen Rechthandelns kennzeichnet, ganz so zur zentralen Vokabel auch für das menschliche Rechthandeln wird. Wie sehr Israel dieses menschliche Rechthandeln im Gegenlicht zum Rechthandeln Jahwes sieht, läßt sich besonders schön am Beispiel der alphabetischen

Zwillingspsalmen 111/112 erkennen. Rühmt der erste der beiden Psalmen Jahwes herrliches Tun, so der zweite das Tun des gottesfürchtigen Menschen. Dabei wird je in v. 3b wörtlich dieselbe Aussage über Gott und den Menschen vor Gott gemacht: »Seine ›Gerechtigkeit‹ besteht in Ewigkeit«.

Fragt man weiter, wie nun die menschliche Gerechtigkeit des näheren zu fassen ist, so ist keinesfalls zu übersehen, daß sie sich auf das Halten der Gebote bezieht. So schildern Ez 18, 5ff. den Gerechten, indem sie sein Tun anhand einer Gebotsreihe darlegen: »Wenn da einer gerecht ist und Recht und Gerechtigkeit übt, nicht auf den Bergen ißt und seine Augen nicht zu den Götzen Israels erhebt und das Weib seines Nächsten nicht unrein macht....«. Danach sind es die einzelnen am Gebot normierten Rechttaten des Menschen, die seine »Gerechtigkeit« konstituieren.

Die Aufzählung mündet dann aber in ein nochmals überraschend wiederkehrendes: »Gerecht ist er, leben soll er« aus. Die erste Hälfte dieser Aussage ist formal im Stil eines priesterlichen »Deklarationswortes« gehalten, wie es nach Rendtorff vor allem bei der Aussatzgesetzgebung Lev 13 zu finden ist. Sie spricht hier ein Gesamturteil über den Menschen aus. G. von Rad hat darauf hingewiesen, daß darin mehr als nur eine analytische Feststellung gemacht wird. Die Deklaration muß mit den priesterlichen Torliturgien zusammengesehen werden, die dem Pilger, welcher auf einige notae des Gerechten hin befragt wird, das göttliche Gesamturteil der »Gerechtigkeit« zusprechen. So ist es in Ps 24, 4f. zu sehen, wie dem, »der reine Hände und ein reines Herz hat, der nicht auf Trug sinnt und nicht trügerisch schwört«, der Zutritt zum Tempel gestattet und dann von ihm gesagt wird: »Er wird Segen von Jahwe davontragen und Gerechtigkeit von dem Gott, der ihm hilft«. »Gerechtigkeit« ist hier deutlich das am Heiligtum Empfangene und nicht einfach das Selbsterworbene. Daß auch die Formulierung von Gen 15, 6, wonach Abraham Gott glaubte und es »ihm zur Gerechtigkeit angerechnet wurde«, auf solche angerechnete, d. h. deklaratorisch zugesprochene »Gerechtigkeit« führt, hat G. von Rad an anderer Stelle gezeigt. Besonders deutlich ist es in Hi 33, 26 zu sehen, wie Gott dem Sünder, der durch Krankheiten gewarnt worden ist und dann zu Gott fleht, seine »Gerechtigkeit« wieder zurückgibt.

Nach alledem steht auch das Reden von der menschlichen »Gerechtigkeit«, wie am Heiligtum von ihr geredet wird, ganz so wie das Reden von Israels Heiligkeit in der offenen Spannung, daß sie einerseits ernstlich durch das dem Menschen von Jahwe gegebene Gebot gefordert wird und daß dann doch auch immer wieder ein Überschuß mitschwingt, der unverdiente Gabe ist. Man wird keine Seite zugunsten der anderen einfach eliminieren dürfen. Das Gebot, das in den großen Rechtskorpora des Dtn und des H in die Alternative von Heil und Unheil ausmündet, den Menschen vor Verheißung und Drohung stellt, ist nicht weggetan. Aber auch der Wille Jahwes, der als heilschaffende »Gerechtigkeit« über Israel steht und der nur selten (etwa in Ps 7, 12) mit dem Zürnen Jahwes in Verbindung gebracht wird: »Gott ist ein ›gerechter‹ Richter und ein Gott, der täglich zürnt«, ist Israel bekannt. Israel, das vor Gott lebt, weiß sich zur Gerechtigkeit, die zum wirklichen »Leben« unumgänglich ist, gerufen. So beherrscht das Thema »Gerechtigkeit« auch das Gebet der Psalmen. An den Eingang des Psalters ist im Sinne eines Rufes zur Entscheidung das Doppelbild des »Gerechten« und des »Gottlosen«, der im Gericht wie die Spreu verweht, gestellt (Ps 1), damit der Beter nicht aus dem Auge verliere, daß in allem Beten des Frommen die Frage des Rechtseins vor Jahwe nie weggetan werden kann.

3. Das Dtn begründet die Erwählung der Väter durch Jahwe mit dem einfachen Hinweis auf die Liebe Jahwes, s. o. S. 36. Auch im Bild der Ehe, wie dann in demjenigen der Kindschaft zur Beschreibung des Verhältnisses Jahwes zu Israel, liegt der Gedanke der göttlichen Liebe beschlossen. »Als Israel jung war, da gewann ich es lieb, aus Ägypten rief ich meinen Sohn« (Hos 11, 1). Neben dem hier

verwendeten Verb אהב *'hb* »lieben« sind in diesem Zusammenhang die Substantive חסד *ḥaesaed,* in dem die »Huld« im Rahmen einer bestimmten Gemeinschaftsbeziehung beschlossen liegt, sowie רחמים *raḥᵃmīm,* das die natürliche, mütterliche Liebe bezeichnet, von Bedeutung. In einer der feierlichen adjektivischen Prädikationen heißt Jahwe רחום וחנון *raḥūm wᵉḥannūn* (Ex 34, 6 u. ö.).
Auch dieses Wesen Jahwes aber will sich in das Leben des Menschen vor Gott abschatten, wenn das AT nun ganz so von der Liebe des Menschen zu Gott redet.
Wieder möchte man den Ausgang von den Zwillingspsalmen 111/112 nehmen, wo der v. 4b die gleiche adjektivische Prädikation von Jahwe und vom Gerechten macht. Während hier aber beim Menschen an die zwischenmenschliche Barmherzigkeit gedacht sein dürfte, ist an anderer Stelle, am klarsten wieder in den dtn. Paränesen, von der Liebe des Menschen zu Gott die Rede. In der vollen Eröffnung von Dtn 6, 5 wird dazu gemahnt, Jahwe zu lieben »von ganzem Herzen, von ganzer Seele und mit ganzer Kraft«. Wenn dabei aber das Lieben auch sofort mit dem Halten der Gebote, dem Dienen und dem Gehen auf seinen Wegen verbunden ist (10, 12; 11, 22, vgl. auch die Dekaloge Ex 20, 6; Dtn 5, 10), so wird darin sichtbar, daß sich menschliches Gott-Lieben nicht einfach dem göttlichen Israel-Lieben gleichsetzen darf. Das Zweitwort des Menschen ist Antwort auf das Erstwort Jahwes. Die hier gemeinte Liebe zu Jahwe ist nie einfach das freie Sich-Eindrängen in Gottes Nähe, sondern das Nahen zu Gott auf dem von ihm aufgebrochenen Weg. Über das mit dem Lieben verbundene »Gott fürchten« wird später zu reden sein.
Neben dem Dtn sind es vor allem einige Psalmen, die von der Liebe des Menschen zu seinem Gott sprechen (18, 2 רחם *rḥm;* 116, 1 אהב *'hb* t. inc.; 31, 24 אהב *'hb*). Daß dann auch vom Lieben der Gebote Jahwes geredet werden kann (119, 47), zeigt erneut, wie die Liebe dem Ruf Jahwes auf den von Jahwe gewiesenen Wegen folgt. Dtn 30, 6 transzendiert all die anderen Aussagen, wenn hier solches Liebenkönnen gleich der nt. Rede vom Charisma der Liebe in 1 Kor 13 als Folge einer von Gott selber vorgenommenen Beschneidung des Herzens angesprochen wird. – So redet schon das AT, wenn auch nicht besonders häufig, so doch an besonders herausragender Stelle davon, daß der Mensch Jahwes Liebe mit seiner eigenen Liebe beantworten soll.
4. Am 3, 2 hatte Israels Erwählung durch Jahwe mit dem Verb »erkennen« ausgesagt. Auch Jeremia weiß nach 1, 5, daß Jahwe ihn »erkannt« und ihn darin zu seinem prophetischen Werkzeug gemacht hatte. Wenn nun auch im Leben des Menschen vor Gott das Erkennen Jahwes bedeutsam wird, so ist hier noch stärker als beim »Lieben« Gottes zu unterstreichen, daß das vom Menschen her antwortende Erkennen nicht die kreative Kraft des sein Volk erwählenden Herrn hat, sondern sich nur auf den Bahnen zu Jahwe hin zurückwenden kann, die dieser ihm gebahnt hat.

Begrich hat in seiner Untersuchung über die priesterliche Tora (Lit. zu § 10d) wahrscheinlich gemacht, daß im besonderen das priesterliche Wissen um die rechte Tora als »Erkenntnis« (דעת *daʿat*) bezeichnet wurde. Darüber hinaus ist aber zu sehen, daß die Jahwe betreffende »Erkenntnis« keinesfalls auf den rein intellektuellen Sektor eines »Wissens« begrenzt werden kann,

sondern eine stark personale Komponente enthält. Nicht die vom Gegenüber möglichst abstrahierende theoretische Sacherkenntnis, sondern die das entgegenkommende Gegenüber voll, u. U. bis in seine Leiblichkeit einbeziehende Erkenntnis ist im AT gemeint. So kann denn das eheliche Zusammenkommen im AT wie in seiner Umwelt als »Erkennen« der Frau bezeichnet werden. Danach beschränkt sich auch die Erkenntnis Jahwes nicht auf ein technisches Priester- und ein allgemeines Gott-Wissen, sondern schließt zugleich den ganz personalen Bezug des Anerkennens in sich. Von daher ist die Polemik Hoseas gegen die Priester zu verstehen: »Mein Volk geht zugrunde, weil es keine Erkenntnis hat — denn du hast die Erkenntnis verworfen, so will auch ich dich verwerfen, daß du nicht mehr mein Priester seiest. Und hast du die Tora deines Gottes vergessen, so vergesse auch ich deine Söhne« (4, 6). Andererseits wird es aber kaum angehen, die kognitive Komponente aus dem Priesterwissen, das auch die Verkündigungsgehalte der alten Überlieferung Israels enthält, ganz auszublenden, vgl. dazu die Kontroverse Wolff-Baumann. So kann Hosea klagen, daß »keine Treue, keine Liebe (חסד *ḥaesaed*) und keine Gotteserkenntnis im Lande ist« (4, 1), und feststellen, daß Jahwe Wohlgefallen an Liebe (חסד *ḥaesaed*) mehr als an Schlachtopfer und an Gotteserkenntnis mehr als an Brandopfer hat (6,6). Zum Charisma des Heilskönigs gehört denn auch der »Geist der Erkenntnis« Jes 11,2.
Neben dieser direkten Rede von Gotteserkenntnis findet sich aber, wie o. S. 15 gezeigt, bei Ez und auch an Stellen außerhalb dieses Buches die ganz anders strukturierte »Erkenntnisformel«, die ihre vornehmste Stelle im »Erweiswort« hat. Hier schließt an die Ankündigung eines göttlichen Tuns in Gericht oder Heil die Formel an: »Sie sollen erkennen, daß ich Jahwe bin«. Nicht in der Form des direkten Objektes ist hier der Jahwename dem Verb ידע *jdʿ* zugefügt, sondern in der Einbettung in einen Objekt-Nominalsatz, der seine primäre Heimat in der Selbstvorstellung, wie sie etwa den Dekalog einleitet, hat. Hier wird nun ganz besonders deutlich sichtbar, wie das Erkennen, das im »Leben vor Gott« geschieht, nicht das kreative Erkennen ist, das neue Wahrheit setzt, sondern dem nachfolgt, was Jahwe in seinem geschichtlichen Handeln getan hat. Indem der Mensch in diesen Geschehnissen das göttliche Heraustreten wahrnimmt, wird er zur Anerkennung der »Wahrheit« Jahwes geführt. In voller Anschaulichkeit ist ein solcher Vorgang des Erkennens/Anerkennens im Gottesurteil auf dem Karmel geschildert, wo Elia unter Anrufung Jahwes, des »Gottes Abrahams, Isaaks und Jakobs« darum bittet: »Heute möge erkannt werden, daß du Gott bist in Israel und ich dein Knecht« (1Kön 18, 36). Solches Anerkennen Jahwes kennzeichnet das wahre Leben des Menschen vor Gott.

5. Im Dtn war mit der Forderung der Liebe zu Jahwe auch diejenige der Jahwefurcht verbunden. Sie ist weit über das Dtn hinaus schon beim E (Wolff), in den vor-schriftprophetischen Kreisen, einer Reihe von Psalmen und vor allem in der Weisheit, wo sie geradezu zur Grundforderung geworden ist, bedeutsam, während ihre Erwähnung auffallenderweise in P und bei Ez fehlt. Diese Feststellung möchte zunächst überraschen. Scheint Liebe ganz in die Nähe Jahwes zu weisen, so scheint »Furcht« wieder aus dieser Nähe zu verstoßen.
Nun ist es ohne Zweifel so, daß die »Furcht Jahwes« immer wieder an die Distanz erinnert, in welcher das Geschöpf vor dem Schöpfer und Herrn steht. Israel hat zu allen Zeiten um die Scheu vor dem all sein Verstehen und Lieben übergreifenden Herrn, der auch je und je im nicht zu bewältigenden Schrecken begegnen konnte (Volz), gewußt. Es ist dem Geheimnis Gottes in seinem Gottesdienst, der das »Heilige« nie eliminierte, begegnet. Es hat auch da, wo Jahwe nahekam, etwas vom Schrecken solcher Nähe gewußt (Gen 28, 17; Jes 6, 5; Am 3, 8). Auch in seinem weisheitlichen Nachdenken (Prediger) oder beim Versuch der Deutung rätselhaften Menschenschicksals (Hiob) ist es dem Erschrecken vor Jahwes Unerforschlichkeit nie ausgewichen.
Aber es ist nun doch auffällig, daß der at. Glaube sich in seinem Reden von der Jahwefurcht nicht in die reine Gottesangst hat scheuchen lassen. Es hängt dieses

wohl damit zusammen, daß Israel sich in Jahwe einem Herrn gegenüber wußte, der nicht nur im Rätsel und der unfaßlichen Laune begegnete, sondern dem Herrn, der sich als Israels Gott diesem zugesagt und ihm in seinem Gebot auch den Weg gewiesen hatte, auf dem Leben vor ihm möglich war. »Gottesfurcht« bekommt von daher im AT oft den vollen Akzent des Gehorsams gegen Jahwes Gebote.

In H begegnet es nicht zufällig als positive Zusammenfassung bei Geboten, welche die Scheu vor dem Schwachen oder dem Alten betreffen: »Einem Tauben sollst du nicht fluchen und einem Blinden kein Hindernis auf den Weg legen, sondern deinen Gott fürchten — ich bin Jahwe« (Lev 19, 14). »Vor einem grauen Haupt sollst du aufstehen und das Alter ehren und sollst dich vor deinem Gott fürchten, denn ich bin Jahwe« (19, 32). In der Erzählung von Isaaks Opferung (E) ist es ein sehr konkretes Einzelgebot Gottes, dem Abraham gehorcht hat, auf das hin Gott über ihm feststellt: »Nun weiß ich, daß du Gott fürchtest. Du hast deinen Sohn, deinen einzigen, mir nicht vorenthalten« (Gen 22, 12 E). Solche Gottesfurcht kann dann auch bei Angehörigen fremder Völker, welche eine echte Scheu vor gewissen Grundregeln menschlichen Rechtverhaltens verraten, gefunden werden. Ist es bei den Ammen der Israeliten in Ex 1, 17, welche das Töten der männlichen Kinder unterlassen, nicht ganz klar, ob an israelitische oder ägypt. Frauen gedacht ist, so erscheint Joseph nach Gen 42, 18 den Brüdern, die sich vor dem ägypt. Wesir fürchten, im Gewande des Fremden, wenn er ihnen sagt: »Auch ich fürchte Gott«.

Jahwes Gebot ruft in seine Nähe. Gehorsam gegen seinen Willen verspricht Leben. Von da aus ist es zu verstehen, daß die Rede von der Gottesfurcht als dem Verhalten des Menschen vor Jahwe ganz überraschend einen ausgesprochenen Akzent des Vertrauens erhalten kann. »Gottesfurcht« wird in sehr allgemeiner Weise ein Wort für Frömmigkeit, die den Menschen an den Ort der Behütung durch Jahwe führt: »In der Furcht Jahwes liegt ein fester Verlaß, noch den Kindern ist er (Jahwe) eine Zuflucht. Die Furcht Jahwes ist eine Quelle des Lebens, so daß man den Schlingen des Todes entgeht« (Spr 14, 26f.). So möchte man geradezu formulieren: Wer Jahwe fürchtet, braucht sich nicht zu fürchten, wer dagegen Jahwe nicht fürchtet, der muß sich fürchten. »Sein Leben lang ängstigt sich der Gottlose, all die Jahre, die dem Tyrannen bestimmt sind«, sagt Eliphas von Theman nach Hi 15, 20. Die weisheitliche Rede von der Furcht Jahwes wird in § 18 noch voller zur Sprache kommen müssen.

6. Nicht allzu häufig, aber dafür an einigen besonders gewichtigen Stellen, wird die richtige Antwort des Menschen auf Jahwes Tun mit dem Wort »Glauben« beschrieben. Wie bei der Furcht Jahwes geht es auch hier nicht mehr um ein Verhalten, in dem sich Jahwes Verhalten gleichartig spiegelte. Vielmehr bezeichnet „Glauben" die Weise, in welcher der Schwache seine Festigkeit vom anderen, Starken her bezieht.

Der dem deutschen Wort »glauben« leicht anhaftende Geschmack des bloßen »Meinens« ist vom hebr. האמין *hae'aemīn* strikte fernzuhalten. Das Wort ist vom Stamme אמן *'mn* »festsein« hergeleitet, der aus dem Amen, mit dem ein Fluch (Dtn 27, 15—26; Num 5, 22), ein königlicher Befehl (1Kön 1, 36), ein Wunsch (Jer 28, 6) oder auch ein Gebet respondierend bekräftigt wird (Ps 41, 14 u. ö. am Schluß einer Teilsammlung von Ps), jedem bekannt ist. Gegen das Verständnis des האמין *hae'aemīn* als deklaratives hiph., nach welchem der Glaube das respondierende Amen auf eine Zusage Jahwes darstellte, spricht, daß es nicht mit dem dann zu erwartenden Akk., sondern meist mit der Praep. ב *be* »in« konstruiert wird, nicht selten auch mit ל *le*. Nach Wildberger ist es intransitiv zu verstehen und meint in seiner theologischen

Verwendung in Verbindung mit ב b^e »sich festmachen in, sein Vertrauen setzen auf«. So ist die in Röm 4 und Gal 3 zitierte Aussage Gen 15, 6 über den kinderlosen Abraham, dem Gott unter Hinweis auf den gestirnten Himmel die Fülle der Nachkommenschaft verheißen hatte, zu verstehen: »Abraham machte sich fest in Jahwe, und er rechnete es ihm als Gerechtigkeit an«. In solchem »Sich-festmachen« in Jahwe ist der Mensch »recht« vor Gott. In absolutem Gebrauch, in dem Smend den Ursprung der Rede vom »Glauben« im AT sehen möchte, findet es sich bei Jesaja. Dem König Ahas, dem Jesaja in einer Stunde der Gefährdung das Scheitern der feindlichen Unternehmungen zusagt, wird das geschliffene, zweimal den Stamm אמן *'mn* verwendende Wortspiel entgegengehalten: »Glaubt ihr nicht, so bleibt ihr nicht«, wörtlich: »Wenn ihr euch nicht festmacht (d. h. in Jahwes Zusage), so werdet ihr nicht gefestigt (= bewahrt) werden« (7,9). Und Jes 28, 16 weist auf Jahwes Gründung des Zion (s. o. S. 64f.): »Wer glaubt, wird nicht weichen«. Glaube wäre Geborgenheit, Ruhe unter Gottes Zusage. Weil diese Zusage aber durch den von Jahwe gesandten Menschen laut wird, kann Ex 14, 31 davon reden, daß das Volk Jahwe und seinem Knecht Mose glaubt. Mose allein nennt Ex 4, 1. 5; 19, 9 als den Boten, dem geglaubt werden soll. In 2Chr 20, 20 ist die Aufforderung an das Volk gerichtet, Jahwe und seinen Propheten zu glauben. Ps 119, 66 nennt die göttlichen Gebote als das Gegenüber des »Glaubens«.
In alledem will Glaube nicht als ein quietistisches Untätigsein verstanden werden. Jona 3,5 redet davon, daß die Niniviten auf die Predigt Jonas hin »Gott glaubten und ein Fasten ausriefen und groß und klein Trauer anlegten«. Glaube wirkt Umkehr. In Ex 4, 1. 5 sind es Zeichen, auf die hin das Volk glaubt. Auch Jesaja bietet dem zaudernden Ahas nach 7, 10ff. ein solches an. In Ex 14, 31 liegt das große Geschehen der Rettung vor aller Augen. So gewährt Jahwe nach dem AT dem Glauben je und je einmal die Hilfe des Zeichens oder gar das volle Schauen. Gen 15, 6 zeigt daneben allerdings sehr deutlich, wie Glaube auch gegen das vor Augen Liegende gewagt sein will — was ist schon der Blick auf den gestirnten Himmel, der Abraham gewährt wird, für ein Beweis? Und doch kann dann auch wieder gesagt werden, daß Glaube eine Erkenntnis in sich trägt. Jes 43, 10 redet davon, daß Israel Jahwes Zeuge zu sein habe, »damit sie zur Einsicht kommen und glauben und erkennen, daß ich es bin«. Deutlich aber spricht Ps 106, 12 aus, wohin der Glaube führen will: »Sie glaubten an seine (Jahwes) Worte, sangen seinen Ruhm«. Der Glaube singt Gottes Ruhm.

Chr. Barth, Die Antwort Israels, Festschr. G. von Rad, 1971, 44—56. — *W. Schmidt*, Wo hat die Aussage: Jahwe »der Heilige« ihren Ursprung?, ZAW 74, 1962, 62—66. — *A. Jepsen*, צדק und צדקה im AT, Festschr. W. Hertzberg, 1965, 78—89. — *H. H. Schmid*, Gerechtigkeit als Weltordnung, 1968 (Lit.). — *W. Zimmerli*, Zwillingspsalmen, Festschr. J. Ziegler, 1972 II 105–113 (= Studien zur at. Theologie und Prophetie, ThB 51, 1974, 261—271). — *R. Rendtorff*, Die Gesetze in der Priesterschrift, FRLANT 62, 1954. — *G. von Rad*, »Gerechtigkeit« und »Leben« in der Kultsprache der Psalmen, Festschr. A. Bertholet, 1950, 418—437 (= Gesammelte Studien, ThB 8, 1958, 225—247). — *Ders.*, Die Anrechnung des Glaubens zur Gerechtigkeit, ThLZ 76, 1951, 129—132 (= ebda 130—135). — *W. Zimmerli*, Art. χάρις ThW IX, 366—377 (Lit.). — *H. W. Wolff*, ›Wissen um Gott‹ bei Hosea als Urform von Theologie, EvTh 12, 1952/53, 533—554 (= Gesammelte Studien, ThB 22, 1964, 182—205). — *E. Baumann*, »Wissen um Gott« bei Hosea als Urform der Theologie? EvTh 15, 1955, 416—425. — *H. W. Wolff*, Erkenntnis Gottes im AT, EvTh 15, 1955, 426—431. — *Ders.*, Zur Thematik der elohistischen Fragmente im Pentateuch, EvTh 29, 1969, 59—72. — *P. Volz*, Das Dämonische in Jahwe, 1924. — *J. Becker*, Gottesfurcht im AT, 1965 (Lit.). — *H. Wildberger*, »Glauben«, Erwägungen zu האמין, Festschr. W. Baumgartner, Suppl. to VT 16, 1967, 372—386. — *R. Smend*, Zur Geschichte von האמין, ebda. 284—290.

§ 17 Der Opferdienst Israels. Lobpreis und Hilfeschrei

Das Rühmen Gottes macht auf Erden offenbar, wer dieser Gott ist. Ps 22, 4 scheint in seiner vorliegenden Form in kühner Weise die Prädikation Jahwes als des Kerubenthroners (1Sam 4, 4) in die Aussage abzuwandeln: »Du bist der

Heilige, der thront über den Lobgesängen Israels«. So kennt at. Glaube seinen Gott: Als den Heiligen Israels (Jes 1, 4; 5, 19 u.ö.) – aber als den in all seiner unnahbaren Heiligkeit nicht unnahbar Fernen, sondern als den Gott, dessen majestätischen Thron der Lobpreis seines Volkes bildet. So findet sich denn in der at. Schriftensammlung auch ein Buch, das die Überschrift »תהלים *tᵉhillîm* Preisungen« (Buber) erhalten hat.

Wer das so überschriebene Buch der Ps im einzelnen durchgeht, wird rasch auf die Feststellung stoßen, daß die Gattung der »Preisungen« zwar einen sehr erheblichen Teil dieses Buches ausmacht, daß ihr aber eine noch größere Zahl von Bittliedern (תפלות *tᵉfillôt*) oder, wie der durch Gunkel eingebürgerte term. techn. lautet, »Klageliedern« gegenübersteht. Die Überschrift des Buches bezieht offenbar auch das in den Bittliedern hörbar werdende »Geschrei« in den Lobpreis, über dem Jahwe thront, ein.

Die neuere Psalmforschung hat deutlich gemacht, daß die Ps nicht als freie geistliche Dichtung, die aus frommen Herzen stammt, angesehen werden darf. Sie steht in mancherlei Beziehungen zum Gottesdienst der Jahwegemeinde, so wie es denn auch in den polemischen Worten der Propheten erkennbar wird, daß »Lieder« (Am 5, 23) und »Gebete« (Jes 1, 15) Bestandteil der Gottesdienste im Heiligtum waren. Gewiß werden in den heute über manchen Ps zu findenden ausführlicheren Überschriftsbemerkungen meist Individualsituationen der Bedrängnis (Davids), die den Ps außerhalb des Heiligtums entstanden sein lassen, erwähnt. Nur einmal ist ein Gottesdiensttag (Ps 92 »für den Sabbattag«) genannt. Aber die weiteren, meist nur unvollkommen durchsichtigen Bemerkungen im Kopfstück mancher Ps, sowie die Zuweisung an die Tempelsängergilden der Asaphiten und Korahiten weisen zum mindesten auf Nachverwendung der Ps im Tempelgottesdienst. Die Angaben der Chr über den Tempelgesang und die ausdrückliche Zitierung von Ps etwa in der Schilderung des gottesdienstlichen Vorganges von 1 Chr 16, vor allem aber die in vielen Wendungen konventionierte Sprache, die ihre Par. in der Umwelt hat (vgl. AOT^2 12–18. 241–281; ANET 365–400; Falkenstein-von Soden), machen die mannigfache Verbindung von Ps und Kult zur Gewißheit.

So darf denn, wenn von Lobpreis und Hilfeschrei als at. Aussagen, durch die der Jahweglaube voller zu Gesicht kommt, geredet wird, ein knapper Blick auf diesen Untergrund, über dem sich der im Wort verdichtete Ruf erhebt, nicht unterbleiben. Die Ausführungen, die in früherem Zusammenhang über die Gabe der Nähe Jahwes (§ 9) wie über den Dienst des Priesters (§ 10d) gemacht worden sind, gehören ebenfalls zu diesem Hintergrund.

Nun sind leider die Anweisungen für die Opfer der Gemeinde, welche im Mittelpunkt der festlichen Begehungen am Heiligtum gestanden haben dürften (Num 28f.), im Hinblick auf die in ihnen zum Ausdruck kommenden Absichten der Opfernden recht wenig gesprächig. Die Opfergesetzgebung des P erschöpft sich weitgehend in der Mitteilung des Rituals, d.h. des konkreten äußeren Vollzugs der Opferhandlungen, so daß man allein aus ihr sogar auf den Gedanken kommen könnte, gesprochenes und gesungenes Wort hätten hier gar keinen Ort. Immerhin läßt sich im Überblick über das gesamte Gut an Nachrichten doch wenigstens über drei Grundtendenzen, die im Opfer zum Ausdruck kommen, etwas sagen. Neben der Absicht, im Opfermahl die Gemeinschaft mit Jahwe zu feiern, steht der Wille, Gott mit der Gabe zu ehren und, in der nachexilischen Zeit in deutlicher Verstärkung heraustretend, Sühne für die Verschuldungen zu erreichen.

Die Gemeinschaft (communio) mit Jahwe wird vor allem in dem schon für die älteste Zeit belegten, als »Schlachtung« (זבח *zaebaḥ*) bezeichneten Opfer gefunden. So zieht nach 1Sam 1 Elkana mit seinen beiden Frauen und den Kindern jährlich zum Heiligtum in Silo hinauf, um sich dort vor »Jahwe der Heerscharen« niederzuwerfen (השתחוה *hištaḥ*ᵃ*wāh*) und dort zu schlachten (זבח *zbḥ*). Das Opferritual von Lev 3 regelt genau, welche Bestandteile bei dem hier זבח שלמים *zaebaḥ š*ᵉ*lāmīm* genannten Opfer für Jahwe auf dem Altar verbrannt werden sollen. 1Sam 1 zeigt weiter anschaulich, wie sich dann die Familie des Opferers zur Mahlgemeinschaft, bei der jedem sein Anteil gegeben wird, zusammensetzt und vor Jahwe Mahl hält. Es darf vermutet werden, daß der Ton der Freude, der die Opferschilderungen in Dtn 12, 5—7 u. ö. beherrscht, wo im übrigen in unscharfer Weise alle möglichen verschiedenen Opferdarbringungen einbezogen werden, vor allem von dieser in der Gemeinschaft beim Mahl gefeierten זבח *zaebaḥ*-Darbringung her stammt. Dem Dtn ist sehr daran gelegen, daß bei diesen Feiern auch der Arme und der Levit, der im Ort wohnt, nicht vergessen werden. Daß P die vollere Bezeichnung זבח שלמים *zaebaḥ š*ᵉ*lāmīm* braucht, dürfte von der späteren Verbindung des Mahlopfers mit einem zunächst lediglich als שלמים *š*ᵉ*lāmīm* bezeichneten »Schlußopfer« herrühren (Rendtorff).
Die עולה *ʿōlāh*, das sog. »Brandopfer«, ist demgegenüber die Opferart, bei der das ganze Tier Jahwe durchs Altarfeuer dargebracht wird. Das Ritual für diese Darbringung ist in Lev 1 zu finden. Das pt. fem עולה *ōlāh*, wörtl. »die hinaufsteigende«, wird ursprünglich mit dem subst. מנחה *minḥāh* »Gabe« verbunden gewesen sein. Dieses Wort wird etwa in Ri 3, 17 ganz profan für die Tributabgabe an den politischen Oberherrn gebraucht. Als »Brandopfer« ist danach als »die (im Feuer zum Himmel) aufsteigende Gabe« bezeichnet. Die Absicht der »Gabe« ist darin deutlich ausgesprochen. Man mag an die Situation von Dtn 26, 1ff. erinnern, wo der Bauer seine landwirtschaftlichen Gaben ans Heiligtum trägt, der Priester den Korb mit den Gaben entgegennimmt und ihn vor den Altar Jahwes stellt. In dieser Gabe bezeugt der Untergebene seine Reverenz vor dem Oberherrn, dem er sein Gut schuldet. Die מנחה *minḥāh* ist in der Folge in der Opfersystematik des P (Lev 2) als vegetabilisches Opfer (»Speiseopfer«) vom tierischen »Brandopfer« geschieden worden. Brand- und Speiseopfer haben, wie die Voranstellung in Lev 1f. zeigt, in jüngerer Zeit das Mahlopfer in den zweiten Rang zurückgedrängt. In diesen Zusammenhang der Gabe gehören auch Gelübde, Erstlinge, Zehnten u. a.
In der jüngeren Zeit, welche die Krise des Exils durchlebt hat und in neuer Weise um die fundamentale Sühnbedürftigkeit des Jahwevolkes weiß, sind dann die Opferformen des Sündopfers (חטאת *ḥaṭṭāʾt*) und Schuldopfers (אשם *ʾāšām*) zu einer hohen Bedeutung gelangt. Sie treten bei den wichtigeren Opferdarbringungen meist zusätzlich zu den Gabeopfern hinzu. Nach ihrer Darbringungsart stehen sie auf der Seite der עולה *ʿōlāh*. In ihrer Bedeutsamkeit als sühnende Gaben, wobei die Differenzierung der Bedeutung der beiden Opferformen in den Ritualen von Lev 4 und 5 etwas Mühe bereitet, bringen sie den Akzent der Sühnung zur Intention der einfachen Gabe hinzu. Es ist bezeichnend, daß diese beiden Opferarten in den reichhaltigen Opferaufzählungen der frohen Begehungen des Dtn nicht begegnen. Sie beherrschen dagegen den in der nachexilischen Zeit zu so hoher Bedeutung gelangten großen Versöhnungstag, der schon in seiner Benennung (s. o. S. 112) das Element der Sühnung (כפר *kpr*) enthält.

Sind diese Elemente der mit Freude gefeierten communio, der huldigend dargebrachten Gabe und der bußwilligen Schuld- und Sühnegabe im Opfer nur indirekt zu erschließen, so tut sich der Mund des at. Jahwevolkes in seinen Ps voll auf und spricht aus, was es ist um seinen Gott.

Es ist schon festgehalten worden, daß bei diesem Auftun des Mundes das Geschrei des Glaubenden zu seinem Gott einen großen Raum einnimmt. Die Terminologie der Gebetsweisen, die vom Reden, dem »Streicheln des Angesichtes Jahwes«, dem Bitten, Rufen, Schreien über das Seufzen, Stöhnen und Klagen bis zum Weinen und den Tränen reicht, läßt die ganze, ungehemmte Lebendigkeit dieses Betens, das auch als ein »Ausschütten des Herzens« bezeichnet werden kann, erkennen.

Will man die Eigenart dieses biblischen Schreiens zu Jahwe, das, wie schon erwähnt, in seiner Sprache manche Berührung mit der Ps-Dichtung seiner Umwelt zeigt, kennzeichnen, so wird man auf jeden Fall drei Züge herausheben können, die spezifisch at. sind und auch im Gebet Jahwe, den Gott Israels, als den Adressaten in seiner Eigenart erkennen lassen.

1. Alles Beten des at. Glaubens ist entschlossen dem ersten Gebot unterstellt. Der Glaube Israels kennt in seinem Schreien nur *eine* Adresse. Da ist keine Möglichkeit und auch gar kein Versuch, auf Nothelfer oder andere Mittler auszuweichen. Da gibt es kein Gebet zu den Engeln Jahwes, von denen doch auch die Ps wissen (Ps 91, 11 f.), noch auch ein Gebet zum König, wie es der sog. Monotheismus der Zeit Echnatons in Ägypten kennt. Die ganze Vielfalt der Hinwendung, welche in der Umwelt zu finden ist, wo dann ein Gott um seine Fürbitte beim anderen gebeten wird und wo man sich außer zu den Gottheiten, die man mit Namen kennt, sicherheitshalber auch noch an »den Gott« oder »die Göttin, die ich nicht kenne«, wendet (Falkenstein-von Soden 225), ist hier verschwunden. In einer unerhörten Eindeutigkeit ist es Jahwe, er allein, an den alles Bitten und Schreien gerichtet ist.

2. Dazu tritt unmittelbar das zweite, was eigentlich im ersten schon beschlossen liegt. Jahwe ist bei allem Rätsel der göttlichen Führung, um welche die Ps-Beter wohl wissen, und allem Wissen um die Majestät seines Geheimnisses nicht der »unbekannte Gott«. Er ist der Jahwe des Dekalogvorspruches, der sich seinem Volke in seiner rettenden Zuwendung bekannt gemacht hat. Auch da, wo der Beter in der Dunkelheit sitzt und es sein Schmerz ist, »daß so ganz anders geworden ist das Walten (wörtlich: die Rechte) des Höchsten« (Ps 77, 11 ZB), hält er Gott vor, was er doch einst den Vätern getan hat. Vgl. auch Ps 22 oder 89.

Zu diesem Bekanntsein gehört auch das Wissen um die »Gerechtigkeit Jahwes« (vgl. dazu o. S. 124 f.). Das kann nach den verschiedenen Richtungen hin erkennbar werden. Da ist in den sog. »Bußpsalmen« (die Kirche zählt die sieben Bußpsalmen Ps 6; 32; 38; 51; 102; 130 und 143) das Erschrecken vor dem Heiligen zu erkennen, der in seinen Gerichten am Sünder handelt, und in diesem Erschrecken dann doch die Hoffnung ausgesprochen, daß Jahwe den Verlorenen und das aus der Tiefe zu ihm rufende Israel nicht fallen läßt. Da ist auf der anderen Seite aber auch die Gewißheit zu finden, daß Jahwe den, der sich zu ihm bekennt und in ungerechter Weise von Feinden bedrängt wird, nicht im Stiche lassen wird. Wenn dann der Beter in Ps, hinter denen man Gebete unschuldig Angeklagter, die auf den Gottesentscheid warten, vermutet hat (Schmidt), wie etwa Ps 7; 17; 26, von seiner Unschuld und »Gerechtigkeit« redet, so ist immer auch zu bedenken, was bei den Erwägungen über die Gerechtigkeit Jahwes vom »Überschuß« der Beschenkung Jahwes gesagt worden war. Hier redet nicht die harte Selbstgerechtigkeit des Pharisäers von Lk 18, 9–14, sondern der Glaubende des ATs, der zu dem Gott hinflieht, von dessen schenkender Gerechtigkeit er weiß. Durch die von Jahwe her in Vollmacht gesprochene priesterliche »Deklaration« an der

Heiligtumspforte hat er vernommen, daß Jahwe ihn annehmen, ihm Segen und »Gerechtigkeit« zuteil werden lassen will (Ps 24, 5). So wagt er es, an Jahwes »Gemeinschaftstreue« (חסד *ḥaesaed*) zu appellieren (Ps 17, 7; 26, 3 u. ö.). Unter diesem Rufen weiß er, daß er angesichts all der Gefahren, die ihn umringen, in der Nähe Jahwes wie mit einem Schild (Ps 5, 13) geborgen ist (Ps 27, 1ff.). So wagt er es, die Benennung Jahwes als des Hirten Israels ganz persönlich auf sich zu beziehen und von der guten Hut dieses Hirten, der ihn auf frische Weide und auch durch die Gefahren der dunklen Täler hindurchführt, zu reden (Ps 23). Der at. Glaube kennt den Namen seines Gottes, des Gottes, der sich Israel versprochen hat, und weiß, daß er ihn »um seines Namens willen« (Ps 23, 3; 25, 11 u. ö.) nicht fallen lassen wird.

3. Zugleich aber ist im Schreien des at. Beters immer ganz klar, daß dieses auch unter dem dritten Gebot steht. Der »Name Jahwes« ist dem Glauben des at. Menschen offenbar gemacht. Er darf, ja er soll ihn anrufen ohne jede Zurückhaltung. Wie andersartig wirkt daneben etwa die Geheimhaltung des verborgenen Namens des Sonnengottes Re nach dem äg. Mythus von Isis und Re (ANET 12–14). Aber der Name wird wiederum anders als in dem genannten Mythus nie zum technischen Mittel magischen Zwanges, den man auf den Gott Israels auszuüben suchte. Bei manchen schönen und persönlichen Ps aus dem Zweistromland ist zu erkennen, daß sie hinterher formelhaft im Rahmen magischer Praktiken verwendet worden sind. Mag man nun auch in der Ps-Sprache noch verblaßte Reste magischen Formelgutes finden (Nicolsky), bei keinem der Ps ist sein Gebrauch in einem magischen Kontext erkennbar. Nach Hempel gehört zur magischen Beschwörung neben der Nennung des Namens der Gottheit, der als kraftwirkendes Wort benutzt wird, die mehrmalige Wiederholung des Beschwörungstextes und dessen flüsternde Rezitation. Ex 3, 14 hat an der einzigen Stelle, an der eine Sinnerhellung des Jahwenamens versucht wird, gerade die herrische Zurückweisung jeden Mißbrauchs hörbar gemacht. At. Glaube kennt seinen Gott, auch wo er ihn im leidenschaftlichen Gebet angeht, als den Freien, der jeden solchen Mißbrauch zurückweist. »Ich bin, der ich bin«. Dieses Wissen beherrscht das ganze Ps-Beten. Aber auch Anweisungen zum litaneiartigen Herbeten der Ps suchen wir in den Bittgebeten des Psalters umsonst. Die Wiederkehr einer Endzeile in den Strophengedichten Ps 42f.; 80 darf schwerlich so bewertet werden, und die Responsionen im Lobpreis des Ps 136 stehen schon gar auf einem ganz anderen Blatt. Und wenn einmal in 1Sam 1, 13 vom leisen, nur die Lippen bewegenden Gebet der Hanna geredet ist, so zeigt dort die ganze Situation, daß es um alles andere als um eine zwanghaft magische Gebetshandlung geht. Dieses Ausschalten des Magischen läßt sich im übrigen, wie abermals Hempel gezeigt hat, besonders schön an der formgeschichtlichen Wandlung der Elemente von Segen und Fluch, die am ehesten noch etwas von Zwanghaftigkeit in sich tragen könnten, nachweisen. Aus dem magischen Fluch- oder Segensspruch wird im AT immer klarer die Fluch- und Segensbitte. Vgl. für den Fluch etwa den besonders harten Rachepsalm 109, für den Segen die Form des vom höchsten Priester gespendeten Segens in Num 6, 24–26.

Über dem Glauben des at. Menschen steht beherrschend das Wissen, daß Jahwe sich in Freiheit in seinem Namen seinem Volke kundgemacht hat: »Ich bin Jahwe, dein Gott, der dich aus Ägyptenland, dem Knechtshaus, herausgeführt hat«. So wird at. Bittruf denn nie zu einem eigenmächtigen Umgehen mit Gott, der diesen zur Sache herabwürdigte und sich seiner als einer in frommer Gottlosigkeit handhabbaren »Mächtigkeit« bediente. Alles Bittgeschrei steht unter dem persönlichen: »Du, Jahwe«. In diesem Anruf ehrt at. Glaube, auch wo er aus den Tiefen der Anfechtung heraus ergeht und von den Fragen »Warum?« und »Wie lange?« beherrscht ist, seinen Gott.

So ist es denn gerade etwa in jenem tiefen Warum-Schrei, der zum Ruf Christi am Kreuz geworden ist (Mt 27, 46; Mk 15, 34), in Ps 22, zu sehen, daß er sich in der Folge zum Ausblick auf den kommenden Lobpreis des Erlösten wendet und die Gemeinde unmittelbar zum Lobpreis auffordert. »Ich will deinen Namen meinen Brüdern erzählend kundtun, inmitten der Gemeinde will ich dich preisen« (v. 23). Darin tritt der andere Pol at. Betens, welcher dem Gesamtpsalter den Namen gegeben hat, in Erscheinung. Der Lobpreis der Gemeinde und des Einzelnen in der Gemeinde, der Jahwes Ehre vor den Menschen kundmacht, steht auf dem Hintergrund des Geschreis der Angefochtenen, die um den Retter und gerechten Richter wissen. Die Brücke von einem zum anderen bildet die von Gunkel als »Danklied des Einzelnen«, von Westermann als »berichtendes Lob« bezeichnete Gattung. Bei ihr ist die Verbindung mit einer bestimmten Opferdarbringung noch besonders deutlich zu erkennen. תודה *tōdāh* bezeichnet sowohl das mit dem Munde gesprochene oder gesungene Danklied (Ps 50, 14) als auch das Dankopfer (Am 4, 5). Ps 30 zeigt, wie ein Einzelner im Rückblick auf vergangene Not seinen Dank im Kreise der mit ihm zum Dankopfer Geladenen ausspricht. In Ps 107 sind es verschiedene Gruppen in der Gemeinde, die eine Rettung erfahren haben (auf gefährlicher Reise, im Gefängnis, in Krankheit, im Seesturm), die zum dankenden Lobpreis aufgefordert werden. Diese Form des Dankliedes macht es sehr deutlich, daß Jahwes Hilfe auch an dem Einzelnen erst da zu ihrem Ziel gelangt, wo sie zur Rühmung Jahwes in der Gemeinde geführt hat.

In diesem Zusammenhang muß die besondere Form der Doxologie erwähnt werden, durch welche ein Schuldiger im Bekenntnis seiner Schuld »Jahwe die Ehre gibt« und sich dadurch zu seiner Schuld bekennt, daß er Jahwe preist (Achan Jos 7, 19). Die eigentümlichen hymnischen Einschübe in Am 4, 13; 5, 8; 9, 5f. sind von Horst und Wolff (vgl. Komm.) als solche Doxologien der den Prophetentext überliefernden Gemeinde verstanden, die sich darin zur Gerechtigkeit des (nach Wolff im besonderen über den Altar in Bethel ergangenen) Gerichtes bekennt.

Damit ist aber schon die große, gattungsmäßig als ein Eigenes zu erkennende Form des »Hymnus« (Gunkel) ins Gesichtsfeld getreten. Diese in den Lobgottesdiensten der versammelten Gemeinde beheimatete Gattung vereinigt in sich, wie Crüsemann gezeigt hat, verschiedene, nach ihrer Genese von verschiedenen Stellen herkommende Formgruppen. Der imp. Hymnus, der im AT eine beherrschende Stellung gewonnen und sich in der Folge auch Elemente anderer Gattungen eingeordnet hat, rühmt in seinem Erzählen die heilvollen Taten Jahwes an seinem Volke und fordert zum Lobpreis auf. Solches Erzählen ist die genuine Antwort Israels auf das erfahrene Handeln Jahwes. Demgegenüber fällt der Hymnus, der

Jahwe in partizipialen Prädikationen verherrlicht, durch seine nahe Beziehung zur Hymnik der Umwelt Israels auf. Crüsemann hat (S. 136–150) die Fülle der Berührungen, welche die Erschaffung von Himmel und Erde, Gestirnen, die Herrschaft über das Meer, das Erdbeben und die atmosphärischen Geschehnisse, das Thronen im Himmel, die Erschaffung und Ernährung von Mensch und Tier, aber auch Güte und Gerechtigkeit, Hilfe für Schwache, Bestrafung der Frevler und die Herrschaft über die Völker aussagen, zusammengestellt. Er hat zudem wahrscheinlich gemacht, daß die Beanspruchung all dieser Machterweise für Jahwe zunächst durch die polemisch zugesetzte Formel: »Jahwe (der Heerscharen) ist sein Name« geschehen ist, vgl. etwa die erwähnten Am-Stellen. Darin wird die Bahn ganz unmittelbar für das Ausbrechen des Rühmens Jahwes, wie es im at. Glauben geschieht, in all die Bereiche, in welchen die Umwelt Israels ihre Götter rühmte, freigegeben. Was in § 4 über die Gewinnung des weiten Horizontes der Schöpfung und des Königtums Jahwes, in § 8 über die Zuversicht, in Jahwe auch den Geber des Landes mit seiner Segnung zu sehen, gesagt worden war, verrät hier im Bereich des Lobpreises den Ort seiner primären Lebendigkeit. Nicht in der gedanklichen Spekulation über Jahwe hat das Jahwevolk diese Einsichten formuliert, sondern im Lobpreis seines Gottes hat es den Namen seines Gottes in all das Rühmen der Götter, das ihm in seiner Umwelt entgegentrat, bekennend hineingerufen. Dieses bekennende Ausrufen des Namens aber enthüllt die glaubende Anerkenntnis, daß auch in all jenen Bereichen kein anderer als Jahwe selber sich der Welt offenbar macht. So wie dann nt. Glaube in der Begegnung mit dem Christus Gottes von diesem Namen bekennt, daß kein anderer Name unter dem Himmel den Menschen gegeben ist, darin sie gerettet werden sollen (Apg 4, 12), so bekennt at. Glaube, der die Herrenmacht seines Gottes unter dem Namen Jahwe erfahren hat, daß kein anderer Gott in all diesen Bereichen Macht hat. »Der die Berge bildet und den Wind schafft. . . . Jahwe ist sein Name« (Am 4, 13). Diese Doxologie des Menschen aber ist Antwort auf das, was der at. Glaube, dem die Herrschaft Jahwes verkündigt worden ist, in allem vernommen hat: »Der das Licht bildet und die Finsternis schafft, der Heil wirkt und Böses schafft – ich bin Jahwe« (Jes 45, 7).

In alledem wird erkennbar, daß der Lobpreis, so herrlich er auch von Menschen ausgestaltet sein mag, nicht aus dem eigenen Sagen und der eigenen Kunst des Menschen lebt, sondern nur widerspiegelt, was ihm von Jahwe her in all seinem Tun in Natur und Geschichte gezeigt und gesagt worden ist.

Was zunächst im Blick auf den Bittschrei des Menschen im Klagelied des Psalters gesagt worden war, daß er im Ausschauen nach Hilfe keine andere Adresse kenne, von der ihm Hilfe kommt, als nur die eine: »Meine Hilfe kommt von Jahwe, der Himmel und Erde gemacht hat« (Ps 121, 2), und daß eben in dieser Eindeutigkeit schon das Lob Jahwes verborgen liege, das gilt nun ganz so von dem expliziten Lobpreis. Auch dieser kann nur den Einen meinen, mag es sich dabei um den Lobpreis der ganzen Gemeinde oder auch den etwa in Ps 103 erkennbaren Aufruf des Einzelnen an seine Seele handeln. Und wo im Hymnus jene anderen Gottmächte, deren Existenz keineswegs weltbildmäßig abgestritten wird, genannt werden, da kann dieses nur im Hinweis auf den Einen, der ihr Tun ins Gericht rufen wird (Ps 82), oder dann im überlegenen Spott über ihre Ohnmacht (Ps 115, 4–8; 135, 15–18) geschehen.

H. Gunkel-J. Begrich, Einleitung in die Psalmen, 1933. — *A. Falkenstein-W. von Soden*, Sumerische und akkadische Hymnen und Gebete, 1953. — *R. Rendtorff*, Studien zur Geschichte des Opfers im Alten Israel, WMANT 24, 1967. — *H. Schmidt*, Das Gebet der Angeklagten im AT, BZAW 49, 1928. — *N. Nicolsky*, Spuren magischer Formeln in den Psalmen, BZAW 46, 1927. — *J. Hempel*, Die israelitischen Anschauungen von Segen und Fluch im Lichte altorientalischer Parallelen, ZDMG 79, 1925, 20—110 (= Apoxysmata, BZAW 81, 30—113). — *C. Westermann*, Das Loben Gottes in den Psalmen, 1953. — *F. Horst*, Die Doxologien im Amosbuch, ZAW 47, 1929, 45—54 (= Gottes Recht, ThB 12, 1961, 155—166). — *F. Crüsemann*, Studien zur Formgeschichte von Hymnus und Danklied in Israel, WMANT 32, 1969 (Lit.).

§ 18 Die Bewältigung des Alltags und der konkreten Lebensgeheimnisse (Die Weisheit)

Das Leben des Menschen vor Gott bewegt sich nicht nur im Bereich der explizit »religiösen« Sphäre. Da ist der Alltag mit seiner Berufsarbeit, den Entscheidungen, die getroffen werden, ohne daß ein göttliches Gebot jeden Schritt wiese, der zwischenmenschliche Umgang mit Frau und Kind und Freund, das Verhalten gegenüber Vorgesetzten und Untergebenen. Auch hier stellt sich für den Menschen allenthalben die Frage nach der rechten Bewertung der Dinge und dem daraufhin geschehenden richtigen Verhalten.

Das AT ist darin ein unbefangen menschliches Buch, als es auch der abgekürzt als »Weisheitsschrifttum« bezeichneten Literatur, welche es weithin mit diesem alltäglichen Bereich des Menschen zu tun hat, Heimatrecht im Kanon gibt. In § 10f war von der Gestalt des »Weisen« die Rede und wurde sichtbar, daß das AT nicht nur die Weisheit des Ratgebers in hoher politischer Stellung, sondern ganz so die Kunst des Handwerkers und das Wissen des Bauern als gottgeschenktes Charisma ansprach. Dem theologischen Verständnis der Weisheit, deren literarischer Niederschlag vor allem in Spr und Pred zu finden ist, zu der aber im weiteren Sinne auch das Buch Hi und eine Reihe von Ps gehören (etwa Ps 37; 73), ist nun näher nachzugehen.

In § 10 f wurde schon erwähnt, daß die Weisheit so stark wie kein anderer Teil des at. Schrifttums in internationalen Zusammenhängen steht und daß in Israels Umwelt eine reiche Fülle von verwandtem Gut zutage getreten ist.

So finden sich im sumer.-bab.-ass. Bereich Listen, welche zunächst den Begriffsschatz der Sprache fixieren, aber darin mit der Absicht der Welterkenntnis eine Art Inventur des in der Welt Vorhandenen anstellen und die Dinge verschiedener Bereiche möglichst vollständig aufzählen. Es finden sich Sprichwortsammlungen, Streitgespräche, in welchen Begriffe aus Natur und Zivilisation ihre Nützlichkeit verfechten, Lehren sowie an Hiob und den Pred. gemahnende Dichtungen, die menschliches Leiden betrachten. In der ägypt. Literatur sind es neben den Onomastiken, welche den Anspruch erheben, die Dinge der Welt vollständig aufzuzählen, vor allem die sog. »Lehren«. Hier ist es in der Regel ein Älterer (König, Wesir, Beamter), der einem Jüngeren (Sohn, Schüler) Anweisungen zum rechten Verhalten in den verschiedenen Lebenslagen gibt. Auch das Element der Lebensbetrachtung und Klage fehlt in Ägypten nicht. Daß die Beziehungen Israels zur ägypt. Weisheit besonders eng gewesen sind, ist nicht nur aus der Verschwägerung Salomos mit dem ägypt. Königshause indirekt zu erschließen, sondern in Spr 22, 17—23, 12

klar nachzuweisen. Hier ist ein Exzerpt aus der ägypt. Lehre des Amenemope unter der Überschrift »Worte der Weisen« (22, 17 c. T.) in leichter Überarbeitung in die Proverbiensammlung hinein übernommen worden. Die Zusätze, welche der Überarbeiter gemacht hat, sind dabei natürlich aufschlußreich für das besondere Selbstverständnis der at. Weisheit.
In den neueren Untersuchungen der ägypt. »Weisheit« (diese Benennung stammt aus der at. Weisheit) hat sich der Begriff der Maat, der schon o. S. 31 zu erwähnen war, als besonders bedeutsam herausgehoben. Er kann mit »Wahrheit, Recht« oder am besten mit »Weltordnung« wiedergegeben werden (Gese). Er umfaßt sowohl die Ordnung des Kosmos als auch die Ordnung des menschlichen Lebens. Maat wird aber nicht nur als Begriff, sondern zugleich als göttliche Wesenheit aufgefaßt. Sie ist im System von Heliopolis die Tochter des Sonnengottes Re. »Sie kam als rechte Ordnung aller Dinge in der ›Urzeit‹ zu den Menschen herab« (Brunner, HO I 2, 93). Sie kann als das Kind vorgestellt werden, das vor dem Schöpfergott Atum ist. Das zärtliche Verhältnis des Schöpfers zu seiner Tochter wird dabei anschaulich beschrieben. Durch Maat haben alle Dinge Bestand. Indem sich der Mensch in rechter Weise in all seinem Tun der Maat unterordnet, bringt er sein Leben in die rechte Ordnung und damit auch zum Erfolg. Von daher gewinnt, was die ägypt. Lehren an scheinbar ganz profaner Lebensmahnung enthalten, einen religiösen Hintergrund. In seinem auf die rechte Ordnung des Lebens bedachten und darin seinen Lebenserfolg anstrebenden Verhalten fügt sich der Mensch zugleich in die von der Maat bestimmte, letztlich in der Gottheit verankerte Ordnung ein.
Man hat im Zweistromland auf den sumer. Begriff *me* als ein Äquivalent der ägypt. Maat zu weisen gesucht. Dieser gewinnt aber nicht die Gewichtigkeit der ägypt. Maat.
Der Blick auf die at. Weisheitsaussagen zeigt, daß hier ein entschlossener Erkenntniswille gegenüber den Dingen der Welt am Werke ist. Leider läßt sich über den »Sitz im Leben« der Weisheitspflege im AT weniger Bestimmtes aussagen als für die Umwelt, wo Hof- und Tempelschulen der bevorzugte Ort der »Bildung« gewesen sind. Auch für Israel möchte man »Schulen«, in denen die Kunstübung des Weisheitsspruches ihren besonderen Sitz hatte, vermuten (Hermisson, von Rad). Die im Vergleich zur Keilschrift und den Hieroglyphen der großen Umweltkulturen ungleich leichter erlernbare Konsonantenschrift des Hebr. kann aber von vornherein eine standesmäßig offenere »Schulung« in Israel ermöglicht haben. Dazu kommt die schon im Ansatz »demokratischere« Geistigkeit Israels, die kein Gottkönigtum am irdischen Königshof kennt und von ihrem ganzen Verständnis des »Gottesvolkes« her den einzelnen Israeliten stärker zur mündigen Person macht.

Im AT ist die Gattung der reinen Listenweisheit nicht zu finden. Dagegen könnte bei den Sprüchen und Liedern Salomos »über die Bäume, von der Zeder auf dem Libanon bis zum Ysop, der an der Mauer wächst« (1Kön 5, 13), wohl ein Listenwissen den Ausgangspunkt gebildet haben (Alt). Auch hinter der Aufzählung der Schöpfungswerke von Hi 38ff. hat von Rad solches vermutet. Dagegen zeigen die Zahlensprüche in Spr 30 schon deutlich eine nach weiteren Gesichtspunkten ordnende Gruppierung etwa besonders gieriger Wesenheiten (30, 15f.), besonders wunderbarer und schwer zu verstehender Erscheinungen (30, 18f.), der unerträglichen Menschen (30, 21–23) usw. In zusammengehörigen Gruppen sind hier Einzelwahrnehmungen, wie sie in den Aussageworten von 10, 1–22, 16 enthalten sind, unter bestimmten, meist in der Steigerung um einen Wert aufgeführten Zahlen aufgereiht. Darf man dahinter die Schulfrage oder gar die Rätselfrage vermuten, welche solche Aufzählungen gleichartiger Dinge fordert?
In ihren verschiedenen Formen des Parallelismus der Glieder zeigen die Spruchformulierungen hinter dem kunstvoll Spielerischen origineller Formgebung, die vor allem in den Bildvergleichen gar nicht zu übersehen ist, die Absicht der Erkenntnis bestimmter Ordnungen in Natur- und Menschenleben. Dabei wird das eine immer wieder einmal in eine Beziehung zum anderen gebracht, vgl. etwa die

Zusammenreihung von durch Fleiß und Ordnung in der Natur auffallenden Phänomenen in Spr 30, 24–28. Die Erkenntnis dieser Ordnungen geschieht aber nicht absichtslos, bloß verspielt, sondern in der Absicht, in der Erkenntnis der verborgenen Ordnungen sich die Regeln für das eigene Verhalten zu klären und so im rechten Verhalten das »Leben« zu gewinnen.

Die verborgene Absicht der Selbst- und Fremdbelehrung und des Gewinnens von Werten tritt schon da heraus, wo in einem komparativen Spruch eine Aussage mit einer andern verglichen und ihr vorgeordnet wird: »Besser ist . . .« (12, 9; 15, 16f. u. ö.). Darin liegt schon die unausgesprochene Mahnung, nach dem Besseren zu greifen und das Schlechtere zu lassen. Solches »Mahnwort« kann dann im Doppelzeiler mit einem Begründungssatz, welcher eine als Aussage formulierte Wahrnehmung enthält, verbunden sein. »Sei nicht unter den Weintrinkern und mit Fleischessen Prassenden, denn der Trinker und Prasser wird arm, und Schläfrigkeit kleidet in Lumpen« (23, 20f.).

Ägypt. Frömmigkeit hat hinter all den nüchternen Wahrnehmungen der Alltagswelt die geheime Ordnung der Maat geglaubt und sich von daher auch im nüchternen Bewältigen des Lebens in seinen täglichen Fragen einer göttlichen Ordnung gegenüber gewußt. Es ist von vornherein klar, daß der at. Glaube sich in diesem Verhalten einer anderen Macht gegenüber weiß als ägypt. Glaube. Er kann in den nüchtern erkannten Ordnungen seines täglichen Lebens nur den Einen wissen, der auch in seinem Schreien und seinem Rühmen die einzige Adresse war, Jahwe.

Hier aber erhebt sich nun das eigentliche theologische Problem der richtigen Einordnung der »Weisheit« in eine at. Theologie. Der at. Glaube steht unter dem Bekenntnis zu Jahwe, dem Gott Israels, der dieses aus dem Knechtshause Ägypten herausgeführt hat. Das Weisheitsschrifttum nennt zwar Jahwe als den Herrn, der auch über den Ordnungen, die im täglichen Leben Gültigkeit haben, steht. Es erwähnt aber nirgends sein besonderes Tun mit Israel in der Geschichte, in der er sein Volk geführt hat. Auch die Größe des Jahwevolkes ist nirgends erwähnt. Erst in der nachat. Weisheit des Sirach tritt das Tun Jahwes mit Israel ins Blickfeld (Sir 44ff.). So möchte sich die Frage stellen, ob Israel in seinem weisheitlichen Erkennen und Umgehen mit der Welt auf eine zweite, von jener ersten gelöste Quelle der Offenbarung stoße.

Es gilt sich aber hier dessen zu erinnern, was in § 4 ausgeführt worden ist und woran zu erinnern war, als eben zuvor vom Hymnus der Ps geredet wurde. Israel ist mit seinem Übertritt ins Land in eine Welt hineingetreten, in welcher hohe Götter als Schöpfer der Welt gepriesen und die Herrlichkeit ihrer Schöpfung entfaltet wurde. Es ist, wie der Hymnus gezeigt hat, in diese Welt mit dem polemischen Bekenntnis hineingetreten: »Jahwe ist sein Name«. Unter diesem Bekenntnis hat es das Rühmen der Schöpfung seinerseits weithin mit den von jener Welt übernommenen Worten vollzogen. Diese wurden nun allerdings in der Beziehung auf den Einzigen, Jahwe, neben dem kein Zweiter in einem zweiten Bereich zu rühmen war, verstanden. In solchem Geschehen ist nicht nur etwas formal Gedankliches geschehen. Vielmehr hat sich Israel von da aus auch die ganze Welt der Schöpfung eröffnet, in die es mit seinem Glauben an Jahwe hineintrat, indem es die dort entdeckten Bereiche ihm zuordnete. In diesem Raum bewegt sich die Weisheitserkenntnis, deren internationaler Charakter, wie früher zu sehen war, Israel selber wohl bewußt war.

Die Naturbeobachtung vom Fleiß der Ameise (Spr 30, 25) und dem Wunder des Vogelfluges in der Luft (30, 18f.) konnten hier wie dort gemacht werden. Der Echnatonhymnus (AOT² 15—18), der viele dieser Naturbeobachtungen macht, von denen einige auf nicht ganz durchsichtigen Wegen in Ps 104 wiederholt worden sind — hier nun nicht mehr im Kontext des Preises der allmächtigen Sonnenscheibe, sondern Jahwes, des Herrn, der auch die Sonne an den Himmel gesetzt hat —, kann eine gute Illustration aus dem Bereich des Hymnus zu diesem Geschehen liefern.
Aber auch die Wahrnehmungen im Bereich des Menschenlebens, daß Faulheit arm macht (10, 4), daß zorniges Auffahren Streit erregt (15, 18) und ein törichter Sohn seiner Eltern Schande ist (10, 1), konnten unbesehen in die Wahrnehmungen im Kontext einer Schöpfungswelt, die nun die Schöpfungswelt Jahwes geworden ist, aufgenommen werden. So konnte es denn auch geschehen, daß ein Exzerpt aus der ägypt. Lehre des Amenemope Eingang in die Sprüchesammlung, die als ganze unter den Namen Salomos, des Königs in Israel, gesetzt wurde, Eingang fand. Dabei ist auch hier nicht zu übersehen, daß das »Jahwe ist sein Name« in deren Aussagen hinein ausgerufen wird. Schon in der Überschrift setzt der at. Bearbeiter eine Bemerkung über den Sinn der Weisheitsbelehrung hinzu, die dem ägypt. Original fehlt: »Damit dein Vertrauen auf Jahwe beruhe, habe ich dir heute Wissen mitgeteilt« (22, 19). Zum Verbot, einen Armen zu berauben, das in Amenemope 2 zu hören ist, fügt 22, 23 ergänzend die Begründung: »Denn Jahwe wird ihren Prozeß führen und wird, die sie berauben, ihres Lebens berauben.« Und ganz so geschieht es, wo die Verrückung der Grenzen verboten wird. Was Amenemope 6 durch den Hinweis auf den Mondgott verwehrt, begründet 23, 11 mit dem Satz: »Denn ihr (Er-)Löser ist stark, er wird ihren Prozeß gegen dich führen«, und weist mit dem Begriff des גאל *gō'ēl* deutlich auf Jahwe. So wird das »Jahwe ist sein Name« in die Spruchweisheit hineingerufen, ohne daß hier an den Einzelmahnungen, die at. Weisheit ganz so machen kann wie die ägypt. Weisheit, etwas geändert würde.
Was hier an einem durch den Vergleich mit dem fremden Original voll kontrollierbaren Orte geschieht, das ist sonst durch die ganzen Spr hin geschehen: Wo die hier entfalteten Erkenntnisse oder Anweisungen an die Grenze stoßen, an der innermenschliche Erwägungen an ihr Ende gelangen und der verborgene »Ordnungs«-Hintergrund aller Dinge sichtbar wird, da ist es in jedem Fall Jahwe, auf den gewiesen wird. Sein Segen macht reich (10, 22), sein Walten ist die Zuflucht des Unsträflichen (10, 29), vor ihm ist falsche Waage ein Greuel, rechtes Gewicht aber wohlgefällig (11,1), seine Augen sehen alles (15, 3), vor ihm ist die Tiefe der Unterwelt offenbar — wieviel mehr dann erst des Menschen Herz (15, 11). Wo der Mensch denkt, lenkt er doch in Wirklichkeit das Geschehen (16, 9), von ihm kommt die Entscheidung des Loses, das der Mensch wirft (16, 33), er prüft der Menschen Herzen, auch wo einer meint recht gehandelt zu haben (21, 2). In voller Klarheit wird erkannt, daß ihm gegenüber keines Menschen Weisheit, noch Einsicht, noch kluger Rat (עצה *'ēṣāh*) Macht hat (21, 30). Überall ist es eindeutig der Eine, vor dem alles kluge Bedenken des Lebens geschieht. An ihm findet es seine unbedingte Grenze, an ihm aber auch den Lohner, wenn es nach seinem Willen getan ist. So weiß sich die Weisheit auch in den vielen Wahrnehmungen, welche sie in der Welt draußen macht, die mit dem besonderen Dienst Gottes und seinem Gebot nicht unmittelbar zu tun haben, immer im Bereich der Schöpfung Jahwes. Tritt hier auch »Israel« und seine besondere Geschichte nirgends in Erscheinung, sondern bewegt sich das Erkennen, Überlegen und Raten im Bereich des Allgemeinmenschlichen, so ist der Mensch (אדם *'ādām*), dessen Leben hier bedacht wird, doch immer die Kreatur Jahwes, von dessen Erkenntnis in Israel § 4 geredet hatte. Von dem Schöpfer (עשׂה *'ōśaeh*) reden ausdrücklich Spr 14, 31; 17, 5 (Pred 12, 1 בורא *bōrē'*).

Es gehört damit zusammen, daß in der Spruchweisheit der o. S. 127f. besprochene Terminus der »Furcht Jahwes« eine grundlegende Rolle spielt. In der Gesamtsammlung der Spr ist er in 1, 7 thematisch an die Spitze der ganzen Weisheitsbelehrung gerückt worden: »Jahwefurcht ist der Erkenntnis Anfang«, vgl. weiter 9, 10; 15, 33 (Ps 111, 10; Hi 28, 28). Es muß dabei daran erinnert werden, daß sich mit der Rede von der Furcht Jahwes, wie im Dtn festzustellen war, die Komponente des Vertrauens verbindet. Sie tritt auch im weisheitlichen Reden von der Furcht Jahwes innerhalb der Sprüche stark heraus. »In der Furcht Jahwes liegt ein fester Verlaß, noch seinen (d.h. des Gottesfürchtigen) Söhnen ist er Zuflucht. Die Furcht Jahwes ist eine Quelle des Lebens – zu entkommen den Fallstricken des Todes« (14, 26f.).

Koch hat im AT das Element der schicksalwirkenden Tatsphäre herauszuarbeiten gesucht, wonach Böses nach einer inneren Gesetzmäßigkeit auf den Übeltäter zurückfällt, wie auch das Gute auf den Guttäter. G. von Rad hat diese Sicht zur Aussage modifiziert: »Gut ist, was guttut«, und auch dieses als Element der Welterkenntnis des Weisen festgehalten. Er hat dabei mit Nachdruck betont, daß solche Erkenntnis eine Welt meint, die Schöpfung Jahwes ist. Man wird für die Spr mit Entschiedenheit festhalten müssen, daß solches die eigentliche Grundlage ihrer Welterkenntnis ist und nicht etwa nur ein ornamental zugefügtes religiöses Randelement.

Es wird mit dem Unterstellen der ganzen weisen Erkenntnis unter den Jahwenamen zusammenhängen, daß in den Spr ungleich stärker als es etwa in der Umweltweisheit der Fall ist, der Gegensatz von gerecht und gottlos heraustritt. Er ist in vielen Sätzen an die Stelle des Gegensatzpaares weise und töricht, des für die Weisheit genuinen Gegensatzpaares, getreten. Die Weisheit bewegt sich auch mit ihren nüchternen Lebenswahrnehmungen in einer Welt, die sie von der Gerechtigkeitsforderung Jahwes her bestimmt weiß.

In alledem ist danach auch die Welt, die der Weise der Spr in seinen Sätzen zu erkennen und mit seinen Anweisungen für das menschliche Handeln zu bewältigen sucht, eine Welt verborgener Ordnung. Bei all dem, was an göttlichem Vorbehalt über ihr steht, gehorcht sie doch als Welt der Gerechtigkeit Jahwes gottgesetzten (nicht automatisch funktionierenden, sondern von Jahwe gehaltenen) Ordnungen. Unsicherheiten betreffen das Gelingen mancher menschlichen Unternehmung: »Das Roß wird gerüstet für den Kriegstag, aber von Jahwe kommt der Sieg« (21, 31). Diese betreffen aber nicht die Gültigkeit des Satzes, daß Gutes guttut, mag auch der Mensch sich einmal in seinen Absichten und in seiner Selbstbeurteilung irren (21, 2).

Es kann nicht ausbleiben, daß solches Erkennen fester Ordnung in der Welt zu einem Hochgefühl angesichts der Bedeutsamkeit solcher Weisheit führt. Weisheit stellt sich in der Sicht derer, die mit ihr umgehen, als eigene Größe, die geradezu personhaft gesehen und in ihrem Tun geschildert werden kann, dar. So tritt sie nach Spr 1, 20ff. als Bußpredigerin auf die Straßen. Nach 9, 1ff. ist sie die Wirtin, welche die Menschen an ihren Tisch lädt. Sie wird schließlich zu einem Wesen, das schon im Schöpfungsvorgang bei Jahwe ist – gewiß nicht als zweiter Schöpfer, wohl aber als erste der Kreaturen. Wenn Spr 8, 30 im Gefolge der Ausführungen von 8, 22ff. die Weisheit selber es aussprechen läßt: »Ich war neben ihm (dem Schöpfer) als Kind und war ein (sein?) Entzücken Tag für Tag, indem ich allezeit vor ihm spielte«, dann meint man darin jene früher erwähnten Aussagen über die Maat als Kind des Schöpfergottes Atum anklingen zu hören.

Hier aber beginnen sich Fragen zu melden. Ist nicht die Weisheit in Gefahr, sich zur Mittlerin zwischen Jahwe und dem Glauben Israels zu erheben? Kann sie nicht unmerklich zur Verführerin dessen werden, der an ihrem Tische gesessen hat? Gewiß wird auch immer wieder einmal betont, daß die volle Weisheit dem Menschen unzugänglich ist. Hi 28, 1–27 schildern es besonders eindrücklich, wie die Weisheit an einem dem Menschen unzugänglichen Orte wohnt, unzugänglicher als selbst das Erz, das sich der Mensch im Bergwerk aus der Tiefe herauszuholen versteht. Gott allein kennt den Weg zu ihr (v. 23). Aber wenn dann doch von ihrem Reden auf den Gassen gesprochen (Spr 1, 20ff.), der von ihr gedeckte Tisch und der Zugang zu diesem Tisch so anschaulich geschildert wird, ist da nicht die Gefahr, daß der Weise, der mit ihr Umgang hat (G. von Rad hat den Eros dieser Beziehung höchst eindrücklich geschildert), in diesem Umgang der geheimen Ordnung der Welt glaubt habhaft zu werden? Es ist nicht Zufall, daß Jer 9, 22 mahnt: »Ein Weiser rühme sich nicht seiner Weisheit, ein Krieger rühme sich nicht seiner Stärke ...«. So wie es die spezifische Versuchung politisch-militärischer Macht ist, zur gottlosen Sicherheit zu verführen (Jes 28, 15), so ist es die immer am Rande lauernde Versuchung des Weisen, auf dem Wege seiner »Kunde« von Welt und Leben sich der Welt und des Lebens versichert zu fühlen. Spr 3, 7; 26, 12 sehen ganz ebenso wie Jes 5, 21, daß der Weise in besonderem Maße in Gefahr ist, »weise zu sein in seinen eigenen Augen«.

Hier nun erhebt sich innerhalb des at. Weisheitsschrifttums selber der elementare Protest in den beiden unter sich so verschiedenen Schriften des Predigers und Hiobs.

Der »Prediger (Kohelet)«, ein seinem eigenen Namen nach unbekannter Weisheitslehrer der at. Spätzeit (12, 9), argumentiert in einer meist kühl-distanziert rationalen, beobachtenden Nachdenklichkeit (aber vgl. 2, 18. 20) von der tatsächlichen Lebenserfahrung her. Das Ernstnehmen dieser Erfahrung gehört ja zur eigensten Aufgabe des Weisen. »Der Weise hat seine Augen im Kopf, aber der Tor geht im Dunkeln« (2, 14). Es geht nicht an, den Pred als »Skeptiker« abzutun. Auch er stellt seine Beobachtungen in einer Welt an, die für ihn unbestritten die Welt Gottes ist. Wenn er dabei auch den Jahwenamen meidet, so ist es ganz unverkennbar, daß er in seiner Weise in all seinem bohrenden Fragen die Majestät dessen ehrt, neben dem kein Zweiter Macht hat, und sich damit in seiner Weise im Rahmen des ersten und wohl auch in seiner besonderen Weise des zweiten und dritten Dekaloggebotes bewegt.

Das Gegenüber, vor dem er seine kritisch-polemische Weisheit formuliert, wird in 8, 16f. klar faßbar: »Als ich meinen Sinn darauf richtete, Weisheit zu erkennen und das (eifrige) Geschäft zu betrachten, das auf der Erde geschieht ... da sah ich, daß der Mensch von alledem, was Gott tut, das Geschehen, das unter der Sonne geschieht, nicht herausfinden kann. Wie immer der Mensch auch voll Mühe danach sucht, er findet es nicht. Und auch wenn der Weise behauptet, es zu erkennen, er kann es nicht herausfinden«. Da sind Weise, die glauben, die Ordnung in der Welt Gottes zu erfassen. Die Ausführungen des Pred machen es ganz deutlich, daß er nicht gegen eine »gottlos« gewordene Weisheit polemisiert.

Er sieht sich Weisen gegenüber, welche es mit der Welt Gottes zu tun haben und in all dem, was sie an verborgener Ordnung der Welt entdecken und formulieren, Gott die Ehre geben wollen.

In der Mitte der Aussagen des Pred steht die Erkenntnis der »fallenden Zeit«. Die weit ausholenden zwei Siebnerpaare von Feststellungen über das »jedes hat seine Zeit« in 3, 1–9 mit der nachfolgenden Reflexion in 10–15 lassen die Bedeutsamkeit dieser Erkenntnis schon äußerlich sichtbar werden. Der rechten Zeit für eine Unternehmung hatte nicht nur die altägypt., sondern auch die at. Weisheit der Spr nachgedacht. »Freude liegt für einen Mann in der Antwort seines Mundes, und ein Wort zur rechten Zeit (wörtl. »zu seiner Zeit«), wie schön ist das!« (Spr 15, 23).

Empfand die sonstige Weisheit (vgl. bes. Sirach, dazu von Rad) im Erkennen der rechten Zeit für den Weisen keine besondere Schwierigkeit, so setzt der Pred nicht zufällig in 3, 2 an den Anfang der Reihe die Feststellung: »Geboren werden hat seine Zeit, Sterben hat seine Zeit«. Er gelangt zu ungleich radikaleren Erkenntnissen. So wie der Zeitpunkt von Geburt und Tod außerhalb der Verfügungsgewalt eines Menschen liegt, so bleibt die Erkenntnis und damit auch die Bewältigung des jeweiligen Kairos ganz außerhalb der Möglichkeit des Menschen. Bis hinein in die ganz persönlichen Dinge wie Liebe und Haß, wo der Mensch ganz bei seinem Eigensten zu sein meint, gilt diese Unverfügbarkeit (9, 1). Gott hat dem Menschen zwar die »Ewigkeit« (עלם *'ōlām*) ins Herz gegeben, was wohl den Drang meint, über die Einzelstunde hinaus der Gesamtordnung der Zeiten gedanklich Herr zu werden. Das wirkliche Erkennen dieser Ordnung, von welcher der Pred weiß, daß sie gut ist (man meint in 3, 11 geradezu die Anlehnung an das in Gen 1 Gesagte zu erkennen), bleibt dem Menschen verwehrt. »Ich sah die Mühe, die Gott über den Menschen verhängt hat, daß er sich darin abmühe. Alles hat er schön gemacht zu seiner Zeit. Auch die Ewigkeit hat er ihnen ins Herz gegeben – nur daß der Mensch das Werk, das Gott gemacht hat, von Anfang bis zu Ende nicht herausfindet«.

Im Lichte dieser Grunderkenntnis will nun auch all das einzelne, was der Pred feststellt, verstanden sein. Wenn der Mensch meint, die gerechte Weltordnung, nach welcher es dem Guten gut, dem Bösen böse ergeht, feststellen zu können, so stehen dagegen Erfahrungen, daß es dem Guten schlecht und dem Bösen gut gehen kann (7, 15). Wenn der Weise feststellt, daß Weisheit den Lebenserfolg einbringt, so stellt der Pred die Möglichkeit fest, daß »nicht die Schnellen das Rennen machen, noch die Helden den Krieg gewinnen und auch nicht die Weisen Brot erlangen, noch die Verständigen Reichtum, noch auch die Einsichtigen Gunst, sondern daß Zeit und Zufall sie alle trifft« (9, 11). Die belagerte Stadt, in der ein Weiser säße, der sie retten könnte, geht verloren, weil man zufällig des armen Weisen nicht gedacht hat (9, 13ff.). Wenn die Weisheit den hohen Wert von Fleiß und Arbeit rühmt, so steht dagegen die fragwürdige Ruhelosigkeit des Leistungszwanges (4, 4—6), es steht dagegen, daß ein Einzelgänger um alle Frucht seiner Arbeit kommen kann (4, 7—12). Vor allem aber wird die Unverfügbarkeit der Zeit immer wieder am Tode des Menschen, der auch alles vorherige Mühen zunichte macht und die Erben lachen läßt, fragwürdig (2, 18—23 u. ö.). So ist denn, wenn es schon an das Abschätzen der Werte geht, die Begegnung mit dem Tode besser, weil wahrer, als die Begegnung mit dem Leben (7, 1ff.).

Der Pred stellt in diesem Zusammenhang die Frage, was denn wohl diese Unverfügbarkeit der Stunde und aller vom Weisen scheinbar in so guter Ordnung erkannten Dinge für einen tieferen Sinn habe. Wenn er in 3, 14 darauf antwortet: »Gott hat es so gemacht, daß man ihn fürchte«, dann kommt er hier und an anderen Stellen ganz überraschend auf die alte Forderung der at. Weisheit zurück: Gottesfurcht ist der Weisheit Anfang. Diese Gottesfurcht weiß – darin formuliert der Pred einen für die Weisheit ganz unerhörten Satz–, daß der Mensch weder durch ein »Allzu-gerecht« noch durch ein »Allzu-gottlos«, d. h. weder durch eine fromme noch durch eine gottlose Sonderleistung das Leben zu meistern vermag. Darum soll er beides meiden und sich so als wahrhaft »gottesfürchtig« erweisen (7, 16–18).

Von hier aus ist es zu begreifen, daß der Pred nicht in einer trüben Resignation endet, sondern überraschend dazu mahnen kann, das in der Stunde gegebene Gute anzunehmen und sich darin zu freuen: »Auch dieses, sah ich, kommt aus der Hand Gottes. ... Dem Menschen, der ihm gefällt, gibt er Weisheit und Einsicht und Freude, aber dem, der ihm mißfällt, gibt er das Geschäft, zu sammeln und zu häufen, um es dem zu geben, der Gott gefällt« (2, 24. 26). Von hier aus ist es weiter zu begreifen, daß der Pred den jungen Menschen, der noch nicht die Belastungen des Alters zu tragen hat, ermahnen kann, sich seiner Jugend zu freuen und dabei in seiner Jugend seines Schöpfers zu gedenken (11, 9–12, 7). Aus solchem Wissen um die Gottverfügtheit aller Dinge, welcher der Mensch mit seiner Belastung durch das Böse gegenübersteht (7, 29; 8, 11), wird der Mensch, der dem Übermaß eigener Gerechtigkeit abgesagt hat, dann auch fähig, barmherzige Nachsicht zu üben, wenn er seinen Sklaven gegen ihn fluchen hört (7, 21 f.).

Ist beim Pred ein weites Spektrum an Übersicht über die verschiedensten Lebenssituationen zu finden, so führt *das Buch Hiob* in die akute Notsituation eines Gerechten – eine Situation, die im Klagelied der Ps ihre Entsprechung hat. Die Rahmengeschichte zeigt einen Gerechten, der alle Anfeindungen, die ihre Begründung in einer himmlischen Wette zwischen Gott und dem Anklägerengel (Satan) findet, in treuem Festhalten an Gott besteht.

In diese Rahmengeschichte ist aber, zweifellos von anderer Hand, ein erregendes Wechselgespräch zwischen Hiob und seinen drei Freunden, die ihm einen Trostbesuch machen wollen, eingelegt. Und in diesem Gespräch taucht die Problematik der weisen Meisterung des Lebens, hier nun ganz zugespitzt auf die Frage nach der göttlichen Verordnung des Leidens, wieder auf. Von einer Mediatisierung der Weltordnung Gottes durch eine personifizierte Weisheit ist hier nicht die Rede. Wohl aber sind die drei Freunde in steigendem Maße Verfechter des Glaubens an die durchschaubare »Gerechtigkeit« Gottes in seinem Handeln am Menschen. Beginnt es zunächst mit tröstenden Erinnerungen Hiobs an sein früher ausgeübtes Amt der Tröstung der Bedrängten (4, 3–5) und dem Hinweis auf den Gott, der über allem als der Gerechte steht, so entfaltet sich in steigender Schärfe die direkte Anklage gegen Hiob, daß seinem Leiden doch wohl ein von ihm nicht eingestandenes Vergehen zugrunde liegen müsse (22, 1 ff.). So erfordert es der Glaube an »die Ordnung«, deren gerechter Hüter Gott ist.

Hiob erscheint demgegenüber als der ungezügelte Rebell, der zunächst gegen seine Freunde, dann aber immer mehr, von diesen abgewandt, gegen Gott selber sein Leid ausschreit und sich gegen die Verrechnung dieses Leidens in einem geordneten Weltdenken wehrt. Es sind harte, die Grenze des Blasphemischen streifende Aussagen, die er Gott ins Gesicht schleudert, dem grausamen Gott, der als der Allmächtige mit der Ohnmacht seiner Kreatur spielt und lacht, wenn diese in Verzweiflung und Leid umkommt (9, 22f.). In alledem weigert sich Hiob, diesen Gott als den Hüter gerecht vergeltender Ordnung, wie seine Freunde ihn ihm vorhalten, anzuerkennen. Er fordert Gott zum Rechtsstreit heraus und stellt sich Gott schließlich in einem gewaltigen Reinigungseid (Kap. 31), in dem er seine Unschuld behauptet. Nicht um eine absolute Schuldlosigkeit geht es dabei. Auch Hiob weiß von der Sündigkeit des Menschengeschlechtes, der er nicht entnommen ist. Aber er weigert sich, das rationale Rechnungsverfahren anzuerkennen, das ihn, den über die Maßen Leidenden, zu einem über die Maßen Sündigen macht.

In all seinem Rebellieren kommt dabei aber in anderen Aussagen zum Vorschein, daß auch Hiobs Weisheit sich im Rahmen at. Wissens um den Schöpfer bewegt. Hiob verrät, daß er hinter dem Gott, den ihm seine Freunde vorhalten, noch einen anderen kennt – den Gott, der seine Kreatur nicht vergessen kann. In einem utopisch klingenden Wunsch spricht er es aus, daß Gott ihn doch im Totenreich bergen möchte, bis sein Zorn sich gewendet, um dann, wenn sein Zorn verraucht ist, nach ihm zu rufen. »Dann würdest du rufen und ich dir antworten, nach dem Werk deiner Hände sehntest du dich« (14, 15). Später wird die Rede gewisser, wenn er danach ruft, daß sein Blut nicht bedeckt, d. h. seine Rechtssache nicht zur Ruhe gebracht werden möge, und es damit begründet: »Schon jetzt, siehe, lebt mir im Himmel ein Zeuge, mir ein Mitwisser in der Höhe. Es spotten meiner meine Freunde, zu Gott blickt tränend auf mein Auge, daß er Recht schaffe dem Manne gegen Gott, dem Menschen gegen seinen Freund« (16, 19–21). Gegen den Gott der Freunde appelliert er an den Gott, den er als den »Zeugen« im Himmel kennt, der zu Hiobs Recht stehen wird. Am stärksten ist dieser Glaube in 19, 25 ausgesprochen, wo bei aller textlichen Unklarheit, welche die dann folgenden Verse kennzeichnet, die Aussage zweifelsfrei zu hören ist: »Ich weiß, daß mein Löser (גאל *gōʾēl*) lebt und mir über dem Staube ein Vertreter (אחרון *ʾaḥ*^{a}*rōn*) ersteht«. In Spr 23, 11 war in das ägypt. Original der Hinweis auf den גאל *gōʾēl*, mit dem Jahwe gemeint war, eingefügt worden, um zum Ausdruck zu bringen, daß der Arme einen Helfer hat. Der Begriff, der an anderer Stelle den Bluträcher bezeichnet (Num 35, 12. 19ff.), ist bei Hiob unverkennbar in seinem rechtlichen Gehalt noch voller angesprochen. Der Bluträcher setzt sich als ein Nächstverwandter nach einem Mord für das ermordete Leben ein und sorgt dafür, daß durch den Tod des Mörders die Blutrechnung ausgeglichen wird. So steht Hiob hier als der Todverfallene, aber er weiß von einem, der über den Tod hinaus für ihn einstehen und sein Lebensrecht einfordern wird. In welcher Weise dieses konkret vorgestellt wird, ob in der Fortsetzung, wie etwa ZB will, wirklich von einem Schauen Gottes nach dem Tode geredet wird, bleibt ungewiß. Deutlich ist aber ausgesprochen, daß Hiob, der scheinbare Rebell, der sich weigert, sein Leiden in einem festen Ordnungsdenken transparent machen zu lassen, sich hier über alles Unverstandene hinweg zu dem Gotte bekennt, der als sein Nächstverwandter, der das Blutrecht einfordert, oder nun eben als sein »Erlöser«, wie überhöhend übersetzt worden ist, für ihn ein-

treten wird. Ist darin nicht der Gott zu erkennen, den Israel von der Exodusbefreiung her kennt? Dann aber ist Hiob mehr als der Rebell. Er ist der im Unverstandenen von seinem Gott nicht lassende »Arme«.
Über die später zugesetzten Elihureden Kap. 32–37 hinaus, welche das Leiden Hiobs mit dem Gedanken der göttlichen Erziehung zu begreifen suchen, berichten 38–41 vom Erscheinen Gottes im Wetter vor Hiob. Sein Appell an Gott ist nicht ungehört verhallt. Allerdings geschieht in diesen Gottesreden nicht, was man von der Herausforderung in 29–31 her erwarten möchte. Gott spricht nicht das »Er ist gerecht« über Hiob aus, sondern konfrontiert diesen mit dem Geheimnis und dem Wunder seiner Schöpfung, indem er ihn fragt, ob er hier dabeigewesen sei und ihr Geheimnis zu lösen wisse. Das ist unverkennbar eine Zurechtweisung des Haderns, das in seinem Übermaß als ungemäß erscheint. Hiob anerkennt dieses in seiner ausdrücklichen Unterwerfung unter Gott. Aber dann geschieht in 42, 7 das Überraschende, daß Gott auf das Nebeneinander der Reden Hiobs und seiner Freunde zu sprechen kommt und feststellt, daß die Freunde nicht recht geredet haben wie »sein Knecht« Hiob. Darin wird dem scheinbaren Rebellen, der sich weigerte, die Ordnungsrechnung seiner Freunde und den Gott dieser Ordnungsrechnung anzunehmen, gegen die Freunde Recht gegeben. In all seinem Hadern hat Hiob dem lebendigen Gott voller die Ehre gegeben als seine Freunde. Es wird keinesfalls angehen, dieses Schlußurteil Gottes über das Gespräch zwischen Hiob und seinen Freunden in einen Epilog aus anderer Hand abzudrängen und das Gespräch ohne dieses göttliche Schlußurteil zu verstehen. Auch wenn, was nicht auszuschließen ist, dieses Urteil einer älteren Schicht der Hioberzählung, die dann schon eine (andere) Form der Freundesreden enthalten hätte, zugehörte, so ist doch in der Endfassung des Buches das ganze Gespräch diesem herausgehobenen Urteil unterstellt. Hiobs Reden ist zusammen mit der Rückweisung in seine Schranken gerechtfertigt worden. Kein noch so sublimes Ordnungsdenken vermag nach at. Glauben das unmittelbare Gegenüber des im Geheimnis und darin doch in seiner »Gerechtigkeit« handelnden Gottes und seiner Kreatur zu mediatisieren und diesen in ein Ordnungssystem einzuspannen. »Ich bin, der ich bin.«

Es muß an dieser Stelle abschließend ein Blick auf Ps 73 geworfen werden. Hier ist es nicht der ins Leiden geworfene Hiob, wohl aber der, darin dem Pred näherstehende, angefochtene Glaube, der Jahwes Weltordnung, in der es dem Gottlosen gut gehen kann, nicht versteht. Die Antwort, zu welcher sich der at. Glaubende hier findet, wird nicht wie im Hiobbuch im hadernden Gespräch gefunden. Vielmehr berichtet der Psalmist davon, daß er in die »Heiligtümer Gottes« (מקדשי אל *miqd*[e]*šē 'ēl*) gekommen und hier dessen gewahr geworden sei, daß Jahwe den Gottlosen auf schlüpfrigen Boden stelle (v. 17f.). Ist es ein Zuspruch, den der Fromme im Tempel vernommen und der ihm letzte Gewißheit gegeben hat? Oder ist das Wort »Heiligtümer Gottes« übertragen vom »heiligen Walten« Gottes zu verstehen? So ZB. Auf jeden Fall ist auch hier deutlich, daß sich der Glaube jenseits der Anfechtung durch die in der Erfahrung des Tages nicht greifbare »Ordnung« Gottes hindurch zu der kühnen Zuversicht hinfindet, die bekennt, daß sie sich selbst im Verschmachten von Leib und Herz an Gott als »ihren Teil« klammern werde. Wieder ist eine nicht weiter ausgeführte Grenzaussage erreicht, wenn v. 24 nicht nur die Gewißheit bekennt, daß Gott durch seinen Rat (עצה *'ēṣāh*) führen werde, sondern darüber hinaus ein Entrücktwerden in Herrlichkeit erwartet. Hier wird wie bei Hiob aller nachrechnenden Weisheit der Abschied gegeben. In voller Wehrlosigkeit wirft sich das Leben des at. Glaubenden allein Gott in die Arme und findet so in der Furcht Gottes (der Ausdruck ist hier nicht gebraucht) die wahre Weisheit, die zum Leben führt. Nicht anders wird auch der nt. Glaube in der Begegnung mit Jesus Christus von der menschlichen und göttlichen Weisheit reden (1Kor 1, 18ff.).

H. H. Schmid, Wesen und Geschichte der Weisheit, BZAW 101, 1966 (Lit.). — *H. Greßmann*, Die neugefundene Lehre des Amen-em-ope und die vorexilische Spruchdichtung Israels, ZAW 42, 1924, 272—296. — *H. Gese*, Lehre und Wirklichkeit in der alten Weisheit, 1958. — *H. J. Hermisson*, Studien zur israelitischen Spruchweisheit, WMANT 28, 1968 (Lit.). — *G. von Rad*, Weisheit in Israel, 1970 (dazu EvTh 31, 1971, 680—695). — *A. Alt*, Die Weisheit Salomos, ThLZ 76, 1951, 139—144 (= Kleine Schriften II, 1953, 90—99). — *G. von Rad*, Hiob 38 und die altägyptische Weisheit, Suppl. to VT 3, 1955, 293—301 (= Gesammelte Studien, ThB 8, 1958, 262–271). — *W. Zimmerli*, Ort und Grenze der Weisheit im Rahmen der alttestamentlichen Theologie, Gottes Offenbarung, ThB 19, 1969[2], 300— 315. — *K. Koch*, Gibt es ein Vergeltungsdogma im AT?, ZThK 52, 1955, 1—42. — *J. Hempel*, Das theologische Problem des Hiob, ZSTh 6, 1929, 621—689 (= Apoxysmata, BZAW 81, 114—173).

V. Krise und Hoffnung

In das Leben des Menschen vor Gott, wie das AT von ihm redet, hat sich die Wirklichkeit des Gottes Israels abgeschattet. In all dem bisher Ausgeführten ist aber die letzte Tiefendimension noch nicht sichtbar geworden, die voll erkennen läßt, was es ist um Jahwe, den Gott Israels und den Schöpfer seiner Kreatur. Noch fehlt der Blick auf die tiefe Krise, in der ein alter Erzähler berichtet, daß »es Jahwe reute, daß er den Menschen gemacht« (Gen 6, 6), und ein Prophet sein Kind »Nicht-mein-Volk« nennt, um gellend in aller Ohren hörbar zu machen, wie es steht zwischen Jahwe und seinem Volk Israel (Hos 1, 9). Von dieser Krise und der Weise, wie at. Glaube um Gericht und Heil seines Gottes über dieser Krise des Menschen (§ 19), des Gottesvolkes (§ 20f.) und um die Zukunft der Welt (§ 22) weiß, muß nun noch ausdrücklich die Rede sein.

§ 19 Der Mensch zwischen Gericht und Heil (Urgeschichte)

Das grundlegende Nachdenken des at. Glaubens über den Menschen abseits und vor der besonderen Geschichte Israels mit seinem Gott ist in der Urgeschichte zu finden. Gese hat gezeigt, wie nicht nur einzelne Elemente dieser Vorgeschichte, sondern die ganze Abfolge von Schöpfung, Urzeit, Sintflut und Neubegründung der Weltgeschichte nach der großen Krise schon in der sumer. Geschichtsschreibung zu finden ist. Es ist nun zu fragen, was da, wo diese Anfangsgeschichte von Jahwe als dem Herrn dieser Geschichte erzählt ist, über das Geschehen zwischen Gott und Mensch ausgesagt wird.

1. In § 4 ist ausgeführt worden, wie J in seiner skizzenhaften Darstellung der Anfänge (Gen 2, 4b–25) bemüht ist, die gütige Vorsorge Jahwes für den Menschen, dessen Gutes er will, sichtbar zu machen. Hart schließt daran in Gen 3 der Bericht über den Sündenfall im Gottesgarten.

Die Traditionselemente dieser Erzählung sind in einer ungleich stärker mythischen Form im Wort gegen den König von Tyrus in Ez 28, 11—19 wiederzufinden. Von einem Gottesgarten, dessen Früchte von der Besitzerin desselben (Hera) eifersüchtig gehütet werden, in den dann aber ein Starker (Herakles) einbricht, erzählt auch die griech. Mythologie, in der orientalisches Gut nachhallen dürfte, in der Erzählung vom Garten der Hesperiden (= der im Abend, d.h. am Westrand der Welt, Wohnenden).

Man hat Gen 3 immer wieder als »Lehre vom Sündenfall« verstanden. In Anlehnung an die augustinische Fehldeutung der Aussage über Adam von Röm 5, 12 (in quo omnes peccaverunt) hat man darin eine Aussage von der »Erbsünde«

gefunden, wonach »in Adam« geradezu räumlich die von ihm herkommende Menschheit schon an der Sünde als einem gleichsam biologisch zu verstehenden Erbgut beteiligt war.

Nun muß angesichts solcher Auffassung auffallen, daß das AT (abgesehen allenfalls von schwachen Anspielungen beim Pred) nirgends auf eine solche »Lehre« zu sprechen kommt. Gen 3 will denn auch anders verstanden sein. Hier wird nicht zeitlos allgemeine Wahrheit verkündet, sondern konkret beispielhaft geredet, wobei im Beispiel allerdings Wahrheit ausgesprochen wird, die den unmittelbaren Erzählungszusammenhang transzendiert.

Dazu kommt, daß Gen 3 nicht isoliert gelesen werden darf. Die Urgeschichte des J ist durch eine ganze Reihung von Sündgeschichten gekennzeichnet: Gen 4 berichtet von Kains Brudermord und Lamechs zügellosen Rachedrohungen, 6, 1–4 von den Engelehen, auf welche die Sintflut (6, 5–9, 17) folgt. Auch die Verfluchung Kanaans (9, 18–27) möchte man, wenn schon in 9, 26 Jahwe, der Gott Sems, »gesegnet« wird, ganz so wie die Turmbaugeschichte in diese absichtsvolle Aufführung von Unheilsgeschichten einreihen. Jede dieser Geschichten leuchtet auf ihre Weise von einer bestimmten Seite her an, was es ist um den rätselhaften Bruch zwischen Gott und dem Menschen und um Gottes Antwort auf diesen Bruch. Dabei will Folgendes zu Gehör kommen:

a) Indem zunächst Gen 3 nicht von irgendeinem Menschen in der Menschengeschichte, sondern vom ersten Menschen, dessen Bezeichnung Adam »Mensch« in der Folge geradezu als Eigenname verstanden wird, berichtet, will ohne Zweifel das Exemplarische des menschlichen Verhaltens vor Gott sichtbar gemacht werden. Paulus greift in Röm 5 nicht daneben, wenn er den neuen Menschen Christus dem »Menschen« von Gen 3 gegenüberstellt.

Gleichartiges ist aber auch von Gen 4, 1ff., wo der erste »Bruder« (dieses Stichwort ist als Leitwort herausgehoben), und von 11, 1ff., wo die erste handelnde Großansammlung von Menschen auftritt, zu sagen.

b) Das Aufbrechen der Sünde ist in Gen 3 in keiner Weise kausal aus der guten Schöpfung Gottes hergeleitet.

Es ist ein Teil der sündlichen Flucht des Menschen vor Gott, die Schuld auf Gott zurückzuschieben: »Das Weib, das du mir gegeben hast, das hat mir von dem Baume gegeben, da habe ich gegessen« (3, 12). Ganz anders redet etwa der sog. bab. Kohelet: »Der König der Götter, Narru, der Schöpfer der Menschen, der berühmte Zulummar, der ihren Lehm abgekniffen, die Königin, die sie geformt hat, Fürstin Mama, haben zum Geschenk gemacht der Menschheit verschlagene Rede, Lüge und Unwahrheit schenkten sie ihr für alle Zeit« (zitiert nach O. Loretz, Qohelet und der Alte Orient 1964, 104f.). Der at. Pred redet in 7, 29 sehr anders. Auch die radikale Formulierung Jes 45, 7 wäre mißdeutet, wenn man aus ihr ein Abschieben von »Schuld« auf Jahwe hören würde. Vgl. weiter unter g.

c) Der Kern der Versündigung besteht nach Gen 3 nicht allein in der Verletzung einer äußeren Norm, sondern in des Menschen Mißachtung seines göttlichen Herrn, der ihm lauter Gutes erwiesen.

Wohl redet Gen 3 zunächst von dem gewissermaßen tabuierten Baum in der Mitte des Gartens und seiner Frucht. Der eigentliche Hermeneut des Geschehens aber ist die Schlange, welche erläutert: »Gott weiß, daß eure Augen am Tage, da ihr davon eßt, geöffnet werden und ihr sein werdet wie Gott, wissend um Gut und Böse«. Unter dieser Auslegung bedeutet die dann folgende

Versündigung das Wegstoßen des Gebers und das Heraustreten des Menschen aus dem Verhältnis des Beschenkten zum Geber. So ist wohl auch die seltsam verwischte Episode von den Engelehen (6, 1—4, dazu s.o. S. 51) als ein Niederreißen gottgegebener Ordnung zwischen Himmel und Erde verstanden. Und deutlich ist in 11, 1ff. zu sehen, wie die geballte Menschenkraft sich in Hybris den Weg in den Himmel selber bahnen will.

d) In unheimlicher Weise zeigt die Urgeschichte des J die rasche Verzweigung des Bösen, das sich wie ein Ölfleck auf dem Wasser ausbreitet.

Auf den Bruch mit Gott folgt (nicht »selbstverständlich«, sondern erneut erschreckend und unbegreiflich) der Bruch mit dem Bruder, die ungebärdige Selbstmächtigkeit des mit seiner Rache prahlenden Lamech, die Verwischung der Grenze von Himmel und Erde, die Pietätlosigkeit gegen den Vater und der Mißbrauch geballter Völkerkraft. Man meint eine ähnliche innere Folge in der Davidgeschichte feststellen zu können, wo auf den Ehebruch und Mord Davids (2Sam 11f.) geradezu schlagartig die sexuelle Zuchtlosigkeit und der Mord unter den Kindern Davids (2Sam 13) folgt. An keiner Stelle aber wird die neue Sünde kausal mit der älteren verknüpft und darin in ihrer Schuldhaftigkeit entlastet.

e) Sehr scharf tritt die Art der Sünde, die sich immer wieder zu verbergen und zu maskieren sucht, vor allem in Gen 3f. heraus.

Der Mensch verkriecht sich unter die Büsche, wie Gott naht (3, 8). Mit geheuchelter Ehrfurcht will er sich herausreden, wie Gott nach ihm fragt: »Ich scheute mich, weil ich nackt war, so verbarg ich mich« (3, 10). Bei Kain verbindet sich die Lüge mit einem frivolen Wortwitz, wie ihn Jahwe nach seinem Bruder, dem Hirten, fragt: »Ich weiß es nicht, bin ich denn der Hüter (= Hirte) meines Bruders?« (4, 9). In 3, 12 ist es die Flucht nach vorn im zynischen Umbrechen zur Anklage Gottes: »Das Weib, das du mir gegeben . . .«.

f) Zugleich zeigt sich auch in der Sünde in greulicher Verzerrung, wie der Mensch zur Gemeinschaft geschaffen und es ihm selbst hier nicht gut ist, allein zu sein (2, 18).

»Sie gab mir vom Baume, und ich aß«, sagt der Mann (3, 12), wie Gott ihn fragt, ob er gegessen habe, und zeigt auf die Gefährtin, die Gott ihm in gütiger Überlegung gegeben. »Die Schlange hat mich getäuscht, und ich aß«, sagt die Frau (3, 13) und zeigt auf die Tierkreatur, die Gott nach 2, 18f. ebenfalls in gütiger Absicht für den Menschen geschaffen. So mißbraucht der Mensch die ihm von Gott geschenkte Kreatur zum Schutzschild, hinter dem er Deckung sucht.

g) Auf die Fundamentalfrage, woher denn nun das Böse in die Welt kommt, versagt die Urgeschichte die Antwort. Mit dem ganzen übrigen AT macht sie auch nicht den leisesten Versuch, sich in eine dualistische oder pluralistische Welt zu flüchten. Schuld wird in aller Härte unerklärt als Schuld stehen gelassen.

Schon früh hat man hinter der Schlange von Gen 3 den Satan als die gottfeindliche Gegenmacht gesucht (vgl. Apk 12, 9; 20, 2). Man trifft damit, was immer die mythische Vorgeschichte des Stoffes von Gen 3 sein mag, sicher nicht die Intention des J, der eingangs in aller Klarheit die Schlange unter »alle Tiere des Feldes, die Jahwe Elohim gemacht hatte«, rechnet. Daß hier schlicht an das Tier Schlange gedacht ist und nicht an eine verkappte göttliche Gegenmacht, wird nicht nur an der dann folgenden Verfluchung dieses Tieres zum Staubfressen und Kriechen auf dem Bauche deutlich, sondern kann in der Gegenprobe an der eschatologischen Schilderung des neuen paradiesischen Friedens (Jes 11, 6—8) gezeigt werden, in der die Behebung der Feindschaft von Mensch und Schlange als ein Teilzug wiederkehrt. Auch ist hier der Blick auf die enger mit Gen 3 verbundene Geschichte Gen 4 bedeutsam. Dort tritt keine Schlange in Erscheinung. Wohl aber ist hier der Vergehung Kains eine Warnung durch Jahwe selber vorausgeschickt, deren sprachliches Verständnis allerdings nicht über jeden Zweifel erhaben ist. In auffallender Nähe der Formulierung zu Gen 3, 16 sagt 4, 6f.: »Warum entbrennst du im Zorn und warum senkst du dein Angesicht? Ist's nicht so, wenn du recht tust, dann darfst du es erheben (?), wenn du aber

nicht recht tust, so lagert (lauert?) die Sünde an der Tür. Nach dir steht ihr Verlangen, du aber sollst ihrer Herr werden«.
Man möchte die Frage aufwerfen, warum in Gen 3 überhaupt die Schlange eingeführt ist. Hätte sich die Erzählung nicht ganz so wie die Kaingeschichte erzählen lassen? Neben dem Hinweis auf die Vorgegebenheit eines bestimmten Erzählstoffes führt nähere Erwägung darauf, daß auf beiden Wegen, durch die Vorschaltung der Schlange dort, durch die Einfügung der Warnung Jahwes hier, dem Menschen ein Spielraum der Entscheidung freigehalten ist. Sünde bricht nicht als ein Verhängnis, dem er verfallen wäre, einfach über ihn herein, sondern steht ihm als Versuchung zunächst gegenüber — in Gen 3 verkörpert in der Schlange, in Gen 4 bewußt gemacht durch die Anrede Jahwes. Aus diesem Spielraum freier Entscheidung heraus greift der Mensch nach der Möglichkeit des Ungehorsams. Nur so läßt sich Schuld als Schuld wirklich festhalten. Der Mensch müßte nicht sündigen. Schuld ist nicht einfach sein Wesen, sondern ein ihm Fremdes, an ihn versucherisch Herantretendes. Die Macht der Sünde ist aber auch nicht ein Zweites, ein Urprinzip, das Gott als sein Widersacher von Uranfang gegenüberstünde.
Es ist zu sehen, wie das AT auch weiterhin an diesem logisch wohl nie auflösbaren Geheimnis herumrätselt. 2Sam 24, 1 wagt es, das Geheimnis der Versuchung unter Hinweis auf den Zorn Jahwes direkt in den Willensbereich Jahwes einzubeziehen, wenn es formuliert: »Der Zorn Jahwes entbrannte gegen die Israeliten, und er reizte David wider sie, indem er sprach: Gehe hin und zähle Israel«. Die Weiterführung der Geschichte zeigt, wie David sich voll zu seiner Schuld bekennt und wie ihm das Herz über dieser Schuld schlägt. Die jüngere Nacherzählung der Chr ist demgegenüber bestrebt, wie Gen 3 den Spielraum der Freiheit zu wahren und die Versuchung als das von außen an David Herankommende deutlich zu machen. Dabei wird möglicherweise als »Auslegung« von Sach 3, 1ff. her (Willi, Lit. zu § 20) die Gestalt Satans eingeführt. 1Chr 21, 1: »Und Satan trat auf wider Israel und reizte David, Israel zählen zu lassen«.

Der »Satan« ist, wo dieses Wort im AT auftaucht, nicht mit einer dualistischen Weltsicht und einer Zwei-Äonen-Lehre zu verbinden, sondern bezeichnet zunächst im innermenschlichen, dann auch im göttlichen Bereich den Ankläger, der Schuld, ev. durch sein Aufreizen, zum Ausbruch bringt.

Satan ist von Hause aus nicht Eigenname, sondern Funktionsbezeichnung. Das Verb שׂטן *śṭn* meint »anfeinden«. So kann שָׂטָן *śāṭān* der Widersacher im politischen Bereich sein. Nach 1Sam 29, 4 schicken die Philister David vor dem Kampf gegen Saul nach Hause, damit er ihnen nicht im Kampfe zum »Widersacher« werde. 1Kön 11, 14. 23. 25 zählt die »Widersacher« auf, die Salomo im Laufe seiner Regierungszeit erstehen. Dabei kann der Akzent der »Versuchung« dazutreten. Nach 2Sam 19, 23 schilt David die Zerujasöhne, die ihn zur Rache verleiten wollten, daß sie ihm zum »Satan« werden.

Sach 3, 1ff. und Hi 1f. zeigen dann, wie Jahwe im Bereich der ihm zu Diensten stehenden Engelwelt auch einen »Satan« hat, der gewissermaßen die Rolle des Generalanklägers spielt und allenthalben die Dinge, die nicht in Ordnung zu sein scheinen, aufgreift und mit kritischen Fragen einer Probe unterwirft. In Sach 3, 1ff. ist es die Exils-Unreinheit des Hohenpriesters, die der Satan vor Gott zur Sprache bringt. In Hi 1f. ist es die kritische Anfrage, ob Hiob nur darum so fromm sei, weil es ihm gut gehe. In 1Chr 21, 1, der einzigen Stelle, die artikellos »Satan« schon als Eigennamen versteht, führt des Satans Aufreizen, anders als in Hi 1f., auch zur Verschuldung des so in Versuchung Geführten.
An allen Stellen will das Böse nicht seines Ungehorsamscharakters entkleidet werden. Immer wieder ist im AT sichtbar, daß Versündigung, so sehr sie für den Menschen in der Härte der Versuchung fast unausweichlich zu werden scheint, nie der Verantwortung des Menschen entnommen wird. Sie bleibt das

unaufgehellte Rätsel und kann darum letzten Endes nur bekennend ausgesagt werden. In der Gerichtsdoxologie war zu hören gewesen (s. o. S. 134), wie der Mensch auch über seiner Schuld Gott die Ehre gibt. Auch Ps 51, 7, wo der Beter bekennt, daß seine Mutter ihn in Sünden empfangen habe, darf nicht als ein Wegschieben der Schuld auf die Vorfahren verstanden werden. Ganz so wie der entsetzte Ruf Jesajas, in dem dieser nicht nur bekennt, daß er ein Mensch unreiner Lippen ist, sondern auch, daß er unter einem Volk mit unreinen Lippen wohnt (6, 5), nicht die Schuld auf das Kollektivum »Volk« abschieben will, ist auch hier lediglich die unausweichliche Umschlossenheit des Menschen von der Schuld, die auch in der Erzählung vom ersten Menschen als dem Gott Ungehorsamen zum Ausdruck kam, ausgesagt.
Jahwe kann dieses Tun des Menschen nicht übersehen. Die unheimlichste Formulierung ist dabei in Gen 6, 6 zu hören, wo J feststellt: »Da reute es Jahwe, daß er den Menschen auf Erden gemacht hatte«. Bedeutet das nicht das Ende des Menschengeschlechtes? Die Urgeschichte weiß von einer Kette von Schlägen des Gerichtes, mit denen Jahwe auf das Ausbrechen seiner Kreatur antwortet. Das Gericht ergeht im direkten Urteil, das keinesfalls auf den neutralen Vorgang einer schicksalwirkenden Tat reduziert werden darf. In seinem Gericht verhängt Gott nach Gen 3 konkrete Nottatbestände, die dem Leben der Kreatur, wie es der Mensch kennt, bis in die Gegenwart unablösbar eigen sind. Auch dabei aber wird lediglich beispielhaft, keineswegs mit umfassender Beschreibung geredet.

In der Tierwelt nennt Gen 3, 14f. das rätselhafte Kriechen der Schlange auf ihrem Bauch, ihre Staubnahrung und die tiefe Feindschaft, die nun zwischen Mensch und Schlange besteht. Wer eine Schlange trifft, sucht dieser unmittelbar den Kopf zu zertreten, und wo eine Schlange einen Menschen trifft, da sucht sie züngelnd ihre giftigen Zähne in seine Ferse zu bohren. Wenn die Kirche hier später ein »Protevangelium« zu hören gemeint hat, nach welchem der von der Frau Geborene einst der als Satan im nt. Sinne verstandenen Schlange endgültig ein Ende bereiten werde (»tritt der Schlange Kopf entzwei«), so sind damit textfremde Gedanken in Gen 3 eingetragen.
Bei der Frau sind es die Schmerzen bei der Geburt und ihre (in einer patriarchalischen Gesellschaft gegebene) Hörigkeit dem Manne gegenüber, zu dem hin sie sich doch gezogen fühlt.
Beim Manne steht vor Augen, daß er als Ackerbauer der Erde die Frucht im Schweiße seines Angesichtes abringen muß und dabei doch als sein Ende die Rückkehr zum Staube vor Augen hat. Im Abschluß der Paradiesgeschichte ist dieses letztere, die Verfluchung vom Ort des Lebens hinweg, dann darin sichtbar gemacht, daß der Mensch aus dem Gottesgarten und damit auch aus der Nähe zum Baum des Lebens vertrieben wird. Die Wache am Eingang zum Garten verwehrt ihm für alle Zukunft die Rückkehr an jenen Ort. — In Gen 6, 1—4 ist die Begrenzung des menschlichen Lebens in einem ganz anderen Traditionszusammenhang durch einen ausdrücklichen Erlaß Jahwes, daß das Menschenleben 120 Jahre nicht übersteigen dürfe, sichtbar gemacht.
In der Kaingeschichte, die nach ihrem Traditionsstoff zunächst die halbnomadische Existenz der Keniter vor Augen haben dürfte, ist daraus im gegenwärtigen Kontext die unstete Flüchtigkeit des Brudermörders, der nirgends in ruhiger Seßhaftigkeit zum Frieden kommen kann, geworden. Die Erzählung hat unverkennbar eine tiefe psychologische Transparenz.
Am weitesten holt J im Bericht von der Sintflut aus, wo die Reue Gottes, daß er den Menschen geschaffen, sich in einer weltweiten Flutkatastrophe auswirkt.
Die Kanaanepisode führt schon deutlicher in einen speziellen Tatbestand der Welt Kanaans hinein, wo Israel in der Zeit Davids zum Herrscher, Kanaan aber zu seinem dienstbaren Knecht geworden ist.

Demgegenüber hat die Turmbaugeschichte wieder die allgemeinmenschliche und bis in die Gegenwart fortdauernde Völkernot vor Augen, daß die verschiedenen Sprachen, die in den Völkern gesprochen werden, ein Element der Zertrennung, die zum friedlichen, gemeinsamen Werk unfähig macht, werden.

Neben den schweren Fluchtatbeständen, welche die Urgeschichte des J berührt, geht aber durch die Erzählung von Gen 3–11 J ein rätselhaftes göttliches Ansichhalten. Dem Menschenpaar, dem für den Tag, da es vom verbotenen Baume ißt, der Tod angedroht war (2, 17), wird das Leben nicht am Tage der Versündigung entzogen. Ja, im Wort der Strafe über die Frau wird von Kindergebären und Zukunft geredet, so daß nach 3, 20 der Mensch ihr den Namen חוה *ḥawwāh*, Vulg. Heva, danach Eva, zu geben wagt, »denn sie wurde die Mutter aller Lebenden«. Den Brudermörder Kain schützt Jahwe, wie Kain verzweifelt zu ihm fleht, durch ein (eintätowiertes?) Zeichen, »daß keiner, der ihn antrifft, ihn erschlage« (4, 15). Aus der großen Flut, zu deren Beginn das unheimliche Wort lautgeworden war, daß es Gott reute, den Menschen gemacht zu haben, holt Jahwe selber (nicht, wie das bab. Epos erzählt, die List eines zweiten Gottes, der gegen den Bringer der Flut handelt) mit aller Behutsamkeit nicht nur eine ganze Menschenfamilie, sondern auch von allen Tierfamilien so viele lebende Kreatur heraus, daß der ganzen Welt wieder Zukunft gegeben wird. Und sein Entscheid, in dem die Tatsache, daß »das Trachten des Herzens des Menschen böse ist von seiner Jugend auf«, voll ausgesprochen wird, geht in 8, 21 f. auf eine volle Bewahrung des Lebens auf der Erde.

In alledem kündet sich an, was dann in Gen 12, 1–3 in der Herausrufung Abrahams voll ausgesprochen wird. Jahwe hat mit der Welt, die in vielerlei Weise vom Fluch belastet ist und die keine eigene Gerechtigkeit hätte, mit der sie Gott zu solchem Entschluß bewegen könnte, eine neue Zukunft des Segens vor. In Abraham wird der Träger dieses neuen Segens sichtbar gemacht. Wie in seiner Gestalt in der Verheißung schon das Volk Israel vorweggenommen ist, hat § 3 ausgeführt.

So versteht und bezeugt J den gottgewollten Sinn der Existenz Israels: Segen in eine um ihrer Gottferne willen von göttlichen Gerichtsschlägen gezeichnete Welt hineinzubringen. Wie sich solcher Segen an der Mühsal von Tod, Schmerzen, Feindschaft zwischen den Gruppen der Kreatur und Nichtverstehen der Völker untereinander auswirken werde, hat J nicht ausgeführt. Daß die Frage hinterher nicht erloschen ist, können Jes 11, 1–8; 25, 8a und andere Stellen, die später zur Sprache kommen müssen, verraten.

2. Ist J in der frühen Königszeit verfaßt, so führt P mit seinem Aufriß in die Zeit nach der großen Katastrophe Israels. Es war in früherem Zusammenhang auszuführen, daß er gleich in seinem Eingang in Gen 1, 1–2, 4a mit seiner breit ausgeführten Schilderung der Weltschöpfung eine spürbar andere Interessenrichtung verrät als J. Die Frage nach dem Menschen und dem Rätsel menschlicher Existenz tritt zurück vor der Frage nach den großen göttlichen Setzungen für die Welt und das Volk Jahwes. So fehlen bei ihm denn die den Menschen so scharf anleuchtenden Erzählungen von Sündenfall und Brudermord, aber ebenso die Episode von den Engelehen, von Kanaan und vom Turmbau zu Babel. Einzig

die breit ausgeführte Flutgeschichte tritt, durch die genealogischen Listen Gen 5 und 11, 10ff. mit dem Anfangsbericht und der aufdämmernden Israelgeschichte verbunden, zwischen Schöpfungsbericht und Abrahamgeschichte.
Das Sechstagewerk Gottes war in 1, 31 mit der zusammenfassenden Bemerkung abgeschlossen worden: »Und Gott sah alles, was er gemacht hatte, und siehe, es war sehr gut«. Wo Gott allein handelt, ist »alles sehr gut«. In 6, 11 dagegen, im Auftakt des Flutberichtes, nachdem 10 Generationen Menschengeschichte abgelaufen sind, findet sich die erschreckende, neue Feststellung: »Und die Erde war verderbt vor Gott, und die Erde war voller Gewalttat (חמס *ḥāmās*)«. Dazu tritt der deutlich im Gegenlicht zu 1, 31 formulierte Satz: »Und Gott sah die Erde, und siehe, sie war verderbt, denn alles Fleisch hatte seinen Wandel verderbt auf Erden« (6,12). Völlig unvorbereitet tritt dieser Hinweis auf die »Gewalttat« auf Erden neben die Eingangsfeststellung von 1, 31. Lediglich die Tatsache, daß von Henoch in der sonst von Namen und Zahlen beherrschten Liste Gen 5 festgestellt wurde, daß er »mit Gott wandelte« und darum von Gott entrückt wurde, konnte von ferne darauf hindeuten, daß daneben auf Erden andere Dinge nicht mehr »mit Gott« geschahen.

Man hat schon behauptet, in P fehle die Aussage vom Sündenfall des Menschen (Köhler). Daran ist richtig, daß eine ausgeführte Sündenfallgeschichte in der Art von Gen 3 fehlt. Die Tatsache des Sündenfalls der Welt selber aber ist von P in ihrer unmotivierten Irrationalität womöglich noch schärfer formuliert als in J. Sie scheint bei P auch weiter gefaßt als bei J, indem »alles Fleisch« daran beteiligt ist. Dabei dürfte doch wohl auch an die Tierwelt, in der sich »Gewalttat« des Stärkeren gegen den Schwächeren ebenso breit macht wie in der Menschenwelt, gedacht sein.
Diese Weite der Sündverfallenheit der Welt kommt dann auch in der Schilderung der Flut, mit welcher Gott auf die Entfremdung der Welt antwortet, zum Ausdruck. Hatte J die große Flut als einen 40 Tage lang währenden Platzregen im Bilde einer übergroßen Überschwemmungskatastrophe verstanden, so rührt sie nach P an die Fundamente der nach Gen 1 geschaffenen und geordneten Welt. »Da brachen die Quellen der großen Urflut auf, und die Fenster des Himmels öffneten sich«. Die Ordnung des Chaos zur gestalteten Welt hatte nach Gen 1, 6f. damit begonnen, daß Gott eine »Feste« zwischen die Erde und »die Wasser droben« legte und den »Wassern drunten« ihren festen Ort anwies — der Urflut Grenzen setzte, die sie nicht überschreiten sollte, fügt Ps 104, 9 hinzu. Nun droht die Flut und mit ihr das Chaos wieder in die geordnete Welt einzubrechen. Die theologische Frage, die sich P darin noch viel grundsätzlicher als J stellt, lautet danach: Hat die Verderbnis der Welt, die im Menschen, dem zur Herrschaft über die niedrigere Kreatur gesetzten Herrn, ihren eigentlichen Exponenten hat, Kraft, Gottes Schöpfungsbeschluß wieder rückgängig zu machen, so daß die Welt von Gen 1 von neuem ins Chaos versinkt?

Nun berichtet P nicht nur, daß Gott einen einzelnen Frommen und mit ihm auch Vertreter aller Tiergattungen durch die Flut hindurch rettet, sondern darüber hinaus, daß er sein Ja zur nachsintflutlichen Welt in einem Bund bekräftigt (s. o. S. 46). Gott will es auch weiterhin mit seiner Schöpfung zu tun haben – auch wenn nun (und darin erinnert Gen 9, 2f., wennschon die Schlange nicht erwähnt ist, an 3, 15 des J) der paradiesische Friede zwischen Mensch und Tier nicht mehr besteht. Furcht vor dem Menschen liegt nun auf der Tierwelt. Auch Totschlag von Menschen untereinander (das erinnert an Gen 4) gibt es nun in dieser Welt, so daß eine strafende Autorität unter Menschen eingesetzt werden muß, die solches Blutvergießen ahndet (9, 4–6). Aber erneut wird der Segen der Fruchtbarkeit über dieser Welt ausgesprochen (9, 1. 7). Und die anschließende Völkertafel soll nach P (10, 1–7. 20. 22f. 31f.) illustrieren, wie die Nachkommenschaft Noahs sich in den Reichtum der Völkerwelt hinaus verzweigt »nach ihren Sippen, ihren Sprachen, in ihren Ländern, nach ihren Völkern« (10, 31, vgl. 5. 20). Die Vielfalt der Völker und Sprachen ist hiernach Beweis der von Gott gesegneten Welt. Aus dieser Menschheit auf der von Gott gnädig erhaltenen Erde aber sondert Gott nach Gen 17 P dann Abraham und durch ihn Israel aus zum Volk besonderer Nähe, in dem Gott recht geehrt werden soll.

H. Gese, Geschichtliches Denken im Alten Orient und im AT, ZThK 55, 1958, 127—145 (= Vom Sinai zum Zion, BEvTh 64, 1974, 81—98). — *O. H. Steck*, Die Paradieserzählung, BSt 60, 1970. — *R. Schärf*, Die Gestalt des Satans im AT, Diss. phil. Zürich, 1948 (abgedruckt in C. G. Jung, Symbolik des Geistes, 1948, 151—319). — *G. von Rad*, Die Priesterschrift im Hexateuch, BWANT 4. F. 13, 1934.

§ 20 Die Krise Israels nach den Erzählberichten

Auf die Urgeschichte der Welt folgt in Gen 12–50 die Frühgeschichte der Väter Israels. Der restliche Pentateuch berichtet über die Vor-Landnahmezeit des Jahwevolkes und der Kanonteil der »vorderen Propheten« (Jos – 2Kön) über die Zeit bis zum Ende des Königtums. Sind Segen (J) und Gottnähe (P) die Stichworte dieser weiteren Geschichte?

1. Wie sehr die Vätergeschichte von Gen 12–50 im Zeichen der weitgespannten Verheißung einer Mehrung des Einzelnen zum Volk und der Hineinführung ins Land steht, war in § 3 thematisch entfaltet worden. Die Väter werden dabei, vor allem in J, realistisch als Menschen gezeichnet, deren Weg nicht frei ist von menschlicher Ängstlichkeit (Abraham 12, 10–20 J; 20 E; Isaak 26, 6ff. J), von Ungeduld gegenüber der verziehenden Erfüllung der Verheißung (Abraham 16 J), ja bei Jakob selbst von Verschlagenheit und List (25, 27–34; 27; 30, 25ff.), bei den Brüdern Josephs von unbrüderlicher Gewalttätigkeit (37), vgl. auch noch 34; 38. Aber all dieses ist gehalten von dem göttlichen Willen, sein Ziel zu erreichen, mag er auch in der Jakobgeschichte lange Umwege gehen müssen. Jakob, der Esau überlistete, erfährt dabei wohl nicht nur zufällig selber die Überlistung durch Laban (29). In der weisheitlich geprägten Josephsgeschichte wird die Überlegenheit göttlichen Planens über menschliche Fehlhaftigkeit in 50, 20 in den Worten Josephs zu seinen Brüdern geradezu thematisch formuliert: »Ihr plantet Böses gegen mich, Gott aber plante es zum Guten«.

2. Mit starkem Gefälle auf ein Ziel hin ist auch die Frühgeschichte des Volkes vor der Landnahme in Ex–Num (Dtn) erzählt. Die Führung Jahwes beherrscht diese Zeit und strebt auf das Ziel des Israel verheißenen Landes zu. Sehr realistisch ist aber auch hier das von Jahwe herausgeholte Volk als ein fragwürdiges, zum Ungehorsam neigendes Volk gezeichnet. Es geht dabei seltener um den Verstoß gegen die im Dekalog formulierten Grundgebote Jahwes, wie etwa nach Num 25, 1ff. um den Abfall zum Baal Peor, der das 1. Gebot verletzt, nach Ex 32 um den Verstoß gegen das Bildverbot oder in den Beispielerzählungen von Lev 24, 10ff. und Num 15, 32–36 P um Einzelvergehen gegen das 3. und 4. Gebot. Ungleich charakteristischer sind die oft wiederkehrenden Szenen des ungläu-

bigen Kleinmutes und dann auch der trotzigen Rebellion gegen die göttliche Führung, die Israel in das Land der Verheißung bringen will.

Schon in Ägypten beginnt es, wie Moses erste Intervention beim Pharao nur zur Verschärfung der Fronlast führt (Ex 5, 20f.). Am Schilfmeer, hart vor der Rettungstat, über welcher dann in 15, 21 der älteste Hymnus des Jahwevolkes aufbricht, verdichtet es sich erstmals zur direkten Infragestellung der Heilstat der Herausführung aus Ägypten (14, 11f.). Und dieser Ton des Murrens gegen Mose (לון *lūn* Ex 15, 24; 17, 3 u.ö.) kehrt da wieder, wo dem Volke in der Wüste Brot, Fleisch oder Wasser mangelt. Ex 16, 3 P formuliert das Heimweh nach den »Fleischtöpfen Ägyptens«; in 17, 3 und Num 20, 4 wird Mose angeklagt, daß er das Volk aus Ägypten heraus in die Wüste geführt habe, um es dort sterben zu lassen. Num 11, 1 redet genereller vom Sich-Beklagen (*hitp.* אנן *'nn*) des Volkes, während 11, 4—6 (20, 5) in breiter Aufzählung all die wohlschmeckenden Nahrungsmittel in Ägypten aufzählen und daneben verächtlich das kärgliche, von Jahwe gespendete Manna der Wüstennahrung stellen, bevor nach der konkreten Forderung: »Gib uns Fleisch zu essen« (v. 13. 18) die Frage laut wird: »Warum sind wir aus Ägypten ausgezogen?« (v. 20). Zum offenen Entschluß, sich einen neuen Führer zu wählen und nach Ägypten zurückzukehren, verdichtet sich die Widerspenstigkeit angesichts des Bescheides der Kundschafter über den im Lande zu erwartenden Widerstand, Num 14, 2—4 P. Zur fast blasphemischen Formulierung versteigen sich Dathan und Abiram in Num 16, 12—14, wenn sie die Prädikate des gelobten Landes auf Ägypten, aus dem Jahwe herausgeführt hatte, beziehen: »Ist es für dich noch zu wenig, daß du uns aus einem Lande, da Milch und Honig fließt, herausgeführt hast, um uns hier in der Wüste umzubringen?« Der Widerstand gegen Moses Führungsstellung durch Mirjam und Aaron in Num 12 und gegen die Stellung Moses und Aarons durch die Korahiten Num 16, 3 ist etwas anders bestimmt. Im Dtn vgl. 1, 27; 9, 7ff. Zum Ganzen Coats.

Die Bücher Ex–Num (Dtn) lassen Jahwes Antwort an das Volk, das ungläubig seiner Führung mißtraut, sie verdächtigt und gar offen gegen sie meutert, erkennen. Sie besteht, wenn man die ganze Erzählung überblickt, darin, daß Jahwe bei seiner Sache und seiner Verheißung bleibt. Das Volk, das aus Ägypten ausgezogen ist, steht zu Ende von Dtn an der Schwelle zum Lande und wird nach der Erzählung des Buches Jos diese Schwelle überschreiten und das Land in Besitz nehmen. Es ist darüber hinaus zu sehen, daß Jahwe das zagende Volk vor den Ägyptern errettet, das hungernde Volk speist und das dürstende tränkt, auch wo es sein Hungern und Dürsten murrend vor ihn gebracht hat. Trotz des störrischen Widerstandes, den Versuchen zur Umkehr und gar der gottlosen Rühmung Ägyptens, aus dem er das Volk herausgeführt hatte, führt Jahwe es in das Land, da Milch und Honig fließt.
Daneben ist allerdings auch zu erkennen, daß Jahwe solches nicht in gelassenem Gleichmut tut, sondern in Zorn entbrennt, wo seine Ehre angetastet wird.

Nicht nur da, wo das 1. Gebot verletzt wird, entbrennt nach Num 25, 3f. Jahwes Zorn und beginnt eine Plage zu wüten (v. 9), und nicht nur gegen die Übertreter des 2.—4. Gebotes (s.o.) stehen Richter auf. Auch die sich Beklagenden von Num 11, 1, das nach Fleisch gierende Volk von Num 11, 4ff., die Sippe Dathans und Abirams (Num 16) erfährt Jahwes Gericht, und das Volk, welches die »ekle Speise« des Manna schmäht, erleidet nach Num 21, 6 eine Schlangenplage. Für die vor dem Kundschafterbescheid Verzagenden wird der Eintritt ins Land für die Spanne einer ganzen Generation aufgeschoben.

Jahwes Zorn flammt in Ex 32, 10 und Num 14, 11f. besonders gefährlich auf, wenn er zunächst das ganze Volk vernichten will und Mose anbietet, ihn zu einem großen Volke zu machen, um darin seiner Verheißung einen ganz neuen Weg zu bahnen. In beiden Fällen ist es allein die beschwörende Fürbitte Moses für sein Volk, die Jahwe daran erinnert, wie seine Ehre vor den Augen der Völker geschmäht wäre, wenn er sein Volk, das er aus Ägypten herausgeführt, in der Wüste umbrächte (Ex 32, 11f.; Num 14, 13–16). Es ist der Appell an die alte Verheißung an die Väter (Ex 32, 13) und die Erinnerung an Jahwes frühere Selbstoffenbarung (Num 14, 17–19, dazu Ex 34, 6f.), welche ihn vom Vernichtungsgericht abhalten. In Ex 32, 34 aber ist darüber hinaus eine dunkle Androhung später kommenden Gerichtes zu vernehmen. In alledem bricht die gefährliche Wirklichkeit der 2. Dekalogpräambel auf, in der sich Jahwe nicht der Welt draußen, sondern gerade seinem Volk, das zum Segen für die Welt und zum Volk der Gottnähe bestimmt ist, offenbar gemacht hat.

Und noch eines: Der göttliche Zorn, der nach Num 20, 12 auf Mose selber, der sich nicht nach Jahwes Willen verhalten hat, fällt, so daß ihm das Betreten des Landes verwehrt wird, ist im Nachdenken des Nacherzählers von Dtn 1, 37 zum Zorn geworden, der ihn um des Volkes willen trifft, so daß er das Schicksal der Generation, die in der Wüste umkommt, mitträgt. Darin wird eine erregende Solidarität des von Jahwe zu seinem Volke Gesandten mit den von Gottes Zorn Gerichteten erkennbar. Sie wird an anderer Stelle nochmals in geänderter Form begegnen (s. u. S. 198f.).

3. Im Dtn beginnt der große Zusammenhang des dtr. Geschichtswerkes, das bis zum Ende des zweiten Königsbuches durchläuft (Noth). Dieses Erzählwerk, das im einzelnen viel älteres Material aufgenommen und seinerseits noch Nachbearbeitungen erfahren hat, ist in der Zeit des völligen Niederbruches des in zwei getrennten Staaten politisch verfaßten Israel geschrieben worden. Es ist als Werk geschichtlicher Rechenschaft Israels vor Jahwe gemeint.

Die dtr. Erzählung nimmt ihren Ausgang vom Orte der Gebotsmitteilung Jahwes an sein Volk, die im Dtn in die große Verheißung der bevorstehenden Landgabe eingebettet ist. In deren Einlösung wird sichtbar, wie Jahwe seiner Verheißung treubleibt. Dann aber beginnt bei dem Volke, das mit der Gabe des Landes beschenkt ist, ein rätselhafter Abstieg. Über die Richterzeit mit ihrem Auf und Ab von verschuldeten Not- und gnädigen Errettungsphasen geht es zum Königtum, dessen Entstehung vor Jahwe in einem ausgesprochenen Zwielichte steht. In der Erwählung Davids sowie Jerusalems und seines Tempels schenkt Jahwe Israel neue Zusagen von Heil. Aber mit Salomo setzt sich nach hellen Anfängen der Abfall von Jahwe fort. Er führt im Nordreich mit seinem Höhen- und Bilderdienst zum Untergang in der Assyrerzeit. Der Süden mit dem Davidhaus und Jerusalem, dessen Könige Asa, Hiskia und Josia durch ihren Gehorsam gegen Jahwes Gebote, Manasse aber durch das Übermaß seiner Gottlosigkeit herausragen, erhält eine längere Bewährungsfrist. Dann aber hält Jahwe auch hier vernichtendes Gericht. Königtum und Tempel werden durch Nebukadnezar vernichtet, die Oberschicht deportiert. Mit der knappen, ohne ausdrückliche theologische Bewertung gebotenen Nachricht über die Erhöhung des 597 deportierten Jojachin aus dem Gefängnis durch die Amnestie des Nachfolgers Nebukadnezars endet der Rechenschaftsbericht.

a) Über diesem Bericht, von dem Smend noch eine nomistische und Dietrich eine prophetische Bearbeitungsschicht glaubt abheben zu können, steht zunächst groß das Bekenntnis zur Treue Jahwes gegenüber seinem Volke. Im Eingang des Josuabuches wird es Josua in einer thematischen

Jahwerede zugesagt, daß ihm durch sein ganzes Leben hin keiner werde standhalten können und daß er dem Volke das Land, das Jahwe dessen Vätern zugeschworen hatte, zum Erbe geben werde (1, 5f.). In einem überschwänglich formulierten Summarium stellen 21, 43—45 rückblickend fest, daß Jahwe Israel das Land gegeben und ihm ringsherum Ruhe verliehen habe, ganz so, wie er es den Vätern zugeschworen hatte. »Nicht ein einziges von all den guten Worten, die Jahwe zum Hause Israel geredet hatte, war zu Boden gefallen (unwirksam geblieben), alles war eingetroffen.« Vgl. auch 23, 14. Wie er einst das Geschrei des in Ägypten bedrängten Volkes gehört hatte, so hört er auch in der Richterzeit immer wieder das Geschrei des in Not befindlichen Volkes und sendet ihm den Retter (Ri 3, 9. 15; 10, 12). Und auch durch das Gebet, mit dem David nach 2 Sam 7, 18—29 für die ihm durch Nathan überbrachte Verheißung dankt, klingt in der dtr. Erweiterung 22—24 im besonderen das Staunen über die Guttaten, die Jahwe an seinem Volke getan hat, nach. Das gleiche ist im Tempelweihgebet Salomos in 1 Kön 8, 15ff. zu hören, wo nun im besonderen der Ort, von dem Jahwe gesagt hat: »Mein Name soll dort sein« (29), vor Augen steht. Bis hinaus zu »dem Fremden, der nicht aus deinem Volke Israel stammt«, der kommt und zu diesem Ort der Gegenwart des göttlichen Namens hin betet, soll sich der auf diesen Ort gelegte Segen auswirken (v. 41—43).

b) Den Gott solcher Treue kennt Israel aber nach dem Dtr. nicht anders denn als den Gott, der ihm seinen Willen kundgemacht hat. Mit der Erinnerung an den Aufbruch vom Gottesberge Horeb beginnt die große Moserede (Dtn 1, 6), die das Eingangsportal des ganzen Dtr. bildet und deren Herzstück die Mitteilung der »Satzungen und Rechte« Dtn 12—26 bildet, die als vollere Auslegung des dem Volke schon am Gottesberge mitgeteilten Dekalogs (5, 6—21) verstanden sein dürfte. Es bleibt aber nach dem Dtr. nicht bei dieser Mitteilung vom Anfang. In dem großen Landtag von Sichem, von dem Jos 24 berichtet, stellt Josua das Volk vor die Entscheidungsfrage des Gehorsams und gibt ihm »Satzung und Recht«. Samuel ermahnt bei der großen Wende hin zum Königtum König und Volk, Jahwe gehorsam zu bleiben. In das Testament Davids hat Dtr. in 1Kön 2, 2—4 die Ermahnung an Salomo, die Gebote zu halten, eingefügt. Und in der Zeit der Könige sind es die Propheten, die je und je an das Halten der Gebote, die Jahwe den Vätern befohlen, erinnern (2 Kön 17, 13). Dazu vgl. Dietrich.

c) Die eigentliche Aussage dieses »Rechenschaftsberichtes« des Dtr. über die Geschichte Israels besteht aber im Bekenntnis des Ungehorsams seines Volkes. Das geschieht nicht in zeitloser Allgemeinheit, sondern wiederum in voller geschichtlicher Konkretion. In der Richterzeit beginnt es, daß die Israeliten in Verletzung des 1. Gebotes, von dessen grundlegender Bedeutung der Dtr. weiß, das Böse in Jahwes Augen tun. Sie dienen den Baalen, verlassen Jahwe, den Gott ihrer Väter, der sie aus Ägyptenland geführt hat, und gehen hinter anderen Göttern von den Göttern der Völker einher. Dem Baal und den Astarten dienen sie (Ri 2, 11—13). In ihrem Verlangen nach einem König haben sie nicht Samuel, sondern Jahwe selber verworfen, daß er nicht mehr König über sie sei (1Sam 8, 7). Und wie dann Jahwe Israel einen König gibt, da ist es nicht nur jener im Halbschatten stehende erste König Saul, der, wie schon vorgefundene Überlieferung berichtet, am Banngebot zu Fall kommt, sondern Salomo, der Sohn Davids, des Königs der besonderen Verheißung, und Erbauer des Hauses, in dem Jahwe seinen Namen wohnen läßt, der nach der von Dtr. selber formulierten Darstellung wider das 1. Gebot sündigt. Nach 1Kön 11, 4—8 verführen ihn im Alter seine fremden Frauen, der Astarte der Sidonier (Phönizier), dem Milkom der Ammoniter, dem Kemosch von Moab und anderen Fremdgottheiten Altäre zu errichten und Dienst zu erweisen. Damit sind die Tore für die Versündigung der folgenden Könige geöffnet. Den Nordreichkönigen wird stereotyp, wo nicht etwa, wie in den vorgefundenen Nachrichten über Ahab und Isebel, der Baal von Tyrus als Gegenstand einer Fremdanbetung erwähnt wird (1Kön 16, 31f.), die »Sünde Jerobeams«, d.h. die Verehrung der Stierbilder von Bethel und Dan (1Kön 12, 26ff.), zum Vorwurf gemacht. Die Könige des Südreiches dagegen werden vor allem am dtn. Grundgebot gemessen und des Höhendienstes geziehen. Dazu kann, ebenfalls in der Sichtweise des dtn. Gebotes, die Errichtung von Mazzeben und Ascheren, sowie das Kedeschenwesen (kult. Prostitution) treten (1Kön 14, 23f., dazu 15, 12f.). Als besondere Versündigung wird bei Ahas und Manasse in 2Kön 16, 3; 21, 6 erwähnt, daß sie ihren Sohn »durchs Feuer gehen ließen (darbrachten?)«. Bei Manasse kommt dazu die unter dem Druck der ass. Oberherrschaft geschehene Einführung von Kultsymbolen für das »Himmelsheer« (2 Kön 21, 5, dazu 23, 4f.).

Fragt man nach den Gründen solcher Versündigung, so steht für Dtr. das Phänomen der Verführung, das hier nun allerdings eine ganz bestimmte historische Verankerung erfährt, vor Augen. Die Vermischung mit den Kanaanäern wird Israel zum Fallstrick. So wie Salomo durch seine ausländischen Frauen zum Dienst fremder Götter verführt worden ist, so kommt Israel durch die Mischehen mit der kan. Vorbevölkerung zu Fall. Jos 23 und Ri 2, 10ff. u.a. zeigen, wie von da her sogar das ursprüngliche Bild der dtr. Landnahmegeschichte umgezeichnet werden mußte (Smend). War in dieser zunächst von der Austilgung der ganzen vorgefundenen Landesbevölkerung die Rede gewesen, worin sich die volle Erfüllung der Jahweverheißung zeigte, so reden Jos 13, 1 b β—6 und Jos 23 nun von einem Rest im Lande verbliebener Vorbevölkerung, der gegenüber sich Israel im Gehorsam gegen Jahwe bewähren soll, indem es jede Verschwägerung unterläßt. Neben dem Argument, daß dieser »Rest« zur Prüfung Israels im Lande belassen worden sei (Ri 2, 21f.; 3, 1a. 4), findet sich in Ri 3, 2 auch noch die ganz profane Erklärung, daß Jahwe ihn im Lande belassen habe, damit Israel durch ihn die Kriegführung lerne. Der Hinweis auf die Verführung führt dann zu der scharfen Gesetzgebung der Abgrenzung, welche das dt. Schrifttum durchzieht. Diese ist kaum mit Schmitt schon in die Frühzeit Israels zu datieren. Über den Hinweis auf die Verführung durch die Völker Kanaans hinaus gibt auch Dtr., wie schon die Urgeschichte, keine »Erklärung« des Ungehorsams Israels. Die Unfähigkeit und Unwilligkeit, auf Jahwe gehorsam zu hören, bleibt auch hier als das große Rätsel des Menschen stehen.

d) Über solchen Ungehorsam aber ergeht Jahwes Gericht. In der Richterzeit trägt die Sendung der »Bedränger« (Ri 2, 14), die dann zu Umkehr und Geschrei der Bedrängten führt, noch etwas vom Charakter einer erzieherischen Maßnahme an sich. Das Erbarmen Jahwes schlägt immer wieder durch. In der Folge werden die Schläge härter. Salomo werden nach 1Kön 11, 14ff. als Folge seiner Abgötterei zunächst Randteile seines Reiches entrissen. Dann verkündet der Prophet Ahia von Silo, daß Salomos Sohn 10 Stämme des gesamtisraelitischen Reiches genommen werden sollen. Er ist der erste in der Reihe von (benannten und unbenannten) Propheten, die nun durch den Lauf der Königsgeschichte hin auftreten und der dtr. Geschichtserzählung ihr eigentümliches Gefälle von »Verheißung und Erfüllung« geben. 1 Kön 12, 1ff. berichten dann vom Vorgang der Reichstrennung. Das Nordreich treibt nach zwei weiteren Jahrhunderten, in denen ihm zeitweilig die Aramäer als böse Geißel von Jahwe ins Land geschickt werden, in den Untergang. 2Kön 17, 7—23 enthalten die dtr. Reflexion über dieses Geschehen, das als Gericht Jahwes über die hartnäckige Unbußfertigkeit Nordisraels verstanden wird. In v. 19f. ist aber auch die Reflexion über Juda, das die Gebote seines Gottes nicht hält, in die Ausführungen über Israel eingeschoben. Hatte in den Berichten über Juda auch nach Salomo (1Kön 11, 12. 32. 34. 36) gelegentlich gesagt werden können, daß Jahwe um Davids, seines Knechtes, willen gnädig an sich hielt (1Kön 15, 4; 2Kön 8, 19; 19, 34; 20, 6), so häuft das Tun Manasses nach 2Kön 21, 1—18 eine solche Last von Schuld auf Juda, daß auch die Reform des frommen Königs Josia das Gericht nicht mehr abzuwenden vermag. Nebukadnezar wird der Vollstrecker des Zornes Jahwes, der nun auch Juda von seinem Angesicht verstößt »um der Sünden Manasses willen, wegen allem, was er getan« (2 Kön 24, 3).

So lautet die geschichtliche Rechenschaft des Dtr. über Israel. Nach Noth ist sie als Bericht über ein abgeschlossenes Geschehen zu verstehen – eine Generalbeichte Israels, die keine Zukunft mehr erwartet. Demgegenüber meint G. von Rad in jener kurzen Schlußepisode der Begnadigung Jojachins nochmals die Erinnerung an die Davidverheißung anklingen zu hören, die »wie ein Katechon durch die Geschichte Judas geht und das längst verdiente Gericht ›um Davids willen‹ von dem Reiche abhält« (Dt.-Studien 63). Sollte diese haltende Barmherzigkeit sich nicht am Ende im Gnadenakt an Jojachin von ferne wieder als Macht über die Katastrophe hinweg ankündigen? Wolff möchte demgegenüber das ganze dtr. Geschichtswerk als Bußruf verstehen. An keiner Stelle noch wagt es konkrete Zukunft zu zeigen, auch nicht in der Davidverheißung. Aber es läßt die Dinge vor Jahwe offen und erwartet vom Menschen in Israel in jedem Fall die Bereitschaft zu einer echten Hinkehr zu Jahwe, wie immer Jahwe es dann fügen möge.

Man wird sich am Ende dieser aus der Tiefe heraus verfaßten dtr. Geschichtsrechenschaft Israels daran zu erinnern haben, daß at. Glaube Jahwe als den lebendigen Herrn kennt – lebendig in seiner Gnade wie in seinem Zorn. Geschichte, die von ihm her erfahren wird, nimmt darum nie die Züge des neutralen Fatums an. Sie bleibt immer die in den Händen des Lebendigen liegende Geschichte. So dürfte auch die Geschichtsrechenschaft des Dtr. eine vor dem lebendigen Gott Israels offene Geschichte tiefer eigener Versündigung Israels bekenntnishaft berichten. Man wird nicht ausschließen können, daß im Schlußbericht über die Begnadigung des Davididen, wenn es schon mit keinem Wort ausdrücklich angesprochen ist, die Frage sich leise regt, ob Jahwe nicht auch über diesen Tod Israels um seiner Treue zu seinem Worte willen noch eine weitere Zukunft zu eröffnen bereit sein könnte. In jedem Falle aber wird solche Zukunft sein freier Entscheid sein.

4. Neben das dtr. Geschichtswerk tritt, im hebr. Kanon am Schluß des dritten Kanonteils eingeordnet, die chronistische Erzählung der Geschichte Israels. Auf einen breiten genealogischen Vorbau, der mit Adam einsetzt (I 1–9) folgt zunächst die Erzählung vom Ende Sauls (I 10, entspr. 1Sam 31), dann die Geschichte Davids (I 11–29), in der die Vorbereitungen zum Tempelbau, die Anordnungen für die Tempeldienste und die Amtsübergabe an Salomo breiten Raum einnehmen (I 22–29). Die mit Salomo anhebende Geschichte der Königszeit beschränkt sich von der Reichstrennung unter Rehabeam an auf den Bericht über das Geschehen in Juda-Jerusalem, dem engeren Königsbereich des Davididen (II 1–36). Die abschließende Erwähnung des Kyrusediktes (II 36, 22ff.) kehrt wörtlich im Eingang des Esrabuches wieder, was der Frage ruft, ob nicht auch die Bücher Esra-Nehemia, die im hebr. Kanon den Chronikbüchern vorangestellt sind, von Hause aus dem chronistischen Werke angehören.

Der Vergleich mit dem dtr. Geschichtswerk zeigt neben Passagen wörtlicher Übernahme des dort Berichteten auffallende Ausweitungen in der Davidgeschichte, wo I 22–29 ohne Vorbild bleiben. Er zeigt die Weglassung der negativen Züge der Salomogeschichte (1Kön 11), die Ausweitung der Berichte über die ganz oder zeitweise frommen Könige Asa (II 14–16), Josaphat (II 17–20), Hiskia (II 29–32), Josia (II 34–35) u. a. Er führt vor allem auf eine ungleich strengere Gesetzmäßigkeit gerechter Vergeltung. So ist etwa bei Manasse, dem verruchtesten aller judäischen Könige, der nach 2Kön 21, 11–15 die Katastrophe Judas recht eigentlich verschuldet hat, von einer Bestrafung durch die Assyrer, einer nachfolgenden Bekehrung des Königs und der Rückkehr in sein Amt berichtet, womit seine ungewöhnlich lange Regierungsdauer auch von Gott her gerechtfertigt erscheint.

Zum Gesamtverständnis des chr. Werkes sind in jüngster Zeit scharf gegensätzliche Thesen vertreten worden. Willi sieht in I und II Chr einerseits und Esr-Neh andererseits zwei getrennte Werke eines und desselben Verfassers. In minutiöser Untersuchung von I und II Chr sucht er zu zeigen, daß diese beiden Bücher als »Auslegung« der entsprechenden Teile von Sam/Kön zu verstehen seien. Die zwei ersten Teile des hebr. Kanons (Tora und »Propheten«) liegen nach Willi dem Verf. der Chr-Bücher schon in kanonischer Gültigkeit vor. Dieser sucht sie seiner Zeit in deren besonderer Situation »auszulegen«, indem er »Schrift« durch »Schrift« interpretiert. In ausdrücklicher Antithese zu Willi folgt Mosis der in der neueren Zeit meist vertretenen Sicht, daß

I und II Chron zusammen mit Esr-Neh ein Werk darstellen, das seine durchaus eigene Geschichtssicht zum Ausdruck bringe. »Der Vermittlung dieser Einsicht in das Wesen der Geschichte als der Geschichte Israels und, davon abhängig, auch der ›Heiden‹ vor Jahwe, insbesondere aber der Einsicht in die Eigenart der Zeit des Chr als einer Zeit des begonnenen Heils, dient der Aufbau der Saul-, David und Salomogeschichte nach dem Schema der drei großen Geschichtszeiten, der Zeit des Zornes und Gerichts, der Zeit der Wende zum Heil und seiner vorläufigen und vorbereitenden Realisierung und der noch zu erwartenden Zeit des endgültigen und vollendeten Heils« (203). — Ungleich differenzierter findet Ackroyd im mehrfachen Wechsel kontrastierender Herrschergestalten (Ahas-Hiskia-Manasse-Josia-Jojakim) ein geschickt verwendetes Modellschema (skilful patterning), neben dem aber noch öfter ein verfeinertes Modell (a more subtle pattern) von »apostasy and repentance, obedience and faith, disobedience and unbelief« (105) innerhalb der Schilderung der einzelnen Königsgestalten verwendet ist. Darin zeigt sich, daß der Chronist ganz so wie der Dtr. nicht einfach als Historiker, sondern als Theologe verstanden sein will.

Für eine Unterscheidung der Werke von Chr einerseits und Esr-Neh andererseits trotz der Überlappung in II Chr 36, 22f./Esr 1, 1–3a möchte neben der auffallenden Anordnung im hebr. Kanon auch die unterschiedliche Behandlung der Prophetie sprechen. Es fällt auf, daß bei Esr nur die beiden aus dem Prophetenkanon bekannten Gestalten von Haggai und Sacharja im Zusammenhang mit dem Tempelbau genannt werden (5, 1; 6, 14). Bei Neh bleibt es gar bei zwei abschätzigen Bemerkungen über zeitgenössische Propheten (6, 7. 14). Demgegenüber zeigen 1 und 2Chr ganz wie Dtr. die reiche, geradezu funktionale Erwähnung von benannten und unbenannten Propheten. Ja, Chr geht in der Erwähnung solcher Prophetengestalten (hier auch öfter als חזה *ḥōzæh* bezeichnet) noch erheblich über Dtr. hinaus. Es könnte darin mit noch größerem Nachdruck auf die Verwirklichung des göttlichen Versprechens von Dtn 18, 15. 18 gezeigt sein, wonach keine Zeit Israels ohne Propheten sein werde. Von ferne scheint sich sogar schon die in rabbinischer Zeit belegbare Vorstellung von einer familiären Sukzession der Propheten, wonach auch der Sohn dem Vater im Prophetenamt nachfolgen konnte, abzuzeichnen (Willi 217 Anm. 9). Nach ihrer Funktion werden die Propheten noch deutlicher als beim Dtr. als Verkündiger des Gottesgebotes in der Art Moses gezeichnet und zu dessen Autorität erhöht. So wird in 2Chr 20, 20 denn die Glaubens-(Gehorsams-)Forderung von Jes 7, 9 geradezu auf den Propheten ausgeweitet: »Glaubt an Jahwe, euren Gott, so bleibt ihr; glaubt an seine Propheten, so habt ihr Gelingen«, vgl. für Mose Ex 14, 31.

Die hohen Aussagen von Chr über den Davidsnachkommen sind S. 78 erwähnt worden. Die chronistische Darstellung will unverkennbar in einer matt gewordenen Zeit die Hoffnung auf die David gegebene Verheißung neu lebendig machen.

Ebenso war S. 99 festgestellt worden, daß von David nun auch die Einrichtung des Tempelgesanges hergeleitet wurde. Hat das starke Herausheben des Tempelkultes in Chr früher dazu verleitet, diese in einseitiger Abhängigkeit von P zu sehen, so hat G. von Rad überzeugend nachgewiesen, daß in Chr »mehr deuteronomische als priesterschriftliche Elemente zu finden sind« (134). Die David-Lade-Leviten-Tradition erhält hier mehr Gewicht als die Mose-Zelt-Aaroniden-Tradition, die in P so beherrschend ist. Darin bestätigt sich, was Ackroyd

zu Chr feststellt, daß diese bestrebt ist, zuvor getrennte theologische Aussagerichtungen zu verbinden.
Auch 2Chr zeichnet die Geschichte der Königszeit Judas in ihrem Gesamtverlauf als Geschichte, die um der Sünde der Könige Judas willen in die Katastrophe treibt. Das vermögen auch die ungleich voller geschilderten Maßnahmen der frommen Könige nicht aufzuhalten. Für die theologische Gesamtbewertung der Erzählung ist es aber mehr als Zufall, daß bei der Gestaltung des Schlusses von 2Chr an die Stelle der Begnadigung Jojachins von 2Kön 25, 27–29 die Erwähnung des Kyrusediktes getreten ist, welches den Neubau des Tempels in Jerusalem anordnet und im Zusammenhang damit den Exulanten die Rückkehr erlaubt. Die Davidsverheißung tritt darin hinter dem Ausblick auf die neue Ermöglichung des Jahwedienstes am Heiligtum in Jerusalem zurück. In dieser Ermöglichung, welche das Anliegen des Dtn ganz ebenso aufnimmt wie dasjenige von P, läßt Jahwe das erneute Ja zu seinem Volk über die Katastrophe des Gerichtes hinweg vernehmen.

G. W. Coats, Rebellion in the Wilderness, 1968. — *M. Noth*, Überlieferungsgeschichtliche Studien I, Die sammelnden und bearbeitenden Geschichtswerke im AT, 1943. — *R. Smend*, Das Gesetz und die Völker, Festschr. G. von Rad, 1971, 494—509. — *W. Dietrich*, Prophetie und Geschichte, FRLANT 108, 1972. — *G. Schmitt*, Du sollst keinen Frieden schließen mit den Bewohnern des Landes, BWANT 5. F. 11, 1970. — *G. von Rad*, Deuteronomium-Studien, FRLANT 58, 1947. — *H. W. Wolff*, Das Kerygma des dtr. Geschichtswerks, ZAW 73, 1961, 171—186 (= Gesammelte Studien, ThB 22, 1964, 308—324). — *Th. Willi*, Die Chronik als Auslegung, FRLANT 106, 1972. — *R. Mosis*, Untersuchungen zur Theologie des chronistischen Geschichtswerkes, 1973 (Lit.).— *P. R. Ackroyd*, The Theology of the Chronicler, Lexington Theological Quarterly 8, 1973, 101—116. — *G. von Rad*, Das Geschichtsbild des chronistischen Werkes, BWANT 4. F. H. 3, 1930.

§ 21 Gericht und Heil Israels nach der Verkündigung der großen Schriftpropheten

In § 10e war sichtbar geworden, daß sich die Freiheit des Gottes Israels, dessen Name lautet: »Ich bin, der ich bin«, in Gestalt und Amt des Propheten besonders deutlich abschattet. Zudem wird Israel in dem »Wort Jahwes«, mit dessen Ausrichtung der Prophet es vorzüglich zu tun hat, in der direktesten Anredeform mit dem Gott, der ihm in Gabe und Gebot begegnet, konfrontiert. So ist es denn mehr als nur Zufall, daß im Bereich des prophetischen Wortes die Wesenszüge at. Glaubens an Gott ihre schärfste Profilierung erfahren.
Die große Schriftprophetie ist auf dem Untergrund des mantischen und visionären Charismas, mit dem zunächst auch im kleinen Alltagsbereich privater Angelegenheiten Auskunft gegeben werden kann, erwachsen. Die bezeichnend at. Entfaltung dieses Charismas aber ging dann dahin, daß die Angelegenheiten »Israels« und der für das Volk Verantwortlichen besondere Betonung erfuhren. Schon die Vor-Schriftprophetie zeigt sich in besonders starkem Maße mit dem Königtum in Israel und Juda befaßt. Dessen Gründung kann sich die Erinnerung Israels, wie die Berichte von 1 Sam 9–11; 16 und 2 Sam 7; 1 Kön 11, 29 ff. zeigen,

nicht ohne die aktive Mitwirkung, ja die entscheidende Legitimierung durch das prophetische Wort denken. Von dem größten Vor-Schriftpropheten, Elia, her kommt es nach älteren Vorläufern aber auch zu der radikalen kritischen Infragestellung eines Königshauses, das in der Verbindung mit tyr.-kan. Religionspolitik gegen die exklusive Jahweverehrung verstoßen hat (1Kön 17ff.).
Die große Schriftprophetie vollzieht dann den letzten, entscheidenden Schritt der Ausweitung, indem sie nicht nur ein Königshaus, sondern das Gottesvolk Israel als ganzes in seinem Existenzrecht vor Jahwe, seinem Gott, der sich ihm in Gabe und Gebot zugewendet hat, in Frage stellt. Die Spannung, welche in dem zunächst friedlichen Ineinander von Gabe und Gebot angelegt ist, aktualisiert sich hier zu ihrem schärfsten Ausdruck. Oder soll man formulieren: Die zweite Dekalogpräambel erhebt sich nun in voller Bedrohlichkeit gegen die erste?

a) Die Schriftprophetie des 8. Jahrhunderts

1. Ohne erkennbare Anknüpfung an Früheres tritt *Amos*, der Hirte aus dem judäischen Thekoa, in Nordisrael auf. Zwar ist auch bei ihm noch der Angriff auf den eben damals regierenden König Jerobeam II., unter dem nach 2Kön 14, 25–27 das Land nach der langen Syrernotzeit wieder eine Blütezeit erlebte, zu hören: »Jerobeam wird durchs Schwert sterben« (7, 11). 7, 9 weitet den Angriff auf das ganze »Haus Jerobeams« aus. Aber diese Drohung, um deretwillen wohl vor allem die Anzeige durch den Oberpriester von Bethel beim Königshof erfolgt, wird an beiden Stellen unmittelbar in das Drohwort gegen Israel eingebettet: »Israel wird bestimmt deportiert werden, weg aus seinem Lande«. In der abschließenden Wendung gegen den Oberpriester Amazja am Königsheiligtum in Bethel (v. 17) wird denn auch Jerobeam nicht mehr erwähnt, wohl aber das Gerichtswort gegen Israel wörtlich wiederholt.
Dem Ausweisungsbefehl des Amazja, aus dem Amos heraushört, daß Amazja ihn der Komplizenschaft mit judäischen Prophetengruppen verdächtigt, hält er in aller Schärfe den Anspruch entgegen, von Jahwe selber aufgeboten zu sein: »Jahwe holte mich von der Herde weg, und Jahwe sprach zu mir: Geh, sprich prophetische Verkündigung zu meinem Volke Israel« (7, 15). Amos erzählt nichts Näheres über das Geschehen seiner Berufung. Aus 3, 8 aber ist die bedrohliche Wucht der göttlichen Gerichtsrede, die der Prophet hört, in voller Deutlichkeit zu vernehmen: »Der Löwe brüllt, wer fürchtet sich nicht. Jahwe redet, wer tritt nicht als Prophet auf?« Die erlebnismäßige Betroffenheit des Propheten durch Jahwe ist auch in der Reihe der vier in Zweierpaaren geordneten Visionen erkennbar (7, 1–8; 8, 1f.), auf die in 9, 1–4 (1. 4b?) eine Spitzenaussage folgt, die Jahwe in seinem Heiligtum selber als den zum Gericht über Israel Aufgebrochenen zeigt. In der Schau hört der Prophet dabei bedrohliche Worte. Besonders eindrücklich ist die akustische Verwandlung des dem Propheten in der Schau gezeigten »Obstes« (קיץ *qajiṣ*) in die Audition des Drohwortes vom »Ende« (קץ *qēṣ*) in 8, 1f. Amos verkündet das Ende Israels als die ihm von Jahwe aufgetragene Botschaft.

Man hat, indem man des Propheten eigene Worte hinterfragte, nach den tiefsten Motiven für sein Auftreten gesucht und darauf verschiedene Antworten gegeben: 1. Man hat ihn als den Mann einer neu aufbrechenden sittlichen Empörung über das Unrecht im Volke verstanden (Duhm 1875). Die Gerichtsverkündigung erscheint danach als Postulat seines Ethos. 2. Man hat seinen Gott mit der Kategorie des »schlechthin Anderen« zu verstehen gesucht (Weiser 1929). 3. Würthwein hat demgegenüber auf die Verletzung des Bundesrechtes hingewiesen, die Amos zum Reden drängte. Bach hat noch weitergehend zu zeigen versucht, daß es sich dabei vor allem um das alte apodiktische Israelrecht (im Sinne Alts) handle. Bentzen hat, in dieser (auch von Graf Reventlow vertretenen) kultprophetischen Deutung noch weiter gehend, in Am 1f., den Worten gegen die Verschuldungen der umliegenden Nachbarvölker, geglaubt, ein Ritual, das in der ägypt. »Ächtung der Fremdvölker« seine Entsprechung hat, sehen zu können. 4. Wolff hält zunächst, sicher zu Recht, fest, daß das Wissen um das nahe Gericht elementar vorgegeben ist. In Abgrenzung von der kultprophetischen Erklärung aber denkt er an das Ethos der Sippenweisheit, aus dem der Zorn des Amos zu verstehen ist. 5. Schmid sieht in der Polemik des Amos die Sprachwerdung des allgemeinmenschlichen Wissens um die göttliche Ordnung.

Die scharf formulierte Anrede an Israel: »Euch allein habe ich erkannt aus allen Geschlechtern der Erde – darum suche ich an euch heim all eure Missetaten« (3, 2) läßt erkennen, daß Jahwes Gericht nach Amos gerade aus der Verbundenheit mit Israel herausspringt. Man wird die zugespitzte Polemik von 9, 7 nicht dagegen ins Feld führen können. Dort wird Israel in der Abwehr einer vom Exoduscredo genährten Erwählungssicherheit neben die ebenfalls von Jahwe aus fremden Ursprungsorten herausgeführten Umweltvölker gestellt. Vgl. die verwandte Rede Johannes des Täufers gegen die satte Berufung auf die Abrahamskindschaft Mt 3, 9. Demgegenüber zeigt 3, 2 die erschreckende »Erwählungslogik« des Propheten. Aus der besonderen Nähe Israels zu seinem Gotte Jahwe schließt er auf das besondere Maß seiner Verantwortlichkeit. Jahwe hat es in seinem Richten, um das der Prophet in einer Art »Grundgewißheit« weiß (Schmidt), mit Israel zu tun, gerade weil es das Volk seiner Nähe ist.
In der Schilderung des nahenden Gerichtes fällt auf, wie unscharf und mehrgestaltig der Prophet im einzelnen von dem zu Erwartenden redet. Heuschrecken (7, 1), Dürre (7, 4) als angedrohte, dann allerdings von Jahwe zurückgehaltene Möglichkeiten, Erdbeben (2, 13, dazu 1, 1), Pest (6, 9f.) stehen neben der Drohung mit der Deportation durch die Feinde (4, 3; 5, 27; 6, 7; 7, 11. 17). In der Mitte aller Ankündigungen aber steht die Ankündigung des »Tages Jahwes« (5, 18–20). Wie immer in seinem geschichtlichen Vollzug das Gericht aussehen wird, es bringt auf jeden Fall die Begegnung mit Jahwe selber, der durch die Mitte seines Volkes schreitet (5, 17). Der »Tag Jahwes« ist durch kein weiteres Beschreibungselement verdeutlicht. Es ist der Tag, an dem die Nähe Jahwes das Allbestimmende ist. Dem Glauben an ein hilfreiches Nahekommen Jahwes, wie es offenbar das Volk (vom Gedanken des Jahwekrieges her? G. von Rad) erwartet, stellt der Prophet die Nähe des Richters gegenüber. Unter diesem Gericht werden weder die Paläste der Vornehmen (3, 11. 15) noch die Altäre (3, 14) und hl. Orte (5, 5) Oasen der Rettung bleiben.

Aber wenn auch das Gericht als »Grundgewißheit« des Propheten feststeht, so kommt es doch nicht als unbegreifliches Schicksal über Israel. Vielmehr deutet Amos in reicher Entfaltung auf die verschiedenen Stellen der Krankheit des Volkskörpers Israels. In dem Hinweis auf die hartherzige Pfändung des Mantels des Bedürftigen berührt sich 2, 8 unmittelbar mit der Forderung des Bundesbuches (Ex 22, 25). Seine Anklagen gehen aber über die formulierten Sätze älterer Rechtsgebung hinaus. Auch im Luxus der Reichen sieht der Prophet die bedenkenlose Zusammenballung menschlicher Selbstsucht. So führt er seine rücksichtslosen Angriffe nicht in einem buchstäbelnden Zitieren älteren formulierten Gebotes, sondern aktualisiert in freier Ausweitung den alten Sinn des Jahwerechtes in neuen Verhältnissen und kündet darin das Nahekommen dessen an, den Israel von eheher kennt. So wird etwa in der Polemik gegen den reichen Opferkult der Tage des Amos ausdrücklich mit der alten Ordnung des durch die Wüste wandernden Volkes argumentiert (5, 25).

Die Diskussion darüber, ob Amos über das nahende Gericht hinaus von einem kommenden Heil Jahwes für sein Volk weiß, ist immer wieder geführt worden. In 9, 11f. formuliert ein Judäer die Erwartung einer Wiederherstellung des Davidreiches, dem auch der Rest Edoms wieder botmäßig sein wird. 13–15 schildern die kommende, neue Fruchtbarkeit des Landes und den Wiederaufbau aus der Exilssituation heraus. Beide Worte lassen nicht die Stimme des Amos hören. Dagegen wird die Tora von 5, 14f. dem Propheten wohl nicht abzusprechen sein (gegen Wolff, Komm.). Hier formuliert v. 15: »Hasset das Böse und liebet das Gute und richtet Recht auf im Tor, vielleicht wird sich (dann) Jahwe, der Gott der Heerscharen, des Restes Josephs erbarmen«. Das »Nein« des Amos (Smend) ist kompromißlos hart. Der Prophet hat Israel das Ende anzusagen. Aber dieses Ende ist kein Fatum, das nun einfach programmiert abrollte. Wenn es in zentralster Weise als »Tag Jahwes« verkündet wird, so ist in seiner Mitte das »Ich, Jahwe« zu vernehmen. Es ist die Konfrontation mit dem Lebendigen, die der Prophet ankündigt. Weil es aber der Lebendige ist, darum hat in der Verkündigung des Propheten auch das »Vielleicht« noch seinen Raum. Jahwe bleibt der persönliche Herr des von ihm angekündigten Gerichtes. In den zwei ersten Visionen des Propheten war hörbar geworden, daß Jahwe Gewalt hat, auf Fürbitte zu hören, wie er dann auch in den folgenden Visionen Gewalt hat, jede Fürbitte abzuschneiden. Über das am Rande seiner Mahnung formulierte »Vielleicht« eines göttlichen Innehaltens über dem »Rest« mitten im Gericht kann des Propheten Ruf zum Tun des Guten nicht hinausgehen. Dieses »Vielleicht« aber sichert die Freiheit des zum Gerichte Kommenden.

2. Nicht zu lange nach Amos tritt *Hosea*, selber wohl ein Angehöriger des Nordreiches, gegen Nordisrael auf. Im Reichtum der Thematik seiner Verkündigung übertrifft er Amos weit und scheint darin schon Jesaja vorwegzunehmen. Der auf Strecken hin äußerst schlechte Erhaltungszustand seiner Worte verwehrt allerdings an manchen Stellen die scharfe Erfassung seiner Aussagen. Traditionsgeschichtlich kommt er aus der reinen Nordreich-Israelüberlieferung her. Das Credo von der Herausführung aus Ägypten und der Wüstenwanderung bildet die Grundlage seines Redens von Israel. Die Zionstradition ist ihm fremd, und die Erwähnung Davids (3, 5) ist erst durch eine spätere judäische Redaktion, die auch noch in anderen Juda-Aussagen zu greifen ist, in das Buch eingetragen worden.

Hosea bietet keinen Berufungsbericht. Dafür beginnt sein Buch in Kap. 1–3 mit einer Teilsammlung, in welcher zwei Berichte über Zeichenhandlungen (Kap. 1;

3) eine Wortsammlung (Kap. 2) umklammern. Die in den Zeichenberichten angesprochene Thematik, nach welcher Israel in seinem Verhältnis zu Jahwe der hurerischen (1, 2) und ehebrecherischen (3, 1) Frau gleicht, welche sich der Prophet »im Anfang, da Jahwe zu ihm redete« (1, 2), auf Geheiß Jahwes zum Weibe nimmt, kommt auch in den Gerichts- und Heilsaussagen dieser Wortsammlung zur Sprache.

Die Frage, ob es sich in dem Fremdbericht Kap. 1 und dem Eigenbericht Kap. 3 um die Ehe mit der gleichen Frau oder um zwei voneinander zu trennende Eheschließungen handelt, ist nicht zweifelsfrei zu entscheiden. Für die Annahme, daß es sich an beiden Stellen um die Ehe mit der gleichen Frau handelt, möchte die Selbigkeit des in Kap. 1 wie in 3 gemeinten Israel und der Gedanke an die innere Treue Jahwes sprechen. Die Annahme nötigt aber dazu, 2, 4 als Hinweis auf die vom Propheten vollzogene Scheidung von seiner Frau und 3, 1 ff. als Bericht über die Rückkehr zur gleichen Frau zu verstehen. Da 3, 1 ff. von solcher »Rückkehr« zur gleichen Frau nichts erkennen läßt, vielmehr in der in MT vorliegenden Formulierung von 3, 1 (»Gehe abermals hin und liebe eine Frau . . .«) auf ein ganz neues Geschehen führt, hat man auf eine zweite Ehe mit einer anderen, charakterlich gleichartigen Frau geschlossen. Als dritte Möglichkeit ist schließlich erwogen worden, ob nicht Kap. 1 und 3 als Varianten (Fremdbericht/Eigenbericht) eines und desselben Geschehens einer einzigen Ehe angesprochen werden können. Diese hätten dann die gleiche Ehe und das darin Geschehene unter verschiedenen Perspektiven betrachtet.
Die moralische Anstößigkeit des hier Berichteten hat schon in alter Zeit zur Frage geführt, ob man es hier mit einer wirklich vollzogenen Zeichenhandlung oder nicht eher mit allegorischer Rede zu tun habe. Der Gedanke an die eigentliche Funktion der Zeichenhandlung (s. o. S. 88 f.) wie auch der Blick auf Jesaja, bei dem die in Hos 1 dann folgende Benennung der Kinder mit Zeichennamen eine Entsprechung hat, die in ihrem realen Vollzug nicht zu bezweifeln ist (Jes 7, 3; 8, 1—4), widerrät dieser Annahme. Neuere Zeit hat der Schwierigkeit mit der Erwägung beizukommen versucht, daß Hosea die Untreue seiner Frau erst nachträglich entdeckt und das Ganze dann ex post als von Jahwe befohlene Zeichenhandlung verstanden habe. Solche Nachzeichnung des Eheromans eines zunächst Ahnungslosen, dann erschreckt die Wirklichkeit erkennenden Hosea ist aber wenig überzeugend. Die Schwierigkeit ist eher so zu lösen, daß an die Ehe Hoseas mit einer Frau gedacht wird, die gewisse im Volk im Schwange gehende baalistische Praktiken mitgemacht hat (Selbstpreisgabe am Heiligtum zur Gewinnung der Fruchtbarkeit), die dann zeichenhaft auf das Geschehen zwischen Jahwe und Israel gedeutet werden. So Rost, Wolff, anders Rudolph. Die Ausführungen in Hos 4, 4 ff. begünstigen ein solches Verständnis.
Der Schwierigkeit der Rekonstruktion des biographischen Hintergrundes von Hos 1; 3, die etwa in den Zeichenhandlungen Ezechiels voll wiederkehrt, steht die Wahrnehmung gegenüber, daß der Verkündigungsgehalt aller Aussagen zweifelsfrei zu erkennen ist. Das führt auf die Einsicht, daß das Biographische und die präzise Rekonstruktion des in den Zeichenhandlungen tatsächlich Geschehenen für den Verfasser des Berichtes über die Zeichenhandlungen nicht von Interesse ist. Das biographische Geschehen der prophetischen Vita ist von der Verkündigungsabsicht vollkommen verschlungen und zeitweilig fast unkenntlich gemacht.

Auch bei Hosea meint man im Ausgangspunkt seiner Verkündigung den Hintergrund der Vor-Schriftprophetie, die sich in ihrer schärfsten Ausformung bei Elia in radikaler Kritik gegen das Königshaus wandte, noch erkennen zu können. Hoseas erster Sohn erhält den Namen Jesreel, »denn über ein Kurzes werde ich die Bluttat von Jesreel am Hause Jehus heimsuchen, und ich mache dem Königtum im Hause Israel ein Ende« (1, 4). Dabei ist an das Morden im Zusammenhang der Revolution Jehus, das in 2 Kön 9 in einem Teilausschnitt vom Dtr. billigend berichtet wird, gedacht. Aber dann vollzieht sich, wie bei Amos, sofort die schriftprophetische Ausweitung auf das Gottesvolk Israel, wenn das zweite

Kind den Namen לא רחמה *lō' ruḥ^ae^māh* »Nicht-erbarm« (»denn ich werde mich des Hauses Israel nicht mehr erbarmen«) und das dritte in letzter Verschärfung den Namen לא עמי *lō' ʿammī* »Nicht-mein-Volk« (»denn ihr seid nicht mein Volk, und ich bin nicht für euch«) erhält. Das bedeutet, wenngleich die Vokabel von Am 8, 2 nicht fällt, das »Ende« Israels, das seine eigentliche Existenz in seinem Wesen als »Volk Jahwes« besitzt.

Sollte statt des »für euch« von 1, 9, wie vermutet worden ist, ein ursprüngliches »(nicht) euer Gott« zu lesen sein, so wäre hier in aller Form die Bundesformel von Jahwe als nicht mehr gültig erklärt. So redet Jahwe durch die Namen der Kinder des Propheten zu Israel, von dem er in 11, 1 in vollem Rückgriff auf das Credo vom Exodus sagt: »Als Israel jung war, gewann ich es lieb, aus Ägypten rief ich meinen Sohn«. Und 12, 10 wie 13, 4 ist es in der gewichtigen Form der ersten Dekalogpräambel zu hören: »Ich bin Jahwe, dein Gott, von Ägyptenland her«, wozu in 13, 4 (man meint darin die Paraphrase des 1. Dekaloggebotes in der Form einer Zusage zu hören) gefügt wird: »Einen Gott außer mir kennst du nicht, und ein Retter ist nicht außer mir«.

»Nicht mein Volk« ist Israel, weil es die Grundordnungen Jahwes schmählich mißachtet und gegen sein Gebot gehandelt hat. Nochmals hört man in 4, 2 dekalogische Formulierungen anklingen: »Fluchen und betrügen und morden und stehlen und ehebrechen. Sie begehen Einbruch und häufen Blutschuld auf Blutschuld«. In konkreten Anspielungen, die uns nicht mehr voll verständlich sind, wird vom Bundbruch in Adam, einem Ort am Jordan (6, 7), von Mord auf dem Wege nach Sichem (6, 9) geredet. Aber dazu tritt die Vertiefung, die hinter die Einzelgebote zurückgreift und eine Grundhaltung kennzeichnet: »Es ist keine Treue (אמת *'aemaet*), keine Liebe (חסד *ḥaesaed*) und keine Gotteserkenntnis (דעת אלהים *daʿat 'aelōhīm*) im Lande« (4, 1). Von diesem letzten redet Hosea besonders eindringlich. S. 126f. war ausgeführt worden, daß »Gotteserkenntnis« nicht nur das intellektuelle »Wissen«, sondern zugleich die »Anerkenntnis« im Verhalten der ganzen Person vor Augen hat. Daß die Priester, die im besonderen Hüter solcher Erkenntnis zu sein hätten, darin versagen, wird in 4, 4ff. scharf angegriffen. Zugleich aber tritt hier die tiefgreifende Mißachtung Jahwes, welche verrät, daß keine »Erkenntnis« da ist, heraus, wenn den Priestern vorgeworfen wird, daß sie der Unzucht (זנה *znh*) der Frauen, d. h. wohl dem baalisierten Jahwedienst, der auf den »Höhen« begangen wird, nicht gewehrt, sondern ihn sogar gefördert haben. In diesem Kult ist der Mensch mit seiner Sinnengier der Herr. Jahwe aber, der sein Volk in echter Treue in seiner Nähe sehen möchte, bleibt, auch wo man seinen Namen im Munde führen mag, unbekannt.

Hosea verbindet diesen Vorwurf mit einer sehr ausgeprägten Geschichtssicht. Die Verfallenheit Israels an das baalistische Unwesen steht auf dem hellen Hintergrunde einer guten Anfangszeit: »Wie Trauben fand ich Israel in der Wüste, wie Frühfeigen am Feigenbaum habe ich eure Väter erschaut. Sie aber kamen nach Baal Peor, da weihten sie sich der Schande (= dem Baal)« (9, 10). Num 25 berichtet von einem Vergehen an diesem Ort nahe dem Jordanübergang. Bei Hosea wird es zu dem exemplarischen Vergehen, mit dem Israel in die Baalsphäre hineingerät. In 13, 5f. wird dieser Abfall von einer anderen Seite her beleuchtet: »Ich

habe dich in der Wüste erkannt (= erwählt). Als sie Weide hatten, da wurden sie satt, als sie aber satt wurden, da überhob sich ihr Herz. Darum vergaßen sie mich«. Der Übergang von der armen Wüste ins reiche Fruchtland, das Baalsland, der Übergang von der Armut in den Reichtum ist hier in einer für das Menschenwesen auch weiter hinaus gültigen Weise als Stelle des Gott-Vergessens erkannt. In diesen Bereich des Jahwevergessens gehören dann für Hosea auch die weiteren Eigenmächtigkeiten im Israel seiner Tage: Das Hängen an dem Jungstierbild in Bethel und anderen Kultsymbolen, in dem sich die fehlende »Erkenntnis Gottes« verrät (10, 5; 13, 2), die Eigenwilligkeit in den politischen Entscheidungen, das Königmachen ohne Befragen Jahwes (8, 4), die außenpolitischen Hilfsgesuche (12, 2). In 5, 8–6, 6 ist nach Alt eine kleine Sammlung von Worten aus dem syrisch-ephraimitischen Krieg (s. u. bei Jesaja) zu finden, die in der Wendung gegen Israel wie auch gegen Juda die innere Haltlosigkeit beider Staaten erkennen läßt.
In diesem Zusammenhange kann, was schon die Vätergeschichte der Gen an Fragwürdigkeit des Ahnen Jakob sichtbar gemacht, aber dort der heilvollen Verheißungsgeschichte Jahwes eingeordnet hatte, für Hosea, in erschreckender Weise aus diesem Kontext gelöst, zum Urbild der Verworfenheit Israels werden. Betrug am Bruder und Streit gegen Gott war schon Jakobs Wesensart (12, 4). Ein geschichtstheologischer Ausgleich zwischen dieser Urverfallenheit Israels an das Böse schon im Ahnen und der guten Wüstenwanderungszeit ist nicht versucht. Daß in 12, 13f. der aus Ägypten führende Prophet Mose in einem Wortspiel als Behüter Israels dem um ein Weib dienenden, die Schafe hütenden Jakob entgegengestellt wird, belegt, wenn diese Sätze wirklich von Hosea selber stammen, höchstens die Hochschätzung prophetischer Führung bei Hosea.
Aus alledem erklärt sich die Ankündigung des göttlichen Gerichtes, das sichtbar macht, daß Israel nicht mehr Jahwes Volk ist und sein Erbarmen nicht mehr verdient. In der Ankündigung des Gerichtes treten die Züge der Naturkatastrophen, die noch bei Amos zu finden waren, zurück. Aber auch bei Hosea zeigt sich in anderer Weise die Unschärfe in der Gerichtsaussage, die schon des Amos Verkündigung kennzeichnete. Er redet, wie es die zeitgeschichtliche Lage vor allem nahelegt, von der Überwältigung durch Assyrien (10, 6). Daneben aber findet sich ganz ebenso die Drohung der Rückführung nach Ägypten (8, 13). In 11, 5 ist beides in harter Spannung direkt nebeneinander genannt. Dazu wird in 2, 16 die Hinausführung in die Wüste angekündigt, nach 12, 10 das erneute Wohnen in Zelten wie in der Vorzeit. Dieser Unschärfe in der Schilderung des Gerichtsvollzuges steht aber auch bei Hosea die absolut eindeutige Aussage der Begegnung mit Jahwe in diesem Gericht gegenüber. »Ich bin wie ein Löwe für Ephraim und ein Jungleu für das Haus Juda. Ich, ich zerreiße und gehe davon, ich hebe auf, und keiner vermag zu entreißen«, kündet Hos 5, 14 im syrisch-ephraimitischen Krieg den beiden Kampfpartnern an. Wieder ist das Entscheidende »Ich, ich« Jahwes zu vernehmen. Gericht ist nicht das Fatum einer Katastrophe, sondern die Konfrontation mit dem Lebendigen.
Als der Lebendige aber ruft er Israel zu wirklichem Gehorsam. 6, 1ff. schildern den Gottesdienst des Volkes, das in einem bewegenden Bußlied vor Jahwe tritt. Jahwe aber erkennt die tiefe Unbeständigkeit der Liebe (חסד *ḥaesaed*) des Vol-

kes, die vergeht »wie ein Morgennebel und wie der Tau, der bald verschwindet«. Nicht der reich bewegte Gottesdienst ist Jahwes Gebot. »An Liebe habe ich Wohlgefallen, nicht am Schlachtopfer, und an Gotteserkenntnis mehr als an Brandopfern«. Auch Hosea kann den Anruf Jahwes imp. formulieren: »Sät in Gerechtigkeit (צדקה *ṣ^edāqāh*), so erntet ihr nach der Maßgabe der Liebe. Pflügt einen Neubruch – ›Erkenntnis‹ (?), Jahwe zu suchen« (10, 12). Es stellt sich auch hier die Frage, ob solche Aufforderung angesichts der Aufkündigung von Bund und Erbarmen überhaupt noch sinnvoll ist.

Hosea kennt nicht jenes leise »Vielleicht« des Amos. Dafür bricht bei ihm ganz eruptiv auf, was auch die Erweiterung der zweiten Dekalogpräambel verrät – daß nämlich Zorn und Liebe nicht in kühl abgewogenem Gleichgewicht gehalten sind. »Wie könnte ich dich preisgeben, Ephraim, dich ausliefern, Israel. Wie könnte ich dich preisgeben wie Adma, dich machen wie Zeboim? (Gen 19 redet hier von Sodom und Gomorrha). Mein Herz kehrt sich in mir um, all mein Mitleid brennt auf. Ich werde meinen glühenden Zorn nicht vollstrecken, Ephraim nicht wieder verderben, denn Gott (אל *'ēl*) bin ich und kein Mensch, ein Heiliger (קדוש *qādōš*) in deiner Mitte und nicht ein Vertilger (?)« (11, 8f.). Die ganze Unlogik (oder sagen wir richtiger: Eigenlogik) der göttlichen Liebe bricht hier in voller Leidenschaft auf. In ganz einmaliger Weise wird diese Liebe in die Selbstbezeichnung Jahwes als des »Heiligen« gefaßt. Wenn Kap. 14 in seinen Grundbestandteilen von Hosea stammt, so haben wir dort in v. 5–8 eine vollere Ausführung über die bei Jahwe beschlossene Zukunft seines Volkes jenseits des Gerichtes vor uns.

In diesen Kontext ist der Bericht über die Zeichenhandlung Kap. 3 mit den entsprechenden Worten in 2, 16 ff. zu rücken. Dieser zweite Bericht über die als Zeichenhandlung befohlene Eheschließung des Propheten mit einer ehebrecherischen Frau, deren Vollzug hier ausdrücklich berichtet wird, stellt diese Ehe, wie immer sie mit derjenigen von Kap. 1 verbunden werden muß, unter die Perspektive der läuternden Erziehung. Daß der Frau eine Karenzzeit auferlegt wird, besagt, daß Israel »viele Tage« dasitzen muß »ohne König, ohne Fürsten, ohne Opfer, ohne Mazzeba, ohne Ephod und Teraphim«, bis es umkehrt und sich zitternd neu zu seinem Gott heranmacht. 2, 16f. nimmt die Vorstellung von der Hinausführung in die Wüste an den Ort, wo einst Israels gute Geschichte nach der Herausführung aus Ägypten in der Gottnähe ihren Anfang nahm, auf. Hier, in dieser erneuten äußeren Armut, wo das Volk ganz auf seinen Gott angewiesen ist, wird dieser ihm zu Herzen reden und ihm von hier aus erneut seine Weinberge geben. Das durch die Vorfälle von Jos 7 beim ersten Einzug ins Land zum Unheilsort gewordene Tal Achor wird dann zur »Pforte der Hoffnung« werden. Was dann geschieht, wird in 2, 21f. als neue Verlobung beschrieben, in die Jahwe selber all das als Kaufpreis einbringen wird, was Israel in den Tagen Hoseas fehlt: Gerechtigkeit, Recht, Liebe, Treue, Erkenntnis Jahwes. Und 2, 25 sagt, auch wenn es nicht vom Propheten selber formuliert sein sollte, ganz im Sinne des Vorhergehenden aus, daß dann Jahwe selber zu »Nicht-mein-Volk« sprechen werde: »Mein Volk bist du«, und jenes antworten werde: »Mein Gott«.

So redet Hosea in der Zeit des Zusammenbruches Nordisraels vom Jahwevolk, das am Gebot seines Gottes scheitert und ins Gericht der Gottferne gestoßen wird. Seine einzige Hoffnung liegt darin, daß Jahwe jenseits des Gerichtes in freier Gnade das Gericht zum neuen Anfang wandeln könnte.

3. Aus einem traditionsgeschichtlich ganz anders bestimmten Raume stammt *Jesaja*, der judäische Zeitgenosse Hoseas. Er ist Jerusalemer. In seiner Verkündigung sind die in § 9 und § 10c entfalteten Überlieferungen lebendig. Sein prophetisches Wort begleitet die ganze Geschichte der politisch so schicksalsschweren letzten 4 Jahrzehnte des 8. Jh., in denen Nordisrael als selbständige Größe untergeht und Juda an den Rand der Katastrophe gerät. In der thematischen Weite seines Wortes ist er Hosea verwandt. Anders als bei diesem aber lassen sich Jesajas Worte weitgehend bestimmten Phasen seiner Verkündigung zuweisen. Übertrifft Hosea in der oft zerrissenen Leidenschaft seiner Verkündigung Jesaja, so ist dieser ihm in der Gestaltungskraft des Wortes, das eine ungewöhnliche Brillanz sprachlicher Formung aufweist, überlegen.

Die allen Phasen seines Redens eigentümliche Akzentuierung der Verkündigung vom Handeln Jahwes mit seinem Volke und der Völkerwelt, welch letztere stärker als bei Hosea in die prophetische Verkündigung einbezogen ist, tritt im Bericht über seine Sendungserfahrung (Jes 6) sehr deutlich heraus.

In dreifacher Weise meint man die Nachwirkungen dieser Sendungserfahrung in Jesajas Botschaft verspüren zu können:

1. Im Tempelhaus erfährt Jesaja die Nähe Jahwes. So bleibt der Zion (dieser Name ist in Jes 6 nicht genannt, wohl aber in den weiteren Worten Jesajas) für Jesaja und seinen Jüngerkreis der besondere Wohnort Gottes (8, 18), an dem auch der kostbare Grundstein für das Kommende, nach dem der Glaube Ausschau hält (28, 16), gelegt wird.

2. Das Tempelgeschehen in Jerusalem bestimmt aber darüber hinaus des Propheten Verkündigung. Nicht nur hört er im Lobpreis der Seraphen den seit jeher mit der Lade verbundenen Gottesnamen »Jahwe der Heerscharen« (6, 3, vgl. 1, 24; 2, 12; 3, 1 u.ö.) als Lobpreis des Gottes, dessen Herrlichkeit die ganze Erde erfüllt. Seine eigene Schuldverfallenheit artikuliert sich in der rituellen Kategorie der Unreinheit: »Weh mir, ich vergehe, denn ich bin ein Mensch unreiner Lippen und wohne unter einem Volke unreiner Lippen, denn meine Augen haben den König, Jahwe der Heerscharen, gesehen«. In einem Vorgang kultischer Suhnung erfährt er seine Reinigung. In der Folge ist es vor allem die Kategorie des Heiligen, die im Trishagion der Seraphen laut wird, welche Jesajas ganze Verkündigung von Jahwe, den er als »König« erschaut hat, prägt.

3. Ganz deutlich wird im Schreckensruf des Propheten aber zugleich, wie unlöslich er sich als Glied seines Volkes dem Heiligen gegenüber weiß. In der für Jesajas Verkündigung charakteristischen Gottesbezeichnung Jahwes als des »Heiligen Israels« (1, 4; 5, 19. 24; 30, 11f. 15; 31, 1) ist diese Beziehung in ihrer ganzen inneren Spannung verankert. Der »Heilige«, vor dem kein Unreiner bestehen kann, ist zugleich der Gott, der sich mit Israel verbunden hat. Es darf unter der starken traditionsgeschichtlichen Geprägtheit Jesajas durch Jerusalemer Theologumena nicht übersehen werden, daß er zu einer Zeit, wo »die beiden Häuser Israels« (8, 14) noch bestehen, sich in dieser Bezeichnung zum »Gott Israels«, den er in Umschmelzung der alten Vätergottbezeichnung in 1, 24 als den »Starken Israels« (אביר ישראל *'abīr jiśrā'ēl*) bezeichnen kann, bekennt. In 9, 3 ist auch auf den im Nordbereich Israels erfochtenen Sieg Gideons im Jahwekrieg gegen die Midianiter angespielt. Jesaja hat in seiner Theologie bei aller Bindung an den Zion ein durchaus »großisraelitisches« Israelverständnis.

In seiner Sendungserfahrung erhält der Prophet den erschreckenden Auftrag, durch seine Verkündigung die Verstockung des Volkes zu wirken. Auf die nur in einem verhaltenen »Wie lange?« gewagte Einrede antwortet Jahwe unerbittlich mit dem Hinweis auf die völlige Verwüstung des Landes, die geschehen wird. In ähnlicher Weise hatte 1Kön 22, 19ff. von dem Lügengeist im Munde der Propheten Ahabs geredet, der diesen verstockt in sein Verderben rennen ließ. Auch wenn man vermuten kann, daß dieser Sendungsauftrag seine Formulierung im Anschluß an die Geschehnisse während des syrisch-ephraimitischen Krieges erhalten hat (Schmidt), so macht er auf jeden Fall sichtbar, wie sehr Jesaja im Gefolge des Amos die unabwendbare Katastrophe über seinem Volke hängen weiß.

Aber auch hier ist festzuhalten, daß der Prophet seinem Volke nun nicht den Kassandraruf des beschlossenen Fatums auszurichten, sondern ihm die Begegnung mit dem lebendigen Gott anzukündigen hat. Und diese ist nie Fatum.

So sieht man Jesaja mit sehr konkret gezieltem Wort der Anklage und der Forderung als Verkündiger ausgehen. Dabei schwingt in seinen Worten, die vor allem in seiner Frühverkündigung in Thematik und Formgestaltung spürbar von den Amosworten her bestimmt sind (Fey), immer deutlicher die eigene, besondere Note, die von der Erfahrung in der Stunde seiner Sendung her zu verstehen ist, mit. Der Majestät des Heiligen, vor dem alle menschliche Hybris vergehen muß, ist er dort begegnet. So ergeht sein Angriff denn gegen alle Stellen, an denen sich die freche Eigenmächtigkeit des Menschen breitmacht.

In einem gegenüber Am 5, 21ff. viel prunkvoller ausgestalteten Wort greift er den eigenmächtigen Tempelkult der »Sodomsfürsten« und des »Gomorrhavolkes« an: »Wer hat das von euch verlangt, meine Vorhöfe zu zertrampeln?« und läßt das Wort in eine konkrete Weisung zum Rechttun und zum Einstehen für den Schwachen ausmünden (1, 10—17). 3, 14f. wiederholen das Rechten mit den Ältesten und Fürsten ganz auf der Linie des Amos, aber mit dem spezifisch jesajanischen Akzent der Anklage verletzter Hoheit: »Was fällt euch ein, mein Volk zu zerschlagen!«. 22, 15—18 greifen einen hohen Beamten an, der sich stolz ein Prunkgrab in die Felsen hat hauen lassen. Der an Am 4, 1—3 gemahnende Angriff gegen die Frauen Jerusalems von Jes 3, 16f. 24—4, 1 läßt die bezeichnende Umakzentuierung Jesajas gar nicht überhören: Nicht der sozialen Ungerechtigkeit, wohl aber dem Hochmut der Jerusalemerinnen mit ihrem eitlen modischen Gehabe wird hier in massiven, kunstvoll auf ein Wortspiel zulaufenden »Ersatz«-Aussagen (»statt Balsam Modergestank, statt des Gürtels ein Strick . . .«) das Gericht angesagt. Im »Weinberglied« 5, 1—7 ist ein Verkündigungswort zu finden, das in seiner allmählichen Enthüllung immer tieferer Dimensionen in der formalen Kunst der Rede kaum mehr zu übertreffen ist. Vom tändelnden Liebesliedstil ausgehend führt es über eine Rechtsdisputation zur jäh entschleierten, unerbittlichen Gerichtsaussage, die ganz wie bei Amos die Mißachtung von Recht und Gerechtigkeit (משפט, צדקה *mišpāṭ, ṣedāqāh*) zum Gegenstand hat und dieses in blitzenden Wortspielen (ZB: »Guttat/Bluttat! Rechtsspruch/Rechtsbruch«, Duhm: »gut Regiment/Blut-Regiment! Rechtsprechung/Rechtsbrechung«) zum Ausdruck bringt. Auch in der Umprägung des Kehrreims des großen, leider in seiner Urgestalt nur unvollkommen rekonstruierbaren Strophengedichtes 9, 7—10, 4; 5, 25—29 (?) meint man den besonderen jesajanischen Akzent zu vernehmen, wenn an die Stelle des scheltenden: »Ihr seid nicht umgekehrt zu mir« von Am 4, 6ff. bei Jesaja unter Verwendung des gleichen Verbs »umkehren« der Hinweis auf den richtenden Herrn hörbar wird: »In alledem kehrte sein Zorn nicht um, und noch ist seine Hand ausgereckt«. In der Folge wendet sich Jesaja wie Hosea immer schärfer gegen das eigenwillige Politisieren und Bündnisschließen des Volkes, das ohne Befragung Jahwes geschieht (30, 1f.; 31, 1). Welche Verkennung der tatsächlichen Herrschaftsverhältnisse, wenn Ahas im syrisch-ephraimitischen Krieg »die langsam rinnenden Wasser des Siloah (der Wasserleitung am Fuße des Zion, womit auf den auf dem Zion Wohnenden gewiesen sein will) verachtet« (8, 6) und zum Assyrer läuft oder wenn man später Ägypten zu Hilfe ruft, wo doch »Ägypten Mensch und nicht Gott, seine Pferde Fleisch und nicht Geist« sind (31, 3).

Das Gericht über solche Mißachtung des Heiligen kann nicht ausbleiben. Wie bei Hosea fehlen auch bei Jesaja die dem bäuerlichen Empfinden naheliegenden Schläge von Dürre, Mißwachs und Heuschrecken. Es entspricht dem so scharfsichtig auf das politische Geschehen achtenden Propheten der Königsstadt Judas, daß er das Gericht als Zerfall aller staatlichen Autoritäten schildert (3, 1ff.). Dazu greift auch er, wiederum im Gefolge des Amos, die zentrale Drohung vom nahenden Tage Jahwes auf. Erneut aber wird sie bei ihm im Vergleich zu Am 5, 18–20 in bezeichnender Weise modifiziert. Die Begegnung mit Jahwe, welche die Mitte des Geschehens an jenem Tage ausmacht, ist in 2, 12–17 als das Ereignis des Niederbrechens alles Hohen in Kreatur und Menschenwerk dargestellt. »Ducken wird sich der Stolz des Menschen und niederbrechen der Hochmut der Männer, und Jahwe allein wird erhaben sein an jenem Tage« – dem »Tag Jahwes der Heerscharen«.

Reden die frühen Worte des Propheten bis hin zum Wort vom »Tag Jahwes« in einer gewissen Unbestimmtheit von dem kommenden Gericht, so tritt mit dem immer eindeutiger sich abzeichnenden Einbruch der Assyrer in die Staatenwelt Syrien-Palästinas dieser Gerichtshelfer Jahwes auch im Wort Jesajas immer klarer heraus. Wenn allerdings in 7, 18f. nebeneinander vom Heranpfeifen der Fliege von den Strömen Ägyptens und der Biene aus dem Lande Assyrien geredet wird (was nicht kritisch verändert werden sollte), so zeigt sich in diesem Nebeneinander nochmals die Unbekümmertheit in der konkreten Zeichnung des Kommenden. Wenn nur gehört wird, daß Jahwe es ist, der die Feinde, welche dann das Land bedecken, heranpfeift.

In ganz überraschender und so bei den Propheten nicht wiederkehrender Weise zeigt sich dann aber die Freiheit des »Heiligen Israels« auch bei der Ankündigung des Gerichtswerkzeuges Assur. Im brutalen Vorgehen der Assyrer in den von ihnen eroberten Gebieten, der grausamen Methode der Deportation großer Bevölkerungsteile, dem Schinden und Pfählen und Hängen der Besiegten, das die assyrischen Siegesdokumente wohlgefällig in ihren Palästen für die Nachwelt dargestellt haben, vor allem aber in der frevlen Überheblichkeit auch gegenüber dem Gott Israels erkennt der Prophet die widergöttliche Hybris auch bei dem, der als Werkzeug aufgeboten war. So wird denn Jahwes Gericht auch den Assyrer treffen, der sich seiner totalitären Methoden rühmt (10, 5ff.). Im Jahweland, auf Jahwes Bergen wird er zerbrochen werden (14, 24–27). In allem weltgeschichtlichen Geschehen wird Jahwes Plan das letzte Wort behalten. Die Rede vom Plan (עצה *ʿēṣāh*) des Heiligen Israels (5, 19, vgl. 14, 26f.; 28, 29), der angesichts all des eifrigen Planens der Völker ungefährdet bleibt (8, 10) und sich durchsetzt, mag auch menschliches Auge das fremdartig seltsame Tun (28, 21) nicht durchschauen und die Weisheit der Weisen vor seinem wundersamen Geheimnis versagen, beherrscht Jesajas Verkündigung.

Aber noch ist in dieser königlichen Verkündigung von der je neuen Freiheit Jahwes eine Seite nicht mit genügender Deutlichkeit zum Ausdruck gekommen. Sie kann in einem knappen Durchgang durch die Verkündigung der verschiedenen Geschichtsphasen zu Gesicht kommen.

Die Frühverkündigung des Propheten, die man vor allem in Kap. 2–5 vor sich zu haben meint, kündet Juda und Jerusalem, in vielem an die Verkündigung des Amos gegen Nordisrael anklingend, das nahende Gericht und den Tag Jahwes an. Daß Jesaja in seinen frühen Jahren einem Sohn den Namen Schearjaschub »Ein Rest kehrt zurück« gegeben hat (7, 3), ist im Sinne des wohl zunächst selbständigen Spruches 6, 12. 13a, der Am 5, 3 nahesteht, als unheimliches Drohwort gleich den Kindesnamen Hoseas zu verstehen. Die Dezimierung des Volkes steht bevor.

Die Ereignisse des Jahres 733 scheinen die göttlichen Gerichtsansagen über Juda und Jerusalem wahr zu machen. Die beiden nördlichen Nachbarstaaten Aram und Israel machen sich in diesem Jahr über Juda her. Sie führen in ihrem Heer einen »Sohn des Tabeel«, der ihren Bündnisplänen gegen Assur willig zu sein verspricht, mit sich. Er soll anstelle des in Jerusalem zu beseitigenden Davididen Ahas König werden. Jes 7f., die aus dieser Zeit stammen, zeigen aber eine überraschende Wende der göttlichen Botschaft. Mit seinem Sohne Schearjaschub soll Jesaja nach 7, 3ff. vor den verängstigten König Ahas treten, ihn, so wie es der Priester nach Dtn 20, 3f. im Jahwekrieg zu tun hatte (s. o. S. 52), ermutigen: »Hüte dich und bleibe ruhig, fürchte dich nicht ...«. Und als indikativischer Gottesbescheid wird angesichts der Pläne der Feindkönige dazu gefügt: »Das wird nicht bestehen, noch geschehen«. Woher dieser unvermutete Umbruch zu einer Rettungszusage? Im Kriegsziel der Feindkönige, welche den Davididen in Jerusalem so einfach durch einen Fremden mit aramäischem Namen meinen ersetzen zu können, tritt Jesaja die menschliche Eigenmächtigkeit, die über die Verheißung an David (2Sam 7) kurzerhand hinweggeht, entgegen. Und dadurch wandelt sich durch den Entscheid Jahwes die Situation und eröffnet für Ahas und Jerusalem ganz unerwartet die Möglichkeit, sich in Jahwes Heilszusage zu bergen. Dabei wird hier das gewichtige Wort »Glauben« (= sich in Jahwe vertrauend festmachen) laut: »Glaubt ihr nicht, so bleibt ihr nicht« (s. o. S. 128f.). In jesajanischer Mehrsinnigkeit bekommt der Name des Sohnes in diesem Zusammenhange die weitere Bedeutung der Aufforderung, »Rest« zu sein, der zu Jahwe umkehrt.

Das Theologumenon vom »Rest«, das Müller von der Erfahrung des totalen Vernichtungskrieges glaubt herleiten zu können, dürfte schon vorjesajanisch sein (Elia 1Kön 19, 18; Am 5, 15 u. a.). Es hat dann in der Folge, bei Zeph u.a., vor allem aber nach den Erfahrungen der Katastrophe Jerusalems und des Exils im Selbstverständnis der Hindurchgeretteten betonte Bedeutung gewonnen.

7, 10ff. zeigen, wie der König Ahas das Angebot ausschlägt und nach 7, 17, wenn schon Jahwe die unmittelbare Bedrohung abwenden wird, erneut das göttliche Gericht über sich hereinzieht.

In diesem Zusammenhange kündigt Jesaja anstelle des von Ahas selber ausgeschlagenen Zeichens dem König die nahe bevorstehende Geburt eines Kindes, das den Namen Immanuel erhalten soll, an. LXX hat die Bezeichnung der jungen Mutter als עלמה *ʿalmāh* »junge Frau« fälschlich mit παρθένος wiedergegeben und dadurch auf eine »Jungfrauengeburt«, die dem MT ganz ferne liegt, gedeutet. Umstritten ist die Deutung des Kindes Immanuel. Man hat in ihm einen weiteren Sohn des Propheten selber (8, 3f. erwähnt sicher einen solchen mit dem Namen »Raubebald-Eilebeute«, der in der Krise des syr.-ephraimitischen Krieges geboren wird), einen Sohn des Ahas, eine zukünftige messianische Gestalt u.a. finden wollen (Stamm, Hammershaimb, Wolff). Deutlich ist auf jeden Fall, daß der Name Immanuel Heilsbedeutung hat. 7, 16 redet davon, daß die im Augenblick so bedrohlich anrückenden Könige schon zu der Zeit, in welcher der Knabe erst anfängt, ein Unterscheidungsvermögen von Gut und Böse zu bekommen, völlig beseitigt sein werden. Der Name ist keinesfalls als Verzweiflungsschrei der Mutter in großer Notzeit oder gar als »Gottseibeiuns« zu deuten. Umstritten bleibt dagegen, ob der »Immanuel« eine Heilsbedeutung über die unmittelbare Situation hinaus besitzt und mit der messianischen Aussage von 9, 5f. zusammen gesehen werden muß.

In der auf die Ereignisse von 733 folgenden Zeit verstummt der Prophet. Mit seinen Kindern aber bleibt er »Zeichen und Wahrzeichen in Israel«. Seine »Weisung« aber ist in dem ihn umgebenden Jüngerkreis »versiegelt« (8, 16–18). Die Drohung mit Assur steht erneut über Juda und Jerusalem.

Wenn die von Alt vorgeschlagene Verbindung von 8, 23b mit 9, 1–6 im Rechte ist, so wird in 8, 23b–9, 6 ein Heilswort an die vom ass. Militärstiefel zertretenen, 733 vom Kerngebiet Ephraim abgetrennten Provinzen Nordisraels aus der Zeit zwischen 733 und 722 laut. Neben der hier festzustellenden Wendung gegen Assur ist vor allem die volle Entfaltung der Ankündigung eines heilbringenden Davididen bedeutsam. Der hinter 7, 1–9 zu vermutende Glaube an die Gültigkeit der göttlichen Verheißung an das Davidhaus ist hier zur vollen Beschreibung eines kommenden Heilskönigs ausgeweitet. In dessen vier neuen Thronnamen läßt vor allem der erste (»Wunderrat«) Elemente jesajanischer Rede vom Handeln Jahwes anklingen. Zum »Wunder« vgl. 29, 14, zum »Rat« s.o. S. 171. Darüber hinaus ist er als der Heilskönig geschildert, durch welchen das nach dem Weinberglied 5, 7 in Juda und Jerusalem vermißte »Recht und Gerechtigkeit« seine volle Verwirklichung finden wird.

In 11, 1–8, das in seiner Herkunft von Jesaja noch stärker angefochten wird und das für die nähere Datierung keinen Anhaltspunkt ergibt, fällt auf, daß ein König angesagt wird, der als Reis aus dem abgehauenen Wurzelstock Isais aufsproßt. Darin ist das Gericht über das Davidhaus deutlich vorausgesetzt. Jenseits dieses Gerichtes wird Jahwe die Sendung des mit dem echten Königsgeist ausgestatteten Herrschers aus dem gleichen Haus vollziehen. In der Geistbegabung treten dabei die alten dynamistischen Züge des »Geistes« zurück vor den Charismata der Weisheit, des Ratgebens, der Gottesfurcht und des gerechten Richtens. In dem Gemälde vom paradiesischen Frieden bis hinunter in die Tierwelt, in dem auch die Urfehde von Mensch und Schlange aufgehoben sein wird, klingt die Erwartung der Behebung kreatürlichen Urleides an, das Gen 3, 15 und 9, 2f. als Fluch der Urzeit beschrieben haben.

Zeigen die genannten Stellen die entfaltete Erwartung der Verheißung über dem Davidhaus bei Jes (und seiner Schule), so tritt in der späteren Verkündigung die Erwartung der Rettung des Zion deutlicher in den Vordergrund. Auch dieses aber nicht im Sinne der massiven, ungebrochenen Tempelgläubigkeit, gegen die dann Jeremia später in seiner Tempelrede angehen muß (Jer 7, 4. 10). Die Drohung Assurs bleibt, zumal nachdem 722 der Rest des Nordreiches niedergebrochen ist, bestehen. Im Zusammenhang des asdoditischen Aufstandes von 713–711 geht Jesaja nach Kap. 20 drei Jahre lang nackt und barfuß einher, um sichtbar zu machen, wie die Assyrer die Ägypter und Äthiopen, auf die man als Bundesgenossen hoffte, nackt und barfuß in die Gefangenschaft treiben werden. In dem wohl etwas früheren Wort aus dem Todesjahr des Königs Ahas (14, 28–32) kommt noch etwas ganz anderes zur Sprache. Wenn hier Jesaja den philist. Boten im Zusammenhang mit der Androhung eines neuen (ass.) Feindeinbruches von Norden her die Antwort gibt: »Jahwe hat den Zion gegründet, und hier werden sich bergen die Armen seines Volkes«, so wird nur den Armen, d.h. denjenigen, die aller Hybris abgesagt haben, die Bergung auf dem Zion zugesagt. Diese Botschaft wendet sich in der letzten Phase der Verkündigung Jesajas, nachdem Juda beim Thronwechsel von Sargon zu Sanherib (705) von Assur abgefallen war, gegen Jerusalem und Juda selber. 28, 14ff. malen die verwegene Selbstsicherheit der Politiker in Jerusalem, die mit Tod und Hölle den Bund geschlossen zu haben glauben, so daß ihnen nichts widerfahren kann. Der Ansage des katastrophalen Ausgangs, den diese Politik nehmen wird, sind in v. 16. 17a die geheimnisvollen Worte Jahwes vorangeschickt: »Siehe, ich lege auf dem Zion einen Fundamentstein, einen Bohanstein, einen köstlichen Fundament-Eckstein. Wer glaubt, wird nicht weichen. Und ich mache Recht zur Richtschnur und Gerechtigkeit zur Setzwaage«. Arm sein, der Hybris abgesagt haben, das heißt, so interpretiert 28, 16 die Stelle 14, 32, »Glauben«. Im Glauben aber läge die Absage an das hektische Rüsten und Jagen, das 30, 15–17 schildern und das doch nur zum Gejagtwerden führen kann. »Durch Umkehr und Ruhe würdet ihr gerettet werden, in Ruhehalten und Vertrauen läge eure Kraft. Aber ihr habt nicht gewollt«.

Die jesajanische Herkunft des großen Bildes von der Wallfahrt der Völker zum Zion, wo sie die göttliche Weisung zum Frieden erfahren, das außer in Jes 2, 2–4 (5) noch in Mi 4, 1–3 (4) vorliegt, ist ungewiß. Der Glaube, daß auch das Völker-Friedensrecht einst von Zion ausgehen wird, ist aber ohne Zweifel im Umkreis Jesajas eher zu denken als in demjenigen Michas.

Man wird die Frage stellen, wie alles schließlich in Jesajas Verkündigung zusammenkommt: Die Ankündigung des harten Gerichtes Jahwes über das bußunwillige Volk, das Wissen um die Zusage, die Jahwe auf den Ort seiner Nähe gelegt hat und die für die Armen, die Glaubenden und Vertrauenden, eine Realität ist. Das Wort gegen Ariel, d.h. die Stadt des göttlichen Altarfeuers in 29, 1–7(8), das man nicht zerreißen sollte, dürfte die Richtung weisen. Hier wird in einem Weheruf von der Belagerung der Stadt des göttlichen Altarherdes, der Stadt, da David lagerte, geredet. Jahwe selber ist ihr Bedränger, der sie zur rauchenden Herdstelle macht, so daß alle tief in den Staub hinunter gedemütigt werden (das alte Thema vom »Tag Jahwes« ist hier wieder voll gegenwärtig). Dann aber geschieht es, daß Jahwe in die Unzahl des belagernden Feindheeres dreinfährt, so daß dieses zerstiebt und der Haufe der Völker, der den Gottesherd belagerte, weggefegt sein wird wie ein Traum. Von einer messianischen Königsgestalt ist hier nicht mehr die Rede.

Die letzten datierbaren Worte des Propheten in 1, 4–9 und 22, 1–14 führen in die Zeit der Katastrophe beim Sanheribeinfall im Jahre 701. Nach den Nachrichten Sanheribs, die von 2Kön 18, 13–16 wie von den Jesajaworten bestätigt werden, hat Sanherib damals das ganze Land verwüstet, Jerusalem selber zwar nicht betreten, aber die Kapitulation Hiskias und harte Tributzahlung erzwungen und das Gebiet Judas auf das enge Gebiet Jerusalems reduziert. Die in der Schule Jesajas entstandene Jesajalegende (Kap. 36f.) hat darin die wunderbare Errettung der Stadt, die Jesaja erwartete, gesehen. Jesaja selber redet in 22, 1ff. trauernd von der erneut versäumten Möglichkeit, sich an diesem »Tag des Getümmels und der Zertretung des Herrn, Jahwes der Heerscharen« von diesem zu »Weinen und Klagen, Kahlscheren und Sackumgürten«, d.h. zu der endlich geschehenden Demütigung vor dem Hohen rufen zu lassen.

So steht Jesaja am Ende erneut vor dem Geheimnis der Verstockung des Volkes und dem Geheimnis des durch alles doch nicht ungültig zu machenden Planes Jahwes. In dem eigentümlichen Bauerngleichnis von 28, 23–29, dessen erste Strophe die wechselnden Hantierungen des Bauern beim Bestellen seines Ackers, die zweite die verschiedenen Weisen der Einbringung der Ernte zeichnet und über dem Geheimnis dieses Wechselns anbetend bekennt: »Auch das ist von Jahwe der Heerscharen ausgegangen, wunderbar hat er seinen Plan (Rat) gemacht, groß die Weisheit«, meint man das Nachsinnen des Propheten über dem Geheimnis des göttlichen Waltens erkennen zu können.

So redet Jesaja von der Freiheit des Heiligen Israels, der im undurchdringlichen Geheimnis der Geschichte mit seinem Volke, Menschenaugen verschlossen, unbeirrbar sein Ziel verfolgt. All dieses aber tut der Prophet nicht in stoischem Gleichmut, sondern, wie die Aussagen von 8, 16–18; 22, 4, aber auch 5, 18f. und 30, 8–11 zeigen können, als ein Angefochtener, die Not des »Heiligen Israels« an seinem Volke Mitleidender.

4. Nicht aus Jerusalem, sondern von der judäischen Landschaft stammt *Micha* von Moreseth, einem Ort in dem an das philist. Gebiet angrenzenden »Niederland«. Er ist Zeitgenosse Jesajas und muß nach 1, 5–7, falls diese Verse von Micha selber herzuleiten sind (anders etwa Fritz), vor dem Fall Samarias (722) zu reden begonnen haben. Andererseits belegt Jer 26, 18, daß er unter Hiskia geredet hat. Auf die Nähe zu Jesaja deutet, daß er ganz so wie jener in seinen Angriffen das Unrecht des Latifundienwesens geißelt (2, 1f.). Den von der Stadt distanzierten Landbewohner erkennt man in der Aussage, daß im Norden wie im Süden die eigentlichen Herde der Versündigung in den Städten (Samaria und Jerusalem, 1, 5) liegen. In massiven Formulierungen redet er von der Leuteschinderei der Oberen (3, 2–4), der Käuflichkeit der Propheten, »die Heil schreien, wenn sie etwas zu beißen haben, aber den heiligen Krieg gegen die ausrufen, die ihnen nichts ins Maul stecken« (3, 5), von den ungerechten und käuflichen Regenten, Priestern und Propheten in Jerusalem, die sich in lästerlicher Sicherheit wiegen: »Ist nicht Jahwe in unserer Mitte, uns kommt kein Unheil an« (3, 11). Es sind die gleichen Vorwürfe gegen verletztes Recht und Gerechtigkeit, wie sie bei Amos und dem frühen Jesaja zu hören sind, die von einem Manne erhoben werden, der von sich selber sagt: »Ich aber bin erfüllt mit Kraft (ein jüngerer Ergänzer hat im Sinne der älteren prophetischen »Geist«-Theologie zugesetzt: »Mit dem Geist Jahwes«) und Recht und Stärke, Jakob seine Vergehung und Israel seine Sünde anzusagen« (3, 8). Vom Geschehen der eigenen Berufung zum Propheten sagt Micha nichts.

Aber auch Micha ist nicht nur Zeitkritiker, sondern Bote kommender Tat Jahwes. In einem leider textlich sehr zerstörten Wort, das Donner in die Zeit zwischen 724 und 732, Elliger ins Jahr 701 datiert, schildert er in 1, 10ff. mit wortspielartiger Durchhellung einer Reihe von Ortsnamen im »Niederland«, seiner engsten Heimat, den verheerenden Einbruch der Feinde. Wenn Alts Deutung von 2, 1–5 gefolgt werden darf, so schaut der Prophet hier eine kommende neue Landverteilung, die den Jahwe ungehorsamen »Bauernlegern und Güterschlächtern aus der Hauptstadt« das erschacherte Gut wieder nimmt. Am stärksten aber hat, wie Jer 26, 18f. zeigt, das schonungslose Gerichtswort über den Zionsberg eingeschlagen, das sich mit Jesajas Erwartungen für den Ort der Gottnähe nicht zur Deckung bringen läßt: »Darum wird um euretwillen Zion zum Felde umgepflügt und Jerusalem zur Trümmerstätte werden und der Berg des (Tempel-)Hauses zur Waldeshöhe« (3, 12). Die Ältesten von der Landschaft Juda wissen noch gute hundert Jahre später in der Zeit Jeremias, daß Hiskia, der König von Juda, und ganz Juda auf dieses Wort Michas hin »Jahwe fürchtete und Jahwe bittend anging, so daß sich Jahwe des Unheils, das er wider sie geredet hatte, gereuen ließ«.

Von den Worten Michas, welche seine judäischen Zeitgenossen tiefer beeindruckt zu haben scheinen als die Worte Jesajas, ist nur wenig, vor allem in Mi 1–3, erhalten geblieben. Sollte auch 6, 1–8 von Micha herstammen, so würde man den Propheten hier in v. 1–5 in der Form des Rechtsstreites im Angriff gegen sein Volk sehen. V. 6–8 lassen in der Gestalt einer priesterlichen Torliturgie die Jahweweisung an das Volk, das seine Opferangebote bis ins Unerhörte steigert, vernehmen und weisen auf das Israel längt kundgemachte Gebot zurück: »Recht (משפט *mišpāṭ*) zu tun, Gemeinschaftstreue (חסד *ḥaesaed*) liebzuhaben und demütig (oder sorgsam?) zu wandeln (הצנע לכת *haṣnēaʿ laekaet*) mit deinem Gott«. Man meint darin eine Zusammenfassung der Hauptaussagen vom Willen Jahwes bei Amos, Hosea und Jesaja zu hören.

Umstritten ist, ob die (im heutigen Text sicher überarbeitete) messianische Verheißung von 5, 1ff. von Micha selber stammt. Wenn hier der kommende »Herrscher in Israel« aus Bethlehem, »dem kleinsten unter den Gauen Judas«, erwartet wird, so fügt sich dieses wohl zur Absage Michas an Jerusalem. Zugleich aber ist der Glaube an die Treue Jahwes, der sein früheres Tun nicht einfach verleugnet, nicht zu überhören. Aus Bethlehem kam David. Aus Bethlehem wird unter deutlichem Rückverweis auf die »in der Vorzeit« begründete Bestimmung des Kommenden der Hirte erwartet, der Israel »in der Kraft Jahwes« weiden wird. In ganz anderer Weise als bei Jesaja verbindet sich auch hier die Ankündigung des Neuen, in dem Jahwe sein Werk vollenden wird, mit dem Wissen um das Gericht der Gegenwart, das zunächst in die große Tiefe führt.

B. Duhm, Die Theologie der Propheten, 1875. — *A. Weiser*, Die Profetie des Amos, BZAW 53, 1929. — *E. Würthwein*, Amos-Studien, ZAW 62, 1949/50, 10—52 (= Wort und Existenz, 1970, 68—110). — *R. Bach*, Gottesrecht und weltliches Recht in der Verkündigung des Propheten Amos, Festschr. G. Dehn, 1957, 23—34. — *A. Bentzen*, The ritual Background of Amos 1, 2—2, 16, OTS 8, 1950, 85—99. — *H. Graf Reventlow*, Das Amt des Propheten bei Amos, FRLANT 80, 1962. — *H. W. Wolff*, Amos' geistige Heimat, WMANT 18, 1964. — *H. H. Schmid*, Amos. Zur Frage nach der »geistigen Heimat« des Propheten, WuD 10, 1969, 85—103. — *W. H. Schmidt*, Die prophetische »Grundgewißheit«, EvTh 31, 1971, 630—650. — *R. Smend*, Das Nein des Amos EvTh 23, 1963, 404—423.

H. W. Wolff, Hoseas geistige Heimat, ThLZ 81, 1956, 83—94. — *L. Rost*, Erwägungen zu Hos. 4, 14f., Festschr. A. Bertholet, 1950, 451—460 (= Das kleine Credo, 1965, 53—64). — *W. Rudolph*, Präparierte Jungfrauen? (Zu Hos. 1), ZAW 75, 1963, 65—73. — *A. Alt*, Hosea 5, 8—6, 6. Ein Krieg und seine Folgen in prophetischer Beleuchtung, NKZ 30, 1919, 537—568 (= Kleine Schriften II, 1953, 163—187).

W. Zimmerli, Verkündigung und Sprache der Botschaft Jesajas, Festschr. M. Doerne, 1970, 441—454 (= Studien zu at. Theologie und Prophetie, ThB 51, 1974, 73—87). — *J. M. Schmidt*, Gedanken zum Verstockungsauftrag Jesajas (Is. VI), VT 21, 1971, 68—90. — *R. Fey*, Amos und Jesaja, WMANT 12, 1963. — *W. E. Müller*, Die Vorstellung vom Rest im Alten Testament, Diss. Leipzig 1939. Neuausgabe mit Nachträgen von *H. D. Preuß*, 1973 (Lit.). — *J. J. Stamm*, La prophétie d'Emmanuel, RThPh 32, 1944, 97—123 (Lit.). — *Ders.*, Neuere Arbeiten zum Immanuel-Problem, ZAW 68, 1956, 46—53. — *H. W. Wolff*, Frieden ohne Ende. Eine Auslegung von Jes. 7, 1—7 und 9, 1—6, BSt 35, 1962. — *A. Alt*, Jes. 8, 23—9, 6. Befreiungsnacht und Krönungstag, Festschr. A. Bertholet, 1950, 29—49 (= Kleine Schriften II, 1953, 206—225).

H. Donner, Israel unter den Völkern, Suppl. to VT 11, 1964. — *V. Fritz*, Das Wort gegen Samaria, ZAW 86, 1974, 316—331. — *K. Elliger*, Die Heimat des Propheten Micha, ZDPV 57, 1934, 81—152 (= Kleine Schriften, ThB 32, 1966, 9—71). — *A. Alt*, Micha 2, 1—5 ΓΗΣ ΑΝΑΔΑΣΜΟΣ in Juda, Festschr. S. Mowinckel, 1955, 13—23 (= Kleine Schriften III, 1959, 373—381).

Vgl. auch Lit. zu § 10d.

b) Die Prophetie um die Wende zum babylonischen Exil

Mit der Katastrophe von 701. hebt eine mehr als ein Halbjahrhundert währende Phase des Verstummens der großen Schriftprophetie an. Die Geschichte scheint über dem Restisrael, das von Assur beherrscht, unter Manasses ungewöhnlich langer Regierungszeit der ass. Macht bis in alle bitteren religiösen Konsequenzen hinaus widerspruchslos hörig war, zum Stillstand gekommen, das Gotteswort verstummt zu sein. Das ändert sich in der Zeit des anhebenden Niederganges Assurs und den darin sich ankündigenden erneuten geschichtlichen Umbrüchen, die in der Folge auch Juda in das Verderben reißen sollten. Wieder ist es, wie schon unter Amos, die Regierungszeit eines besonders tüchtigen, bis in die Schriftprophetie hinein als gerecht anerkannten Königs (Jer 22, 15b), in welcher erneut Prophetenwort, das in der Sammlung der Schriftprophetie seinen Niederschlag gefunden hat, aufbricht.

Neben den nur leise zu vernehmenden, in der schriftlichen Wortsammlung stellenweise, wie es scheint, nur noch unter einer stark eingreifenden Nachbearbeitung erkennbaren Stimmen eines Zephanja, Nahum und Habakuk ist es vor allem die Verkündigung Jeremias und des schon zur ersten bab. Deportationsgruppe gehörigen Ezechiel, die hier beachtet sein müssen.

1. *Zephanja* aktualisiert, wohl in der Frühzeit Josias, die von Amos und Jesaja her bekannte Verkündigung vom nahen Tag Jahwes. In breiter Ausmalung wird sowohl seine weltweite Dimension, als auch seine konkrete Auswirkung auf Jerusalem und seine Bewohner geschildert. Wenn dann nicht nur Taten der Gerechtigkeit gefordert, sondern auch die Demütigen im Lande angeredet werden (2, 3), so meint man jesajanische Verkündigung im Nachhall zu hören. Wie bei diesem dehnt sich die Verkündigung vom Gericht über die Völker von den unmittelbaren pal. Nachbarn bis zu den Großmächten in Kusch (Äthiopien/Ägypten)

und Ninive (Assur) aus. – *Nahums* Verkündigung ist in ihrer heute vorliegenden Gestalt vor allem gegen Ninive gerichtet. Nach Jeremias ist aber im ursprünglichen Nahumwort neben der Drohung gegen Assur auch die Gerichtsansage gegen ein Israel, das fremde Götter verehrt, die sozial Schwachen vergewaltigt, auf sein diplomatisches Geschick vertraut und in sorglosem Hochmut gegenüber Jahwe lebt, zu hören. – *Habakuk*, der jüngste dieser drei kleinen Propheten, kündet, wohl kurz vor 605, den unmittelbar bevorstehenden Einbruch der Chaldäer (Neubabylonier) an. Nach Jeremias hat auch hier eine nachträgliche exilische Überarbeitung die ursprüngliche Stoßrichtung gegen die Gottlosen im Volke verwischt. 2, 1ff. sind nicht nur dadurch bedeutsam, daß sie das geradezu ritualisierte »Ausspähen« eines Kultpropheten auf der »Warte« nach dem ergehenden Gotteswort sichtbar machen, sondern mit ihrer Ermahnung zu geduldigem Harren bei sich verzögerndem Gottesbescheid erneuter Hinweis auf die Freiheit des Jahwebescheides sind, der ergeht, wann und wie Jahwe es will.

2. Die Erhebung der Eigenverkündigung *Jeremias* begegnet dadurch nicht geringen Schwierigkeiten, als die Worte des nach ihm benannten Buches auf Strekken hin unverkennbar eine dt. Sprach- und Gedankenfärbung tragen (Mowinckels Quelle C, redaktionsgeschichtlich beurteilt von Thiel). Auch der Berufungsbericht Jer 1, der so unverwechselbar jeremianische Aussagen enthält, ist davon nicht frei. In einer Direktheit, die keine eigene Entscheidung mehr erlaubt und der gegenüber auch des Propheten Sträuben nicht verfängt, wird ihm hier bei seiner Berufung im 13. Jahr Josias enthüllt, daß er schon vor seiner Geburt von Jahwe »erkannt«, d.h. erwählt, und »geheiligt«, d.h. ausgesondert, und zum »Propheten für die Völker« bestimmt worden sei. Der Welthorizont der Prophetie, der in Jesajas Verkündigung so gewaltig aufgebrochen war, wird hier schon zu Beginn für des Propheten Auftrag vorausgesetzt. Im Auftrag »einzureißen und auszureißen, zu bauen und zu pflanzen« wird, wenn diese Formulierung von Jeremia selber stammt, ganz anders als in Jes 6 schon zu Beginn über die prophetische Unheilsankündigung hinaus ein Amt des Neubauens sichtbar gemacht, das dann allerdings in des Propheten folgender Verkündigung nur in schwachen Spuren zu erkennen ist. Dagegen führen die beiden formal aufs stärkste an die Visionspaare von Am 7f. erinnernden, knapp berichteten Visionen deutlich an des Propheten eigene Verkündigung heran. In der Art von Am 8, 1f. springt in der wortspielartigen Umwendung eines Geschauten in ein Gehörtes aus dem שׁקד *šāqēd* (»Mandelzweig«) die Aussage Jahwes den Propheten an, daß dieser über seinem Worte »wacht« (שׁקד *šōqēd*). Das »Wort Jahwes« ist auch für diesen Propheten die große Realität, die seinen Auftrag bestimmt. Daß Jahwe über diesem seinem Worte »wacht«, besagt, daß die von ihm einst über dem Restisrael in Juda ausgesprochene Botschaft vom Gericht nicht vergessen ist. Eine zweite, in ihrem Anschauungsgehalt schwer rekonstruierbare Vision, die den Propheten einen von Norden her übersiedenden Topf schauen läßt, führt schon mitten in Jeremias Frühverkündigung hinein.

a) In dieser Frühphase, die in Kap. 2–6 besonders deutlich zu erkennen und die in die Vor-Reformzeit Josias zu datieren ist, kündigt der Prophet das Gericht über

Juda und Jerusalem in der Gestalt des Einbruches eines unheimlichen »Feindes von Norden« an.

Jesajanische Verkündigung klingt darin an (Jes 14, 31). Besonders stark aber ist Jeremia, der nördlich von Jerusalem in Anathoth beheimatete Benjaminite, von der Verkündigung Hoseas bestimmt. Nicht nur die menschliche Prägung der Zerrissenheit der Empfindung erinnert an Hosea. Wie Hosea weiß auch Jeremia von einer guten Anfangszeit Israels zur Zeit seiner Wüstenwanderung, die ihr Ende beim Übergang ins Fruchtland fand, wo sich Israel dem Baal oder, wie Jeremia polemisch zu sagen liebt, dem »Nichts, Hauch (הבל *haebael*)« ergab. Wie bei Hosea tritt bei ihm der Hinweis auf die sozialen Vergehungen hinter dem Hinweis auf die innere Untreue des Herzens (»Lüge« שקר *šaeqaer* ist ein bevorzugter Vorwurf Jeremias) zurück. Wie Hosea findet er diese Untreue im besonderen in den baalisierten Praktiken des Höhendienstes. In ihnen verrät sich die Zuchtlosigkeit des ungebärdigen Volkes, das gleich einer brünstigen Kamelstute (2, 23f.) umherjagt — eine Untreue, über die wie bei Hosea auch die bewegendsten Bußlieder nicht hinwegtäuschen können (3, 21ff.). In einer Fülle von rasch wechselnden Bildern wird die Klage über das sündige Volk verströmt. In dramatischer Auflösung des Geschehens in Szenen, in welchen eine erschreckte Stimme die andere jagt, wird die Katastrophe des einbrechenden Gerichtes im Feind vom Norden geschildert.
In den Worten dieser ersten Verkündigungsphase fehlen die Imperative, welche zur Umkehr und einem neuen Tun auffordern, nicht. In wörtlicher Übernahme eines Bildes Hoseas (s. o. S. 168) heben 4, 3f. an: »Pflügt euch einen Neubruch und sät nicht unter die Dornen. Beschneidet euch für Jahwe und tut die Vorhaut eures Herzens ab, ihr Männer von Juda und Bewohner von Jerusalem«. Das Werben Jahwes um des Volkes Herz und um den echten Gehorsam ist nicht zu überhören. Bei aller Härte der Schau kommenden Unheils, der Klage über die »unbeschnittenen Ohren« (6, 10), des göttlichen Befehls, die Zornglut über das Kind auf der Gasse und den Kreis der jungen Menschen auszuschütten (6, 11), ist die Türe offenbar von Jahwe nicht zugeworfen. In allem Kommenden pocht der Lebendige bei seinem Volke an und wartet auf Gehör und Gehorsam.

b) Es fällt dann auf, daß keines der echten Worte Jeremias mit Sicherheit auf das Geschehen der 622 von Josia durchgeführten dt. Reform zu beziehen ist. Jeremia hat sich danach weder zum Parteigänger der Reform noch zu einem Gegner derselben gemacht. Das Jahwewort des Propheten über Juda schweigt zu diesen das Volksleben zweifellos tief aufwühlenden Ereignissen.

Indirekte Wahrnehmungen lassen es als durchaus wahrscheinlich erscheinen, daß Jeremia in freundschaftlicher Beziehung zu den Kreisen, welche die Reform trugen, stand. Nach 26, 24 ist es Ahikam, der Sohn des Reformkanzlers, der nach der »Tempelrede«, welche Jeremia fast das Leben kostete, die Hand über Jeremia gehalten hat, so daß ihm nichts widerfuhr. Nach 36, 10 verliest Baruch die Rolle mit den Jahweworten in der Zelle Gemarjas, eines anderen Sohnes des Reformkanzlers, der auch nach v. 25 Jeremia durchaus zugetan zu sein scheint. Und noch dem Enkel des Reformkanzlers, Gedalja, dem Sohn Ahikams, der nach dem Fall Jerusalems von den Babyloniern als Statthalter eingesetzt und dann von einem nationalistischen Prinzen aus dem Königshause ermordet wird, steht Jeremia nahe (Kap. 40f.). In die gleiche Richtung weist die positive Äußerung über König Josia im Wort gegen Jojakim 22, 15f. Aber hier wird lediglich Josias Gerechtigkeit und sein Eintreten für den Armen gerühmt. Eine Äußerung zur Kultreform ist nicht zu hören. Dazu zu reden ist nicht des Propheten Amt.

Dagegen fällt in diese Zeit wahrscheinlich der Umkehrruf an die »Abgekehrte« Israel (3, 6–13) und das sog. »Trostbüchlein für Ephraim« in den ursprünglich jeremianischen Teilen von Kap. 30f. Im »Umkehrruf« steht die ganze Sündgeschichte der »Treulosen« Juda, in welcher die Frühverkündigung Jeremias nachhallt, vor Augen. Davon wird auch in der Reformzeit nichts zurückgenommen. Es richtet sich aber hier keine Gerichtsverkündigung gegen Juda, sondern allein der Umkehrruf gegen das frühere Nordisrael, das nun ass. Provinz ist. Und im »Trostbüchlein« wird in seiner zunächst an Ephraim gerichteten Grundlage, die nachträglich durch an Juda gerichtete Aussagen erweitert worden ist, den geschlagenen Nordgebieten kommendes Heil angesagt. Auch hier ist nicht zu übersehen, wie die Verkündigung Hoseas neu auflebt, vgl. etwa 31, 20 mit Hos 11, 8f. In Josias Ausgreifen nach Nordisrael hinauf meint man etwas wie einen Versuch politischer Verwirklichung der beim Propheten formulierten Jahweverheißung zu sehen.

Zum Schweigen Jeremias in der eigentlichen Reformzeit stellt sich die Frage, ob hier nicht, was in dem »Vielleicht« von Am 5, 15 zum Ausdruck kommt, in veränderter Weise Gestalt gewonnen hat. Es ist die Frage zu stellen, ob das Innehalten Jahwes mit seiner Sendung des Propheten zur Unheilsansage über sein sündiges Volk (daß dieses Urteil über Juda nicht zurückgenommen ist, zeigen 3, 6ff.) nicht das Gewicht eines göttlichen Zuwartens hat. Ob am Ende die Umkehr des Volkes ihn zum »Erbarmen mit dem Rest Israels« bringen könnte? Der göttliche Wille zum Erbarmen mit Israel kommt in den Worten 3, 16ff. und Kap. 30f. voll zum Ausdruck. Wolff hat deutlich gemacht, wie der Umkehrruf des Propheten auf dem Hintergrund des göttlichen Gnadenwillens ergeht, vgl. 3, 12. 14. 22.

c) Spätestens mit dem Regierungsantritt Jojakims aber ist die prophetische Gerichtsverkündigung wieder auf dem Plan.

Das Wort über den nach Ägypten deportierten Joahas (22, 10 [11f.]) ist noch ein Wort reiner Trauer ohne jeden polemischen Akzent. In die Anfangszeit Jojakims aber führt die Tempelrede Jer 7,1—15 (Kap. 26), welche die gottlose Sicherheit des Tempelglaubens angreift und dem Tempel in Jerusalem das Schicksal des Tempels in Silo ankündigt. Im vierten Jahre Jojakims (605) erfolgt der Durchbruch des Neubabyloniers Nebukadnezar bei Karkemisch in die syrisch-palästinensische Welt und mit ihm das erneute Auftauchen der bedrohlichen Macht des Zweistromlandes, die unter anderer Führung schon in Jesajas Zeiten der Gerichtshelfer Jahwes war. In diesem Jahr erhält Jeremia den Befehl, all das Wort, das er bisher verkündet, in einer Buchrolle aufzuschreiben und dem Volke zu Gehör zu bringen: »Vielleicht wird das Haus Juda all das Unheil, das ich ihnen zu tun plante, hören, so daß ein jeder von seinem bösen Wege umkehrt und ich ihnen ihre Schuld und ihre Sünde vergebe«. Jer 36 erzählt die Passionsgeschichte des in der Rolle vergegenständlichten Jahwewortes unter den Händen Jojakims. Dieser verbrennt die Rolle. Das Wort, mit dem diese Tat begründet wird, lautet: »Warum hast du auf sie (d.h. die Rolle) geschrieben: Bestimmt wird der König von Babel kommen und dieses Land verderben und Mensch und Vieh aus ihm ausrotten« (36, 29). Jeremias Worte, die auf der Rolle standen, dürften vom »Feind aus dem Norden« ohne jede Namensnennung geredet haben. Inzwischen hat die Geschichte die Ankündigung konkretisiert: Jojakim kann die Drohung mit dem Feind von Norden nur als Androhung des Kommens Nebukadnezars verstehen, dem er sich nach 2Kön 24, 1 widerwillig unterworfen hatte, um nach dreijähriger Botmäßigkeit bei erster Gelegenheit wieder auszubrechen.

Jeremias Verkündigung ist von nun ab von entschlossener Eindeutigkeit. 36, 30f. zeigen, daß das Jahwewort sich in diesem konkreten Zusammenhang wieder einmal gegen den König selber wenden kann. Vgl. auch die Sammlung der Worte »an das judäische Königshaus« 21, 11–23, 8. Diese rücken aber auch hier wie in Am 7, 10ff.; Hos 1 sofort in den weiteren Horizont einer Bedrohung des ganzen Rest-Gottesvolkes in Juda und Jerusalem. In 22, 24–30 erheben sie sich gegen den nach Babylon deportierten Jojachin. In den nun folgenden Jahren geht

Jeremias ganzes Bemühen darauf, das Volk zur Demütigung unter das in Nebukadnezar hereingebrochene Gericht willig zu machen.

Zu solcher Unterwerfung ruft er, wie im vierten Jahr Zedekias versucherische, von Propheten in Jerusalem unterstützte Stimmen eine nahe Wende der Geschichte ankündigen und in Jerusalem mit Gesandten aus den Nachbarländern gegen Babylon konspiriert wird. Er läuft mit einem Joch auf dem Nacken herum. Dem Propheten, der seiner Botschaft entgegentritt, sagt er auf neue Ermächtigung hin den Tod an (s. o. S. 91). Zu solcher Unterwerfung ruft er in seinem Brief an die 597 Exilierten, die er auffordert, sich auf Dauer im Exil einzurichten und für das Wohl des Landes, in dem sie sind, zu beten. Zu solcher Unterwerfung ruft er in härtester Zuspitzung seiner Botschaft auf, wie Nebukadnezars Heer 589—587 vor Jerusalem liegt. Nur durch die Kapitulation können König und Volk wenigstens noch ihr Leben retten. Diese Botschaft steht aber auch nach der Ermordung Gedaljas hinter der Abmahnung, nach Ägypten zu fliehen (42, 1 ff.). Daß der Babylonier Jahwes Gerichtsarm ist, wird schließlich noch da vernehmbar, wo der gegen seinen Willen nach Ägypten verschleppte Prophet dort den Flüchtlingen, die den Babyloniern entronnen zu sein meinen, das Kommen Nebukadnezars nach Ägypten ankündigt (43, 8—44, 30). In alledem ist in unerschütterlicher Eindeutigkeit die Botschaft zu vernehmen: Jahwe richtet sein Volk. Beugt euch der Macht, die Jahwe für eine Frist von drei Generationen (27, 7), von 70 Jahren (25, 12; 29, 10) zum Herrn der Völkerwelt und Vollzieher des Gerichtes über sein ungehorsames Volk gesetzt hat.

Die Frage erhebt sich, ob Jeremia auch noch etwas von Zukunft und Wiederaufrichtung Israels gewußt hat. Die Aussagen in dieser Richtung sind in seinem eigenen Wort spärlich. Die Zeichenhandlung von den zwei Feigenkörben Jer 24 zeigt, daß des Propheten Erwartungen in diesem Zusammenhang zu den nach Babylonien Exilierten gingen. Bei diesen, die das volle Gericht Jahwes erlitten haben, liegt der Ort einer möglichen Zukunft. Wie er mitten im belagerten Jerusalem, hart vor dessen Katastrophe einen Acker in Anathoth auf Weisung Jahwes von einem Verwandten, der diesen ihm als dem Nächstverwandten anbietet, kauft, da hört er daraus die göttliche Zusage: »Noch (einmal) werden in diesem Lande Häuser und Felder und Weinberge gekauft werden« (32, 15). Der Brief an die Exulanten enthält, wenn 29, 11 ihm ursprünglich zugehört, die Zusage, daß Jahwe »Gedanken des Heils und nicht des Unheils über euch hat, euch Zukunft (wörtl. »Ende«) und Hoffnung zu geben«. Wenn 23, 1 ff. jeremianisches Gut enthält, so ist hier nach einem Weheruf über die bösen Hirten auch die Hoffnung auf gute Hirten, ja auch auf einen Sproß Davids, der Recht und Gerechtigkeit im Lande schaffen und den Königsnamen »Jahwe ist unsere Gerechtigkeit (= unser Heil)« tragen wird, ausgesprochen. Die verborgene Polemik gegen den König mit dem Namen Zedekia (»Jahwe ist meine Gerechtigkeit = mein Heil«) kann hier kaum überhört werden. Diese Königserwartung tritt aber in Jeremias eigener Verkündigung keineswegs beherrschend heraus. Die Verheißungen Jer 33 sind zweifellos jüngerer Herkunft.

Zu den nachträglichen Erweiterungen der Jeremiaworte wird auch das in dt. Sprache gehaltene Stück 31, 31—34 gehören, das dem alten Bund, der beim Auszug aus Ägypten mit den Vätern geschlossen worden ist, einen neuen Bund entgegensetzt. Dieser ist vor allem dadurch gekennzeichnet, daß nicht mehr einer den anderen zur Erkenntnis Jahwes auffordern muß, sondern daß das Gesetz den Menschen ins Herz geschrieben ist. Darin will die neue Form des freien, aus eigenem innerem Antrieb geleisteten Gehorsams gegen Jahwes Gebot gezeichnet sein. In den Zusammenhang solcher hoffenden Erwartung, die dem Alten ein Neues entgegensetzt, gehören auch die Formulierungen von 16, 14 f. = 23, 7 f., wonach man in einer kommenden Zeit im Wort der Beteuerung nicht mehr an Jahwe, der aus Ägypten herausgeführt hat, erinnern wird, sondern an

Jahwe, der die Nachkommenschaft des Hauses Israel »aus dem Land des Nordens und aus allen Ländern, dahin ich sie verstoßen habe«, herausgeführt hat.

Jeremias Gerichtsverkündigung hat nicht die spannungsvolle Vieldimensionalität der Verkündigung Jesajas. Die Gerichtsaussage ist stärker fixiert worden. In der zusammenhängenden Reflexion über die Propheten, die bei ihm im Kampf gegen falsches Prophetentum einen ungleich größeren Raum einnimmt als bei seinen Vorgängern, sieht er den wahren Jahwepropheten »von Urzeit her« dadurch gekennzeichnet, daß er »von Krieg, Unheil und Pest« redet (28, 8).

Das Proprium der Prophetie Jeremias liegt an einer anderen Stelle. In ihr wird in einer bisher in dieser Art unerhörten Weise sichtbar, wie der Bote des Jahwewortes, der darin Jahwe in der Mitte seines Volkes gegenwärtig werden läßt, zur mitleidenden Gestalt wird.

Schon Jer 1 zeigte, wie der Prophet, der das Leiden vorausahnt, Jahwes Auftrag zunächst abzuweisen sucht. Die Begründungen des kommenden Gerichtes zeigen dann das schwere persönliche Leiden unter der unfaßlichen Verhärtung des Volkes, das sich so wenig ändern kann, wie der Panther seine Flecken und der Mohr seine Haut ändert (13, 23). Vor allem aber zeigt sich schon in den Schilderungen der Frühzeit, wie der Prophet unter der Schau des von Norden hereinbrechenden Feindes selber geschlagen an seinem ganzen Leibe zittert und in seinem Innersten betroffen ist: »Mein Inneres, mein Inneres! Ich zittere! Ihr Wände meines Herzens! Mein Herz ist erregt, ich kann nicht schweigen, denn den Klang der Posaune höre ich, das Kriegsgeschrei. Verderben kommt über Verderben, verwüstet ist das ganze Land, jählings verwüstet meine Zelte, im Nu meine Zeltdecken. Wie lange denn muß ich sehen das (Kriegs-)Panier, den Schall der Posaune hören?« (4, 19—21). Er ist von dem, was er prophetisch schaut, im Innersten zerschlagen, kann die Tränen nicht zurückhalten: »Wenn ich aufs Feld hinausgehe — siehe da, Schwerterschlagene. Wenn ich in die Stadt hineinkomme — siehe da, Hungersqual« (14, 18). Die Form der Frage nimmt in seinen Worten einen breiten Raum ein. Nur bei ihm ist die gesteigerte Form der Tripelfrage (in nicht weniger als 8 Beispielen) zu finden: »Ist denn Israel ein Sklave oder ist er ein im Haus geborener (Knecht)? Warum ist es der Plünderung verfallen?« (2, 14).

Aber das Mit-Leiden zeigt sich nicht nur in den Gerichtsankündigungen. Es ist nicht zufällig, daß gerade im Buche Jeremia (von seinem Freunde Baruch aufgezeichnet?) eine Mehrzahl von Passionsberichten des Propheten zu finden ist: Die Episode, die davon erzählt, wie er in den Block gelegt wurde (20), die Gefährdung nach der Tempelrede (26), die Anfechtung durch andere Propheten (28f.), die Passionsgeschichte des buchgewordenen Jahwewortes (36) und schließlich die breit erzählten Ereignisse während der Belagerung der Stadt (37f.) und das Geschehen nach der Ermordung Gedaljas (42–44). Man wird diese Berichte nicht einfach einem erwachenden biographischen Interesse zuschreiben können. Sie sind, wie besonders Kap. 36 zeigen kann, als Leiden des Jahwewortes und des Propheten um des ihm aufgetragenen Jahwewortes willen aufgezeichnet.

Noch auffälliger ist die Tatsache, daß sich unter den Worten des Propheten die Aufzeichnung persönlichster innerer Leidenserfahrungen, die vor Jahwe ausgesprochen und ihm geklagt werden, findet, die sog. »Konfessionen« Jeremias.

Die Nähe zur Psalmklage ist schon immer aufgefallen und hat zeitweilig zur Unechterklärung dieser Stücke geführt. Seit der Untersuchung von Baumgartner ist diese Sicht aber nicht mehr zu halten. In Jeremias Klage begegnen wie in den Ps die »Feinde«, gegen die er sich in Leidenschaft aufbäumen kann. Es wird die Nachstellung sichtbar, die er in seiner nächsten Verwandtschaft und in Anathoth draußen erfahren hat. Es wird aber in diesen Klagen auch sichtbar, wie Jeremia in seiner Botschaft gelebt, von ihr her für die Schonung der Gerichtsbedrohten gebetet hat, aber von ihnen mit Verfolgung belohnt worden ist, so daß sein Zorn in höchster Leidenschaft herausbricht.

Der Feind ist nicht nur der menschliche Verfolger. Unheimlich werden die Klagen, wo Jahwe zum Angeklagten des Propheten wird, der Jahwes Walten nicht mehr versteht. In logisch nicht zu vereinbarender Weise mischen sich in 15, 15–18 die Aussagen von der höchsten Lust des Empfanges des Gotteswortes mit den harten Anklagen darüber, daß Jahwe seinen Propheten durch das ihm gesandte Wort und die auf ihn gelegte Hand tief einsam macht und ihn aus dem normalen Leben von Freude und Leid aussondert (16, 1ff.). Es bricht in die harte Anklage Jahwes um. In eigentümlicher Weise ist zweimal auch die Antwort Jahwes auf solche Anklage zu hören: Eine Antwort, die nicht milde tröstet, sondern herb zurechtweist und zur Umkehr ruft (15, 19–21) oder gar dahin lautet, daß die bisherigen Erfahrungen noch ein Geringes seien angesichts dessen, was dem Propheten noch bevorsteht (12, 5f.). Die Konfessionen enden in 20, 7–18 mit dem Geständnis des Propheten, daß er aus seinem Amte ausbrechen und nicht mehr im Namen Jahwes reden wollte, dann aber durch einen Zwang, der seinen Leib wie im Fieber ergriff, zu erneutem Reden gezwungen worden sei, und schließlich mit der Verfluchung seines eigenen Geburtstages.

In alledem wird kein lösendes Wort zum Leiden gesprochen, das als Rätsel des Propheten Leben schlägt. Nur an zwei Stellen meint man zu sehen, wie sein Leiden für den Propheten transparent wird. Wenn Jahwe in 12, 7f. trauernd sagt: »Ich habe mein Haus verlassen, mein Erbe gelassen. Ich habe den Liebling meiner Seele in die Hand seiner Feinde gegeben. Mein Erbe wurde mir wie ein Löwe im Wald, hat gegen mich seine Stimme erhoben, darum mußte ich es hassen«, so klingt darin die Aussage auf, daß Jahwe selber unter seinem Tun im Gericht leidet. Und noch offener wird das in Kap. 45 in einem Gotteswort zum Ausdruck gebracht, mit dem Jeremia seinen treuen Gefährten Baruch auf seine Klage über all das Leiden tröstet, das er mit Jeremia zusammen trägt: »Siehe, was ich gebaut habe, muß ich einreißen, und was ich gepflanzt habe, muß ich ausreißen. Und du verlangst für dich Großes – verlange es nicht« (4f.). Hier wird hinter allem unverstandenen Leiden die letzte Tiefe, auf deren Hintergrund dieses Leiden steht, sichtbar: Jahwe selber leidet an seinem Gericht, das er über sein Volk verhängen muß. Im Leiden des Propheten spiegelt sich das Leiden Gottes an seinem Volke. Darin wird des Propheten Leiden ein Teil seiner Verkündigung.

3. *Ezechiel*, einer jener schon 597 mit dem König Jojachin Verbannten, ist bei all dem vielen, was ihn mit Jeremia verbindet, eine von Jeremia grundverschiedene Gestalt. Die weichen Züge leidender Bewegtheit fehlen hier. »Wie Diamant, härter als Kiesel« macht Jahwe nach 3, 9 seine Stirne. Dieses ist denn auch die Prägung der Verkündigung Ezechiels. Die verdichtende Wortmächtigkeit eines Jesaja fehlt ihm ebenso wie die menschliche Bewegtheit, die einen Jeremia so viel unmittelbarer zugänglich zu machen schien. Dafür weiß dieser aus priesterlichem Berufe kommende Prophet in besonderer Weise, daß Jahwe in seinem ganzen zunächst so harten Tun der Zerschlagung seines Volkes unterwegs ist, sich selber nicht nur diesem Volke, sondern darüber hinaus der Völkerwelt offenbar zu machen. Das Erweiswort, das Jahwes Handeln als die Weise seines freien Heraus-

tretens kennzeichnet (»sie sollen erkennen: Ich bin Jahwe«, s. o. S. 15), ist eine die Gottesrede im Buche Ez kennzeichnende Redeform. Die Ehre des Namens Jahwes bewegt diesen Propheten, den man ceteris imparibus in seiner Verkündigung als den Calvin der Prophetie zu bezeichnen geneigt sein möchte, vor allem anderen. Diese Verkündigung wird nun allerdings aus dem Munde eines Mannes laut, der in den Formen seiner prophetischen Erfahrung in manchem an Erlebnisformen der vorklassischen Prophetie erinnert. Nicht nur spielen bei ihm Visionen mit autodramatischer Selbsttätigkeit innerhalb des Erschauten und Zeichenhandlungen eine besonders hervortretende Rolle. Auch die unbefangene Erwähnung des Überfalls und der Entrückung durch den göttlichen »Geist« oder die »Hand« Jahwes unterscheidet ihn von den früheren Schriftpropheten.

In alledem wird dieser Prophet zur Gestalt, welche die Gerichtsverkündigung der vorexilischen Schriftpropheten als deren Vollender zu ihrer letzten Härte schmiedet und der, indem er Israel darin seinem Gotte standzuhalten zwingt, ihm hilft, auch die Katastrophe seines Todes zu durchstehen und neuem Leben entgegenzugehen.

Die Berufung des Propheten (1, 1–3, 15) erinnert darin an die Berufungserfahrung Jesajas, daß auch ihm Jahwe in seiner vollen Thronherrlichkeit erscheint. Die Überraschung dieses Geschehens liegt darin, daß es nicht mehr in Jerusalem, sondern in der Exilsferne am Fluß Kebar, d.h. wohl dem »großen Kanal«, an dem die Menschen der Exulantensiedlung *tel 'ābīb* ihre gottesdienstliche Stelle (Ps 137, 1) gehabt haben dürften, geschieht. Jüngere Nacharbeit der Schule hat die Beschreibung dieser Erscheinung der »Jahweherrlichkeit« (1, 28) erweitert und z.T. verundeutlicht. Die dann folgende Form der Wortbeauftragung verrät, daß man sich schon in der Zeit schriftlich fixierter Prophetie befindet (hat der Prophet am Ende die Szene von Jer 36 noch selber im Jerusalemer Tempel miterlebt?). Dem Propheten wird eine Buchrolle, vorn und hinten beschrieben mit »Klagen, Seufzen und Wehe«, zum Essen dargereicht – eine bei Ezechiel auch sonst wahrnehmbare Umsetzung einer Bildrede (Jer 15, 16) in eine drastische Erlebniserfahrung. In der Beschreibung des Buchinhaltes wird die harte Botschaft des Propheten, die er dem »Hause Widerspenstigkeit« (בית מרי *bēt m^erī* 2, 5. 7 u.ö.) zu verkündigen hat, erkennbar. Sie wird »Klagen, Seufzen und Wehe« erzeugen. Auffallend ist die wiederholte Formulierung, daß Ezechiel das »so hat der Herr Jahwe gesprochen« (2, 4; 3, 11) ankündigen soll –, »ob sie es hören oder ob sie es lassen« (2, 5. 7; 3, 11). Das Ausrichten der Botschaft soll sich nicht am Erfolg bei den Hörern orientieren. Des Propheten eigene Verantwortung, die hier deutlich reflektiert ist, besteht aber auf jeden Fall im Ausrichten der Botschaft.

Auch bei Ezechiel ist die Ansage des kommenden Tages Jahwes zu vernehmen (Ez 7). Unheil wird den Bergen Israels, welche in der vordt. Zeit den Höhendienst gesehen hatten, angedroht (Ez 6). Vor allem aber konzentriert sich des Propheten Ankündigung in z.T. schwer vorstellbaren Zeichenhandlungen und Worten auf den bevorstehenden Fall Jerusalems, der Mitte des »Hauses Israel«. Der Gesamtvolkname Israel bezeichnet neben Jerusalem (der Zionname fehlt völlig) durchgehend den Adressaten der prophetischen Botschaft.

Ez 7 mit seiner breiten Schilderung »des Tages« (d. h. Jahwes) nimmt sich wie eine Entfaltung des Stichwortes von Am 8, 2 »Das Ende ist gekommen« aus. Solches Beharren und breite Ausführen eines bestimmten Themas oder Bildes unterscheidet Ezechiel stark von dem kaleidoskopartig rasch wechselnden, verschwenderischen Reichtum an Bildern in der Eigenrede Hoseas und Jeremias. — Das Wort vom »Tod über den Bergen Israels« in Ez 6 schildert, wie der Tod gerade an den Stätten der Höhenverehrung grause Ernte halten wird.
Die bevorstehende Belagerung Jerusalems und sein Fall ist Thema der Ez 4f. zugrundeliegenden Dreizeichenkomposition, in der 4, 1f. (3) den Anfang, 4, 9a. 10f. die Höhe und 5, 1f. (3—4a) das Ende der Belagerung zu Gesicht bringen. In die Zeichenhandlung »Exulantengepäck« in 12, 1—16, welche die Deportation der Bevölkerung Jerusalems darstellt, ist nachträglich die Hindeutung auf das Schicksal des Königs Zedekia eingeblendet worden. Auch die Bildrede vom »Wald im Südland«, der vom Feuer verzehrt wird, meint nach der Deutung von 21, 6ff. den Brand der Stadt Jerusalem. Demgegenüber zeigt die Zeichenhandlung von den zwei Wegen in 21, 23ff. den Anmarsch Nebukadnezars gegen Palästina und den durch das Orakellos gewonnenen Entscheid des Königs, sich nicht zuerst gegen die Hauptstadt der Ammoniter, sondern gegen Jerusalem zu wenden. Mit dem unheimlichen (von Jer 1, 13f. her bestimmten?) Bild vom Kessel mit den Fleischstücken, der so lange auf das Feuer gesetzt wird, bis nicht nur alles in ihm verkocht ist, sondern der Kessel selber im Feuer zu glühen beginnt, wird in 24, 3ff. das Geschick der in Jerusalem »Eingekesselten« geschildert. Auch die ezechielische Verwendung des Bildes vom Vorgang des Metallschmelzens (22, 17—22) gehört in diesen Zusammenhang. Nach 24, 15ff. wird sogar der jähe Tod der Frau des Propheten durch den Befehl Jahwes zu einer Zeichenhandlung für den Fall Jerusalems. So wie Ezechiel starr und reglos, unfähig, die üblichen Trauerbräuche zu vollziehen, dasitzt, so starr und reglos wird das Volk nach dem Fall Jerusalems, wenn die Söhne und Töchter, welche die Exulanten zurückgelassen haben, durchs Schwert fallen, dasitzen und vor übergroßem Leid keiner Trauerhandlung mehr fähig sein.

Vergleicht man Ezechiels Gerichtsankündigung mit derjenigen Jesajas und auch Jeremias, so fällt auf, daß wenig lebendige Geschichtsbewegung mehr erwartet wird. Für den mit der »Vorhut« der Gerichteten schon in Babylonien befindlichen Propheten kann es nur mehr um die Schilderung des letzten Sturzes auch des in Jerusalem verbliebenen Restes in den Abgrund gehen. Die verschiedenen Phasen dieses Absturzes werden in Kap. 19 in der klagenden Rückschau auf die deportierten Könige sichtbar.
Bewegter sind die Anklagen, die der Prophet gegen Israel und Jerusalem formuliert, welche das harte Gericht Jahwes verständlich werden lassen. Auch sie aber sind von einer abschließenden Härte und lassen dem Lande Israels, der Stadt Jerusalem und deren heiligem Zentrum, dem Tempel, wie auch Israels König und seinen Propheten keine Entschuldigung mehr übrig.

Wie das Land Israels in Kap. 6 durch seine Höhen, auf denen das Volk mit den Götzen buhlte, gekennzeichnet wurde, ist schon erwähnt worden. Das für Ezechiel bezeichnende Wort für die Götzen (גלולים *gillūlīm*) bringt, wie o. S. 102f. erwähnt, den ganzen Abscheu des Priesters gegen das Unreine zum Ausdruck. Der Totalangriff gegen Jerusalem, die »Blutstadt«, wird in 22, 1—16 geführt, indem der Prophet an einer wohl vorgefundenen Liste von Vergehen, welche als »Blutschuld« qualifiziert sind (s. o. S. 116), entlanggeht und Jerusalem der Verschuldung mit all diesen Vergehen zeiht. Den Angriff gegen das Heiligtum in Jerusalem führt Ez 8, wo dem Propheten in der Entrückung nach Jerusalem auf einem Weg, der bis ans Tempelhaus heranführt, 4 Greuel gezeigt werden: ein Altar fern vom heiligen Bezirk, die Verehrung von in die Wand geritzten Figuren, die Klage der Frauen um den bab. Vegetationsgott Tammuz an der Tempelschwelle selber und das freche Sich-Wegdrehen von der Stelle der göttlichen Präsenz durch die Männer, die vor dem Eingang ins Tempelhaus sich ostwärts (der aufgehenden Sonne entgegen) verneigen. In der Vierzahl der Versündigungen will eine Totalität ausgesagt werden, der dann auch die Totalität des Gerichtes entspricht. Dieses wird nach Kap. 9 durch 6 Verderbergestalten, die »im Heiligtum beginnen«, an allen Menschen in der Stadt ausgeführt, die nicht von einer 7., priesterlichen Gestalt gezeichnet worden sind. Dieser gerettete »Rest« derer, »die seufzen und stöhnen ob all der Greuel, die in ihrer (Jerusalems) Mitte begangen werden«, ist in den sonstigen Eigenworten des Propheten nicht mehr zu finden. (44, 6ff. stammen sicher aus einer anderen Hand.) Seine Höhe findet das Gericht nach dem stark überarbeiteten Zusammenhang Kap. 10f. darin, daß die Herrlichkeit Jahwes den Tempel verläßt.

In 22, 23—31 ist an die Anklagen gegen die Blutstadt und das ihnen folgende Bild vom Metallschmelzen noch eine »Ständepredigt« angefügt, welche alle einzelnen Stände im Lande der Verfehlung ihres Auftrages zeiht: Die Fürsten (c. T.), Priester, Minister, Propheten, den Landadel. Gegen Propheten und Prophetinnen, welch letztere sich mit Geschäften der Magie abgeben, redet Ez 13. Am vollsten und zugleich konkretesten aber wird der König Zedekia beschuldigt, der dem bab. König seinen bei Jahwe geschworenen Vasalleneid nicht gehalten hat und darum dem Gerichte verfällt, Ez 17. Vgl. auch 21, 30—32.

Neben diesen Formen des Angriffes, der von konkreten einzelnen Versündigungen ausgeht, stellen die großen Geschichtsentwürfe, in denen Israel in der zeitlichen Dimension seiner Geschichte der Sünde geziehen wird, eine Eigenart der Verkündigung Ezechiels dar. Vorstufen dafür lassen sich wieder bei Hosea, Jesaja (1, 21–26) und Jeremia erkennen. Aber der exilierte Ezechiel, der die Gesamtgeschichte Israels als Ganzes abgeschlossen vor Augen hat und überdenkt, übertrifft seine Vorgänger weit in der Breite der Ausmalung dieser Geschichte und vor allem in der totalen Härte der Sündanklage. Anders als bei seinen drei Vorgängern bleibt bei ihm kein Zeitraum frei, in dem sich eine echte Liebe Israels zu seinem Gott gezeigt hätte. Das Bildmaterial zu diesen mehrfach in Bildrede gestalteten Entwürfen ist dem Propheten aus der Tradition zugekommen.

Kap. 15 kann noch nicht als voll entfalteter Geschichtsentwurf gelten. Indem der Prophet hier für Jerusalem das ehrwürdige Bild von der Rebe verwendet, aber nur von deren Holz her auf die völlige Unbrauchbarkeit der Stadt hin argumentiert, die durch das »Anbrennen« in den Ereignissen von 597 nur verstärkt worden ist, vernichtet er jeden Erwählungsstolz Jerusalems, der sich in diesem Bilde, wenn von seiner edlen Frucht her gedacht wird, seinen Ausdruck schafft (Ps 80). In Ez 16 und 23 ist es das von Hosea und Jeremia her übernommene Ehebild, das der Prophet entfaltet. Dabei wird in 16 im Blick auf Jerusalem, das als ausgesetztes Findelkind von Jahwe aufgelesen worden ist, von dessen kan. Eltern her argumentiert, die nichts Besseres erwarten lassen als die böse Buhlerei, mit der sich Jerusalem in gottlosen Kulten vergangen hat. »Wie die Mutter, so die Tochter«, stellt das Sprichwort in 16, 44 fest. In Ez 23 ist das Bild nach dem Vorbild von Jer 3,6 ff. auf die zwei Reiche Israels differenziert, die hier mit den Namen Ohola und Oholiba als Beduinen(zelt-)mädchen charakterisiert sind. Unter Heranziehung der Elemente des alten Credo wird von ihrer geschlechtlichen Ausschweifung schon in Ägypten geredet. Wie bei Jeremia wird das Verhalten der jüngeren Schwester dunkler gezeichnet als dasjenige des Nordreiches, dessen Untergang der Schwester hätte zur Warnung dienen müssen. Anders als in Jer 3 aber läuft das Ganze auf die Anklage gegen das Südreich hinaus, das in den Konspirationen mit Ägypten, die auch nach Kap. 17 das Verhalten Zedekias bestimmen, seine alte Ägyptenbuhlerei neu belebt. Aus der zeitgeschichtlichen Vergehung wird »Ägypten«, das im Rahmen der Credoaussagen an die anfängliche Großtat Jahwes an seinem Volke erinnert, zum Stichwort für die gegenwärtige Versündigung Israels selber. — Nicht mehr zu überbieten ist die Radikalität des ganz bildlos erzählten Zusammenhanges 20, 1—31. Dieser beschränkt sich auf die Erzählung von Auszugs- und Wüstenzeit Israels (27—29 sind nachträglich zugesetzt worden) und macht darin sichtbar, wie Israel schon in Ägypten und dann wieder in der ersten und zweiten Generation der Wüstenwanderer Jahwe gegenüber widerspenstig und seinen Geboten gegenüber ungehorsam war. So mußte Jahwe die Strafandrohung immer mehr steigern. Schon im Ausgang der Wüstenzeit beschließt Jahwe nach 20, 23f., Israel unter die Völker zu zerstreuen. Ja — eine für das AT ganz unerhörte und einmalige Aussage — er gibt Israel ungute Gebote, durch die es nicht Leben erhalten soll (V. 25f.). Dabei ist an das Gebot der Darbringung der menschlichen Erstgeburt gedacht, in desssen wörtlicherEinlösung (etwa durch Ahas und Manasse s. o. S. 157) nur die schwere Vergehung gesehen werden kann. Das Rätsel, daß ein Gebot Gottes dem Menschen Anlaß zur Versündigung werden kann, ein Rätsel, dem dann Paulus im Lichte der Christus-Offenbarung in seiner Weise nachdenkt (Röm 7), wird hier vom Propheten erkannt.

In diesen Geschichtsentwürfen wird alle Eigengerechtigkeit Israels und Jerusalems radikal zerschlagen. Die Sünde der Gegenwart ist nicht nur Episode, sondern Offenbarung dessen, was in Israel von den Anfängen seiner Geschichte her lebendig war. Die Aussage Hoseas über den Ahnvater Jakob (12, 4) ist hier auf die Gesamtgeschichte Israels ausgeweitet.
So ist denn auch die volle Einlösung des göttlichen Gerichtes unausweichlich geworden. Ez 33, 21 f. berichten ganz knapp, wie den Propheten der Augenzeugenbericht vom Fall Jerusalems erreicht. Daß ihm, der zuvor redeunfähig geworden war, jetzt der Mund wieder geöffnet wird, hat zugleich die tiefere Bedeutung, daß sich in diesem Erweis Jahwes, der vom ungläubigen Volk nach 12, 21–25 und 26–28 weggeschoben worden war, die Wahrheit seines Wortes erzeigt und dadurch dem Verkündiger seines Wortes erneut ein zuversichtliches »Auftun des Mundes« gegeben wird (vgl. 29, 21).

Die Fremdvölkerworte von Ez 25—32, unter denen die Worte gegen Ägypten in 29—32 nach den hier ungewöhnlich reichlichen Daten in die zeitliche Nähe des Falles Jerusalems gehören, zeigen im einzelnen wenig Berührung mit der spezifischen Botschaft an Israel. Der Hochmut der Großmacht Ägypten und der Handelsstadt Tyrus, die versucherische Politik Ägyptens gegenüber dem Hause Israel, die Schadenfreude der Nachbarn beim Fall Jerusalems werden hier von Jahwe, der ein Herr auch der Völker ist, mit dem Gerichte bedroht. Im ganzen aber behält die Völkerverkündigung Ezechiels etwas Schematisches und läßt sich nicht mit dem persönlichen Umgang Jahwes mit seinem eigenen Volke vergleichen.

Es zeigt sich, daß der Prophet auch nach 587 da, wo Menschen Jahwes Gericht nicht wirklich annehmen oder sich im Lande etwa gar in gefährlichem »Biblizismus« mit der Erinnerung an Abraham trösten und am Gericht vorbeidrücken (33, 24), in Schärfe das Gericht Jahwes weiterhin androht.
Aber daneben bricht ein anderes ganz voll auf. Da, wo Menschen nach der Katastrophe in des Propheten Umgebung zerbrochen an keine Zukunft mehr glauben wollen (33, 10; 37, 11), da beginnt Jahwe in neuer Weise zu reden. Am gewaltigsten in der Vision von 37, 1–14, deren Bildelemente wieder aus dem vom Propheten gehörten verzagten Wort 37, 11 herauswachsen und zu geschauter Erlebnisrealität werden. Der Prophet wird geheißen, Jahwes Wort über ein Feld voller vertrockneter Totengebeine auszurufen. Wie unter diesem Ruf die toten Gebeine wieder zu lebendigen Leibern werden, da wird ihm diese Schau als Verheißung Jahwes gedeutet, daß er das Haus Israel wieder aus seinem Grabe herausholen wolle. Unter der Kategorie neuer Schöpfung (das Wort »schaffen« ist dabei nicht genannt), in der Jahwe in der Art des Vorganges von Gen 2, 7 totes Gebein neu zu Körpern gestaltet und diesen den Lebensatem einhaucht, wird das neu verheißene Leben Israels verstanden.

Weitere Worte des Propheten, die dann unverkennbar in der Schultradition ihre Erweiterung erfahren haben, schildern die Ganzheit dieses kommenden Lebens. In einer Zeichenhandlung, die an frühere Zeichenhandlungen des Propheten erinnert, wird durch die Zusammenfügung von zwei Stäben mit der Aufschrift »dem Juda und den mit ihm verbundenen Israeliten« und »dem

Joseph und dem ganzen mit ihm verbundenen Hause Israel« die Wiedervereinigung der zwei getrennten Israel-Teile angekündigt. Ein Volk werden sie wieder sein. Und einen König, Jahwes Knecht David, werden sie haben, daß er ihr Hirte sei. Dabei wird hier und in Kap. 34, wo den bösen Hirten in breit ausgeführter Darstellung die gute Hirtenschaft Jahwes gegenübergestellt und ganz ebenso das Kommen des einzigen Hirten David angekündigt wird, nicht weiter über die Möglichkeit und Gestalt des David redivivus spekuliert. Auch dieses liegt ganz so wie die erneute Segnung des Landes mit Fruchtbarkeit, ja sogar mit Tierfrieden (34, 28), in der Mächtigkeit des Herrn Israels, der Neues schafft.

Von besonderer Bedeutung ist für den jüngeren, spätexilischen Propheten Dtjes geworden, was in Ez 20, 32–44 als Gegenwort gegen die böse Anfangsgeschichte Israels gesetzt wird. Wieder geht dieses Wort von der tröstenden Zurechtweisung eines Israel aus, daß sich verloren wähnt und sich fallen lassen will: »Wir werden sein wie die Völker, wie die Geschlechter der (Heiden-)Länder, werden Holz und Stein Dienst erweisen«. Dagegen heißt Jahwe auch hier den Propheten seine neuschaffende Tat, die nochmals beim Anfang anfängt, ankündigen. »Mit starker Hand und ausgerecktem Arm und ausgeschüttetem Grimm will ich König sein über euch«. Zum einzigen Mal bei Ezechiel redet Jahwe hier von seinem Königsein. Diese Königsherrschaft wird sich in einem neuen Exodus, der Herausführung der Versprengten Israels aus den Völkern, erweisen. Das Anklingen der älteren Exodusterminologie ist unverkennbar, zugleich aber auch die bezeichnend ezechielische Wendung derselben. In die »Wüste der Völker« will Jahwe die Gesammelten führen, wie er einst die Väter in die »Wüste Ägyptens« geführt hatte. Dort wird er das Scheidungsgericht halten. Wie der Hirte wird er sie »unter dem Stabe durchgehen lassen« – in Mt 25, 32f. redet Jesus in ähnlicher Weise von der Scheidung der Schafe von den Böcken im Gericht des Menschensohnes. Ziel der Führung aber ist Jahwes »heiliger Berg, der hohe Berg Israels«, wo Israel seinem Gott wohlgefällige Opfer darbringen und in tiefer Scham an die Zeit seiner Versündigung zurückdenken wird.

Die Erwartung des neuen Heiligtums hat dann in der großen, nachträglich durch viel jüngeres Gut angereicherten Schlußvision des Buches Ez ihre volle Entfaltung gefunden. In ebenmäßigen Maßen angelegt, in klarer Distanzierung des Heiligen vom Profanen, schaut hier der Prophet auf dem hohen Berg das neue Heiligtum Israels. Die Erwartung des Neuen verbindet sich hier mit planerischen Überlegungen der Exulanten, die bis zu gewissen Planskizzen gediehen sein dürften. Das Entscheidende aber ist, was 43, 1ff. berichtet wird. Der Prophet schaut, wie die Herrlichkeit Jahwes an diesen Ort zurückkehrt, und hört, wie Jahwe verheißt, für alle Zeiten inmitten der Israeliten wohnen zu bleiben. Von diesem Ort der göttlichen Gegenwart aus sieht der Prophet dann (das mythische Element des Paradiesstromes von Gen 2, 10—14; Ps 46, 5 erfährt hier seine spezifische endzeitliche Neuwendung) ein aus geringsten Anfängen zum mächtigen Strom anschwellendes Wasser rinnen. Mit seiner heilenden Kraft läßt es sogar das große geographische Rätsel des Jahwelandes, das Tote Meer, gesunden, so daß sich Fische darin tummeln. Eine jüngere Hand hat diesem Ausblick in das Umland des Heiligtums noch eine neue Landverteilung zugefügt, welche die alte Verteilung an die Stämme Israels korrigiert (s. o. S. 55 f.). Zwischen den 12 Stämmeanteilen wird als 13. Anteil eine »hl. Weihegabe« ausgesondert, welche Raum für den Tempel, die Priester und Leviten und im gebührenden Abstand vom Heiligen auch für »die Stadt« und den Fürstenbesitz gibt. Der letzte Ergänzer in 48, 30—35 hat die Trennung von »Stadt« und Heiligtum ganz so, wie es bei Dtjes und Trjes der Fall ist, aufgehoben und für die zwölftorige Stadt den Namen »Jahwe ist dort« genannt.

Aber es bleibt nicht beim Neubau des Äußeren. Ihm korrespondiert die Verheißung eines neuen Inneren des Menschen, das Jahwe schaffen wird, wenn er

das steinerne Herz aus dem Leibe der Seinen wegtut und ihnen ein fleischernes Herz gibt, dazu seinen Geist in ihr Inneres legt, daß sie fähig werden, Jahwes Gebote zu halten (11, 19f.; 36, 25ff.). In anderer Formulierung ist hier verheißen, was Jer 31, 31ff. zusagte. Von einem neuen, ewigen Heilsbund reden auch 16, 60; 34, 25; 37, 26 in Zusammenhängen, die jüngeren Erweiterungen aus dem Schülerkreis des Propheten zuzuschreiben sind.
Die Frage, wieso Jahwe dazu kommt, seinem Volke, dessen Rühmen doch so radikal zerschlagen wurde, einen neuen Anfang zu geben, wird von Ezechiel offen beantwortet. In 36, 16ff. ist nochmals die Geschichte Jahwes mit seinem Volke rekapituliert, die um Israels Unreinheit willen in der Zerstreuung unter die Völker enden mußte. Es ist davon berichtet, wie unter den Völkern die hämische Rede umgeht: »Jahwes Volk sind diese, und aus seinem Lande haben sie hinausgehen müssen« (36, 20). Da aber tut es Jahwe leid um seinen heiligen Namen, der durch Israel unter den Völkern entweiht wird. Darum setzt Jahwe nochmals mit einem neuen Anfang ein: »Nicht um euretwillen handle ich, Haus Israel, sondern um meines heiligen Namens willen, den ihr unter den Völkern, zu denen ihr gekommen seid, entweiht habt, und ich werde meinen großen, unter den Völkern entweihten Namen, den ihr in ihrer Mitte entweiht habt, heiligen. Und die Völker sollen erkennen, daß ich Jahwe bin ... wenn ich mich vor ihren Augen an euch heilig erweise«. Das ist nicht der Ton der elementar aufbrechenden Liebe wie bei Hosea und Jeremia. Es ist auch nicht die Majestät des göttlichen Planes, von der Jesaja redet. Aber wenn hier davon die Rede ist, daß es Jahwe um seinen Namen leid tue, so liegt darin undiskutiert beschlossen, daß Jahwes Name lautet: »Jahwe, der Gott Israels«. Diesem Namen bleibt Jahwe treu. Und weil er ihm und darin sich selber treu bleibt, stößt er sein Volk nicht hinaus, um anderswo ein anderes Werk zu beginnen, sondern bleibt in seinem Neuanfang »Jahwe, der Gott Israels«. So lautet die steile Verkündigung des Propheten des frühen Exils.

Noch fehlt eine Seite dieser Verkündigung. Ezechiel sitzt unter den Exulanten. Ihrer Resignation setzt er die Ankündigung des neuen Werkes Jahwes in der neuen Rückführung, dem neuen Tempel und der Neuschaffung der Herzen entgegen. Die Frage mußte sich stellen: Was sollen wir denn nun heute tun? Ez 18 und 33, 10–20 zeigen, wie sich der Prophet dieser Frage stellt. Beide Redeeinheiten gehen von Worten des zerschlagenen Volkes aus, so daß es nicht wohlgetan ist, diese Einheiten aus formgeschichtlichen Erwägungen Ezechiel abzusprechen und einen »Deutero-Ezechiel« zu postulieren (Schulz). 18, 2 formuliert in zynischem Spott: »Die Väter essen Herlinge, und den Söhnen werden die Zähne stumpf«. Konnte nicht diese Resignation gerade an des Propheten Verkündigung der radikalen Hartnäckigkeit des Volkes von seinen Anfängen her entstehen? Die Ausführungen von 18, 1–20 suchen diesen Fatalismus zu brechen, indem sie in einer Generationenfolge von Vater, Sohn und Enkel zu zeigen suchen, wie Jahwe einem jeden nach seinem ganz persönlichen Gehorsam oder Ungehorsam Leben oder Tod zuspricht. Gehorsam und Ungehorsam werden im Entlanggehen an einer Gebotsreihe deutlich gemacht. Die Ausführungen an der ersten Stelle in 18, 5–9 lassen dabei erkennen, daß diese Gebotsreihe aus dem

Tempelbereich stammt, wo der einzelne nach seinem Verhalten gefragt und ihm dann in einer priesterlichen Deklaration zugesprochen wurde: Gerecht ist er, er darf eintreten in den Raum des Lebens, s.o. S. 125. An einer solchen Gebotsreihe sucht der Prophet den im Exil Fragenden deutlich zu machen, was der Wille Jahwes ist und wie dieser für jeden einzelnen, wie immer sein Vater gelebt haben mag, die Verheißung des Lebens enthält.

Aber es konnte auch sein, daß der einzelne sich gar nicht zynisch von den »Vätern« distanzierte, sondern in ganz persönlicher Weise von seiner eigenen Schuld wußte und sie bekannte. So ist es in 33, 10 zu hören: »Unsere Vergehungen und unsere Sünden liegen auf uns, und in ihnen siechen wir dahin, wie könnten wir da leben?« Hier verkündigt der Prophet Jahwes Willen in noch kühnerer Weise. Vor Jahwe bindet auch das Gestern eines Menschen diesen nicht als ein nicht mehr abzuschüttelndes Fatum. »So wahr ich lebe, spricht der Herr Jahwe, ich habe nicht Wohlgefallen am Tode des Gottlosen, sondern daran, daß der Gottlose von seinem Wege umkehre und lebe. Kehrt um, kehrt um von euren bösen Wegen! Warum wollt ihr denn sterben, Haus Israel?« (33, 11). In der kasuistischen Weise einer Schulbelehrung wird dann sowohl in 18, 21ff. wie in 33, 12ff. im einzelnen entfaltet, wie das Gestern eines Menschen nicht fatalistisch sein Heute zementiert. Weder der Gerechte, der meint, mit seiner Gerechtigkeit von gestern heute gottlose Wege gehen zu können, wird davon leben, noch muß der Gottlose, der sich im Heute ernsthaft Jahwe zukehrt (33, 14f. führen in diesem Zusammenhang nochmals zwei konkrete Gebote, die auch in 18, 7 zu hören waren, an), an seiner Gottlosigkeit von gestern zugrunde gehen.

In dieser Zuwendung Jahwes zum Einzelnen wird diesem in seinem Heute die Tür zum Leben geöffnet. Darin kommt zum Ausdruck, daß auch hinter der steilen, so ganz auf die Ehre des Namens Jahwes ausgerichteten Verkündigung Ezechiels Jahwe der Gott Israels bleibt, welcher das Leben auch des Gottlosen will und ihn zur Umkehr ruft.

Dieses Wissen zeichnet sich schließlich in einer auffallenden zweiten Berufsbestimmung des Propheten ab, die 33, 1–9 voll entfaltet, bei der Redaktion des Buches aber durch den Redaktor in einer knapperen Fassung in 3, 16–21 noch an die erste Berufungsgeschichte angefügt worden ist. Dem Propheten wird gesagt, daß er sein Amt als Amt des Spähers oder Warners zu verstehen habe. Das Bild ist schon in Jer 6, 17 von den Propheten ganz allgemein gebraucht. Ezechiel wird es als seine persönliche Verpflichtung auferlegt, wie der Späher auf der Mauer, der eine Stadt vor nahender Gefahr warnt, den Einzelnen, der durch seine Ungerechtigkeit sein Leben gefährdet, zu warnen und ihn dadurch zur Umkehr zu führen. Was für ein seltsamer Gott, der Warner gegen sich selber auf den Plan ruft, damit sein Gericht aufgehalten werden kann! Die zweite Berufung des Propheten ist darin deutlich mit der in 1, 1–3, 15 erzählten Berufung vom Anfang seines Auftretens verbunden, als auch hier nochmals die Reflexion auf den Verantwortungsbereich des Propheten auftaucht. Warnen soll er. Daß Warnung beachtet wird, liegt nicht mehr in seiner Verantwortung. Aber wehe, wenn er das Warnen unterlassen sollte!

Das ist des Propheten Ezechiel Auftrag in der Zeit des Umbruchs und des wartenden Ausschauens nach dem von Jahwe dem Volke angesagten Heil. Zu Ezechiels Verkündigung an Israel tritt hier der Dienst am Einzelnen, der mit ihm wartend auf das Kommende ausschaut. Zu Ez 38f. s. u. S. 203.

J. Jeremias, Kultprophetie und Gerichtsverkündigung in der späten Königszeit, WMANT 35, 1970.
S. Mowinckel, Zur Komposition des Buches Jeremia, 1914. — *W. Thiel*, Die deuteronomistische Redaktion von Jeremia 1—25, WMANT 41, 1973. — *R. Bach*, Bauen und Pflanzen. Studien zur Theologie der alttestamentlichen Überlieferungen, hrsg. von R. Rendtorff und K. Koch, 1961, 7—32. — *K. Groß*, Hoseas Einfluß auf Jeremias Anschauung, NKZ 42, 1931, 241—255. 327—343. — *H. W. Wolff*, Das Thema ›Umkehr‹ in der at. Prophetie, ZThK 48, 1951, 129—148 (= Gesammelte Studien, ThB 22, 1964, 130–150). — *S. Herrmann*, Die prophetischen Heilserwartungen im AT, BWANT 5. F. 5, 1965. — *H. Kremers*, Leidensgemeinschaft mit Gott im AT, EvTh 13, 1953, 122—140. — *W. Baumgartner*, Die Klagegedichte des Jeremia, BZAW 32, 1917. — *G. von Rad*, Die Konfessionen Jeremias, EvTh 3, 1936, 265—276 (= Gesammelte Studien II, ThB 48, 1973, 224—235). — *H. J. Stoebe*, Seelsorge und Mitleiden bei Jeremia, WuD 4, 1955, 116—134.
W. Zimmerli, Ezechiel, Gestalt und Botschaft, BSt 62, 1972 (Lit. BK XIII, 120*—130*). — *H. Schulz*, Das Todesrecht im AT, BZAW 114, 1969.
Vgl. auch Lit. zu § 10 d und § 21c.

c) Die spätexilische und nachexilische Prophetie

1. In *Deuterojesaja* begegnet in der spätexilischen Zeit, als Israel in der tiefsten Nacht seiner Geschichte saß, der Evangelist, d. h. der Frohbotschafter des ATs. In seiner stürmisch jubelnden Verkündigung scheint er durch Welten von Ezechiel getrennt zu sein. Und doch ist nicht zu übersehen, daß in ihm ezechielische Verkündigungselemente, wennschon in ein ganz anderes Gewand gekleidet, ihre volle Entfaltung erfahren (Baltzer; Zur Form der Worte bes. Begrich).
Kein erzählender Bericht, nicht einmal eine eigene Buchüberschrift stellt den Unbekannten von Jes 40–55 vor. Nur in 40, 6–8 meint man die Spur seiner Berufungsbegegnung mit Jahwe zu finden. In ihr fehlt, wie in der ganzen Wortsammlung, jedes visionäre Element. Alles ist hier Hören geworden. So hört er den göttlichen Anruf: »Verkündige (rufe)!«. Ihm antwortet das Bekenntnis der menschlichen Ratlosigkeit: »Was soll ich verkündigen (rufen)?«. Wie immer das nun Folgende zugeteilt wird – ob darin zunächst noch weitere Worte menschlicher Hilflosigkeit zu hören sind (so ZB) oder ob alles Weitere, das noch durch Zusätze erweitert zu sein scheint, göttliche Antwort ist (so die meisten), deutlich ist auf jeden Fall, daß die göttliche Antwort der menschlichen Vergänglichkeit, welche der welkenden Blume gleicht, das unerschüttert bleibende göttliche Wort gegenüberstellt. So hatte Jahwe auch Jeremia in der Anfangsvision 1, 11f. gesagt, daß er über seinem Worte wache. Und bei Ez war es in formelhafter Sprache immer wieder zu hören, daß Jahwe tut, was er redet (12, 25. 28; 17, 24 u. ö.).

Daß in der Verkündigung der bleibenden Gültigkeit des göttlichen Wortes eine Grundaussage der Verkündigung Dtjes' getroffen ist, zeigen nicht nur die polemischen Prozeßreden gegen die Götter, welche den Beweis der Überlegenheit Jahwes mit dem Hinweis auf sein Wort, das Geschichte gestaltet, führen (s. u.). Es wird auch daran erkennbar, daß in 55, 8—13 eine Aussage über das Jahwewort die ganze Sammlung beschließt. Aus Jahwes hohen, allen Menschenverstand übersteigenden Gedanken hervorgehend, gleicht, so ist hier gesagt, das Wort Jahwes dem Schnee und Regen, der auf die Erde fällt und nicht wieder zurückkehrt, ohne daß er dort Fruchtbarkeit gewirkt hat. Das Jahwewort ist die eigentlich geschichtsgestaltende, in allem Wandel bleibende Macht. Ist die Kontrastierung des vergehenden Menschenwesens mit der bleibenden Wirklichkeit Jahwes ein im Hymnus Israels beheimatetes Bekenntnis (Ps 103, 14—18), so ist die besondere Heraushebung des Wortes als der den Menschen angehenden Wirklichkeit Jahwes unverkennbar von der älteren prophetischen Erfahrung her bestimmt. Israel hat es in seiner eigenen Geschichte erfahren, daß nicht die Planungen seiner Könige und ihre Heere Geschichte gemacht haben, sondern das von den vorexilischen Propheten verkündigte Jahwewort. So ist es auch in die Geschichtsdarstellung des Dtr eingegangen.

Was 55, 12f. als Auswirkung des göttlichen Wortes beschreibt, das fröhliche Ausziehen Israels (aus dem Exil) unter dem Jubel der Natur, das wird in den Anfangsworten von 40, 3–5 als etwas vom Propheten aus der himmlichen Welt Erlauschtes dargestellt: »Horch, einer ruft (verkündigt): In der Wüste ebnet den Weg Jahwes, in der Steppe baut einen graden (aufgeschütteten) Weg für unsern Gott«. Und dann wird geschildert, wie auf diesem durch das Einebnen von Bergen und Tälern erstellten Weg die Herrlichkeit Jahwes sich offenbar machen wird, daß alle Kreatur es sieht. Andere Worte vervollständigen das hier nur in seinem bedeutsamsten Teil angedeutete Geschehen. 40, 9–11 schildern, wie Jahwe als sorgsamer Hirte einherzieht und seine Beute (darin webt sich das Bild des siegenden Feldherrn ein) mitbringt, die Lämmer an seinem Busen trägt, die säugenden Muttertiere behutsam führt. An den weiteren Stellen, die dieses Geschehen schildern, wird die Vorstellung der großen Gottesprozession, wie die Verbannten sie aus ihrer Umgebung, zumal vom großen bab. Neujahrsfest her, anschaulich vor Augen hatten, erkennbar. Mit ihr verbindet sich der Gedanke des Zuges durch die Wüste, die Babylonien von der Heimat Israels trennt. In alledem ist das Geschehen eines neuen, den Exodus aus Ägypten weit überbietenden Exodus geschildert.

Dtjes nimmt darin die Verkündigung von Ez 20, 32ff., die ihrerseits eine Vorform in Hoseas Erwartung einer neuen Wüstenzeit und Landnahme von der Wüste her (2, 16f.) hatte, auf. Aber was Ezechiel in prosaischem Berichtsstil ausführte, wird bei Dtjes in feiernden, poetisch gestalteten Teilschilderungen als wie in einzelnen Momentaufnahmen gerühmt. Dabei wird der antitypische Bezug zu den Geschehnissen der ersten Wüstenwanderung, der schon in Ez 20, 36 erkennbar wurde, ganz voll unterstrichen. Jes 43, 16ff. heben mit Nachdruck die Überbietung des »Neuen« (Antitypus) gegenüber dem »Alten« (Typus) hervor. Eine polemisch-lehrhafte Deutung dieser Überbietung in dem Sinne, als ob hier Israel aus seiner alten Heilsgeschichte herausgestoßen und vor ganz Neues gestellt würde (von Rad), ist nicht beabsichtigt. Vielmehr will in der Gleichheit des Exodus gerade die Verbundenheit der neuen Geschichte mit der alten, sosehr diese an Herrlichkeit nun übertroffen wird, festgehalten und darin die Treue Jahwes, der bei seiner Sache bleibt, zum Ausdruck gebracht werden.

So kehren auch andere Züge in der Überhöhung wieder: Nicht wie einst wird Israel »in ängstlicher Eile« (חפזון *ḥippāzōn*) ausziehen (vgl. dazu Ex 12, 11; Dtn 16, 3). Wie damals die Feuersäule der göttlichen Gegenwart das Volk umschirmte, so wird nun Jahwe Spitze und Nachhut des Zuges zugleich bilden (52, 12). In der Wüste wird Israel nicht nur erleben, daß Wasser aus dem Felsen rinnt, es zu tränken (48, 21, dazu Ex 17, 5f.; Num 20, 7ff.), sondern die kahle Wüste wird sich verwandeln. Wasserteiche werden da sein, schattenspendende Bäume werden wachsen. Alles aber geschieht dem großen Ziel, Zion, entgegen. Jubelnd wird dort schon von den Spähern und Freudenboten das Königtum Jahwes ausgerufen, so daß auch die Trümmer Jerusalems in Jubel ausbrechen und alle Enden der Erde das Heil des Gottes Israels sehen. Es wird aber nicht bei den Trümmern bleiben. In aller Herrlichkeit wird Zion wieder erbaut werden (54, 11f.). Voller Verwunderung wird die Unfruchtbare, Verwüstete wahrnehmen, wie durch die Rückbringung der Diaspora (43, 5f.) ihre Kinder so zahlreich werden, daß der Raum im Zelt nicht mehr ausreicht (54, 1—3). Die Schmach der Witwenschaft wird von ihr genommen, »denn dein Schöpfer ist dein Eheherr, Jahwe der Heerscharen ist sein Name« (54, 4—6). Das ist die Tröstung Israels, die von Dtjes gerne in der Form des priesterlichen Erhörungsorakels (Begrich) formuliert wird (etwa 41, 8—13). »Tröstet, tröstet mein Volk«, ist denn auch der vom Propheten in der himmlischen Ratsversammlung erlauschte Ruf, der den Eingang zu seiner Wortsammlung bildet (40, 1f.).

Dieses Tun Jahwes wird vom Propheten mit dem Begriff des »Loskaufens« (גאל *g'l*) bezeichnet. Der Ausdruck stammt aus dem Sippenrecht und besagt dort den Rückkauf eines in Schuldknechtschaft Geratenen. Zur Verwendung im Blutracherecht s. o. S. 144 zu Hi 19, 25. In diesem Ausdruck ist sowohl die ursprüngliche Verbundenheit Jahwes mit seinem Volke, als auch die derzeitige Verfallenheit Israels an fremde Mächte, aus der Jahwe nun sein Volk »zurückkauft«, zum Ausdruck gebracht. In diesem Bildkreis kann von der großen Ersatzzahlung, die Jahwe für sein Volk zu zahlen bereit ist, die Rede sein (43, 3f.). Sachlich geht es um die Brechung der Macht Babylons, das Israel gefangen hält. In Kap. 47 ist dieses in einem farbkräftigen Völkerspruch gegen Babel angekündigt. Im Bild des Rückkaufs liegt aber auch der Hinweis auf »Schuld«, durch die Israel in Schuldknechtschaft geraten und die nun abbezahlt ist. Könnte 40, 2 noch zum Gedanken verleiten, Israel habe sich selber von dieser »Schuld« befreit, so wird in 43, 22–28 in aller unmißverständlichen Deutlichkeit klar, daß Dtjes ganz so wie Ezechiel und die frühere Schriftprophetie davon weiß, daß Israel keinerlei eigene Gerechtigkeit, die seine Freilassung rechtfertigte, vorzuweisen hat, sondern daß es allein die souveräne freie Gnadentat Jahwes ist, die ihm Loskauf und neue Zukunft verschafft. In eigenständiger Aufnahme der Kultpolemik der vorexilischen Schriftpropheten wird festgestellt, daß Israel sich nicht wirklich mit Anrufung und Opfergaben um seinen Gott bemüht habe, ihm aber wohl Mühe bereitet habe durch sein Tun: »Du hast mir Arbeit gemacht mit deinen Sünden, mir Mühe bereitet durch deine Verschuldungen«. Wie schon bei Hosea wird auf den Vorvater Jakob als den Urtyp des Sünders hingewiesen: »Dein Urahn hat gesündigt, und deine Vertreter haben sich gegen mich vergangen. ... So gab ich Jakob dem Banne und Israel den Schmähungen preis«. Dagegen aber steht das nun angekündigte Tun Jahwes, in dem einmal mehr das souveräne »Ich, ich« hörbar wird: »Ich, ich wische weg deine Vergehungen um meiner selbst willen und gedenke deiner Sünden nicht mehr«. Vgl. auch das verdoppelte »um meiner selbst willen« (למעני למעני *l^e^ma^ca^nī l^e^ma^ca^nī*) von 48, 11, das mit dem »Nicht um euretwillen« (לא למענכם *lō l^e^ma'ankaem*) von Ez 36, 22 korrespondiert. Auch die jubelnde Ankündigung der nahen Befreiung läßt daran keinen Zweifel, daß sie allein aus der gnädigen Entscheidung des Gottes Israels stammt, ohn' alles Verdienst und Würdigkeit Israels. Die Erwähnung Jakobs als des Erwählten und Abrahams als des »Freundes« Jahwes (41, 8) darf nicht verwischen, daß Israel, obwohl es Augen und Ohren hat, Jahwe gegenüber das blinde und taube Volk ist. Der Anklang an Jes 6, 9f. ist in 43, 8 (vgl. 42, 18) gar nicht zu überhören.

Die Verkündigung Dtjes', die zunächst auf das eschatologische Wunder des neuen Exodus, der die Wüste verwandelt, auszugehen scheint, erfährt in der Folge eine eigentümliche geschichtliche Konkretisierung. Anders als Begrich wird man nicht von einem »Enttäuschungserlebnis«, welches den Propheten an seiner hohen Erwartung verzagen ließe, zu reden haben. Es wiederholt sich hier vielmehr, was schon in Jesajas Verdichtung der Verkündigung vom Tag Jahwes zur Ankündigung des Assyrers und in Jeremias Konkretisierung seiner unbestimmten Früh-Ansage vom Feind aus dem Norden zum offenen Reden von Babylonien zu sehen war. Die Dtjes von Ez her zugekommene Ankündigung des neuen Exodus konkretisiert sich zum Hinweis auf den Perserkönig Kyrus, der als das Werkzeug der Befreiung von Jahwe herangeholt wird.

Die Ankündigung vom Kommen des Kyrus geschieht im einzelnen in verschiedenem Kontext. Am kühnsten ist das Wort direkter Anrede Jahwes an Kyrus, in dessen Einleitungsformel Kyrus als der »Gesalbte« Jahwes bezeichnet wird, dem er alle verschlossenen Tore öffnen will (45, 1—7). In diesem Wort ist Kyrus die Hilfe Jahwes in seinen Kämpfen zugesagt. Um des erwählten Israel willen wird Jahwe dieses tun, »damit sie erkennen vom Aufgang der Sonne und von ihrem Untergang, daß außer mir keiner ist. Ich bin Jahwe, und keiner sonst«. In 44, 24—28 ist es eine große hymnische Selbstprädikation, in der sich Jahwe im Stil der part. Hymnen selber als der Schöpfer des Alls und der Herr der Geschichte vorstellt, der die Zeichen der (bab.) Orakelgeber vereitelt, aber das Wort seiner (Propheten-)Knechte erfüllt, Kyrus zu seinem Willensvollstrecker macht und Jerusalem wieder aufgebaut werden läßt. 48, 12—15 weisen ohne ausdrückliche Namennennung im Kontext göttlicher Selbstverherrlichung auf den »Freund Jahwes«, der seinen Willen an Babel vollzieht. Wenn Kyrus in 46, 11 als »Stoßvogel« bezeichnet wird, so stehen wohl wie in 41, 2f. die raschen Siege über die Meder und über Krösus, den Lyder, welche die damalige Welt überraschten, vor Augen. Dann wiederum kann in stärker polemisch gefärbten Disputations- und Prozeßworten ohne Namennennung von ihm die Rede sein. 46, 9—13 könnten dabei gegen Proteste aus den Reihen des eigenen Volkes gerichtet sein, das die unorthodoxe Botschaft (Kyrus »Gesalbter«) als ungehörig empfindet. Deutlich sind demgegenüber die Prozeßreden 41, 1—5 und 21—29 gegen die Götter der Heidenwelt, zumal der bab. Umgebung der Exulanten, gerichtet. Unter der drängenden Frage, wer denn von ihnen Geschichte durch sein voraussagendes Wort zu bestimmen vermöge, wird ihnen jede Macht abgesprochen. Wie schon bei Ez wird hier das geschichtliche Handeln, das durch Jahwes Wort zuvor schon erhellt und angekündigt ist, als der eigentliche Beweis für die alleinige Gottheit Jahwes angeführt.

Um Jahwes gewaltigen Selbsterweis und seine Ehre in allem Geschehen geht es dem Propheten, der so voll aus der Sprache und Gedankenwelt des Hymnus heraus verkündigt. Wie schon in § 4 erwähnt, wird die Rühmung des Schöpfers allumfassend. »Der ich das Licht bilde (יצר *jṣr*) und die Finsternis schaffe (ברא *br'*), der ich Heil wirke (עשׂה *'śh*) und Unheil schaffe (ברא *br'*). Ich, Jahwe, mache (עשׂה *'śh*) all dieses« (45,7). Über Gen 1 hinaus ist hier die Finsternis und das Unheil voll in die Macht des Schöpfers einbezogen. Aber auch in der zeitlichen Erstreckung umgreift die Schöpfungsaussage die ganze Geschichte. Die Erschaffung (ברא *br'*) der Enden der Erde (40, 28), der Gestirne (40, 26), des Menschen (45, 12), die Erschaffung Israels (43, 1) in der Vergangenheit ist ganz ebenso des Schöpfers Werk wie das gleich den Güssen vom Himmel und der sprossenden Pflanze aufbrechende Heil der nahen Zukunft (45, 8). In der zweifellos mit Absicht nahe an den Anfang der Wortsammlung gerückten Zusammenstellung von Worten, welche die Majestät des Schöpfers preisen (40,12ff.), fehlt die spottende Polemik gegen den Bilderdienst der bab. Umwelt nicht. Mag hier auch (etwa in 44, 9–20) nachträglich noch manches von anderen Händen ergänzt sein, so gehört doch die Polemik gegen die heidnische Götterwelt und ihre Bilder in die Eigenbotschaft Dtjes' hinein. Das erste und zweite Dekaloggebot erlebt in seiner Botschaft eine triumphierende Rühmung. Das Wissen um die Wahrheit, welche diese beiden Gebote aussprechen, wird bei Dtjes ein Element der Tröstung für das deportierte Israel, das unter dem Druck der sich prunkvoll darstellenden bab. Götterwelt seufzt und spricht: »Mein Weg ist vor Jahwe verborgen, und mein Recht entgeht meinem Gott« (40, 27). »Verlassen hat mich Jahwe, und der Herr hat mich vergessen« (49, 14).

Dieser Verzagtheit tritt Jahwe mit seinem gnadenvollen »Ich, ich« entgegen: »Ich, ich bin Jahwe, und außer mir ist kein Retter« (43, 11). Was Jahwe tut, enthält nach 54, 10 die Versicherung, daß Jahwes Huld und Bund nicht von Israel weichen, wenn auch Berge und Hügel weichen. Mit dem Geschehen nach der großen Flut, den »Wassern Noahs«, wird verglichen, was über Israel geschieht. Gleich dem dort von Jahwe ausgesprochenen Schwur (P redet vom »Bund«, s. o. S. 153), daß »die Wasser Noahs« nicht mehr über die Erde kommen sollen, wird nun nach der Zeit des Zornes der Schwur laut, daß Jahwes Huld unverbrüchlich sei (54,9). Anders als in Jer 31, 31ff. und den Stellen bei Ez ist hier nicht von einem neuen Bund die Rede, sondern von der Unerschütterlichkeit des alten, der durch einen »kleinen Augenblick« des Verlassens und Verbergens des Angesichtes weggetan zu sein schien (54, 7f.), nun aber durch das »Neue«, was Jahwe über das »Alte« hinaus zu tun verheißt, bestätigt wird.

Es ist in einigen Worten schon angeklungen, daß Dtjes die ihn umgebende Völkerwelt als Bereich, in dem durch den Loskauf Israels Erkenntnis Jahwes sich ereignen wird, anspricht. Ähnliches war gelegentlich schon bei Ez zu erkennen gewesen. Bei Dtjes aber wird es in ungleich stärkerer Weise zu einer neuen Thematik. Wohl sind hier auch noch Aussagen zu hören, nach denen die Völker Israel dienend nahen – etwa bei der Rückführung der Diaspora (49, 22f.). Aber daneben erklingt in 45, 14 ein neuer Ton. Mit der dienenden Hinwendung der Völker zu Israel wird ein Bekenntnis laut: »Fürwahr, bei dir ist Gott und nirgends sonst, es ist kein Gott«. So entfalten 45, 18–25 die weite Perspektive, daß unter dem Eindruck des in der Geschichte redenden und handelnden Gottes die »Entronnenen der Völker« und »die Enden der Erde« mit herangerufen sind, um an seinem Heil teilzubekommen. In diesem Zusammenhang fällt der im Christushymnus von Phil 2, 10f. aufgenommene Schwur Jahwes: »Ich habe bei mir selber geschworen, aus meinem Munde ist Gerechtigkeit (= Heilvolles) ausgegangen, ein Wort, das nicht rückgängig werden wird: Mir wird sich beugen jedes Knie und zuschwören jede Zunge«. Es ist ein eigentümliches Phänomen, daß sich gerade in der Exilszeit, dieser Zeit tiefer Verborgenheit Jahwes (Perlitt) vor den Augen Israels, wo 45, 15 formuliert: »Fürwahr, du bist ein verborgener Gott, du Gott

Israels, ein Helfer«, Proselyten aus den »Völkern« zu dem geschlagenen, aber eines so gewaltigen Herrn Tun bezeugenden Israel herzumachen und in neuer Weise bekennen: »Jahwe gehöre ich« und sich Jahwes Namen als Zeichen der Jahwegehörigkeit auf die Hand tätowieren lassen. Daß solches tatsächlich geschehen ist, belegen Sach 8, 20–23; Jes 56, 1–8. In 44, 1–5 wird solches zur verheißenen Segnung Israels gerechnet. Man meint zu hören, daß sich darin eine letzte Entschränkung des Vätersegens von Gen 12, 2f. auch auf die Völkerwelt hinaus ankündigt. Israel bekommt in diesem Geschehen die besondere Aufgabe, Zeuge zu sein. Das »blinde und taube Volk« wird nach der Prozeßrede 43, 8–12 zum »Zeugen« für Jahwe. Nicht durch sein aktives Tun oder etwa gar durch Taten seiner Frömmigkeit wird es zum Zeugen, sondern allein dadurch, daß es das Handeln Jahwes in seiner freien Gnade an sich erfahren hat und dieses »bezeugt«. In solcher Zeugenschaft (»ihr seid meine Zeugen (dafür), ob es einen Gott gibt außer mir« 44, 8) wird es seine Bestimmung als erwählter Knecht Jahwes (43, 10) in der Völkerwelt voll erfüllen. In besonders kühner Weise kommt dieses in 55, 1–5 zum Ausdruck, wo auch die Davidverheißung auf das ganze Volk ausgeweitet wird – ein nach der Vergebung des »Gesalbtentitels« an Kyrus möglicher Vorgang. Dtjes kennt keine königsmessianische Verheißung. David, der Herrscher über ein Großreich, dem auch Fremdvölker zugehörten, wird in 55, 4 in seinem Herrschen (der alte נגיד *nāgīd*-Titel taucht hier wieder auf) in neuartiger Weise als »Zeuge für die Völker« verstanden. Jahwes Macht wird durch ihn den Völkern erkennbar. Nach Dtjes bestehen die »Gnadengaben Davids«, von welchen die Davidverheißung sprach (vgl. Ps 89, 50), darin, daß nun ganz Israel zum Zeugen Jahwes werden soll, so daß bisher unbekannte Völker herzugelaufen kommen um des »Heiligen Israels« willen. In einer nicht durchsichtigen traditionsgeschichtlichen Verbindung mit Jesaja braucht auch Dtjes die Bezeichnung Jahwes als des »Heiligen Israels«.
Es wird auffallen, daß sich im Worte Dtjes' im Unterschied zur älteren Prophetie keinerlei Ermahnung zu sozialem Rechttun findet. Nur 44, 21f. und 55, 6f. enthalten eine Ermahnung an Israel und an den Gottlosen, sich zu Jahwe zurückzuwenden. Beide Mahnungen stehen voll im Lichte der großen Heilstat Jahwes, die zu verkündigen das eigentliche Amt dieses »Evangelisten« ist. »Wie eine Wolke wische ich deine Vergehungen weg und wie einen Nebel deine Sünden. Kehre um zu mir, denn ich kaufe dich los«.
Noch fehlt ein Bestandteil aus Jes 40–55, das wohl am meisten diskutierte Stück des ATs. Es sind die zuerst von Duhm in Jes 42, 1–4; 49, 1–6; 50, 4–9; 52, 13–53, 12 ausgegrenzten sog. Gottesknechtlieder, die von einem »Knecht Jahwes (עבד יהוה *'aebaed jahwǟh*)« reden, der einen weit über Israel hinausgehenden Auftrag bekommt, durch seinen Gehorsam ins Leiden und bis in den Tod hinunter geführt wird, zu dem sich aber Jahwe erneut als zu seinem Knecht bekennt.

Die Deutung dieser Stücke ist von einer Fülle von Problemen umlagert. Duhms These, daß die vier genannten Stücke als eigenes Element auszuklammern seien, was Mowinckel durch den Nachweis zu stützen gesucht hat, daß die Stücke die sonst bei Dtjes erkennbare Stichwortanreihung durchbrechen, ist nicht unbestritten geblieben. Es hat sich darüber hinaus die Frage gestellt, ob nicht auch 42, 5—9; 49, 7. 8—13; 50, 10f. im Zusammenhang mit den Liedern vom

Knecht gesehen werden müssen, Einheiten, die z. T. in Sprache und Vorstellungsgut nahe an die Worte Dtjes' heranführen.
Bedeutsamer noch sind die sachlichen Deutungsprobleme. Ist im »Knecht Jahwes« dieser Stücke wie etwa in 41, 8ff. Israel zu finden? So wird es 49, 3 ganz explizit gesagt. LXX fügt in 42, 1 noch ein »Israel« ein und belegt damit eine alte Deutungstradition, die in dieser Richtung geht. Die Lieder würden dann in ihrem Reden von einem individuellen Knecht im Sinne der »Corporate Personality« (Robinson) ganz so wie etwa Ez 16 und 23 in der Einzelgestalt die Gemeinschaft des Volkes meinen. Gegen diese Deutung steht aber als größte Schwierigkeit, daß in 49, 5f. ganz unmißverständlich dem Knecht zunächst eine Aufgabe an Israel zugewiesen wird, die dann ihre Ausweitung erfährt. So kann der Knecht nicht Israel selber sein. Die Deutung, die hier ein ideales dem realen Israel gegenüberstellen will, entbehrt jedes Anhaltes in den Texten.
Die daneben vertretene individuelle Deutung der Gestalt des Knechtes ist genötigt, in dem »Israel« von 49, 3 einen frühen Deutungszusatz in der Art des Zusatzes von LXX zu 42, 1 zu sehen. Sie scheidet sich im weiteren an der Frage, ob im »Knecht« eine königliche oder eine prophetische Gestalt zu sehen sei. Im Zusammenhang der Entscheidung für eine königliche Gestalt sind dann vor allem Gedanken vom Gottkönig und dem Ritual vom leidenden König eingebracht worden. In den Texten selber meinte man die Königsfunktion am deutlichsten in 42, 1—4, wo von einer weltweiten Rechtsaufrichtung die Rede ist, finden zu können. Aber die Annahme einer im alten Orient allgegenwärtigen Königsideologie, die den König auch als den leidenden Büßer kennt, ist in neuerer Zeit stärker fragwürdig geworden. Zudem scheint die Zurüstung des Mundes von 49, 2 ganz so wie die Bereitung von Zunge und Ohr in 50, 4f. doch eher auf eine prophetische Verkündigungsfunktion zu deuten. Daß auch dafür eine alte Deutungstradition vorliegt, belegen 61, 1—3, die in ihrem Eingang unverkennbar auf 42, 1 zurückgreifen, in ihrer »Sendungs«-Terminologie aber auf eine prophetische Gestalt weisen. Auch die nicht zu übersehende Beziehung zu den Konfessionen Jeremias weist in diese Richtung. So hat man denn geradezu die Frage gestellt, ob nicht in den Aussagen vom »Knecht« das eigene Amt des Frohbotschafters Dtjes gezeichnet sei (Mowinckel 1921, Begrich). Es muß aber erkannt werden, daß zumindest die letzte große Einheit 52, 13—53, 12 jedes bloß vorfindliche Propheten-(oder Königs-) Schicksal weit übergreift und übergroß von einem Letztgültigen redet.

Die früheste Phase im Geschehen um den Knecht ist in 49, 1–6 zu finden. In der Form einer weltweiten Ankündigung redet der Knecht selber hier von der schon vor seiner Geburt erfolgten Berufung durch Jahwe und der Zurüstung seines Mundes. Die Anlehnung an Jer 1, 5. 9 ist nicht zu überhören. Die daraufhin folgende Klage des Knechtes über die Erfolglosigkeit seines Tuns und die Vergeblichkeit seines Mühens erinnert an die Konfessionen Jeremias. Ganz besonders aber erinnert die dann vom Knecht berichtete Antwort Jahwes auf sein Klagen an die Antwort in Jer 12, 5f., wo statt einer Erleichterung der Last nur noch größere Belastungen angekündigt werden. So lautet in 49, 5f. die Antwort Jahwes, der den Knecht von Mutterleibe an zu seinem Dienst bestimmt hatte, »um Jakob zu ihm zurückzubringen«: »Zu wenig ist es, daß du mein Knecht sein solltest, (nur) um die Stämme Jakobs wieder aufzurichten und die Bewahrten Israels zurückbringen – ich will dich zum Licht der Völker machen, daß mein Heil reiche bis an die Enden der Erde«. Man meint im ursprünglichen Auftrag des Knechtes hier genau das zu finden, was Dtjes in seiner Verkündigung getan hat. Sind 49, 8–13 zu dieser Einheit hinzuzunehmen, so ist dort noch viel deutlicher auf die Verkündigung des neuen Exodus angespielt. Dieser Auftrag der Heilsankündigung wird nun zu einem Auftrag erweitert, der die ganze Völkerwelt erreichen soll.
Dieser erweiterte Auftrag ist in 42, 1–4, wo Jahwe selber seinen Knecht als den mit seinem Geist ausgerüsteten Diener vorstellt, vorausgesetzt. Wie immer die

Diskussionsfrage, ob hinter den Bildern vom lauten Ausrufen auf den Gassen, vom verlöschenden Docht und dem zerbrochenen Stab eine bestimmte Rechtssymbolik angenommen werden kann (Begrich), zu entscheiden ist, deutlich wird auf jeden Fall, daß der Knecht es mit einer auffallenden Botschaft der Begnadigung und des Innehaltens im Gericht (fast erloschene Flamme, schon angebrochener Stab) zu tun hat. Von daher ist dann wohl auch das seltsam absolut gebrauchte משפט *mišpāṭ* »Recht« zu verstehen, zu dessen weltweiter Ausrichtung der Knecht aufgeboten wird. Mit Begrich möchte man darin gerne das soeben ganz konkret an Israel geschehene Begnadigen finden, das nun als die Weise von Jahwes Handeln weltweite Gültigkeit bekommen soll. In diesem Tun wird der Knecht, wenn man hier auch die folgende Einheit 42, 5–7 (8f.) noch beiziehen darf, zum »Bundesmittler des Volkes« (auch 49, 8, Stamm), was die alte Aufgabe Moses anklingen läßt. In der ausgeweiteten Aufgabe seines Amtes wird er darüber hinaus zum »Licht für die Völker« (auch 49, 6).

In der auffallenden Wendung der Symbolik der Heilsansage von 42, 3 auf den Knecht selber in v. 4: »Er wird nicht erlöschen noch zerbrochen werden«, deutet sich von ferne schon an, was dann in den beiden letzten Worten vom Knecht voll heraustritt: Erfahrener Widerstand und Leiden. In 50, 4–9 schildert der Knecht selber die göttliche Zurüstung von Zunge und Ohr zu seinem Dienst. Stehen dann Jer 1, 6f. und Ez 2, 8 vor Augen, wenn er ausdrücklich betont, daß er nicht widerspenstig gewesen sei (מרה *mrh*), sondern Rücken und Wange den Schlägen und der Beschimpfung durch Anspeien dargeboten habe? In Worten, die bei Paulus in Röm 8, 33 wiederkehren, bekennt er seine Zuversicht zu Jahwe, der ihm im Prozeß mit seinen Feinden helfend zur Seite treten wird.
Ihre letzte Steigerung erfahren diese Aussagen dann in dem großen Wort 52, 13–53, 12. In 52, 13–15 und 53, 11b–12 von Jahwes Eigenaussagen über den Knecht gerahmt, enthält es in seinem Mittelstück 53, 1–11a eine bekenntnishafte Schilderung des Geschickes des Knechtes im Munde einer Gemeinde, die staunend Jahwes Geheimnis anbetet. Alle biographische Deutung auf Dtjes selber oder eine andere Gestalt der Propheten- oder Königsgeschichte Israels entfällt hier, indem überhöhend ein Letztgültiges ausgesagt werden soll. Von Israel ist in diesem Worte nicht mehr die Rede. Als Empfänger des hier geschilderten heilvollen Geschehens sind in ganz auffallender Ausweitung und zugleich Unbestimmtheit die »Vielen« (רבים *rabbīm* 53, 11. 12b, anders gewendet 52, 14f.; 53, 12a) genannt. In seinen rahmenden Worten bekennt sich Jahwe voll zu seinem Knecht, der aus erschreckender und Entsetzen erregender Niedrigkeit in einem unerhörten Geschehen erhöht werden und so den Lohn für seine Selbsthingabe bis in den Tod empfangen wird. Schon 49, 7 hatte diesen Spruch Jahwes über »den tief Verachteten, den von den Leuten Verabscheuten, den Knecht der Herrschenden« laut werden lassen. Die Gemeinde dagegen bekennt zunächst ihr völliges Mißverstehen der Bedeutung des Knechtes, den sie in seinem Leiden, das ihn allen Menschen verächtlich machte, für einen Gottgeschlagenen hielt. Dann aber erkannte sie, daß er in alledem ihre Schuld trug: »Die Züchtigung, die uns zum Heile dienen sollte, lag auf ihm, und durch seine Wunden ist uns Heilung verschafft worden«. In neuer Wendung klingt das Bild vom Lamm, das

zur Schlachtbank geführt wird, aus der Konfession Jer 11, 19 an, hier nicht mehr im Hader gegen die Feinde, sondern zur Darstellung der willigen Selbsthingabe des Knechtes gebraucht. Im Angesicht dieses Weges bis hinunter in den Tod und das entehrende Begräbnis bei den Gottlosen hinaus aber bekennt auch die hier redende Gemeinde die Gewißheit, daß Jahwe sich zu seinem Geschlagenen bekennen, ihm Zukunft und Leben geben und gerade durch ihn seine Sache zum Erfolge führen werde.

Zwei Termini aus dem Opferbereich helfen dazu, das Geschehen mit dem Knecht zu verstehen. 53, 10 redet davon, daß er sein Leben als »Schuldopfer« (אשם *'āšām*) hingegeben habe, dazu s. o. S. 131. Das ganze Geschehen aber ist aufgehellt durch die Redeweise vom »Schuld-Tragen« (נשׂא עון *nāśā' 'āwōn*). Nach Lev 10, 17 trägt das Sündopfertier die Schuld der Gemeinde. Und vor allem geschieht es im Geschehen des großen Versöhnungstages nach Lev 16, 22, daß der zum Asasel in die Wüste hinausgejagte Sündopferbock, dem die Schuld (und Strafe) der Gemeinde aufgelegt worden ist, diese Schuld von der Gemeinde wegträgt. Es ist eigenartig, daß gerade auch hier nochmals eine auffallende Berührung mit dem Propheten der frühexilischen Zeit zu erkennen ist, der in seinem Krankliegen nach Ez 4, 4–8 durch lange Tage hin die Schuld Israels trägt.

In den Konfessionen Jeremias, die sowohl in der Art ihrer redaktionellen Einstreuung in die sonstige Wortsammlung des Propheten als vor allem in ihrem Inhalt als eigentümliche »Vorform« der Lieder vom Knecht Jahwes bei Dtjes wirken, ist das Leiden des Gottesboten als unerhelltes Rätsel stehen geblieben. Nur der Hinweis auf das Mit-Leiden mit Jahwe selber konnte etwas von Sinngebung in des Propheten Not hineinbringen. In den Liedern vom Knecht Jahwes bei Dtjes wird das Geheimnis des Leidenden, zu dem sich Jahwe voll bekennt, durch die beiden priesterlichen Deutungskategorien enthüllt. Jahwe selber bestätigt das Leiden des Knechtes als ein »Sünde-Tragen« für die »Vielen«.

Die prophetische Botschaft macht in diesen Liedern vom Knecht nochmals in dichtester Konzentration erkennbar, was die tiefste Krise Israels und »der Vielen« ist. Schuld steht sperrend zwischen Jahwe und seinem Volk und »den Vielen«. Die Lieder vom Knecht aber machen darüber hinaus sichtbar, was das »Recht« Jahwes angesichts dieser Lage Israels und »der Vielen« vor Gott ist. Jenes überraschende Innehalten im Gericht, von dem 42, 1–4 spricht, das »Aufrichten« und »Zurückbringen« der Stämme Jakobs und der Bewahrten Israels, der Auftrag, »Bundesmittler für das Volk« zu sein, ist die engere Aufgabe des Knechtes. »Licht für die Völker« zu sein und das Heil Jahwes bis ans Ende der Erde zu bringen ist sein weiterer Auftrag. Das letzte Lied verbindet dieses eindeutig mit dem »Tragen der Sünde der Vielen« durch den Knecht, in dem Jahwes Wille sich erfüllt.

Daß Jahwe, der Gott Israels, in der gnadenvollen Zuwendung zu seinem zerbrochenen Volk sein Heil auch die Völker erleuchten lassen und den Vielen das »Tragen ihrer Sünde« durch seinen Knecht zugute kommen lassen will, gelangt hier zu einem Ausdruck, der nicht mehr überboten wird. Man wird nicht fehlgehen, wenn man feststellt, daß in der Verkündigung der beiden Exilspropheten, so verschieden sie im einzelnen in ihrer Botschaft sind, sich im Tiefpunkt der Krise Israels am vollsten enthüllt, wer Jahwe, der Gott Israels, ist. Was at. Wort weiter noch zu sagen hat, stellt (in der Apokalyptik) Ausweitung der Dimension der Krise oder (etwa bei Trjes) auslegende Nachgeschichte dar, vermag aber in der eigentlichen Ankündigung das hier Gesagte nicht mehr zu überbieten.

2. Kyrus hat in seinem Restitutionsedikt den Wiederaufbau des Tempels angeordnet. Spätestens unter Kambyses sind größere Gruppen von Exulanten aus dem Zweistromland nach Jerusalem zurückgekehrt. In *Haggai* und *Sacharja* ergeht unmittelbar nach dieser Rückkehr nochmals eine ganz aktuell zugespitzte prophetische Verkündigung. Die beiden Propheten rufen eine in ihre ersten Wiederaufbaunöte verstrickte Rückkehrergemeinde zur Wiedererrichtung des Tempels auf. Dieses war ja nicht nur als erstes von Kyrus angeordnet. Auch in Ezechiels Heilserwartung beherrschte der neue Tempel das Bild des Neuanfanges. Dem Gehorsam gegen dieses Gebot sagt Haggai den Anbruch einer Segenszeit auch in der Natur draußen und, durch eine kosmische Welterschütterung hin, die Ankunft der Reichtümer der Völker an. In dem vom persischen König eingesetzten Kommissar Serubbabel aus dem Hause Davids verkündigt er den von Jahwe erneut in Gnaden erwählten messianischen Herrscher der Zeit nach dem bevorstehenden Zusammenbruch der Weltreiche und ihrer Rüstung. Sacharja erschaut in einer Folge von ursprünglich 7 Nachtgesichten (1, 7–6, 8) ganz ebenso die Vernichtung der Weltmächte wie die Wiederbevölkerung Jerusalems, für das Jahwe selber die schützende Feuermauer sein wird. In der Symbolik eines Leuchters und zweier flankierender Ölbäume sieht er die beiden Jahwegesalbten, den Davididen und den Hohenpriester, die dienend vor Jahwe stehen. Er schaut die Ausrottung der Übeltäter im Lande, die Wegbringung der »Gottlosigkeit«, die in einer Frauengestalt verkörpert ist, nach Sinear, d. h. Babylonien. Und ein abschließendes Gesicht zeigt ihm, wie die Sendboten, die schon in der Eingangsschau in alle Weltteile ausgezogen waren, aber meldeten, daß alles ruhig sei, erneut ausfahren. Er hört den Ruf, daß das nach Norden ausfahrende Gespann den »Geist« Jahwes dort »ruhen lassen« werde. Dabei ist kontrovers, ob hier an eine Geistausgießung über die noch in Babylon verbliebene Verbanntenschar oder über alle Welt, sonderlich das widersetzliche Nordland gedacht ist, die der Welt Ruhe (Horst: einen neuen Weltensabbat) schenkt, oder ob רוח *rūaḥ* hier nach LXX mit »Zorn« zu übersetzen ist und dann die Vollendung des Zorngerichtes über dem Lande der Gottlosigkeit angesagt wird. Ein eindrückliches 8. Nachtgesicht ist dann nachträglich an 4. Stelle (3, 1–7) eingeschoben worden. Es zeigt, wie der in schmutzigen Kleidern dastehende Hohepriester Josua vom Satan angeklagt wird, von Jahwe her aber eine neue Investitur und Bekleidung mit neuen Kleidern erfährt. Das Hohepriestertum, das hier allein vor Augen steht, erhält darin seine Legitimierung in der ausdrücklichen Zusprache der Jurisdiktion im Heiligtum und der Eröffnung des Zuganges zur göttlichen Nähe. In den Einzelsprüchen, welche diesen Nachtgesichten vor-, zwischen- und nachgeschaltet sind, meint man stellenweise den Widerhall der Botschaft Dtjes' zu hören, nun aber in der Phase der wieder eröffneten Rückkehr. Wie bei Haggai hört man hohe Zusagen an den Davididen Serubbabel, der mit dem aus Jer 23, 5f. (33, 14—16) stammenden messianischen Namen »Sproß« (צמח *ṣaemaḥ*) bezeichnet wird (3, 8; 6, 12). Allerdings zeigt die im heutigen Text überarbeitete

Zeichenhandlung 6, 9ff., in welcher Sacharja zunächst dem Serubbabel aus einer Goldspende eine Krone fertigen soll, daß diese, nachdem Serubbabel möglicherweise abberufen worden ist, auf den Hohenpriester Josua umgeschrieben wurde. Das ursprüngliche Wort Sacharjas verkündigte im Sinne der Leuchtervision von 4, 1ff. das friedliche Nebeneinander des Davididen als des Herrschers und des mit ihm zusammenwirkenden Hohenpriesters. Die später (in Qumran) voll ausgebildete Erwartung von den beiden Messiassen ist hier vorgebildet.

3. Neben dieser aktuell-messianischen Erwartung in Hag und Sach ist im Kernstück des sog. *Tritojesaja* (Jes 56–66), einer Wortsammlung, die kaum in allen Teilen aus einer einzigen Hand stammen dürfte, eine unmessianische Verkündigung zu hören, die deutlich von Dtjes herkommt und, nun offenbar im Lande selber lautwerdend, die große Heilserwartung über Jerusalem wachhält (bes. 60). Der Tempelbau spielt hier nur eine nebensächliche Rolle. Ja, 66, 1f. scheinen geradezu gegen den Tempelbau zu polemisieren. Neben der stürmischen Ankündigung des nahe bevorstehenden Heils, das den Zerschlagenen und Demütigen verkündigt wird (61, 1ff. ist dann in Lk 4, 16ff. zum Leitwort der ersten messianischen Predigt Jesu in Nazareth geworden), stehen Worte des ebenso stürmischen Schreiens zu Jahwe, daß er doch den Himmel zerreißen und sein Heil auf Erden erscheinen lassen möge (63, 15–64, 11). In 57, 14ff. erfährt der Ruf Dtjes' zur Wegbahnung für Jahwe die neue Wendung zur Mahnung hin, die in 58 etwa eine ganze Tora des rechten Fastens, das Gott wohlgefällig ist, enthält. Wenn hier das Lösen ungerechter Fesseln, das Freilassen der Zerschlagenen, das Brechen des Brotes für den Hungernden und die Bekleidung des Nackten als die gottwohlgefällige Form des Fastens anbefohlen wird, so ist darin reichstes Erbgut der älteren Prophetie mit der jubelnden Frohbotschaft Dtjes' verbunden.

4. Das Element des frohen Jubels tritt in dem anonymen Buch *Maleachi* weitgehend zurück. Dafür ist in einer auffallend dialektischen Redeführung u. a. ein scharfer Angriff auf ein ungehorsam gewordenes Priestertum geführt und die altprophetische Botschaft von einem bevorstehenden Gerichtstag Jahwes erneuert. Der wiederkehrende Prophet Elia spielt in einem Schlußwort die Rolle des Vorläufers dieses Gerichtes. Wieder wird dieses dann in der nt. Verkündigung aufgenommen werden (Mt 11, 14; 16, 14; 17, 10–12 u. ö.).

So ist nicht zu verkennen, daß die hohe Prophetie, welche die Tiefen des Verhältnisses Jahwes zu seinem Volke in letzter Gültigkeit aufgedeckt hatte, nach dem Exil abklingt. Im konkreten Gehorsam gegen das Gebot, der von Ezechiel im Lichte der großen Heilsankündigung für Israel gefordert wurde, gewinnt z. Z. Esras und Nehemias die dt. Forderung der Scheidung von allem heidnischen Wesen in der konkreten Form der Trennung der Mischehen besondere Bedeutung. Daneben hält die priesterliche Kultgesetzgebung das Wissen lebendig, daß Jahwes Gemeinde immer voll auf Jahwes sühnende Barmherzigkeit angewiesen bleibt. In der chronistischen Nacherzählung der Geschichte Israels von Saul bis zum Exil und dem Ausblick im Kyrusedikt tritt der Glaube an das im Davidhaus gegenwärtige Königtum Jahwes mit Nachdruck heraus.

In der Apokalyptik erwächst daneben als eine Spätfrucht prophetischen Wissens um die Krise noch eine Formulierung dieser Ankündigung im Horizont des Weltganzen.

D. Baltzer, Ezechiel und Deuterojesaja, BZAW 121, 1971. — *J. Begrich*, Studien zu Deuterojesaja, BWANT 4. F. 25, 1938 (= ThB 20, 1969²). — *W. Zimmerli*, Der ›neue Exodus‹ in der Verkündigung der beiden großen Exilspropheten, Gottes Offenbarung ThB 19, 1969², 192—204. — *Ders.*, Der Wahrheitserweis Jahwes nach der Botschaft der beiden Exilspropheten, Festschr. A. Weiser, 1963, 133—151 (= Studien zur at. Theologie und Prophtie, ThB 51, 1974, 192—212). — *L. Perlitt*, Die Verborgenheit Gottes, Festschr. G. von Rad, 1971, 367—382. — *Chr. R. North*, The Suffering Servant in Deutero-Isaiah, 1963² (Lit.). — *W. Zimmerli*, Art. παῖς θεοῦ ThW V, 1954, 653—676. — *S. Mowinckel*, Die Komposition des deuterojesajanischen Buches, ZAW 49, 1931, 87—112. 242—260. — *Wh. Robinson*, The Hebrew Conception of Corporate Personality, BZAW 66, 1936, 49—62. — *O. Kaiser*, Der Königliche Knecht, FRLANT 70, 1962². — *S. Mowinckel*, Der Knecht Jahwäs, 1921. — *J. J. Stamm*, berît ʿam bei Deuterojesaja, Festschr. G. von Rad, 1971, 510—524. — *W. Zimmerli*, Zur Vorgeschichte von Jes. 53, Suppl. to VT 17, 1969, 236—244 (= Studien zur at. Theologie und Prophetie, ThB 51, 1974, 213—221). — *Ders.*, Zur Sprache Tritojesajas, Gottes Offenbarung ThB 19, 1969², 217—233. — *D. Michel*, Zur Eigenart Tritojesajas, ThViat 10, 1955/56, 213—230.
Vgl. auch Lit. zu § 4, 10d und 21b.

§ 22 Die alttestamentliche Apokalyptik

1. Die beiden exilischen Propheten zeigen in ihrer Verkündigung Israel in seiner tiefsten Krise und enthüllen darin unübersehbar, was es ist um das Volk Jahwes und um seinen Gott. In besonderer Intensität kommt hier zum Ausdruck, wie Israel davon lebt, daß Jahwe sich in Gericht und Gnade an ihm erweist und daß er bei der Sache bleibt, die in seinem Namen »Jahwe, der Gott Israels« in geschichtlicher Begegnung offenbar geworden ist. Dabei wird aber andeutungsweise bei Ezechiel, ganz voll bei Dtjes, erkennbar, daß der Erlöser Israels als der Schöpfer des Alls und aller Völker auf Erden seinen Herrschaftsanspruch auch auf die Weite der Völkerwelt hinaus erhebt und in seiner Heilstat von den »Enden der Erde« erkannt sein will (Jes 52, 10).

In dem späten Phänomen der Apokalyptik, das innerhalb des ATs im Buche Daniel in einer ausgebildeten Form vorliegt, kommt die Erwartung der letzten Krise der Welt und der Durchsetzung der Gottesherrschaft in der Übergabe des Reiches an die »Heiligen des Höchsten« (7, 27) unter Aufrichtung eines ewigen Königreiches durch den »Gott des Himmels« (2, 44) voll zum Ausdruck. Die Aussagen des Danielbuches erweisen sich darin als genuin at., als es auch in ihnen ganz zentral um das geschichtliche Geschehen in der Völkerwelt und im Gottesvolke geht und die Geheimnisse von Natur und Himmelsräumen anders als in der nachkanonischen Apokalyptik noch ohne Bedeutung sind. Die vorliegende Darstellung hat es ausschließlich mit der at. Apokalyptik unter Ausschluß der späteren Veränderungen zu tun.

Als allgemeine Merkmale des apokalyptischen Schrifttums hat Vielhauer etwa folgendes herausgestellt: Apokalypsen (eine spezifische Gattungsbezeichnung fehlt im AT) gehen in der Regel pseudonym einher. Es ist nicht mehr der offen in seinem Namen in Vollmacht auftretende Prophet, der hier redet. Das zeigt sich auch darin, daß der Apokalyptiker seine Enthüllungen erfahren kann, wo er sich fragend über den Text überlieferter »Schrift«, die darin zum »Kanon« geworden ist, beugt. Traum und visionäres Erlebnis spielen eine große Rolle. Neben den

Träumenden und Visionär tritt der Deutungskundige aus dem menschlichen oder himmlischen Bereich. In dem Geschauten wird dem Schauenden das kommende Geschehen enthüllt. Dabei kann ein vaticinium ex eventu in Rückdatierung schon geschehener Geschichte den längeren oder kürzeren Anlauf auf die eigentlich gemeinte, auf die Gegenwart des Apokalyptikers bezogene Botschaft bilden. In solcher langfristigen göttlichen Vorhersage erscheint Geschichte als schon von weit her im göttlichen Plan determiniert. Sie rollt nun nach festem Plan ab. Das Element der Vorberechnung der so abrollenden Geschichte gewinnt darin Bedeutung. Es ist aber (so deutlich im Buche Daniel) nicht ein allgemein an Geschichtsberechnung interessiertes Fragen, sondern ein auf das Ende der Geschichtsphase, in welcher der Apokalyptiker redet, gepanntes Rechnen. Es geht um das »Ende«, an welchem die verwirklichte Herrschaft Gottes erscheint. Weil an diesem »Ende« ein qualitativ Anderes einbricht, kann ein Element dualistischer Welt- und Geschichtsbeurteilung aufkommen. Zwei qualitativ verschiedene Weltzeiten, die in Verwendung griechischer Terminologie als Äonen bezeichnet werden, stehen sich gegenüber: der alte wird vom neuen Äon abgelöst. Es ist schon erwähnt worden, daß dieses weltweit gesehen wird. Der Apokalyptiker denkt universalistisch. Da der alte Äon, in dem der Apokalyptiker redet, in scharfer Kontrastierung gegen den heilvollen neuen Äon gestellt wird, hebt Vielhauer weiter den Pessimismus der Beurteilung der gegenwärtigen Welt als Wesenszug der Apokalyptik hervor.

2. Es ist nicht zu übersehen, daß manche dieser Elemente schon in der vorausgehenden Prophetie und der zur Apokalyptik tendierenden Redaktions- und Nachgeschichte einiger Prophetenbücher vorgebildet sind.

a) Ez 38f. kündigen den Einbruch Gogs, des Großfürsten von Mesech und Thubal (nördl. Kleinasien) an. Dieser wird von Norden her in das Land Israels, in dem die aus der Verbannung Zurückgekehrten eben wieder zu wohnen begonnen haben, mit seinen Heerscharen einbrechen, aber geheimnisvoll »auf den Bergen Israels« vernichtet werden. Die Vögel des Himmels sind aufgerufen, ein großes Opfermahl zu halten. In dieser Ankündigung erfährt die jeremianische Ansage des Feindes von Norden, in Verbindung mit Jesajas Zusage, daß Assur auf den Bergen im Lande Jahwes zu Fall komme, ihre endgültige Einlösung. In einer für die sonstige Prophetie Ezechiels, wie auch seiner Vorläufer, ungewohnten Weise wird hier ein Nachnächstes hinter der für Ezechiels Zeit noch ausstehenden Rückführung ins Land angekündigt. Dieses geschieht, weil ein nach der Sicht des Verkündigers (Ezechiels?) noch nicht voll eingelöstes älteres Prophetenwort seine Erfüllung erfahren soll. In dieser Ausschau nach der Erfüllung bisher uneingelöster göttlicher Verheißung kündigt sich ein wichtiges Element der Apokalyptik an.

b) Die visionären Züge, die sich schon in der älteren Prophetie finden, erfahren bei Ezechiel und vor allem bei Sacharja eine kräftige Verstärkung. An die Stelle der Führungsgestalt, die in Ez 40ff. den Propheten durch den visionär erschauten Tempel führt und in 40, 4 (45f.); 41, 4 knappe Erläuterungen gibt, ist in Sacharjas Nachtgesichten der Deuteengel, der das Unverständliche erklärt, getreten. Jahwe selbst wird in den Nachtgesichten Sacharjas nicht mehr direkt erschaut, sondern höchstens noch indirekt in seinem Reden vernommen (1, 13). Die Mediatisierung des Verkündigungsauftrages ist in den Nachtgesichten weit fortgeschritten. In den mit diesen zusammengearbeiteten Logienelementen ist davon nichts zu bemerken. Diese Wahrnehmung, zusammen mit der Feststellung, daß einzelne Nachtgesichte in einen offenen Verkündigungsauftrag auslaufen (1, 14) oder mit einem Gottesspruch in 1. pers. enden können (2, 9; 5, 4; 6, 8[?]), zusammen mit der Tatsache, daß Sacharja mit dem Nachtgesicht 4,1—6aα. 10aβ—14 ganz so wie mit der Zeichenhandlung 6, 9—15 und einzelnen Logien in seine Zeitgeschichte ganz aktuell mit einer präsentischen Messiasproklamation (analog Hag 2, 20—23) eingreift, widerrät es, mit Gese den Zyklus der Nachtgesichte als die erste at. Apokalypse zu bezeichnen (Chr. Jeremias).

c) Das Element der Weltkrise hat in den älteren Schilderungen des Tages Jahwes sein Vorbild. Das bei Daniel beliebte Stichwort der »Endzeit«, welches den eschatologischen Charakter der kommenden Krisis kennzeichnet, ist durch des Amos Verkündigung, daß »das Ende« gekommen ist, durch Ez 7 und andere prophetische Stellen vorbereitet. Vor allem ist in diesem Zusammenhange das Buch *Joel* zu nennen, dessen großes Thema der Tag Jahwes ist. Dessen erste Buchhälfte (1, 4—2, 17) ist der Unheilsprophetie zugewendet. Ausgehend von einer Heuschreckenplage kündet sie den Einbruch eines Völkerheeres zum Gericht über Israel an und ruft dieses zu wahrer Buße. Dann aber wendet es sich in der zweiten Hälfte (2, 18—4, 17) zur Zusage der Rettung Israels in einem großen Strafgericht über die Völker im »Tale Josaphat«. Kosmische Bewegungen kennzeichnen diesen Gerichtstag. In der Ausgießung des Jahwegeistes über alles Fleisch, die Söhne und Töchter Israels, wird der Anbruch des ganz Neuen erkennbar. Joel lebt in vielen Formulierungen von der älteren Prophetie. An Ezechiels Prophetie erinnert im besonderen, daß die kommende Tat Gottes in Erkenntnisformulierungen als Kundmachung Jahwes in seiner besonderen Beziehung zu Israel verstanden wird: »Ihr werdet erkennen, daß ich in Israels Mitte bin und daß ich Jahwe, euer Gott, bin« (2,27). »Ihr werdet erkennen, daß ich Jahwe, euer Gott, bin, der ich auf dem Zion, meinem heiligen Berge, wohne« (4, 17). Hier ist das »Ich, Jahwe« noch einmal deutlich zu hören. Mit seinem Bußruf und der konkreten Heilszusage an Israel gehört Joel noch in den Umkreis der Prophetie. Die Ankündigung des großen Völkergerichtes und die endzeitliche Geistausgießung ist apokalyptischem Denken zugewandt.

d) In anderer Art führt die sog. *Jesajaapokalypse 24—27*, deren literarisches und herkunftsgeschichtliches Problem noch keineswegs gelöst ist, in apokalyptische Denkweise hinein. Die Schilderung des unheimlichen Jahwetages, der die Erde verheert, führt hier in anderer Weise als bei Joel auf ein doppelgestaltiges Geschehen. In dem Gerichtsvorgang, in den nach 24, 21—23 die Erschütterung der Welt ausmündet, glaubt man in gewissem Sinn schon das Nebeneinander von Dan 10 und 11 vorgebildet zu finden, wenn dieses Gericht das »Heer in der Höhe« neben den »Königen der Erde« einbezieht. Das Phänomen der Unterscheidung eines Nächsten von einem Nachnächsten wird hier darin erkennbar, daß die ins Gericht gezogenen Mächte zunächst in der Tiefe als ihrem Gefängnis eingeschlossen werden, um »nach vielen Tagen« ihre endgültige Bestrafung zu erfahren. Diesem Gericht steht auf der anderen Seite das große Heil gegenüber. In Überhöhung der Israelerfahrung vom Anfang, wie Ex 24, 9—11 sie schildert, werden nun »alle Völker« (ist dabei an den vom Gericht verschonten oder aus ihm geretteten »Rest« gedacht?) auf dem Gottesberg, auf dem Jahwe nach 24, 23 vor seinen Ältesten sein Königtum »in Herrlichkeit« manifest werden lassen wird, zum »großen universalen Völkermahl der Epiphanie« (Plöger 94) geladen. Man meint in dieser universalen Ausweitung auf ein Heil der Völker den Nachhall der Botschaft DtJes' zu vernehmen. Zur Ankündigung, daß Jahwe in diesem Geschehen »die Tränen von jedem Angesicht abwischen und die Schande seines Volkes auf der ganzen Erde beseitigen wird«, hat eine wohl jüngere Hand noch die Aussage gefügt: »und der Tod wird auf ewig verschlungen werden« (25, 8 aα). Auch der urzeitliche Fluch von Gen 3, 19 (o. S. 151) wird danach in der Zukunft jenseits der großen Endkrise weichen. Mit diesen Aussagen prellt die Jes. Apokalypse weit über das dann bei Daniel zu Hörende hinaus vor.

e) Einen ähnlichen Weg von einem großen Gericht über Jerusalem zu dem dann folgenden Gericht Jahwes über die Völker und ihrer Heranziehung zur Ehrung Jahwes scheinen Sach 12—14 zurückzulegen (Lutz). Genauer ist zu sagen, daß das Geschehen in 12—14 zweimal anläuft. 12, 1—13, 6 schildern den Völkersturm gegen Jerusalem/Juda und sein Scheitern. Die dann folgende Geistausgießung führt zum Achten auf die geheimnisvolle Gestalt eines Mannes, »den sie durchbohrt (getötet) haben« und zur rituell geordneten Klage um diesen Getöteten. Wirkt Jes 53 in diese in ihrer konkreten Beziehung bisher unaufgehellte Schilderung herein? Auf diese innere Wendung im Volke folgt die Heilszeit, die nicht nur durch das Abtun der Götzen, sondern auch durch die entschlossene Absage an alles ekstatische Prophetentum gekennzeichnet ist. Ein Schwertlied (13, 7—9), das ausschließlich von Zitaten aus Ez, Jes, Jer und Hos lebt, leitet zum zweiten Ereignisgang (14, 1—21) über. Dieser hebt an bei der tiefsten Demütigung und Bedrängnis Jerusalems. Da erscheint Jahwe auf dem Ölberg, der sich unter seinem Tritt spaltet, zur Hilfe Jerusalems. Der aus der Vernichtungsschlacht gerettete Rest der Völker aber wird von da an jährlich zum Laubhüttenfest nach Jerusalem hinaufziehen, um dem König, Jahwe der Heerscharen, zu huldigen. Nicht nur das Königtum Jahwes, sondern auch das »Jahwe — einer« von Dtn 6, 4 findet darin seine Erfüllung (14, 9).

Auf Schritt und Tritt ist hier, wie schon bei Joel und in Jes 24—27, das Heranholen älteren Bibelwortes zu erkennen. Hinter ihm ist letzten Endes nicht nur eine literarische Manier, sondern als tiefstes Motiv das brennende Verlangen lebendig, es möchte doch alle alte Verheißung sich erfüllen.

3. Im *Danielbuche* nun geschieht nach all diesen Vorstufen die volle Ausgestaltung einer apokalyptischen Verkündigung, welche die verschiedenen Elemente, die für die Apokalyptik bezeichnend sind, aufweist. Es ist sicher mehr als Zufall, daß die Entstehung der Endfassung des Danielbuches erneut in eine Zeit der Lebenskrise der Gemeinde hineinfällt. Schon die große Prophetie hatte sichtbar gemacht, daß Zeiten der Krise zur rückhaltlosen Enthüllung der tatsächlichen Situation des Menschen vor seinem Gott führten.

In der makkabäischen Krise ist der Apokalyptiker an die Stelle des Propheten der Krise des 8.–6. Jh. getreten. Er versteckt sich hinter dem Pseudonym Daniels, eines Exulanten der neubab. Zeit, der nicht mit dem Daniel von Ez 14, 14. 20 und 28, 3 gleichzusetzen ist. Dan 9 zeigt den Apokalyptiker über den Text des Jeremiabuches gebeugt, dessen Ankündigung von 70 Jahren Notzeit er nicht versteht, dann aber von dem Deuteengel Gabriel auf die Zeit von 70 Jahrwochen ausgelegt bekommt. Mehrfach sind es Traumgesichte, die den König Nebukadnezar (Kap. 2) oder Daniel selber beunruhigen (Kap. 7; 8) und vom weisen Traumdeuter Daniel dem König oder dem Seher Daniel selber durch einen Deuteengel entschlüsselt werden. In Kap. 10–12 schließlich wird Daniel das Kommende ohne jede Bildverschlüsselung in der Begegnung mit einem Gottesboten, dessen Schilderung an die Schilderung der Wesen von Ez 1 erinnert, im hellen Tageslicht mitgeteilt. So stand auch schon in Ez 20 neben den Bildreden Ez 16 und 23 die unverschlüsselte Schilderung der Geschichte Israels. Ist beim Propheten aber zu sehen, daß er die zurückliegende Geschichte offen als Vergangenheit berichtet, so tritt beim Apokalyptiker auch das, was er rückschauend darstellt, im Gewand der Zukunftsschau auf. Am deutlichsten ist es in Kap. 11 zu greifen, wie er mit einer ungewöhnlich präzisen Kenntnis die bis zum Jahre 167 (oder sogar 164?) abgelaufene Geschichte des Ptolemäer- und Seleukidenreiches erzählt, um dann mit der Erwähnung eines dritten Ägyptenfeldzuges des Antiochus Epiphanes und seines Endes in eine Vorhersage überzugehen, die sich so nicht erfüllt hat. Der Bericht über das noch Ausstehende schließt dabei nahtlos an das Erzählen von schon Vergangenem an, das ebenso wie jener futurisch gehalten ist.

Zur Strukturierung der Geschichtsdarstellung werden Elemente aus der Umwelt herangezogen. So in Dan 2 und 7 des Schema der vier Weltzeitalter, das Hesiod in leichter Abwandlung bezeugt, das sich in der hinduistischen kalpa-Lehre im Kontext einer zyklischen Weltzeitalterlehre findet und das im AT schon hinter dem Geschichtsaufriß des P zu vermuten war (s. o. S. 46). Es ist bei Dan zur Vorstellung der vier Weltreiche abgewandelt (Rowley) und, besonders deutlich in Dan 2, mit dem Gedanken der absteigenden Güte der Reiche verbunden. Wie bei Hesiod wird dieser durch den absteigenden Wert der Metalle des im Traum erschauten Standbildes zum Ausdruck gebracht. Nachrichten der antiken Historiker lassen vermuten, daß in der Abfolge Babylonier-Meder-Perser-Griechen ursprünglich die Assyrer an der Stelle der Babylonier genannt gewesen

sein dürften. Das Schema ist in seinen drei ersten Elementen wohl im medo-persischen Bereich entstanden (Baumgartner). Die Darstellung politischer Größen im Bild von Tieren (Dan 7. 8) hat in Ez 19 ein Vorbild. In Dan 8 verbinden sich damit astralgeographische Traditionen, nach welchen jedes Land einem Tierkreisbild zugeordnet ist (Persien = Widder, Syrien = Steinbock). Hinter der Entstehung von vier ungefügen Tierwesen aus Urmeer und Urwind meint man die mythische Kosmogonie, wie sie über Euseb und Philo Byblios von Sanchunjaton her bekannt ist (Eißfeldt), zu erkennen. Die Darstellung von mindestens zwei der vier Tierwesen von Dan 7 dürfte durch die Anschauung von Mischwesen-Abbildungen des Zweistromlandes bestimmt sein. Die Symbolisierung politischer Mächte durch Hörner hat im Nachtgesicht von Sach 2, 1—4 ihren deutlichen Vorläufer.
Für die Bezeichnung des »Alten an Tagen« von Dan 7, 9. 13 hat man auf Prädikate des kanaanäischen El, die aus Ugarit bekannt sind, gewiesen. Zweifellos haben zur Schilderung seiner Erscheinung, wie auch der erschreckenden Engelerscheinung von Dan 10, ezechielische Visionselemente nicht unerheblich beigetragen. Unsicherheit besteht bei der Frage, ob und wieweit bei der nach Dan 7, 13f. in den Wolken des Himmels erscheinenden Gestalt, die aussah »wie ein Menschensohn«, Umweltanalogien oder allein der Vergleich mit Ezechiel (1, 26 neben 2, 1) heranzuziehen seien (Colpe). Ebenso ist bei der starken Weiterbildung der Engelvorstellung über Sach hinaus zu fragen, wieweit (iranische ?) Umwelteinflüsse im Spiele sind. Neben dem von Sach her bekannten angelus interpres treten in Dan 10 auch als »Fürsten« (שׂרים *sārīm*) bezeichnete Völkerengel auf: »der Fürst des Perserreiches« bzw. »der Perserkönige« 10, 13 (nach LXX), »der Fürst von Persien« 10, 20 neben dem »Fürsten von Griechenland« (יון *jāwān*). Die Vorstellung vom Völkerengel hat ihr at. Vorbild in Dtn 32, 8 (c. T. nach LXX). Das Nebeneinander des »Heeres in der Höhe« und der »Könige der Erde« von Jes 24, 21 spiegelt sich im Nebeneinander von Dan 10 und 11. Dem himmlischen, Menschenaugen entrückten Kampf der Völkerengel, unter denen hier Michael als »einer der Ersten unter den Fürsten« im besonderen für Israel streitet (10, 13. 21), steht die ganz innerirdisch berichtete Kriegsgeschichte der Erdenkönige von Dan 11 gegenüber. In diesen Engelgestalten ist die Wirklichkeit von »Mächten«, die das Menschenhandeln transzendieren, festgehalten. Auch das NT weiß von »Engeln und Mächten« zu reden (Röm 8, 38). — In dem Gabriel von Dan 8, 16 erhält auch einer der Deuteengel einen Eigennamen.

Im Rahmen einer »Theologie des ATs« wird nun aber über all die Einzelmerkmale mehr äußerer Art und die Traditionsgeschichte apokalyptischen Vorstellungsgutes hinaus zurückgefragt werden müssen nach der eigentlichen Intention dieses so andersartigen Redens und der Aussage, die hier über den Gott Israels und sein Handeln mit seinem Volk und seiner Welt gemacht wird.
Das Buch Dan ist nicht aus einem Guß, sondern wohl unter Ein- und Überarbeitung schon vorliegenden Gutes zustandegekommen. Vom Verf., der ihm in der Verfolgungszeit unter Antiochus IV. seine Jetztgestalt gegeben hat, ist im Legendenteil der ersten Buchhälfte und wahrscheinlich auch in Kap. 7 schon vorliegendes Gut, das in die Alexander-, möglicherweise sogar in die ausgehende Perserzeit zurückreicht, aufgenommen und in Dan 2 und 7 im Blick auf seine Gegenwart überarbeitet worden. Man wird die Intention des vorliegenden Danielbuches darum am klarsten in Kap. 8–12 und den erwähnten Überarbeitungsstellen fassen können. Hier ist, verhüllt unter dem verfremdenden Deckmantel einer in scheinbar weit abliegende Zukunft ausschauenden Ankündigung die eigentlich bedrängende Frage des Apokalyptikers aus seiner Notzeit heraus zu vernehmen. Dieser fragt angesichts der Verborgenheit Gottes nicht: »Warum die Not«?, sondern: »Wie lange (עד מתי *'ad mātaj*) dauert es«, bis das im Gesicht geschaute Unheil vorbei, das wunderbare Neue da ist? (8, 13; 12, 6). Besonders unmittelbar tritt das Rufen des an der Verwüstung des Heiligen Leidenden in

dem großen Bußgebet Dan 9, das zu Unrecht als Zusatz ausgeklammert worden ist, heraus. Der Ruf: »Laß dein Angesicht über deinem verwüsteten Heiligtum leuchten .... neige dein Ohr, tu auf deine Augen und sieh unsere Verwüstung und die Stadt, über der dein Name ausgerufen worden ist« (9, 17f.), der nach dem Wortlaut auf die Verwüstung von 587 zu gehen scheint, hat in Wirklichkeit die Entweihung des Heiligtums vom Jahre 168 vor Augen.

Dieses „Wie lange?« ist nun aber mehr als der amorphe Schrei des Gequälten, der seine Not ausschreit. Es ist der Ruf dessen, der um die Verheißung kommender Wende weiß. Dan 9 zeigt, wie der Apokalyptiker um Erhellung der Schriftworte bittet und nach der Stunde fragt, in welcher die von Jeremia angekündigten 70 Jahre der Verwüstung (Jer 25, 11f.; 29, 10) zu Ende gehen werden. – Auch wenn in der Geschichtsverkündigung von Dan 11 der Verfolgerkönig auf Gerüchte hin (vgl. dazu Jes 37, 7) aus dem besiegten Ägypten aufbrechen, sein Prunkzelt »zwischen dem Meer und dem Berg der heiligen Zierde (d.h. dem Zion)« aufschlagen, und hier geheimnisvoll, ohne daß ihm einer beisteht, umkommen wird (11, 44f.), so ist darin unschwer die Erfüllung der jesajanischen Aussage gegen den Assyrer samt ihrer Spiegelung im Untergang Gogs zu erkennen, wonach der Feind »auf meinen Bergen« (Jes 14, 25), »den Bergen Israels« (Ez 39, 17) umkommen soll. Das »Ende« ist das von Gott von lange her bestimmte Ende. So ist denn in der ganz innerweltlich gehaltenen Schilderung der Kriege von Dan 11 mehrfach ausdrücklich auf den noch nicht erreichten Zeitpunkt des »Endes«, das durch die Entscheidung Gottes festgelegt ist, gewiesen (11, 27. 35). Die Mitteilung des Engels an Daniel führt als ganze an »das Ende der Jahre« (11, 6), »das Ende der Zeiten« (11, 13), »die Zeit des Endes« (11, 40). Die bei Amos lautwerdende, dort im engeren Sinne auf Israel bezogene Ankündigung: »Das Ende ist gekommen« (8, 2), die in Ez 7 Thema für die voller ausgeführte Schilderung vom »Tag Jahwes« geworden ist, kehrt hier in universaler Ausweitung auf die ganze Weltgeschichte der »Mächte« wieder. Der Apokalyptiker weiß durch die ältere prophetische Verkündigung vom kommenden »Ende«.

Das »Ende« ist bei Dan aber ganz so wie in den zuvor knapp skizzierten Vorformen apokalyptischer Ankündigung zugleich die Wende zu dem Neuen, in dem sich Gottes Wille über seinem Volke und seiner Welt verwirklicht. Der Stein, der das Standbild zerschmettert, das die vier Weltreiche darstellt (2, 34), wird zum großen Felsen und füllt die ganze Erde (2, 35). Die Herrschaft, die den vier Tieren, zumal dem großsprecherischen 11. Horn des 4. Tieres im Gericht genommen wird, soll für alle Zeiten dem »Volk der Heiligen des Höchsten« (7, 27) gegeben werden, das in der Vision durch die Gestalt dessen dargestellt war, der aussah wie ein Menschensohn (7, 13f.). Das Heiligtum wird nach 8, 14 wieder zu seinem Rechte kommen (נצדק *niṣdaq*). 9, 24 schildert in je drei Formulierungen das Abtun des Alten und das Aufrichten des Neuen als ein »Verschließen (oder c. T. Vernichten?) des Frevels«, ein »Versiegeln (oder c. T. Beendigen?) der Sünde«, ein »Sühnen der Schuld« und als ein »Bringen ewigen Heils (צדק *ṣaedaeq*)«, ein »Besiegeln von Prophet und (prophetischer) Schau«, ein »Salben (neu Weihen) des Hochheiligen (d.h. des Tempels)«. In 12, 1–3 aber sprengt das neue Geschehen, das bei der Errettung des Volkes, des näheren

»derer, die im Buche (des Lebens) sich aufgeschrieben finden«, erfolgt, das im diesseitigen Leben Mögliche: »Viele von denen, die im Erdenstaub schlafen, werden erwachen – die einen zum ewigen Leben, die anderen zur Schmach ewiger Abscheu. Die Einsicht Lehrenden (משׂכלים *maśkīlīm*) aber werden glänzen gleich dem Glanz des Firmamentes, und die, welche die Vielen zur Gerechtigkeit geführt haben, wie die Sterne – für ewige Zeiten«.
Die Stichworte »Altes-Neues«, mit denen Dtjes seine Verkündigung des hereinbrechenden Heils dem Vergangenen gegenübergestellt hatte (s. o. S. 192f.), sind hier nicht verwendet. Daß die Wende aber ein Neues bringen wird, das ist unverkennbar der Inhalt der apokalyptischen Enthüllung. Dieses Neue ist, so formuliert 9, 24, »Besiegelung des von der Prophetie Erschauten«. In 11, 14 wird das »Aufrichten (= Erfüllen) von (prophetischer) Schau« schon von Ereignissen im Vorfeld des Endes, die in den Tagen des Antiochus III. (223–187) und Ptolemaeus V. Epiphanes (203–181) geschehen waren, ausgesagt, ohne daß ganz klar würde, auf welche Weissagung sich dieses bezieht.
Die erste Trias der Aussagen von 9, 24 könnte nun dahin verstanden werden, daß bei der Wende vom Alten zum Neuen allein das Unrecht und der Frevel, die vom Verfolgerkönig stammten, beseitigt werden. Daß das volle Gewicht dieser Aussagen damit nicht voll ermessen ist, wird daraus ersichtlich, daß die Zeit vor der Wende zweimal in abgekürzter Redeweise als »Zorn(eszeit)« (זעם *zaʿam*) bezeichnet werden kann. So 8, 19; 11, 36. Dabei ist an den Zorn Gottes gedacht, der über dem Gottesvolke selber steht. Ganz unüberhörbar wird dieses im Gebet Daniels 9, 4–19, das inhaltlich ein einziges großes Sündenbekenntnis Daniels für sein Volk ist. Die Zorneszeit ist in der Schuld Israels begründet, die gesühnt werden muß, damit das Neue kommen kann (כפר עון *kappēr ʿāwōn* 9, 24). Mit einem aus Jes 10, 23 und 28, 22 zitierten Ausdruck wird festgehalten, daß ganz so wie der gegenwärtige Erfolg des frevlerischen Königs (11, 36) auch seine endliche Beseitigung (9, 26f.) in göttlicher »Entscheidung« ruht.
Angesichts dieser Feststellungen wird man sich fragen, ob es wohlgetan ist, bei der at. Apokalyptik Daniels von einem Dualismus und dem Einbruch eines nur antithetisch zum alten zu verstehenden neuen Aeons zu reden. Das »Alte«, das vergehen muß, ist nicht einfach als das Widergöttliche in seiner Gänze dem Neuen entgegengesetzt. In diesem »Alten« hat Gott (nach 2, 37; 5, 18) dem Nebukadnezar »Königreich, Kraft und Stärke und Ehre« gegeben, und ihm auch den Davididen und die Tempelgefäße ausgeliefert (1, 2). Hier ist sein Zorn über seines Volkes Sündigkeit entbrannt. Aber hier sind auch Propheten von Gott mit »Schau« begabt worden, die auf kommendes Ende des Alten wies, wie etwa Jeremias Ankündigung der 70 Jahre, die dem Apokalyptiker als Jahrwochen enthüllt werden. All dieses verwehrt eine glatte dualistische Aufrechnung von zwei Aeonen.
Im Glauben an diese ältere Verkündigung ist nun auch das konkretere »Rechnen« des Apokalyptikers begründet. Wie immer man die 7 und vor allem die dann folgenden 62 Jahrwochen (9, 25) genau chronologisch unterbringen will, deutlich ist auf jeden Fall, daß die halbe Jahrwoche der Sistierung des Jahwekultes in Jerusalem die konkrete Basis für die Errechnung der Jahrwoche, die zum »Ende«

führt (9, 27), bildet. Hier wird nicht übergeschichtlich spekuliert, sondern aus konkreter Geschichte heraus im Hören auf zuvor ergangene prophetische Verheißung zum Ende hin gerechnet (Hanhart). Auch die Zahlenrechnung »Zeit, Zeiten und eine halbe Zeit« (7, 25) führt auf diese Rechnungsbasis, in der prophetisches Wort auf bestimmte Notzeiterfahrung verrechnet wird. Auch die 2300 Abend-Morgen von 8, 14 und die 1290 (12, 11) und 1335 Tage (12, 12) sind wohl als geringe Erweiterungen von der gleichen Basis her errechnet. In alledem ist der Apokalyptiker nicht der »Historiker«, der einen Geschichtsablauf beschreiben will, in dem auf die partikulare Israelgeschichte mit Nebukadnezar die universale Großreichsgeschichte und schließlich das »ewige Reich« folgt, »in der das Mensch-Sein der Menschen erst zu seiner Wahrheit gelangt« (Koch 28). Der Apokalyptiker ist vielmehr der Mann, der in der Stunde notvollster Krise im Hören auf prophetische Verheißung dem »Tag Jahwes« entgegen harrt, der Ende und Wende zugleich ist.

Von hier aus ist auch die Stellung des Apokalyptikers zur »Weisheit«, in der G. von Rad die Mutter der Apokalyptik sehen wollte, zu bedenken. Das spätere apokalyptische Weiterdenken nach dem Abklingen der makkabäischen Verfolgungszeit, in der das Blut der Märtyrer floß, hat in die Schilderung der kommenden Gotteszeit viel welt- und himmelskundliche Weisheit eingelagert, vgl. etwa das Henochbuch. Auch spielt die Frage nach der »rechten Zeit« schon in der at. Weisheit, und dann bei Sirach eine große Rolle. Der eigentliche Nerv der in der Verfolgungszeit aufbrechenden Apokalyptik ist aber mit alledem nicht getroffen. Dieser liegt in dem von Hause aus weisheitsfremden Wissen um die nahe, letzte, von den Propheten angekündigte Krise der Welt und ihrer Mächte und im Festhalten an der Verheißung in der Tiefe der Anfechtung. Die Frage »Wie lange?« ist nicht primär eine Frage, die allgemeine Belehrung über die Folge der Zeiten erwartet. Sie ist die Frage nach der Enthüllung des göttlichen »Gerechtigkeits-(צדק *ṣaedaeq*)willens« über der Völkergeschichte im Glauben an das prophetische Wort, das nicht trügen kann. Von daher sind auch die משכלים *maśkīlīm*, die man gerne als Kronzeugen für die Weisheit als die Lehrerin der Apokalyptik angeführt hat, zu verstehen. Im Gebet Daniels bezeichnet das Verb השכיל *hiśkīl* in 9, 13 das Achten auf die Wahrheit (אמת *'aemaet*) Gottes, in 9, 25 im besonderen das Achten auf »Ende« und Wende nach dem prophetischen Gotteswort. 11, 33 weiß vom Martyrium derer, die viele im Volk zum harrenden Gehorsam unterwiesen, 11, 35 davon, daß auch sie der Versuchung nicht einfach entnommen waren, sondern im Feuer geläutert werden mußten. Von diesen »Lehrern«, die viele auf den rechten Weg wiesen (מצדיקי הרבים *maṣdīqē hārabbīm*), sagt dann 12, 3, daß sie nach der großen Wende leuchten wie die Sterne des Himmels. Diese Männer, aus deren Kreisen die apokalyptische Weisung des Buches Daniel stammen wird, verkündigen in ihrem Hinzeigen auf das »Ende« die Treue Gottes in seinem verheißenden Wort und rufen zum Gehorsam gegen dieses Wort. Sie sind vom Prophetenwort belehrt und verkündigen etwas anderes als weisheitliche Weltkunde (von der Osten-Sacken).

Noch muß bedacht werden, was die Aussagen vom kommenden Neuen inhaltlich besagen. Die möglicherweise schon aus der Krise der Alexanderzeit stammende Aussage von Dan 2 erläutert nicht näher, was es mit dem Stein, der das Standbild der Menschenreiche zertrümmert und dann die ganze Welt erfüllt, für eine nähere Bewandtnis hat. Es muß genügen, in diesem Stein das »nicht von Menschenhänden Stammende« zu sehen. Gottes Eingriff bestimmt das Neue nach dem Ende der Großreiche. In der makkabäischen Drangsalszeit wird dann das erneute Ja Gottes zu seinem geschändeten Heiligtum, das sein »Recht« wieder erhält (נצדק *niṣdaq* 8,14), indem das Hochheilige erneut »gesalbt = geweiht« wird, der vordringlichste Gehalt der Einlösung der göttlichen Verheißung (9, 24). Ganz voll sagt darüber hinaus 7, 27, daß »das Volk der Heiligen des Höchsten für alle Zeiten ... Königtum und Herrschaft und Größe der Königreiche unter dem Himmel« empfangen soll. Es ist dieses das Ja Gottes zu seinem Volke, das (gegen Noth, mit Hanhart) auch in der abgekürzten Bezeichnung als »Heilige des Höchsten« (7, 18. 22. 25) hier gemeint sein dürfte. Es kann auffallen, daß diese »Herrschaft«, die im Unterschied zu den durch Tiergestalten repräsentierten irdischen Reichen durch den in den Wolken erscheinenden »Menschensohn-Gleichen« dargestellt ist, keine weitere Ausmalung findet. Es soll offenbar genügen, daß in dieser Übertragung der Herrschaft auf das Gottesvolk der Himmelsgott, dessen Herrschaft in der ersten Buchhälfte mit z. T. ganz ähnlichen Worten verherrlicht wird (4, 31; 6, 27), in der Zuwendung zu seinem irdischen Volk zu seinem Rechte kommt. Ob in der Repräsentation der »Heiligen des Höchsten« durch den »Menschensohn-Gleichen« eine über das Gesagte hinaus weisende messianische Akzentuierung beabsichtigt ist, bleibt fraglich. Die Auslegung der Schau kommt mit keinem weiteren Wort darauf zu sprechen. Sicher wird man die Antithetik: Menschengestaltiger droben – Tiergestalten drunten, nicht überhören dürfen.

Auch die letzte Offenbarung Dan 10–12 greift auf das von den »Heiligen des Höchsten« Gesagte nicht mehr zurück. Dafür ist in 12, 2 vom Erwachen vieler im Erdenstaub Schlafender geredet. Darin ist nichts von einer allgemeinen Auferstehung der Toten gesagt. Die Aussage von der Beseitigung des Todes im Zusatz zu Jes 25, 8 wird hier nicht erreicht. Es geht um eine teilweise Durchbrechung der Gewalt des Todes. Von der Sprengung des Todesgeschickes war auch in Hi 19, 25 (S. 144) und Ps 73, 24 (S. 145f.) als einer kühn ergriffenen Grenzmöglichkeit die Rede. An jenen beiden Stellen klammerte sich ein einzelner Frommer in seiner Angefochtenheit ganz persönlich an die Zusage, die er von Jahwe her gehört hatte. In der Verfolgungszeit unter Antiochus IV. stand demgegenüber das Leben der Gemeinde auf dem Spiel. Märtyrer hielten die Treue bis in den Tod (Dan 11, 32b. 33; 2Makk 6,18–7, 41), Treulose wurden bundbrüchig (11, 32a). Über ihnen allen bleibt Gottes Bundeswille stehen – den Treuen, die auferweckt werden, zum ewigen Leben, den Treulosen, die auch im Tode Gott nicht entrinnen können, zum ewigen Abscheu. Über diese konkrete Situation der Verfolgungszeit ist in Dan 12, 1–3 nicht hinaus geschaut. Das Unerhörte wird weder nach der einen noch nach der anderen Seite hin weiter ins Einzelne hinaus ausgemalt und weltbildlich verallgemeinert. Deutlich ist aber in Dan 7–9 wie in 12 zu erkennen, daß der Apokalyptiker nicht in einen Universalismus hinausführt, dem die Erwählung seines Volks, das im Bund (ברית *b^erīt* 9, 4. 27 undeut-

lich]; 11, 22. 28. 30. 32) seine Zusage und sein Gebot empfangen hat, bedeutungslos würde. In der Beseitigung aller Herrschaft der Völker, mag einigen von diesen auch noch befristete Lebensdauer (ohne Herrschaft) gegeben werden (7, 12), wird Raum geschaffen für die Herrschaft des Gottesvolkes, in dem Gottes Wille zu seinem Ziel gelangt.
Noch mag die Frage nach der göttlichen Forderung in der Sicht des Apokalyptikers gestellt werden. Sollte die Bewertung der Apokalyptik als Determinismus im Rechte sein, so würde für freien Gehorsam kein Raum bleiben. Nun ist gewiß sichtbar geworden, daß nach der Eigenaussage des Buches das ganze Geschehen der kommenden Zeit, die Abfolge der Reiche und die kommenden Kämpfe der Könige, auch der kommende Abfall und der Gehorsam der Treuen durch die göttliche Offenbarung vor-angekündigt worden waren. Das »Ende« ist bis in die zeitliche Berechnung hinaus »Beschlossenes« (9, 26f.; 11, 36). Wenn daraus nun allerdings geschlossen würde, daß dem Menschen angesichts dieser Tatsache nur mehr die Möglichkeit des stummen Wartens auf das Kommende bliebe, so wäre die Aussage von Dan mißverstanden. Es sind wohl nicht nur zufällig die Legenden von der Treue Daniels und seiner Freunde (3; 6) und die Einleitung, die Daniels treue Einhaltung der Speisegebote Israels auch am fremden Hofe schildert, den apokalyptischen Stücken zur Seite gestellt worden. Auch die Schilderung von Treue und Abfall in 11, 32f. sind mißverstanden, wenn daraus das Element verantwortlicher Entscheidung zur Treue oder Untreue weggetan wird. Wie sollten von hier aus Versuchung und Läuterung, von denen 11, 34 redet, verstanden werden? Bei all seinem Glauben an die feste Führung der Geschichte durch Gott, der in Treue zu der zuvor verkündeten prophetischen Schau (9, 24b) Zeit und Vorgeschichte des »Endes« fest bestimmt hat, ruft der Apokalyptiker zusammen mit der Seligpreisung dessen, der auf das von Gott beschlossene Ende zu harren vermag (12, 12), zum konkreten Gehorsam gegen die dem Volke Gottes erteilte Weisung auf. Alles Wissen um die göttliche Determination der Zeiten hebt diesen Ruf nicht auf. Mag auch der Umkreis konkreter Lebensweisung an die unter Fremdherrschaft in aktueller Bedrängnis Lebenden ungleich schmaler geworden sein als in der Weisung an das politisch unabhängige Israel durch Gesetz und Propheten, mag auch der Gehorsam sich schier nur mehr im leidensbereiten Widerstand äußern können, so ist doch der Ruf zu diesem Gehorsam nicht verstummt. Auch beim Apokalyptiker liegen Gabe und Gebot Gottes ungeschieden beieinander.

J. M. Schmidt, Die jüdische Apokalyptik. Die Geschichte ihrer Erforschung von den Anfängen bis zu den Textfunden von Qumran, 1969 (Lit.). — *P. Vielhauer*, Die Apokalyptik, in E. Hennecke—W. Schneemelcher, Neutestamentliche Apokryphen II, 1964, 408—421. — *O. Plöger*, Theokratie und Eschatologie, WMANT 2, 1968³. — *H. Gese*, Anfang und Ende der Apokalyptik, dargestellt am Sacharjabuch, ZThK 70, 1973, 20—49 (= Vom Sinai zum Zion, BEvTh 64, 1974). — *Chr. Jeremias*, Die Nachtgesichte des Sacharja, Hab. Schr. Göttingen 1974. — *H. M. Lutz*, Jahwe, Jerusalem und die Völker. Zur Vorgeschichte von Sach 12, 1—8 und 14, 1—4, WMANT 27, 1968. — *H. H. Rowley*, Apokalyptik. Ihre Form und Bedeutung zur Biblischen Zeit, 1965. — *D. S. Russell*, The Method and Message of Jewish Apokalyptic, 1964. — *W. Baumgartner*, Zu den vier Reichen von Daniel, ThZ 1, 1945, 17—22. — *H. H. Rowley*, Darius the Mede and the Four World Empires in the Book of Daniel, 1935 (Reprint 1959). — *O. Eißfeldt*, Taautos und Sanchunjaton, SAB 1952, bes. 37f. — *C. Colpe*, Art. ὁ υἱὸς τοῦ ἀνθρώπου ThW

VIII, 1969, 403—481, bes. 408—425. — *R. Hanhart*, Kriterien geschichtlicher Wahrheit in der Makkabäerzeit. Zur geschichtlichen Bedeutung der danielischen Weltreichlehre, in: Drei Studien zum Judentum. ThEx 140, 1967, 7—22. — *K. Koch*, Spätisraelitisches Geschichtsdenken am Beispiel des Buches Daniel, HZ 193/1, 1961, 1—32. — *G. von Rad*, Weisheit in Israel, 1970, bes. 337—363 Die göttliche Determination der Zeiten (Exkurs), in Weiterführung der: Theologie des ATs II, 1965[4], 315—337 Daniel und die Apokalyptik. — *P. von der Osten-Sacken*, Die Apokalyptik in ihrem Verhältnis zu Prophetie und Weisheit, ThEx 157, 1969. — *M. Noth*, Die Heiligen des Höchsten, Festschr. S. Mowinckel, 1955, 146—161 (= Ges. Studien, ThB 6, 1957, 274—290). — *R. Hanhart*, Die Heiligen des Höchsten, Festschr. W. Baumgartner, Suppl. to VT 16, 1967, 90—101.

§ 23 Die Offenheit der Verkündigung des Alten Testamentes

Der Darstellung der »At. Theologie« lag die Tatsache zugrunde, daß Israel, dessen kanonisches Schrifttum im AT vorliegt, sich zu allen Zeiten als das »Volk Jahwes« gewußt hat. Dieses Bewußtsein umklammert das at. Reden von der frühen Erwähnung der »Mannschaft Jahwes« im Deboralied Ri 5, 11. 13 bis zum späten Reden vom »Volk der Heiligen des Höchsten« in Dan 7, 27. Dabei kennt Israel seinen Gott als den freien Herrn, den es sich nicht selber genommen, sondern der sich ihm in seiner Freiheit zu seinem Gott gemacht und sich ihm durch seine geschichtliche Führung als sein Herr erwiesen hatte. Im Lauf der Zeit wurde es immer deutlicher, daß solche Führung auf dem Wege durch die Zeiten nicht nur in der Rückschau beschrieben, sondern in der Hoffnung erwartet werden durfte. Die Prophetie hatte den Blick dabei vorwiegend auf Israel, die Apokalyptik schließlich weltweit auf die universale Völkerwelt gerichtet, in deren Kontext sich Israels Geschick erfüllen sollte.

Das AT ist insofern, auch wenn »Gesetz und Propheten« in der Folge ihre kanonische Abgrenzung erfuhren, das Buch einer offenen Verkündigung, als es nach weiterer Führung des »Hirten Israels« ausschaut und sie in allen Dunkelheiten und Rätseln, die es nicht verstehen kann, nicht als etwas Abgeschlossenes glaubt. »Jahweglaube und Zukunftserwartung« (Preuß) gehören in der Folge unlöslich zusammen.

Aber die Prophetie lehrt die Offenheit des ATs noch in einer tieferen Schicht sehen. Die vorausgehenden Ausführungen hatten deutlich zu machen gesucht, daß die »Weisung« Jahwes Israel in eine tiefe innere Spannung hineinführte. Diese Weisung konkretisierte sich auf der einen Seite in der gnädigen Führung Jahwes, seiner Behütung in Not vor den Feinden, seiner Segnung, die im besonderen vom Ort seiner Präsenz ausging. Sie zeigte Israel die Retter- und Ratergestalten, in deren Tun es göttliches Charisma erkennen durfte. Sie war aber zugleich auch forderndes Gebot, das Israels Mitgehen und Gehorsam erwartete und den Ungehorsam am Leben bedrohte. Die große Prophetie begleitete Israel auf dem Wege, der schließlich in die Tiefen des Gerichtes führte.

All dieses enthüllte sich nicht in einem bloß sinnenden Nachdenken über Gott und sein Volk, sondern ereignete sich im geschichtlichen Prozeß, den verkündigendes Prophetenwort begleitete. Stellte die Urgeschichte des P in menschheitlicher Weite im mythischen Stoff des Sintflutberichtes die Frage, ob es denn Gott auch weiterhin mit einer »gewalttätig« gewordenen Welt zu tun haben wolle, so stellte sich im prophetischen Wort in der vollen Konkretion der Geschichte, welche »die beiden Häuser Israels« in der ass. und neubab. Zeit durchlebten, die für Israel ungleich direktere Frage, ob nun das »Volk Jahwes« überhaupt ein Lebensrecht vor seinem Gott habe. Im Zusammenhang mit diesem Geschehen erfuhr Israel, daß der Zorn seines Gottes, der als der »Heilige Israels« und »Eifersüchtige« über seinem Worte wachte, sich drohend und tötend gegen es selber kehrte und daß das prophetische Wort ihm jedes Pochen auf ein eigenes Lebensrecht, ja auch die Berufung auf die Väterverheißung aus den Händen schlug (Ez 33, 24), so daß es als Jahwes Volk blutarm, nackt, in seinem Tode den ausgebleichten Gebeinen gleichend (Ez 37, 1ff.) dalag.

In dieser Tiefe verschuldeten Todes aber wurde Israel die neue Zuwendung seines Gottes verkündet. Auch dieses wiederum nicht nur im Wort und Zuspruch seiner Propheten, sondern in einer geschichtlichen Wiederaufrichtung, die ihm, gewiß in einer geschichtlich veränderten, auf dem politischen Feld unscheinbareren Form, ein Weiterleben schenkte.

Dabei blieb aber gerade hier ein großer, nicht eingelöster »Überschuß«, der wiederum ins Warten auf eine Zukunft reicherer Erfüllung drängte. Man meint das Wissen um diesen »Überschuß« in den großen nachexilischen Geschichtsentwürfen ausgesprochen zu finden. P läßt seine ganze Geschichtserzählung auf den heiligen Gottesdienst, dem Jahwe seine volle Gegenwart schenkt, und auf den Opferdienst mit dem sühnenden Geschehen des großen Versöhnungstages am Ort der Präsenz der göttlichen Lichtherrlichkeit hinlaufen. Man meint in diesem nach seinem Wortlaut rückwärts in die Anfangsgeschichte der Mosezeit gewendeten Erzählen auch den Ausdruck der Erwartung von großem, noch Ausstehendem erkennen zu können. Und wenn der Chronist in seiner Nacherzählung der David- und Salomogeschichte mit so hohen Worten von der Verheißung über dem Davidhaus und dem Thron des Davididen als dem Thron der »Königsherrschaft Jahwes« redet, so ist auch hier wieder der »Überschuß« nicht zu übersehen. Erneut wird die Erzählung von Vergangenem zur Erzählung, die Hoffnung auf noch Ausstehendes wachzuhalten versucht.

Daneben aber geht die konkrete Bemühung um das Halten der Gebote einher. Bei Ezechiel war zu erkennen, wie dieser Versuch des Lebens im Gehorsam gegen die Gebote unter dem Dache der großen Erwartung der erlösenden Tat Jahwes an Israel geschah. Diese Hoffnung kann auch über dem nachexilischen Halten der Gebote nicht weggetan werden. Die hier lautwerdende »Freude am Gesetz« (Kraus) dürfte durchaus auch noch aus diesen Quellen leben. Aber ist die Frage nach dem Gehorsam gegen das Gebot angesichts all des Ausstehenden wirklich gelöst?

Das Jahwevolk bleibt in alledem unter dem Worte des ATs nicht nur ein Volk, das auf heilvolle Führung und Befreiung von äußeren Feinden wartet, sondern ein Volk, das in tieferem Sinne auf seine »Gerechtigkeit«, die letztgültige Aufhebung des göttlichen Zornes über seiner Sünde und das damit verbundene Heil und die Erlösung wartet. So ist es noch in Dan 9 zu hören.

Der at. Ausdruck dieses Wartens ist nicht auf eine einzige Formel zu bringen. Gott hat nach Hebr. 1, 1 »vormals vielgestaltig und auf vielerlei Weise (πολυμερῶς καὶ πολυτρόπως) zu den Vätern geredet«. Da ist im AT der Überschuß des Wartens auf die ganze Gerechtigkeit, den »neuen Bund«, das neue Herz, den wahren König der Gerechtigkeit (Sach 9, 9f.), den wahrhaften Knecht Gottes, der die Sünde der vielen trägt, die alles Volk erreichende Spendung des Geistes Gottes zu erkennen. In alledem bleibt das AT gerade da, wo es um das Geschehen der Mitte, das wahrhafte Erlangen der Nähe zu seinem Gott und die ereignishafte Erfahrung der »Gerechtigkeit Gottes« geht, in seiner Botschaft ein wartendes, offenes Buch.

H. D. Preuß, Jahweglaube und Zukunftserwartung, BWANT 5. F. 7, 1968. — *W. Zimmerli*, Die Bedeutung der großen Schriftprophetie für das alttestamentliche Reden von Gott, Suppl. to VT 23, 1972, 48–64. — *H. J. Kraus*, Freude an Gottes Gesetz, EvTh 10, 1950/51, 337—351.

Sachregister

Abkürzungsverzeichnis

(Abkürzungen, die sich nicht in den Einleitungen der Bände von »Religion in Geschichte und Gegenwart« 3. Aufl. finden.)

akk.	akkadisch
ARM	Archives royales de Mari
ass.	assyrisch
bab.	babylonisch
bibl.	biblisch
c. T.	korrigierter Text
dt	deuteronomisch (allgemein)
Dtn	Deuteronomium, zum Dtn gehörig
Dtr	deuteronomistisches Geschichtswerk
heth.	hethitisch
hiph.	Hiphil
imp.	Imperativ (imperativisch)
imperf.	Imperfekt (imperfektisch)
isr.	israelitisch
KAI	H. Donner-W. Röllig, Kanaanäische und aramäische Inschriften, 1962. 1964
kan.	kanaanäisch
med.	medisch
niph.	Niphal
neubab.	neubabylonisch
pal.	palästinensisch
part.	Partizip (partizipial)
perf.	Perfekt (perfektisch)
pers.	persisch
philist.	philistäisch
pi.	Piel
plur.	Plural (pluralisch)
StuttgBSt	Stuttgarter Bibelstudien
SchwThU	Schweizer theologische Umschau
Suppl. to VT	Supplements to Vetus Testamentum
sek.	sekundär
sumer.	sumerisch
term. techn.	Terminus technicus
t. inc.	unsichere Textlesung
tyr.	tyrisch
THAT	Theologisches Handwörterbuch zum Alten Testament (Jenni/Westermann I 1971)
ThWAT	Theologisches Wörterbuch zum Alten Testament (Botterweck/Ringgren, ab 1971)
ZB	Zürcherbibel